KB055020

한국 인권문제

미국 반응 및 동향 4

한국 인권문제

미국 반응 및 동향 4

한국학술정보

| 머리말

일제 강점기 독립운동과 병행되었던 한국의 인권운동은 해방이 되었음에도 큰 결실을 보지 못했다. 1950년대 반공을 앞세운 이승만 정부와 한국전쟁, 역시 경제발전과 반공을 내세우다 유신 체제에 이르렀던 박정희 정권, 쿠데타로 집권한 1980년대 전두환 정권까지, 한국의 인권은 이를 보장해야 할 국가와 정부에 의해 도리어 억압받고 침해되었다. 이런 배경상 근대 한국의 인권운동은 반독재, 민주화운동과 결을 같이했고, 대체로 국외에 본부를 둔 인권 단체나 정치로부터 상대적으로 자유로운 종교 단체에 의해 주도되곤 했다. 이는 1980년 5 · 18광주민주화운동을 계기로 보다 근적인 변혁을 요구하는 형태로 조직화되었고, 그 활동 영역도 정치를 넘어 노동자, 농민, 빈민 등으로 확대되었다. 이들이 없었다면 한국은 1987년 군부 독재 종식하고 절차적 민주주의를 도입할 수 없었을 것이다. 민주화 이후에도 수많은 어려움이 있었지만, 한국의 인권운동은 점차 전문적이고 독립된 운동으로 분화되며 더 많은 이들의 참여를 이끌어냈고, 지금까지 많은 결실을 맺을 수 있었다.

본 총서는 1980년대 중반부터 1990년대 초반까지, 외교부에서 작성하여 30여 년간 유지했던 한국 인권문제와 관련한 국내외 자료를 담고 있다. 6월 항쟁이 일어나고 민주화 선언이 이뤄지는 등 한국 인권운동에 많은 변화가 있었던 시기다. 당시 인권문제와 관련한 국내외 사안들, 각종 사건에 대한 미국과 우방국, 유엔의 반응, 최초의 한국 인권보고서 제출과 아동의 권리에 관한 협약 과정, 유엔인권위원회 활동, 기타 민주화 관련 자료 등 총 18권으로 구성되었다. 전체 분량은 약 9천여 쪽에 이른다.

2024년 3월

한국학술정보(주)

| 일러두기

· 본 총서에 실린 자료는 2022년 4월과 2023년 4월에 각각 공개한 외교문서 4,827권, 76만 여 쪽 가운데 일부를 발췌한 것이다.

· 각 권의 제목과 순서는 공개된 원본을 최대한 반영하였으나, 주제에 따라 일부는 적절히 변경하였다.

· 원본 자료는 A4 판형에 맞게 축소하거나 원본 비율을 유지한 채 A4 페이지 안에 삽입하였다. 또한 현재 시점에선 공개되지 않아 '공란'이란 표기만 있는 페이지 역시 그대로 실었다.

· 외교부가 공개한 문서 각 권의 첫 페이지에는 '정리 보존 문서 목록'이란 이름으로 기록물 종류, 일자, 명칭, 간단한 내용 등의 정보가 수록되어 있으며, 이를 기준으로 0001번부터 번호가 매겨져 있다. 이는 삭제하지 않고 총서에 그대로 수록하였다.

· 보고서 내용에 관한 더 자세한 정보가 필요하다면, 외교부가 온라인상에 제공하는 『대한민국 외교사료요약집』 1991년과 1992년 자료를 참조할 수 있다.

| 차례

정 리 보 존 문 서 목 록					
기록물종류	일반공문서철	등록번호	2012080151	등록일자	2012-08-28
분류번호	701	국가코드	US	보존기간	영구
명 칭	한국 인권상황 관련 미국 동향, 1990-91. 전5권				
생 산 과	북미1과	생산년도	1990~1991	담당그룹	
권 차 명	V.1 1990-91.1월				
내용목차	1. 1990 2. 1991.1월 * 1989년도 인권보고서 발표(국무부, 90.2.21)				

0001

1. 1990

0002

보안법 적용 지난해 봄부터 크게 늘어

한겨레 1.27. 1990

미 국무부 발표 한국 인권보고서 내용

한국의 막강한 공안업무는 88년의 경우 그 이전보다 눈에 띄게 줄었다가 89년에는 다시 늘어났다. 89년 3월부터 6월까지 한국은 공안합동수사본부를 설치, 이 기간 동안 수백명을 국가보안법 위반 혐의로 구속했다. 89년 6월에 공안합수부가 해체된 뒤에도 체포는 계속됐다.

88년 노태우 대통령은 수백명의 정치범을 석방했고 전반적인 인권상황도 크게 개선됐다. 그러나 89년 전반에 걸쳐 반정부 인사들에 대한 국가보안법과 집시법의 적용은 증대되었다. 국가보안법 또는 노동법 위반으로 구속된 일부 재소자들은 변호사 접견이 허용되지 않았고, 고문을 의 검시관은 단순익사라고 발표했다.

89년 6월에는 두 명의 형사피의자가 경찰조사를 받은 뒤 사망했다. 두 사람 모두 경찰에 의해 구타를 당했다고 증인들이 말했다. 7명의 경찰관을 포함해 9명이 이 사건과 관련, 체포되었다.

고문에 대한 믿을 만한 주장들이 국가보안법으로 구속된 이들에 의해 89년 후반에 제기됐다. 이들은 국가안전기획부 또는 검찰에서 조사를 받는 동안 고문을 받았다고 주장했다. 이들이 주장하는 가혹조처로는 잠 안재우기, 오랜 신문기간 동안 강제로 서 있게 하기, 욕설, 구타, 약년 2월부터 89년 8월말까지 2천94명을 '국가 안보에 관련된 혐의'로 체포했으며, 이 가운데 반 이상인 1천3백15명이 89년 이후 체포됐다.

인권관계 기관들은 89년말 현재 약 8백명의 '정치범'이 있다고 보고 있다.

몇몇 경우 국가보안법은 언론자유와 결사의 자유 등 기본적인 자유의 행사를 제약하기 위해 사용된 것처럼 보인다. 정치범의 숫자를 측정하기는 어렵다.

그러나 89년 8월말 현재 국제인권규정에 따른 정치범의 숫자는 수백명 선인 것으로 추정된다. 한국 정부는 정치범이 없다고 주장한다.

아직도 많은 정치·종교계의 인사들이 여러 종류의 정부 감시아래에 있다. 야당 의원들은

이내창씨등 '의문사'문제 지적

피의자 변호인접견 불허·고문 사례도

당했다는 믿을 만한 주장들도 있었다. 일부 반정부 인사들과 학생운동가들은 두명의 학생운동 지도자의 의문사에 문제를 제기했다.

경찰의 추적을 피하던 이철규씨의 주검이 저수지에서 발견됐다. 일부 학생들과 반정부 인사들은 이철규씨가 고문을 당하고 살해됐다고 주장했다. 이철규씨 부모의 요청으로 미국인 법의학자의 2차 부검이 시도됐는데 한국 정부는 처음에 이를 허용하는 듯했다가 나중에는 이를 불허했다.

89년 8월에 남쪽 해안에서 또 다른 학생운동 지도자(이내창씨)의 주검이 발견됐다. 한국 정부물의 강제복용 등이 있었다. 서경원 의원 보좌관의 경우, 판사들도 그가 가혹조처를 당했을 가능성을 배제하지 않았다.

한국 경찰은 89년 전반에 걸쳐 몇가지 경우에 과도한 힘을 사용했다. 89년 8월 전교조 지지 서명을 받던 교사들이 경찰버스에 강제로 끌려가 신문지로 싼 쇠몽둥이로 구타당했다.

노태우 정권 아래서 한국인들은 과거보다 더 자유롭게 정부를 비판하고 있다. 그러나 89년 전반에 걸쳐 정부가 위험스럽다고 생각하는 견해를 나타내는 이들에 대해 국가보안법이 적용되는 사례가 늘어났다. 한국 정부는 노태우 정권이 출범한 88 전화도청, 서신 검열 등이 있다고 주장했다. 89년 8월 치안본부장은 국가보안법 위반자 가운데 약 1만명이 아직도 정부의 감시를 받고 있다고 국회에서 말했다.

정부가 공산주의 또는 친북적이라고 생각하는 사상의 표현에 대한 제약은 표현의 자유를 보장하는 헌법 조항에도 불구하고 아직도 엄격하다. 〈한겨레신문〉의 이영희 논설고문이 방북취재 계획과 관련, 구속된 바 있는데 일부 사람들은 그의 논설을 약화시키기 위해 그를 구속했다고 보고 있다.

〈워싱턴=정연주 특파원〉

0003

관리번호	90-176

외 무 부

종 별 :

번 호 : USW-0443 일 시 : 90 0129 1816

수 신 : 장관(미북,국연)

발 신 : 주 미 대사

제 목 : 인권 보고서

대국연 2031-83

1. 금 1.29 당관 정태익 참사관이 JOHN UNDERRINER 국무부 인권국 동아세아 담당과장을 접촉하여 미국무부가 미의회에 제출하는 년례 인권 보고서에 관해 탐문한바, 미 행정부는 1.31 자로 미의회에 인권 보고서를 제출하며 미의회는 2.21 경 대외에 공개할 예정이라함.

2. 정참사관이 한국의 인권 상황에 대한 미국무부의 평가에 관해 질의한바 동 과장은 미 행정부는 미의회가 공개할때까지 보고서 내용을 공개할수 없다고 말하고 미의회가 동 보고서를 대외에 공개한후 국무부 인권 보고서에 관한 아측 견해가 있는 경우 이를 알려줄것을 요망하였기 보고함.

3. 정참사관은 최근 국제 사면 위원회가 아국 인권 상황이 우려되고 있다는2 개의 인권 보고서를 대외에 발간하였음을 상기시키고 이는 아국의 인권 상황을 제대로 반영한것이 아니므로 국무부가 여사한 인권 단체의 보고서에 바탕을 두어 한국에 관한 인권 상황을 기술해서는 안될것이라고 말하고 대호에 따라 아측 입장을 개략적으로 설명한바, 동 과장은 국무부는 독자적인 정보 수집에 의해인권 보고서를 작성하고 있다고 말하면서 인권 단체의 인권 보고서와는 다른 차원에서 인권 보고서를 작성하고 있음을 시사하였음.

(대사 박동진-국장)

예고:90.12.31 일반

1990.12.31. 에 예고문에 의거 인반문서로 재분됨

미주국 장관 차관 1차보 국기국 청와대 안기부

PAGE 1 90.01.30 08:39

외신 2과 통제관 CN

0004

관리 번호	90 -418

외 무 부

종 별 : 지 급

번 호 : USW-0624 일 시 : 90 0207 2003

수 신 : 장관(미북,국연)

발 신 : 주 미 대사

제 목 : 국무부 인권 보고서

1. 금 2.7 당관 정태익 참사관이 리차드슨 국무부 한국과장을 접촉, 국무부가 1.31 의회에 제출한 인권 보고서중 한국관계 부분을 사전 입수할수 있는지 여부및 동 보고서 내용에 대해 개괄적으로 알려줄것을 요청한바 동 과장의 답변 내용을 아래 보고함.

가. 현재 의회가 국무부 보고서를 검토하고 있으므로 의회가 공개 하기전에 사본을 수교할수 없다고 말하고 의회 발표일 2-3 일전이라도 사본을 입수 할수 있도록 노력하겠다 말함.

나. 보고서 내용에 관해서는 주한 미 다사관이 보고서 초안을 제출하였을때 일별한바 있다고 하고 한국내의 인권 상황이 6 공 출범이후 괄목할만하게 개선되고 있음을 인정하고 있으며 89 년중 북한 비밀 방문과 관련하여 국가 보안 사범수가 증가되었고 예컨데 서경원 의원및 동 보좌관에 대해 불면 조치등 부당한 조치를 하는 사례가 있었다는등 복역인에 대한 사실적인 기술을 수록하고 있으나 한국의 인권 상황은 크게 문제될것이 없다고 말함.

2. 정참사관은 이에 대해 제 6 공화국 출범이후 한국내에는 정치범이 존재하고 있지 않다고 전제하고 한국내의 복역수는 실정법을 위반하여 정당하고 공정한 재판 절차를 거쳐서 처벌을 받고 있는것이라고 설명하고 적법 절차에 의해 제정된 법률에 대해 비판을 하는것이 있다면 이는 내정에 대한 중대한 간섭이 될수 있다고 지적함.

3. 당관은 국무부및 의회를 통해 인권 보고서를 가능한 사전에 입수 하는대로 보고 예정임.

(대사 박동진-국장)

예고:90.6.30 까지

1990. 6. 30 에 예고문에 의거 일반문서로 재분류됨

미주국 1차보 2차보 국기국 청와대 안기부

PAGE 1 90.02.08 11:04

외신 2과 통제관 DL

0005

관리 번호	90-468

외 무 부

종 별 : 지 급

번 호 : USW-0774　　　　일 시 : 90 0216 1604

수 신 : 장관(미북,국연)

발 신 : 주 미 대사

제 목 : 국무부 인권 보고서

연: USW-0624

연호, 국무부 한국과는 국무부 인권 보고서가 2.21 의회에 제출되므로 2.22 아측에 수교할 예정임을 금 2.16 당관에 알려왔는바, 동 보고서 입수 즉시 보고 예정임.

(대사 박동진-국장)

예고:90.6.30 까지

1990.6.30 에 예고문에 의거 일반문서로 재분류됨

미주국　차관　1차보　국기국

PAGE 1

90.02.17　06:58

외신 2과　통제관 DL

0006

외 무 부

종 별 :

번 호 : USW-0833 일 시 : 90 0220 1959

수 신 : 장 관(미북,국연)

발 신 : 주 미 대사

제 목 : 국무부 인권 보고서

1.국무부는 명 2.21 24:00 를 기해 89년도 세계인권 보고서를 공개할 예정임.

2.금번 인권 보고서는 한국이 88년에는 수백명의 구속자를 석방하는등 전반적인인권 상황이 크게 개선되었고 공간기관의 활동 (SECURITY ACTIVITY) 이 현저히 감소 하였으나, 89년에는 국가 보안법, 집회 및 시위에 관한 법률을 반정부 인사티 대하여 더욱 증대된 빈도로 적용하였으며, 공안 기관의 활동도 현저히 증가하였다고 기술 하고 있음. 또한 동보고서에는 한국의 정치범은 국제적 인권 기준으로 볼때 약 2-3 백명 (LOW HUNDRED) 으로 추산되나 한국정부는 정치범의 존재를 부인하고 있으나, 전반적으로 한국은 과거게 비해 특해 관용적이고 개방된 사회 (FOLEROUT AND OPEN SOCIETY) 이며 노대통령하에서 과거 권위주의로부터 완전한 민주주의 (FULLDEMOCRACY) 로 이행하는 과정에 있다는점, 정부를 자유롭게 비판하는 언론의 자유가 보장되어있 다는 요지로 기술되어 있음.

3.동 보고서중 아국및 북한 관련 부분을 별전훽스 (USW-350) 으로 송부함.

(대사 박동진-국장)

미주국 1차보 국기국 정문국 정와대 안기부

PAGE 1

90.02.21 13:09

외신 1과 통제관

0007

USW(F)-350

수신 : 장관 (미북, 국연)

발신 : 주미 대사

제목 : 국무부 인권 보고서

USW-0833의 첨부

배부처	장관실	차관실	一차보	二차보	기획실	의전장	아주국	미주국	구주국	중아국	국기국	경제국	통상국	정문국	영교국	총무과	감사관	공보관	외연원	청와대	총리실	안기부	공보부

0008

885

REPUBLIC OF KOREA

The Republic of Korea (ROK) is moving away from its authoritarian past and has made great strides towards attaining full democracy. However, the process of consolidating democratic institutions and practices is still ongoing. In December 1987, Roh Tae Woo became Korea's first directly elected President since 1971, defeating three opposition candidates. In the April 1988 legislative elections, the three opposition parties together gained majority control of the National Assembly. Since that time, the power of the Presidency has been reduced and the role of the National Assembly greatly enhanced. The current National Assembly is more independent of the Executive than were previous assemblies.

Korea's powerful security services were noticeably less active during 1988 than they had been in the past. However, their activities increased again in 1989. From April through June, the Government temporarily grouped representatives of the security agencies into the Joint Security Investigations Headquarters (JSIH). During this period, several hundred people were arrested for alleged security law violations. The arrests continued after the JSIH was disbanded in June. While the police are relatively well trained and disciplined, there were credible reports of the use of excessive force in a number of instances.

After 3 years of unprecedented 12 percent annual GNP growth, Korea's export-driven economy slowed somewhat to a still healthy projected rate of 6 to 7 percent for 1989. Tensions in labor-management relations continued, while urban housing shortages, rural migration to the cities, and unbalanced regional development continued to pose problems. However, increasing domestic demand suggested continuing strong growth.

In 1988 President Roh released several hundred political prisoners and the overall human rights situation improved greatly. However, over the course of 1989, the National Security Law and the Law on Assembly and Demonstrations were used with increasing frequency against dissidents. Some prisoners held on security charges or for labor law violations were prevented from meeting with their lawyers. There were some credible allegations of torture. The National Assembly abolished the Social Safety Act but failed to amend the controversial National Security Law and the Law on the Agency for National Security Planning (NSP, formerly the KCIA). Nevertheless, on balance Korea remains a much more tolerant and open society than in the past. In particular, a boisterous free press that frequently criticizes the Government ensures that allegations of human rights violations are widely publicized.

RESPECT FOR HUMAN RIGHTS

Section 1 Respect for the Integrity of the Person, Including Freedom from:

a. Political and Other Extrajudicial Killing

There were no documented cases of political killings by the security forces in 1989. However, some dissident and student activists have raised questions about the suspicious deaths of two student leaders. In two cases, students were responsible for deaths in connection with their political activities. In May seven riot policemen were killed while trying to free

0009

740-11

REPUBLIC OF KOREA

colleagues being held hostage by students in Pusan. In October six student radicals beat to death a suspected student informer.

On the night of May 3, police in Kwangju stopped a taxi carrying wanted student activist Lee Chol Kyu. Lee allegedly escaped from the police in the area of a nearby reservoir. One week later his body was found floating in the reservoir. An autopsy resulted in a conclusion of death by accidental drowning. Some students and dissident activists claimed that Lee was actually tortured and murdered. However, they provided no persuasive evidence to back their claim. The activists' attempt to bring a U.S. specialist to do a second autopsy as requested by Lee's parents was initially approved by the Government. However, the Government later ordered the American doctor not to examine the body because to do so, the Government claimed, would have been a violation of the doctor's visa status.

In August the body of another student leader was found in the water off the southern coast. The government coroner ruled it the result of accidental drowning, but in October opposition members of the National Assembly raised questions about the circumstances of the death and demanded that the Government undertake a new investigation. By year's end, the Government had completed its new investigation, confirming the original conclusion of accidental death.

The seven policemen who were killed in Pusan in early May had been storming a university building in which student dissidents held five policemen hostage in a bid to have fellow students released from jail. When the police stormed the building, one student ignited a fire that resulted in the deaths of the seven policemen. Seventy-one students were tried; 35 received suspended sentences while the others received sentences up to life imprisonment. Students and supporters, angered by the sentences, stormed and occupied the university president's office for 3 days before retreating.

In mid-October, six students at Yonsei University abducted a student they accused of being an informer and beat him to death. The six eventually turned themselves in to the police and have been charged with murder. A trial was pending at year's end.

In separate incidents in June, two criminal suspects died shortly after being taken into police custody. Witnesses said that both men died after being beaten by the police. Nine people, including seven policemen, were arrested and charged in connection with these two deaths. The seven policemen and one civilian security guard were convicted. One policeman was sentenced to 5 years in prison; the other defendants were given 3-year sentences.

b. Disappearance

There were no documented cases of permanent disappearances during 1989.

c. Torture and Other Cruel, Inhuman, or Degrading Treatment or Punishment

Some credible allegations of torture were made during the last half of 1989 by persons arrested under the National Security Law. They claimed that they were tortured while being

0010

380-12

interrogated by the NSP or the prosecutors. The alleged mistreatment reportedly included acute sleep deprivation, being forced to stand during long periods of questioning, verbal abuse, beatings, and the forced administration of drugs.

In convicting former National Assemblyman Suh Kyong Won of espionage in December, the court rejected Suh's claim that he was tortured into making a confession (Section 1.e). Suh's aide was also convicted of espionage. In the aide's case, the judges did not rule out the possibility that he was mistreated while in custody.

In late October, an official of the Ministry of Finance was acquitted on charges of taking a bribe when the judge determined that the official had been tortured into making false statements. The official had testified that prosecution investigators had repeatedly beat him in the face and head in order to make him confess.

Regarding a January 1987 police torture case, the Seoul District Civil Court in November ordered the Government and a number of police officials to pay about $194,000 in compensation to the father of student activist Park Chong Chol, who died during police interrogation.

The police apparently employed excessive force on some occasions throughout 1989. In August a group of teachers collecting signatures supporting their effort to form a union were reportedly dragged into a police bus and beaten with iron rods wrapped in newspaper. On August 20, several demonstrators were beaten, and four of them injured by police on the grounds of Chonju's Catholic Cathedral. The police asserted that they went onto the cathedral grounds because the demonstrators were throwing rocks at them. Throughout most of the year, student protesters threw rocks and firebombs at police in demonstrations, except for a 4-week period in May following the deaths of the seven Pusan policemen.

Conditions in Korean prisons have reportedly improved somewhat. However, a report of the Government's Board of Audit and Inspection revealed a serious shortage of medical personnel in the prison system. Moreover, human rights activists still claimed that political prisoners were sometimes subjected to sleep deprivation and psychological pressure.

d. Arbitrary Arrest, Detention, or Exile

Under the Roh administration, Koreans are freer to criticize the Government than in the past. Nonetheless, over the course of 1989, the National Security Law was used with increasing frequency against people who expressed views the Government considered dangerous. From April through June, the JSIH investigated alleged security cases and arrested several hundred persons.

The Government acknowledges that 2,094 people were arrested on "security-related charges" from the beginning of President Roh's administration in February 1988 until the end of August 1989. More than half (1,315) were arrested since the beginning of 1989, including 284 for violating the National Security Law. This represents a substantial increase over the 779 similar arrests recorded in the 10 months of Roh's

32-13

0011

888

REPUBLIC OF KOREA

administration in 1988, none of which were for violations of the National Security Law.

According to the National Police, during the first 18 months of the Roh Government, 190 people were arrested for publishing or possessing books or articles originating in or praising Communist North Korea, 15 for seeking contact with North Koreans, and 37 for association with "antistate organizations." In addition, approximately 35 teachers were arrested in connection with attempts to form a teachers' union. Union organizers were arrested for trying to exercise the right of assembly. Allegedly, 150 to 200 trade unionists were arrested on various charges in 1989.

A major step forward in the human rights area in 1989 was the National Assembly's decision in May to abolish the Social Safety Act (also referred to as the Public Security Law), long opposed because of its broad authority to keep under surveillance or in custody persons who had completed their sentences for sedition, espionage, or other security violations. Disposition of cases under the Social Safety Act were administrative in nature, and the normal rules of criminal procedure did not apply; there were limited appeal rights. The 35 people held under the Act in the Chonju Preventive Detention Center were all released by the end of the year.

The Assembly also revised the Act for the Protection of Society, which allows for preventive detention of habitual criminals. The revised law more clearly defines those who may be kept in protective custody, leaves the decision on whether to impose a custody order in the hands of judges and not administrative authorities, and requires yearly review of each detention order. The Government announced that 1,200 of the 4,407 people held under this Act would be released by the end of 1989. (In fact, 225 people were released.)

Warrants are required by law in cases of arrest, detention, seizure, or search, unless a criminal is apprehended while in the act of committing a crime. However, lawyers state that warrants were not presented at the time of detention in many cases throughout 1989. In some political cases, suspects were detained for more than the legal limit of 48 hours without being formally arrested. (Student activist Im Su Kyong, who visited North Korea without government permission, was detained on August 15 and not charged until August 20.) In criminal cases indictments must be handed down within 30 days of arrest or 50 days in National Security Law cases. However, these requirements were not always observed.

The Constitution specifically provides the right to representation by an attorney, but attorneys are not allowed to be present during interrogation. Lawyers say that in National Security Law cases they are very rarely allowed to see their clients at all during the investigation phase, which can last up to 50 days. In 1989 lawyers for the first time sought court orders allowing them to see their clients. However, on at least three occasions in July and August, either the National Security Planning Agency or the prosecutor refused to respect court orders calling on them to allow prisoners arrested under the National Security Law to meet with their attorneys. On September 1, the Government proposed to the National Assembly an amendment to the National Security Law which would legalize the prosecutor's current de facto control over when, where, and for how long lawyers are allowed

380-14

0012

to see clients being investigated for security law violations. The National Assembly has not yet acted on this proposal.

There is a functioning system of bail in Korea. Late in the year bail was even granted in some National Security Law cases. In early November, a Seoul judge granted bail to a student activist who had been arrested for distributing "materials benefiting North Korea," without having received a bail request from the defendant. Later in the month three minor figures in the Suh Kyung Won case were also released on bail. The right to a judicial determination of the legality of a person's detention was deleted from the Code of Criminal Conduct in 1973, partially restored in 1980, and then fully restored in late 1987.

With regard to forced or compulsory labor, see Section 6.c.

e. Denial of a Fair Public Trial

The Constitution gives defendants a number of rights in criminal trials, including a presumption of innocence, protection against self-incrimination, freedom from ex-post facto laws and double jeopardy, and the right to a speedy trial. When a person is physically detained, his initial trial must be completed within 6 months of arrest. These rights are generally observed.

The Chief Justice and the other Justices of the Supreme Court are appointed by the President with the consent of the National Assembly. Lower court justices are appointed by the Chief Justice with the consent of the other Justices.

Trials are open to the public, but attendance is sometimes restricted. A large number of police are present at some trials; courtroom audiences sometimes create disturbances and disrupt the proceedings. Judges generally allow considerable scope for examination of witnesses by both the prosecution and defense counsel. The right to an attorney is respected in political cases once the initial investigation is completed. Political and criminal cases are tried by the same courts; military courts do not try civilians. Defendants have the right of appeal, and appeals can result in reduced sentences. Death sentences are automatically appealed.

Historically the executive branch exercised great influence on judicial decisions. However, there were some indications of increased judicial independence in 1989. In a number of cases the Constitutional Court, which began operations in September 1988, found that the Government had violated the constitutional rights of individuals. The Supreme Court invalidated the results of elections for two National Assembly seats due to election law violations by the victorious ruling party candidates. Meanwhile, lower courts convicted two brothers of former President Chun Doo Hwan and one of Chun's closest aides on corruption charges and sentenced them to prison. A Seoul court also acquitted a government official of bribery charges when the judge determined that prosecution investigators had beaten him in order to extract a confession. However, criticism that the judiciary is still subject to political influence in politically sensitive cases remains.

Human rights sources put the number of "political" prisoners at around 800 at the end of 1989. This figure includes persons who committed acts of violence such as firebomb

0013

attacks on government facilities. In some cases, it appears that the National Security Law was used to restrict the exercise of the basic rights of free speech and assembly. According to the Justice Ministry, 695 people were actually imprisoned for "security-related offenses" during the first 8 months of 1989. As of mid-September, 219 were already tried and convicted while the rest still awaited trial.

It is difficult to estimate accurately the number of political prisoners since many people are detained and then released without charges or charged and then released without being tried. It is particularly difficult to determine if someone is a political prisoner in cases involving the Law on Assembly and Demonstrations and the Labor Laws. In November the Government announced that 646 people were in custody for "National Security" reasons, including 342 charged under the National Security Law, 226 charged under the Law on Assembly and Demonstrations, and 91 charged under various laws for their participation in labor disputes. Without specific information on each case, it is impossible to tell if someone was arrested for exercising the right of free association or for violent acts during demonstrations. However, it is estimated that as of August 1989, the number of political prisoners by international human rights standards is in the low hundreds. This figure was not substantially changed by a Christmas amnesty under which 27 people whom the Government described as "radical leftists" were released from prison. The Government asserts there are no political prisoners.

The most highly publicized National Security Law cases of 1989 involved unauthorized travel to North Korea. The Government maintains that it must control all contact with North Korea, which it defines in the National Security Law as an "antistate organization." The Government approved the February visit to North Korea of the honorary chairman of Hyundai, a large industrial organization. However, subsequent visits by dissident pastor Moon Ik Hwan, student activist Im Su Kyong, and Catholic priest Mun Kyu Hyun were not authorized and the three were arrested under the National Security Law upon their return. The three were charged with visiting the North without authorization, making statements praising North Korea, and "supporting the northern line." In early October, Rev. Moon Ik Hwan was convicted and sentenced to 10 years imprisonment. Both the prosecution and the defense are appealing this decision.

The Government also charged former opposition National Assemblyman Suh Kyung Won with espionage after it was learned in June that he had visited North Korea without government permission. Suh admitted going to North Korea, but denied that he had spied for the North. In December a Seoul court rejected Suh's contention that he was forced to sign a false confession and convicted him of espionage. Suh was sentenced to 15 years in jail.

In addition, a number of people--including Kim Dae Jung, the leader of Korea's largest opposition party--were charged under the National Security Law for knowing about these unauthorized trips and failing to inform the authorities. No further legal action was taken against Kim Dae Jung. However, nine people tried on this charge in connection with the Suh case were convicted and given suspended sentences.

0014

REPUBLIC OF KOREA

f. Arbitrary Interference with Privacy, Family, Home, or Correspondence

In general, the Government honors the right of personal privacy and the integrity of the home and family. However, many political and religious figures are still subjected to varying degrees of government surveillance. Opposition assemblymen have charged in the National Assembly that telephone tapping and the opening or interception of correspondence are prevalent. In August the chief of the Korean National Police (KNP) told the National Assembly that of some 53,116 people convicted of violating the National Security Law, some 10,000 are still under surveillance. In late July, police and agents of the NSP broke into the campaign headquarters of a dissident candidate running in a National Assembly by-election. The agents reportedly stole a document on campaign strategy.

Listening to North Korean radio is illegal if the authorities judge it is for the purpose of "benefiting the antistate organization" (i.e., North Korea). Reading or purveying books or other literature considered to be subversive, pro-Communist or pro-North Korean is also illegal. Beginning with Moon Ik Hwan's visit to North Korea in early 1989, an increasing number of people were arrested for these kinds of offenses.

The security presence in city centers, near university campuses, government buildings, ruling party offices, and media outlets is heavy. Citizens, particularly students and young people, are sometimes stopped, questioned, and searched. Government informants are known to be posted on and around university campuses.

Parental rights to educate children are broad. Persons thought to have politically suspect backgrounds, however, are still denied some forms of employment and advancement, particularly in government, the broadcast media, and education. Many human rights activists say that big corporations still retain an informal system of blacklisting "undesirables."

Section 2 Respect for Civil Liberties, Including:

a. Freedom of Speech and Press

The Government continues to apply the National Security Law against publishers, printers, and distributors who produce or sell "subversive, ideological" literature. Restrictions on the expression of ideas which the Government considers Communist or pro-North Korean remain severe, despite provisions in the Constitution guaranteeing freedom of speech. The Seoul district court in late September ruled in a civil case that the Culture and Information Ministry's policy of banning "antistate" and "antisociety" books was illegal. However, this did not prevent the Government from publishing an updated list of banned books in late November.

Overall, the expression of opposition views is far less restricted than under previous administrations, and debate is allowed on previously taboo subjects, such as criticism of the President and his family. The Government has allowed an increase in media coverage of North Korea, within its guidelines, producing a reaction by rightwing factions which hope to counter such leftist journalism with new publications of their own. The Government has also allowed somewhat wider

3(20-1)

0015

public access to selected North Korean publications. Many newspapers and magazines, mostly leftwing and sharply critical of the Government, appeared in Korea after the 1987 press law took effect.

Although direct government control over the print media has virtually disappeared, some institutions such as the Defense Security Command, the NSP, and other government organizations with responsibility for North Korean or Communist affairs remain basically inaccessible to journalists.

The Government arrested editorial writer Lee Young Hee of the newspaper Hankyoreh Shinmun for planning unauthorized coverage of North Korea. Some see Lee's arrest as an effort to still his editorial voice, though there has been no censorship of the paper's scathing criticism of the Government. Lee was convicted and given a suspended sentence. Also, a Hankyoreh Shinmun reporter was charged with failing to report to authorities an interview with Assemblyman Suh Kyung Won concerning Suh's unauthorized trip to North Korea.

The move to unionize newspapers throughout the country, begun in 1988, continued to be a major source of conflict in Korean newspaper and broadcasting organizations. All major newspapers and broadcasting corporations in Seoul now have labor unions.

Despite indirect government ownership of the two Korean television networks, the electronic media moved toward a relatively neutral political stance while still remaining less independent than the print media. Behind this trend, in part, lies the increasing importance of labor unions in the broadcasting industry.

The Government continues to limit academic freedom, both directly and indirectly. Professors and university administrators are expected to play an active role in preventing campus demonstrations, a task many find objectionable. There is rising sentiment for greater university autonomy. There is also a threat to academic freedom from radical leftist students who physically attack the person or property of professors whose lectures or writings contradict the students' ideology.

b. Freedom of Peaceful Assembly and Association

Most peaceful, nonpolitical assemblies take place entirely without official supervision or restriction. However, the Law on Assembly and Demonstrations prohibits assemblies considered likely to "undermine" public order, and requires that demonstrations of all types, including political rallies, be reported in advance to the police. Violation of the law carries a maximum sentence of 7 years' imprisonment or a fine.

The Government continues to block many gatherings organized by dissidents and particularly students, arguing that they might incite "social unrest" and are therefore illegal. Police usually try to prevent student demonstrations from moving off campuses, and confrontations frequently ensue. These clashes often involve violence on both sides.

For a discussion of freedom of association as it applies to labor unions, see Section 6.a.

350-18

0016

REPUBLIC OF KOREA

c. Freedom of Religion

There is no state religion in Korea. Full freedom prevails for proselytizing, doctrinal teaching, and conversion. Korea both sends and receives missionaries of various faiths, and many religious groups in Korea maintain active links with members of similar faiths in other countries. The Government and the public do not discriminate against minority sects. Adherence to a particular faith confers neither advantages nor disadvantages in civil, military, or official life.

Churches and religious groups are subject to most of the restrictions on political activities that apply to other institutions. Many of the most vocal and well-organized critics of the Government are religious in nature; these include Catholic, Protestant, and Buddhist groups. Church buildings and grounds are sometimes used as a refuge by leftwing rioters during clashes with police. While the police generally respect the principle of sanctuary, they entered the grounds of the Catholic cathedrals in Seoul and Chonju in 1989. Occasionally, police have entered church buildings in order to confront students, dissidents, or trade unionists.

d. Freedom of Movement Within the Country, Foreign Travel, Emigration, and Repatriation

There is universal freedom of movement and freedom to change employment within the country. On January 1, the Government dropped all age limitations on foreign travel. Previously these restrictions had prevented most young and middle-aged people from going overseas. Travel to North Korea is allowed only with Government approval. Political opponents are sometimes banned from overseas travel even if they are not being sought by the authorities for the commission of a crime. For the first 8 months of 1989, the Government announced that 1,955 people were forbidden to go overseas. This figure includes those involved in criminal offenses, government and business figures under investigation in connection with Fifth Republic corruption, dissidents and student activists. Some students were barred from going abroad in late June to prevent their participation in Pyongyang's World Youth Festival. Other students were prohibited from foreign travel because they were suspected of organizing antigovernment demonstrations, trying to contact North Koreans, or attempting travel to North Korea.

A small number of Indochinese refugees sought first asylum in Korea in 1989. In midyear the Korean Government adopted a policy of refusing landing to boats of Indochinese asylum seekers. A group of 78 Vietnamese boat people set fire to their boat in June to avoid being driven back out to sea by the maritime police; they were eventually taken to the Korean resettlement camp in Pusan. In late August, a boat carrying about 150 Vietnamese boat people was not allowed to land. Korean authorities did not admit that they denied landing.

Section 3 Respect for Political Rights: The Right of Citizens to Change Their Government

The Korean people have the right to freely and fairly choose their own government. In 1987 they chose their President in a free and fairly contested election. In 1988 legislative elections, they chose a majority of opposition party members to the National Assembly.

3ℓ0-1P

0017

894

REPUBLIC OF KOREA

The Constitution, as amended in 1987, provides for the direct election of the President and for a mixed system of direct and proportional election of legislators. The President serves a single 5-year term and cannot be reelected. The Assembly's term is 4 years. The new Constitution strips the President of his power to dissolve the Assembly. There is universal suffrage for all citizens age 20 or above, and elections are held by secret ballot.

Political power has traditionally been centered in the person of the president, strongly supported by the military and security agencies. The situation began to change, however, when the three opposition parties won a majority in the National Assembly in the April 1988 general election.

There is as yet no local autonomy in Korea, although the Assembly passed a law in December calling for local council elections in 1990 and local chief executive elections in 1991. The President and the members of the Assembly are the only elected officials in the country.

The National Assembly in 1989 continued its more independent role. In addition to abolishing the Social Safety Act and amending the Act for the Protection of Society, the Assembly also amended the Law on Assembly and Demonstrations. Because of the Assembly's more independent role, the President used his veto power on a number of occasions during the year. Nonetheless, the Assembly has been marked by differences of opinion, not only between the ruling and opposition camps, but also among the opposition parties themselves. These differences have prevented the Assembly from amending other laws remaining from former President Chun Doo Hwan's Fifth Republic which many Koreans consider to be undemocratic.

Section 4 Governmental Attitude Regarding International and Nongovernmental Investigation of Alleged Violations of Human Rights

While the Republic of Korea does not welcome outside involvement with respect to human rights, government and ruling party officials have generally been willing to meet with international human rights groups, including a group from the Robert F. Kennedy Foundation that visited Korea in November. That group was confronted with protesters during its stay in Seoul, but the Government denied any involvement. In addition, foreign human rights groups have been allowed to observe elections, and the Government has regularly discussed human rights with foreign diplomats. In the case of student activist Lee Chol Kyu's death, the Government refused to allow an American doctor to perform a second autopsy as requested by the student's parents.

According to the Government, public prosecutors and the human rights division of the Ministry of Justice are responsible for protecting human rights and investigating violations. The Government points to President Roh's June 29, 1987 pledge of democratization and the developments that followed as proof of the current Government's full commitment to democratization and the safeguarding of basic human rights.

The Government justifies its broad security laws and the resulting restrictions by arguing that Korea is in a special situation. The Korean war ended with the signing of an armistice, not a peace treaty, and North Korea remains a formidable threat. The Government asserts that unauthorized

340-220

0018

attempts to contact North Korea threaten the Government's efforts to ensure peaceful reunification on the basis of democracy and respect for human rights.

The National Assembly and the major political parties all have committees concerned with various aspects of human rights. In addition, several nonaffiliated private organizations are active in promoting human rights. Chief among these groups are the Lawyers Group for a Democratic Society, the Human Rights Committee of the Korean National Council of Churches, the Catholic Priests' Committee for Justice and Peace, the Korean Bar Association, and the Korean Legal Aid Center for Family Relations. These groups publish reports on the human rights situation in Korea and make their views known both inside and outside the country.

Section 5 Discrimination Based on Race, Sex, Religion, Language, or Social Status

The Republic of Korea is a densely populated and racially homogeneous country. There are no ethnic minorities of significant size. Nonetheless, regional rivalries exist in Korea. Many Koreans believe that persons from the southwestern region (North and South Cholla provinces) have traditionally faced discrimination and that successive governments led predominantly by figures from the southeastern region (North and South Kyongsang provinces) have neglected the economic development of the Cholla provinces.

Korea's conservative Confucian tradition has left women subordinate to men socially, economically, and legally. Some progress has been made since the founding of the Republic: women can vote, become government officials, and hold elected office. Women enjoy full access to educational opportunities.

The National Assembly enacted an Equal Employment Opportunity Law in 1988, which condemns sexual discrimination in hiring and wages and calls for improved work conditions for women (for example, no night work and limits on overtime). However, it contains no enforcement provisions and has had only limited practical effect so far.

Despite a constitutional guarantee of equal rights for men and women, traditional social customs are still reflected in the law, particularly in family law. Some forms of discrimination still remain in family, law and women's rights groups actively campaign for changes. For example, the father has final parental rights over the children in divorce cases. In December the National Assembly passed a revised family law which for the first time makes it possible for a woman to head a household and to inherit property upon the death of her husband. (Women can hold property in their own names.) The new law increases the wife's share of the estate to 50 percent upon her husband's death and divides the remainder equally among male and female children. The revised law also abolishes the household head's right to designate where the members will live, abolishes the requirement that a married couple move to the husband's place of residence, and expands the legally recognized family relationship to include the wife's relatives.

Korea experienced a jump in traditionally low rates of violent crime in 1989. Although violent crimes are directed against women, reliable data on their prevalence are not available. A number of cases have surfaced involving women being kidnaped

0019

and sold into prostitution. Wife beatings and other abuses of women are known to be a problem, but no reliable data on their extent are available. The Government has made crimes against women one of its top priorities in its law and order campaign and arrested and prosecuted suspects in several cases. However, a number of female kidnap victims have complained that the police were unhelpful or unsympathetic to their attempts to escape from their abductors.

Section 6 Worker Rights

a. The Right of Association

The Constitution gives workers the right to free association. When a new union is formed, it must notify the Government. New unions continued to register in large numbers during 1989. As of February 1989, some 1.7 million workers, or 22 percent of the civilian work force, was unionized. Only one union is permitted at each place of work, and there is no minimum number of members required to form a union. Companies have taken advantage of this provision of the law to form small, company-controlled unions, which labor organizers have often found difficult to replace with more representative unions.

The majority of Korean trade unions are affiliated with the Federation of Korean Trade Unions (FKTU). The FKTU is affiliated with the International Confederation of Free Trade Unions. Most of its constituent unions maintain affiliations with international trade secretariats. Some 15 percent of unionized labor belongs to so-called "democratic unions," which are not affiliated with the FKTU. These unions are grouped into regional councils, but have no national organization. However, plans are underway for a new national organization called the National Council of Labor Unions. (In fact, the law prohibits the formation of a second national union structure.) The non-FKTU unions are not affiliated with international labor groups.

In the spring of 1989, the National Assembly passed several amendments to the Trade Union Law, which would have lifted the ban on union involvement in electoral politics and legalized some public sector unions. However, President Roh vetoed the bill. The President also vetoed amendments to the Labor Dispute Adjustment Act which would have modified the prohibition against third-parties--except for the Government and the FKTU--intervening in labor disputes. So far the Government and National Assembly have had little success agreeing on reforms that would improve the legal framework for labor-management relations, which basically remains unchanged from the Fifth Republic.

Korea is not a member of the International Labor Organization (ILO), but has sent observer delegations to the ILO annual conferences since 1982. Korea is interested in joining the ILO. In preparation for eventual membership, the Ministry of Labor has prepared an analysis of how well Korea's labor laws comply with ILO standards as well as proposals for closing most of the remaining gaps.

Strikes are prohibited in government agencies, state-run enterprises, and defense industries. Laws requiring that enterprises in public interest sectors such as public transportation, utilities, public health, banking, broadcasting, and communications submit to government-ordered

3/20-22

0020

arbitration restrict the ability of workers in these industries to strike. The Labor Dispute Adjustment Law requires that unions notify the Ministry of Labor of an intention to strike and mandates a 10-day "cooling-off period" before a strike can actually begin. (The cooling-off period is 15 days in public interest sectors.)

The Government began to take a more active role in labor-management disputes in 1989. Riot police broke up a number of illegal strikes, including those by Seoul subway workers, workers at Poongsan Metal (a major ammunition manufacturer), and a protracted strike at the Hyundai shipyards. The Government has also taken a hard line against attempts to form a teachers' union. Such a union is illegal under current law. As of early September, over 1,300 unionized teachers had been fired and more than 40 arrested.

b. The Right to Organize and Bargain Collectively

The Constitution and the Trade Union Law guarantees the autonomous right of workers to enjoy freedom of association, collective bargaining, and collective action. Extensive collective bargaining is practiced. Korea's labor laws do not extend the right to bargain collectively to government employees, including employees of state or public-run enterprises and defense industries. A 1985 law provides that workers in Export Processing Zones (EPZ's) are to receive the same right to bargain collectively as other workers. In practice, equal treatment in the two existing EPZ's began only in the summer of 1987. But in response to a law suit filed by a Japanese company operating in the Masan EPZ, the Ministry of Labor concluded in August that a 1970 law required the Government to treat companies operating in the EPZ's as public-interest enterprises. This designation will make it difficult for unions at EPZ companies to strike legally, because in cases of labor-management disputes in public sector enterprises, the parties can be required by the Government to accept mandatory arbitration. While arbitration decisions can be appealed in the courts, such disputes tend to be prolonged.

As part of its more active labor policy, the Government has also begun an extensive public relations campaign to convince workers that wage increases must be matched by similar increases in productivity. The effort is intended to hold wage increases in 1990 to under 10 percent.

There is no independent system of labor courts. The central and local labor committees form a semiautonomous agency of the Ministry of Labor that adjudicates disputes in accordance with the Labor Dispute Adjustment Law. Each labor committee is composed of equal representation from labor, management, and "the public interest." The local labor committees are empowered to decide on remedial measures in cases involving unfair labor practices and to mediate and arbitrate labor disputes.

Many major employers are strongly antiunion. In a number of cases, "save the company squads" have been hired to beat up union organizers and to intimidate workers. The authorities have not been effective in investigating such incidents. In one case, an employee of a striking Seoul taxi company was killed by fellow employees. The union claimed the assailants--who were arrested--were part of a "save the company squad." The authorities claimed otherwise, describing them as "anti-union workers." As in the past, there have been

0021

cases of violence against property by workers, often causing extensive damage. There have also been cases in which workers have held company executives against their will for brief periods of time.

c. Prohibition of Forced or Compulsory Labor

The Constitution provides that no person shall be punished, placed under preventive restrictions, or subjected to involuntary labor except as provided by law and through lawful procedures (Art. 12, Sec. 1). Forced or compulsory labor is not condoned by the Government. The Government has investigated a number of incidents in which private persons sold women into prostitution and forced men to work involuntarily on fishing boats. The Government has also investigated a number of charges by workers that employers were demanding compulsory labor in the form of overtime work beyond the legal maximum.

d. Minimum Age for Employment of Children

The Korean Labor Standards Law prohibits the employment of persons under the age of 13 without a special employment certificate from the Ministry of Labor. However, because there is compulsory education until the age of 13, few special employment certificates are issued for full-time employment. Some children are allowed to do part-time jobs such as selling newspapers. In order to gain employment, children under 18 must have written approval from their parents or guardian. Employers may require minors to work only a reduced number of overtime hours and are prohibited from employing them at night without special permission from the Ministry of Labor. Nevertheless, employers often treat employees under 18 as "regular" workers and do not accord them the legal protections to which they are entitled. A large proportion of production line workers in labor-intensive industries such as textiles, apparel, footwear and electronics are girls in their midteens. These girls often work in small, cramped, and sometimes dangerous workplaces.

e. Acceptable Conditions of Work

Korea implemented a minimum wage law in 1988. The minimum wage level is reviewed annually and in 1989 was set at the equivalent of $215 per month. The law does not apply to all places of business. Small companies and companies in the service sector are exempt. Some exempted companies, particularly small ones, still pay below-minimum wages.

The FKTU continues to claim that the current minimum wage does not meet the minimum requirements of urban workers. According to government statistics, the money an average Korean blue-collar worker takes home in overtime and bonuses significantly raises the total compensation package. The National Bureau of Statistics announced that in the first quarter of 1989 the average monthly salary for an urban head of household was $891 (at won 671 per dollar), up 21.2 percent over the same period in 1988. According to the Bureau of Statistics, the average monthly income of an urban household was $1,110, up 21.5 percent (in won terms) from the first quarter 1988 figure. Pockets of urban poverty remain, but abject poverty has largely been eliminated. According to the Government's Economic Planning Board, 5.5 percent of the population lived below the poverty level in 1987.

2/20-24

0022

899

REPUBLIC OF KOREA

The Labor Standards and Industrial Safety and Health Law provide for a maximum 60-hour workweek. Amendments to the Labor Standards Law passed in March 1989 will bring the maximum regular workweek (excluding overtime) down from 48 hours to 46 and then to 44 hours over the next 2 years. According to the Government, the average Korean worker works 51.3 hours each week.

The Government sets health and safety standards, but the Ministry of Labor employs few inspectors, and the standards are not effectively enforced.

0023

東亞日報

1990. 2. 21. 水. 4면

북한 政治犯10萬5千명 격리수용

美국무부 89人權보고서

국제테러 支援포기했는지 아직 확인못해

韓國은 情報기관강화…保安事犯체포 늘어

'90.2.21.4면

韓國의 민주화는 전체적으로 보아 크게 진전되고 있으나 강력한 정보기관의 활동은 89년에 다시 강화됐으며 保安事犯의 체포증가와 함께 경찰력의 남용사례도 없어지지 않고있는 것으로 美국무부의 인권보고서에서 지적했다.

美국무부는 22일 상원및 하원외교위원회에 제출하는 89년도 국가별 인권상황보고서를 통해 韓國에서는 89년중 정치적반대자에 대한 국가보안법및 集示法 적용사례가 크게 늘고있는 가운데 정치지도자및 종교지도자들에 대한 기관원의 감시가 여전히 계속되고있으며 「救社隊」의 노조탄압및 협박행위에 대해 당국이 제대로 조사하지 않고있다고 밝혔다.

이 보고서는 또 北韓의 인권상황에 대해서는 현재 北韓에는 최소한 10만5천명의 정치범들이 12군데의 수용소에 감금돼 있는것으로 추정하고 北韓당국이 국제테러행위에 대한 국가지원을 포기했는지에 관한 이렇다할 증거가 아직은 없으며 89년 東歐유학생 6명이 韓國으로 귀순한이후 해외유학생에 대한 통제를 더욱 강화하고 있다고 지적했다.

이 인권보고서는 61년 對外지원법규정에따라 美國의 지원을 받거나 지원을 받지않아도 유엔회원국인 세계1백70개국에 대한 인권상황을 美국무부가 매년 점검, 의원들이 입법과정에서 참조토록 매년초 제출하고있다.

韓國및 北韓관련부분의 주요골자는 다음과 같다.

韓國인권상황

88년에 수그러들었던 정보기관의 활동은 89년 들어 다시 강화됐고 수백명이 보안법위반혐의로 체포됐으며 경찰력의 일부 남용사례에 관한 믿을만한 보고들도 있다.

정치적 반대자들에 대한 보안법및 集示法적용이 늘고 일부 保安사범은 변호사와의 접촉이 허용되지않았다. 고문에 관한 물의가 빚어졌으며 국회는 사회안전법을 폐기했으나 국가보안법과 安企部에 관한 법률개정에는 실패했다.

89년중 가장 큰 논란의 대상은 北韓에대한 不法여행과 그에관한 保安法적용문제였다. 많은 정치지도자들과 종교인들이 지금도 당국의 감시하에 놓여있으며 北韓에대한 韓國국내언론들의 보도규제는 크게 완화됐으나 保安司와 安企部및 기타 정보당국에대한 언론의 취재접근은 여전히 기본적인 제약을 받고 있다.

노조활동이 강화되고 있으나 독립적인 爭議조정체제가 없으며「救社隊」의 노조에대한 협박및 충돌사례에 대한 당국의 조사는 미진했다.

근로환경개선을 위해 정부가 보건및 안전기준을 제정했으나 노동부는 근로감독관을 극히 제한적으로 고용하고 있으며 안전기준은 제대로 이행되지 않고 있다.

北韓인권상황

北韓과는 외교관계가 없어 현지조사가 불가능하고 국제인권관련기관의 조사를 위한 入國도 허용되지않고 있다. 간헐적인 국가지원국제테러행위를 北韓이 않기로했다는 아무런 증거가 현재까지는 없으며 89년 韓國에 귀순한 사람들의 증언으로 미루어 최소한 10만5천명의 정치범들이 수용소에 감금돼있는것으로 보인다.

당국의 허가없는 공공집회는 일체 허용되지 않으며 東歐유학생 6명의 귀순사건이후 해외유학생에 대한 통제와 단속을 강화하고 있다.

국제사면위원회(앰네스티인터내셔널)와 아시아워치 같은 국제인권단체요원의 입북을 허용하지 않고 있으며 작년 세계청년학생축전때 北歐의 한 대표가 「앰네스티가 어디있느냐」는 플래카드를 펼치려다 경찰의 제지를 받고 일시 억류된바 있다.

청소년 취업연령의 下限線, 직업안전및 보건에관한 데이터는 아무것도 없으며 하루 12~16시간의 심한 노동이「애국적근로」와「자발적참여」라는 이름아래 강요되고있다.

<워싱턴=卞相根특파원>

0024

"한국 정치범 수백명"

2. 22. 세계

미 국무부 인권보고서

【워싱턴=정연주 특파원】 미 국무부는 남북한을 포함, 지난해의 각국 인권상황을 종합한 '89년 인권보고서'를 21일 발표했다. 미 국무부는 15쪽에 이르는 한국의 인권보고에서 "국제인권규정에 따른 한국의 정치범 숫자는 89년 8월말 현재 수백명선인 것으로 추정된다"고 밝히고 "한국 정부는 정치범이 없다고 주장한다"고 덧붙였다. 이 보고서는 이어 "88년에는 노태우 대통령이 수백명의 정치범을 석방하는 등 전반적인 인권상황이 크게 개선되었으나 89년에는 반체제인사들에 대한 국가보안법과 집시법 적용이 크게 늘어났다"고 지적했다.

〈관련기사 10면〉

이 보고서는 국가보안법이나 노동법 위반으로 구속된 일부 피의자들에게 변호인 접견이 금지되었고, 또한 고문을 당했다는 "믿을만한 주장들"이 있었다고 밝히고 88년에 크게 줄어들었던 한국의 막강한 공안업무가 다시 증가했다고 평가했다. 또 한국 정부는 지난해 3월부터 6월까지 공안합동수사본부를 설치했으며 이 기간에 수백명이 국가보안법 위반혐의로 구속되었다고 이 보고서는 지적하고, 공안합수부가 해체된 뒤에도 체포는 계속되었다고 덧붙였다.

한편 미 국무부는 북한 인권상황과 관련한 보고에서 "북한 정권은 국민을 엄격한 통제아래 두고 있으며, 개인의 자유는 국가와 당보다 하위에 놓여 있다"고 비판하고 근본적인 인권이 여전히 거부되고 있다고 평가했다.

0025

Sm
18

외 무 부

종 별 :

번 호 : USW-0855　　　　　　일 시 : 90 0221 1915

수 신 : 장 관(미북,국연)

발 신 : 주 미 대사

제 목 : 인권상담 차관보 증언

1. 금 2.21. RICHARD SCIFTER 국무부 인권담당 차관보는 하원 외교위 인권 및 국제기구 소위원회에 증인으로 참석하여 1989년 미 국무부 인권보고서에 관해 개략적으로 설명하고 의원들의 질의에 답변하였음.

2. 동 차관보의 언급내용중 아국 및 북한 관련 내용을 하기 보고함.

REGARDING THE INTERRELATIONSHIP BETWEEN OUR FINDINGS IN HUMAN RIGHTS VIOLATIONS IN CHINA ON ONE HAND AND OUR GENERAL POLICY TOWARD THAT COUNTRY ON THE OTHER HAND, QUESTIONS THAT HAVE BEEN

POSED BY MEMBERS OF THIS COMMITTEE, DEPUTY SECRETARY EAGLEBURGER TESTIFIED FULLY BEFORE THIS COMMITTEE LESS THAN TWO WEEKS AGO, THE FOLLOWING POINTS DO, HOWEVER, DESERVE REITERATION. ONE, OUR HUMAN RIGHTS GOALIES IN WHICH TOTALITARIAN METHODS OF GOVERNMENT STILL SURVIVE ARE NORTH KOREA, VIETNAM AND CUBA. IT IS ESPECIALLY NOTEWORTHY THAT THESE THREE COUNTRIES COMBINE REPRESSION WITH ABJECT ECONOMIC FAILURE- THE (ECONOMIC) PROGRESS OF SOUTH KOREA

AND THE SUCCESS OF VIETNAMESE AND CUBAN REFUGEES IN THE UNITED STATES WELL ILLUSTRATE THE DEBILITATING EFFECT OF TOTALITARIANISM AND THE FACT THAT POLITICAL FREEDOM AND ECONOMIC PROGRESS GO HAND IN HAND.

(대사 박동진-국장)

미주국　1차보　국기국　정문국　청와대　안기부

PAGE 1　　　　　　90.02.22 10:00

외신 1과 통제관

0026

90. 2002
Russell
exemption

LEE 2-22

OFFICIAL: +NO POLITICAL PRISONERS IN SOUTH KOREA.+

IIGORKO. IIXHRKO.

SEOUL (UPI) -- A FOREIGN MINISTRY OFFICIAL TOOK ISSUE THURSDAY WITH RECENT U.S. STATE DEPARTMENT REPORTS ON HUMAN RIGHTS WHICH IN PART SAID THERE STILL ARE POLITICAL PRISONERS AND TORTURE IN SOUTH KOREA.

LEE JOUNG-BIN, AN ASSISTANT MINISTER AT THE FOREIGN MINISTRY, SAID AT A SESSION WITH FOREIGN-MEDIA REPORTERS THAT THE STATE DEPARTMENT REPORT APPEARS TO HAVE FAILED TO CORRECTLY PRESENT THE HUMAN RIGHTS SITUATION IN SOUTH KOREA.

+I HAVE NEVER HEARD OF TORTURE IN OUR COUNTRY IN RECENT YEARS.... WE DON'*T HAVE POLITICAL PRISONERS NOW,+ LEE SAID. +NOBODY CAN DENY THAT THE HUMAN RIGHTS SITUATION IN SOUTH KOREA HAS REMARKABLY IMPROVED.+

HE SAID THE STATE DEPARTMENT REPORT SEEMS TO BE BASED ON SOME MISUNDERSTANDING ABOUT THE PROCESS OF LAW ENFORCEMENT IN SOUTH KOREA. HE SAID ENFORCING LAW IS NOT CRACKING DOWN ON HUMAN RIGHTS.

ON WEDNESDAY THE STATE DEPARTMENT HUMAN RIGHTS BUREAU SAID IN PART OF ITS ANNUAL COUNTRY REPORTS THAT +SOME CREDIBLE ALLEGATIONS OF TORTURE WERE MADE IN THE LAST HALF OF 1989 BY PERSONS ARRESTED UNDER THE NATIONAL SECURITY LAW (IN SOUTH KOREA).+

THE REPORT ON SOUTH KOREA ALSO SAID THE SEOUL GOVERNMENT SAID IN NOVEMBER LAST YEAR THAT NEARLY 650 PEOPLE WERE IN CUSTODY FOR NATIONAL SECURITY REASONS, FOR ILLEGAL DEMONSTRATIONS AND UNLAWFUL LABOR PROTESTS.

+WHEN I WAS IN NEW YORK A FEW YEARS AGO, I WAS WATCHING THE TELEVISION IN MY HOTEL ROOM AND SAW AN UPRISING IN MIAMI. THE POLICE WERE FIERCELY BATTLING THE RIOTERS.... THE NEWS COMMENTATOR SAID THEY (THE POLICE) WERE ENGAGED IN RESTORATION OF ORDER,+ LEE SAID.

+IF THAT HAPPENED IN SOUTH KOREA THEY WOULD HAVE CALLED IT A VIOLATION OF HUMAN RIGHTS.+

UPI SWS

CCCCAAE

=02221029

관리번호 90-521

분류기호 문서번호	미북 0160-309	협조문용지 ( )	결재	담 당	과 장	심의관
시행일자	1990. 2. 24.					
수 신	국제기구조약국장, 정보문화국장	발 신	미주국장 (서명)			
제 목	미 국무부의 89년도 인권 상황 보고서 및 관련자료 송부					

미 국무부가 최근 미의회에 제출한 89년도 세계 인권 상황 보고서중 남.북한 관계 부분 및 관련 자료를 별첨 송부하오니 대외 홍보등 귀국 업무에 참고하시기 바랍니다.

첨부 : 1. 미 국무부의 89년도 세계 인권 상황 보고서중 남.북한 관계 부분(기송부)

2. 동 보고서 관련 당부 보고사항 1부. 끝.

1990.12.31. 에 예고문에 의거 일반문서로 재분류됨

0028

1505-8일(1) 190㎜×268㎜(인쇄용지 2급 60g/㎡)
85. 9. 9 승인 "내가아낀 종이 한장 늘어나는 나라살림" 가 40-41 1989. 3. 18.

미 국무부의 89년 세계 인권 상황 보고서 한국 관계 부분

개 관

o 한국은 권위주의적 과거로부터 멀어지고 있으며, 완전한 민주주의 성취를 위해 큰 진전을 보았음.

o 민주화는 현재도 추진중임.

o 1988.4. 국회의원 선거 결과 여소야대 현상으로 대통령 권한이 축소되고 국회 권한이 확대됨.

o 정보기관의 활동은 1988년에는 눈에 띄게 감소되었으나 89년도에는 다시 증대되었으며, 89.4.-6.간 합동수사본부 설치 운영함.

o 1988. 노 대통령의 정치범 사면으로 전반적 인권상황은 개선되었으나 국가보안법 및 집시법 적용사례 빈번함.

o 일부 면회 거절, 고문등 주장이 있으며 논란이 되고 있는 국가 보안법 및 안기부법의 개정은 이루어지지 않음.

o 한국은 과거보다 훨씬 더 관용적이고 공개적인 사회임. 특히 신랄하고 자유로운 언론의 활동으로 인해 인권 침해 사례시 언론의 공개 비판이 가능함.

인간 존엄성 존중

가. 정치적 및 사법외적 살인

o 이철규 사건 및 동의대 경찰 참사사건등 일부 사례 기술

나. 실 종

o 실종사건은 없었음.

다. 고 문

o 89. 하반기 국가보안법 혐의로 수감된 인사들중 잠 안재우기, 오래 서있게 하기, 욕설, 구타 및 약물 강제복용등의 고문 사례 주장 있음.

o 서경원 및 보좌관 신문시 고문의 사례

o 재무부 직원 뇌물 수수 사건 수사시 고문을 했다는 이유로 무죄 방면됨.

o 전고협 구성을 위한 가두 서명 운동시 경찰은 과잉 무력 사용

o 교도소 상태는 다소 개선된 것으로 알려졌으나, 감사원 감사 결과 의료진 부족등이 지적됨. 정치범의 경우 잠 안재우기 및 심리적 압박등이 가해짐.

라. 불법 체포 및 구금

o 한국정부는 88.2.-89.8.간 보안사범이 2,094명 있는것으로 발표 하였는바, 이중 국가보안법 위반 혐의자 284명을 포함하여 1,315명이 89년에 체포됨.

o 치안본부 발표에 의하면 노 대통령 취임후 불온 출판물 및 서적 소지 혐의로 190명이 체포되고 15명이 북한과의 접선 기도혐의로, 37명이 반국가 조직과의 연계 혐의로 체포됨.

o 인권 분야의 주요 개선 사항중의 하나는 89.5. 국회가 사회 안전법을 폐지키로한 것이며, 보호 감호법도 개정되었음.

2

0030

o 구금시 영장제시가 이루어지지 않은 사례가 있으며, 48시간 이상 혐의자를 구금하는 경우가 있음.

o 헌법은 변호인의 조력을 받을 권리를 보장하고 있으나 심문 과정에 변호인의 동석은 허용하지 않고 있으며 89.7월 및 8월 국가보안법 위반 수감자에 대한 변호인 접견이 안기부 및 검찰에 의해 거부된 사례가 3건 있었음.

o 89.9.1. 정부는 국가보안법 개정안을 국회에 제출하였으나 국회는 상금 동건을 처리하지 못하고 있음.

o 한국에도 보석 제도가 운영되고 있는바, 89년말에는 국가 보안법 위반자에 대한 보석이 행해진 경우도 있음.
1973년에 폐기되었다 80년에 부분적으로 부활된 구속적부심 제도가 87년에는 완전히 부활되었음.

마. 공정한 공개재판을 받을 권리 제한

o 헌법은 형법불소급, 일사부재리, 소급입법금지등 형사 피고인에 대한 권리를 보장하고 있으며, 일반적으로 잘 준수되고 있음.

o 재판은 일반에게 공개되나 간혹 방청이 제한되는 경우는 있음.
간혹 사건에 따라 많은 경찰이 법정에 배치되는 경우도 있고 방청인들이 소란을 피우고 심리를 방해하는 경우도 있음.

o 정치적 사건인 경우 일단 조사가 종결되면 변호를 받을 권리는 존중되고 있음.

o 종래 행정부는 사법부에 대해 커다란 영향력을 행사하였으나 1989년에 사법부의 독립성이 증대되는 징후가 있었음. 그러나 정치적으로 민감한 사건에 대해서는 사법부가 아직도 정치적 압력에 굴복당하고 있다는 비판이 있음.

o 인권단체들에 따르면 1989년말 현재 800명 정도의 정치범이 있다 하는바, 이는 정부시설물에 대한 화염병 투척범등 폭력 행위자등을 포함한 숫자임.

o 어떤 경우, 기본적인 언론 및 집회의 자유를 제한하기 위해 국가 보안법이 적용되는 경우도 있는 듯함. 법무부에 의하면 89년 8월까지 695명이 안보관련 사범으로 수감되어 9월 중순 현재 219명이 유죄 재판을 받았으며 나머지는 재판 계류중임.

o 정확한 정치범 숫자를 파악하는 것은 어려운 바, 많은 사람들이 억류 되었다가 기소되지 않고 석방되거나 기소 되었더라도 재판없이 석방 되는 경우가 있기 때문임. 정치범 여부 판정이 특히 어려운 경우는 집시법과 노동법을 동시에 위반한 경우임. 89.11월 정부는 국가 보안 사범이 646명이라 발표한바 이는 국가 보안법 위반 사범 342명, 집시법 위반 사범 226명 및 91명이 노동쟁의 사범을 포함한 숫자임.

o 따라서 각사건에 대한 구체적인 정보없이는 결사의 자유를 행사하다 구속되었는지 아니면 시위중 폭력 사용으로 구속되었는지 분간이 어려움.

o 그러나 89.8월 현재 국제 인권단체 기준에서 본 정치범은 200~300여명 (low hundreds) 있는 것으로 추산되나 한국정부는 정치범은 없다고 주장하고 있음.

4

0032

o 89년 가장 널리 알려진 국가보안법 위반 사건은 정부의 사전 허가없이 북한을 방문한 사건들임.

- 정부는 89.2. 정주영 현대 명예회장의 방북은 인정하였으나 정부의 사전 허가없이 방북한 문익환 목사, 임수경, 문규현 신부등은 귀환후 국가보안법 위반으로 체포되었음.
- 문익환 목사는 10월초 10년형을 선고 받았으나 원고 및 피고는 모두 항소중임.

o 서경원 의원은 간첩 혐의로 기소되었는바 서의원은 방북사실은 자인하였으나 간첩 행위는 부인하였음. 그러나 89.9월 법원은 서의원의 강압에 의한 허위 자백 및 서명 주장을 받아 들이지 않고 15년형을 선고하였음.

o 서경원 의원 간첩 사건 관련 김대중 평민당 총재도 국가 보안법상 불고지죄로 기소되었으나 그후 추가적인 법적 조치는 없었음. 또한 이 사건과 관련 9명이 유죄 판결을 받았으나 집행 유예로 풀려 났음.

바. 개인의 사생활, 가족 및 가정 또는 통신에 대한 불법 간섭

o 일반적으로 정부는 개인의 사생활, 가정 및 가족 보존에 대한 권리를 존중하고 있으나 많은 정치인 및 종교인이 정부의 감시를 받고 있음.

o 정치적으로 의심스런 배경을 가진 사람들은 정부, 방송 매체 및 교육 부문에서의 고용 및 승진등이 거부되고 있음.

시민적 자유의 존중

가. 언론 및 출판의 자유

o 정부는 국가 전복적이고 이념적인 내용의 출판에 대한 국가 보안법을 계속 적용하고 있음.

o 전체적 반대 견해 표명은 전 행정부에서 보다 훨씬 자유로와 졌으며 대통령과 그 가족에 대한 비판등 과거 금기사항에 대한 논의도 허용되고 있음.

o 언론에 의한 북한 취재도 많이 허용되고 있음. 그러나 기본적으로 보안사, 안기부 및 북한 또는 공산권 문제 담당 부처에 대한 언론의 접근은 허용되고 있지 않음.

o 정부는 한겨레 신문의 이영희 논설위원을 허가없이 북한 기사를 게재 하였다하여 체포하였으며 집행 유예로 석방되었음.

o 한국의 방송 매체는 정치적으로 보다 중립적인 자세를 취하고 있으나, 인쇄매체보다는 독립성이 약한 상태에 있음.

o 정부는 학생 시위와 관련, 대학의 자유에 직.간접적인 제한을 가하고 있으며, 극렬 좌경 학생들에 의해서도 대학의 자유는 위협 받고 있음.

나. 평화적인 집회와 결사의 자유

o 대부분의 평화적이고 비정치적인 집회는 제한없이 개최되고 있으나, 반정부 인사, 특히 학생들의 집회는 사회 불안을 야기한다는 이유로 자주 봉쇄되고 있음.

8

0034

다. 종고의 자유

o 한국에서 종고의 자유는 제한받지 않음.

o 교회 건물들이 자극 학생이나 반정부 인사들의 시위장소로 활용되고 있어 경찰이 진압차 들어가는 사례가 가끔 있음.

라. 이동 및 이주의 자유

o 한국에는 광범위한 이동 및 이주의 자유가 존재하나, 북한 방문은 정부의 승인이 있을 경우에만 허용됨.

o 정치적 반대자, 범죄자, 학생 운동자등의 경우 출국이 금지되는 경우가 있음.

| 정치적 권리 존중 | (정부를 교체할 시민의 권리)

o 한국민은 자유롭고 공정한 방법으로 정부를 선택할 권리를 가지고 있음. 1987년에 개정된 헌법에 따라 대통령 및 국회의원은 국민의 직접 선거에 의해 선출되고 있음.

o 1988.4월 총선에서 여소야대 현상이 발생함에 따라 국회는 더 독립적인 역할을 수행하고 있으나, 여야 및 야당간의 잦은 의견 대립이 국회의 효과적인 활동을 제한하고 있음.

7

0035

국제인권 단체 및 민간기관의 인권 조사 활동에 대한 정부의 태도

- 한국은 인권과 관련한 외부의 간섭을 환영하지 않으나, 정부 여당은 국제 인권단체의 면담에 기꺼이 응하고 있음. 단, 이철규군 사건의 경우 정부는 미국인 의사에 의한 부검을 거부했음.

- 정부는 민주화 및 인권신장을 위한 노력의 증거로서 6.29 선언 및 그후의 조치를 지적하고 있으며, 국가 보안법 및 관련제한을 한국의 특수한 상황이라는 이유로 정당화하고 있음.

- 국회 및 주요 정당은 모두 인권 관계 위원회를 가지고 있으며, 많은 민간 인권단체들이 인권 상황에 대한 보고서를 발간하고 있음.

인종, 성, 종교, 언어, 사회적 지위에 의한 차별

- 한국은 단일 민족 국가이므로 소수민족에 대한 차별은 존재치 않으나, 지역 차별 의식이 존재함.

- 한국 여성의 지위는 많이 향상되어 왔고, 최근 국회에서 여성의 동등 지위를 보장하는 여러 입법을 제정했으나, 지금까지는 완전한 효과를 거두지 못하고 있음.

- 1989년중 인신매매등 강력 범죄가 급증함.

8

0036

근로자의 권리

가. 조합 결성의 권리

o 헌법상 근로자의 조합 결성 권리가 보장되어 있으나, 회사는 직장당 1개 조합 허용, 조합 구성을 위한 최소 근로자수 부재등의 규정을 이용하여 관제 조합을 만드는 경우가 많음.

o 대다수의 노조는 한국 노동조합 연맹과 연계되어 있으나 15퍼센트 '민주노조'는 전국적 조직이 없음. 따라서 '민주노조'는 전노협을 구성하려 하였으나 전국적 노동조합을 또 하나 만드는 것은 사실상 법으로 금지되어 있음.

o 노사 관계 규정 법률은 정부와 국회가 개정을 위한 합의점을 찾지 못하여 기본적으로 5공화국 시절과 같음.

o 공무원, 국영기업체 및 방위 산업체 근로자는 파업이 금지되어 있으며 방송.금융등 공익사업 근로자는 법에 의하여 정부의 중재를 따라야함.

나. 결사 및 집단 교섭권

o 헌법과 노동조합법에 근로자의 결사, 집단 교섭 및 행동권이 보장되어 있으나 공무원, 국영기업체 및 방위산업체 근로자는 제외됨. 수출 진흥 공단내 기업도 공익 기업에 준하는 대우를 받음.

o 노동쟁의를 다루는 독립된 재판부가 없으며 많은 고용주는 '구사대'를 조직, 노동조합을 해체하고 있으나 당국은 효과적 수사를 못하고 있음.

9

0037

다. 강제 노동 금지

ㅇ 현법상 강제 노동은 금지되어 있으나 여성들의 인신매매 사례와 남성들의 어선에서의 강제 조업 사례가 있었으며 근로자가 법정 최고 근로시간 이상으로 초과 근무를 강요당한 사례도 있었음.

라. 청소년 고용 최저 연령

ㅇ 18세 미만의 청소년은 초과 근무시간 재한등 법적 권리가 부여되고 있으나 실제로는 일반 근로자와 똑같은 취급을 받는 사례가 많음. 노동 집약 산업에서는 10대 여성 근로자가 열악한 조건에서 근무하는 사례가 많음.

마. 적정 근로 조건

ㅇ 법정 최저 임금, 법정 최고 근로시간등 적정 근로조건이 규정되어 있으나 효과적으로 시행되지 않고 있음.

10

0038

법 무 부

인권 2031- 2490 503-7045 1990. 2. 24.

수신 외무부장관

참조 미주국장

제목 '89 미 국무부의 한국인권상황보고서 발간 및 국제사면위의 양심범 석방촉구 성명과 관련한 당부입장

'89 미 국무부의 한국인권상황보고서 발간 및 국제사면위의 양심범 석방촉구 성명이 발표됨에 따라 당부 입장을 별첨과 같이 송부하오니 동 내용을 미 대사관측과 국제사면위 본부측에 적의 설명될 수 있도록 조치하여 주시기 바랍니다.

첨부 : 당부입장 자료 1부. 끝.

법 무 부 장 관

법무실장 전결

4755

0039

미 국무부 '89 세계인권상황보고서 중

한국관계 부분에 대한 정부입장

미 국무부는 1990. 2. 21 미 의회에 169개국에 대한 '89년도 연례 인권보고서를 제출하였는 바, 동 보고서의 한국관계 부분에 관하여 정부의 입장을 밝히고자 함.

먼저 우리는 동 보고서가 한국의 인권상황을 파악하는데 있어 진실에 접근하려고 노력한 점을 평가함.

특히 전반적인 우리의 인권상황이 권위주의적 과거로부터 멀어지고 있고, 완전한 민주주의를 성취하기 위하여 큰 진전을 보았다는 긍정적인 시각에 대하여 동의함.

그러나 동 보고서의 일부 내용이 일방적이고 때로는 악의적인 일부세력의 허위주장이라고 할 수 밖에 없는 사실들을 믿는 듯한 표현을 하고 있는데 대하여 우려를 금할 수 없으며, 이러한 몇가지 내용에 관하여 지적하고자 함.

/

0040

o 89 하반기 국가보안법 수감자에 대한 고문사례 (특히 서경원 및 보좌관 신문시) 주장이 있다는 내용에 관하여,

- 제6공화국 정부 출범이래 고문이나 가혹행위를 근절시키기 위한 노력이 계속되고 있으며, 특히 공안사범들에 대하여 가혹행위를 한 사례가 없음

- 보고서의 내용과 같이 당사자들이 일방적으로 가혹행위를 당했다는 주장을 한 사실은 있으나 그 어느것도 사실로 드러난 적이 없음

- 특히 서경원이나 보좌관들의 경우 처음 변호인들과의 접견시에는 가혹행위를 당한 사실이 없다고 스스로 인정한 적도 있을 뿐만 아니라

- 법원도 동인들이 검찰수사시 아주 자유롭고 임의로운 상태에서 진술을 하였다고 판시하면서 당사자들의 주장을 일축한 바 있음.

2 0041

o 심문과정에 변호인의 동석이 허용되지 않고 있으며, 변호인 접견이 거부된 사례가 있다는 내용에 관하여,

- 변호인 접견은 헌법상 보장되고 있으며, 이를 제한하거나 거부할 수 없게 되어 있으며, 따라서 변호인들이 수사중이라도 언제든지 피의자와 만날 수 있는 권리가 있음

- 다만 우리 형사소송법상 피의자의 신문과정에 변호인을 필요적으로 참여시키게 되어 있지는 않으므로 이는 수사기관의 의무사항이 아니며, 또한 변호인이 접견을 요구할 때 마침 중요한 수사가 진행중에 있으면 불가피하게 다소 지연되는 사례는 있을 수 있으나 보고서의 내용과 같이 접견 자체를 거부하거나 제한한 사실은 없음

- 외국의 경우 변호인의 접견을 임의로 제한할 수 있도록 되어 있는 나라들도 있음.

3 0042

o 정치적으로 민감한 사건에 대해서는 사법부가 아직도 정치적 압력에 굴복당하고 있다는 비판이 있다는 내용에 관하여,

- 사법부의 경우 여소야대 국회에서 여, 야 합의로 인준된 대법원장 취임이후 완전한 독립이 보장되고 있으며, 사법부가 정치적 압력에 굴복당하고 있다는 것은 전혀 사실과 다르다고 생각됨

- 오히려 사법부가 독립성을 갖고 소신있는 판결을 함으로써 수사기관의 적법절차 준수등이 유도되고 있는 실정임

- 사법부가 정치적 압력에 굴복당하고 있다는 비판은 범죄행위로 인하여 당연히 유죄판결을 받은 피고인들이나 그 관련자들의 일방적이고 때로는 악의적인 주장일 뿐임.

4 0043

o 언론 및 집회의 자유를 제한하기 위해 국가보안법이 적용되는 경우도 있다는 내용에 관하여

- 제6공화국 정부에 들어서 가장 획기적이고 명백한 진전이 있었다면 이는 언론의 자유일 것임. 따라서 언론의 자유를 제약한다는 것은 현 우리나라에서는 상상할 수도 없는 일임

- 또한 우리나라에는 지난 국회에서 여.야가 합의하여 집회및 시위에 관한 법률이 개정된 바 있고, 따라서 집회나 시위는 동 법률에 의하여 규율되고 있으므로 이를 국가보안법으로 규제할 필요도 없는 것임

- 더 나아가 집회및 시위에 관한 법률과 국가보안법과는 전혀 다른 내용의 법률로서 단순히 집회행위에 대하여 국가보안법을 적용한다는 것은 상식에 반하는 일이라 아니할 수 없음.

0044

5

o 89. 8월현재 인권단체 기준으로 정치범은 200-300여명 있는 것으로 추산된다는 내용에 관하여

- 정치범이 무엇인가에 대해서는 말하는 사람마다 그 개념 규정을 달리하고 있음

- 그러나 정치범을 어떻게 규정하던 간에 이들은 모두 간첩행위 또는 정부의 전복을 기도하거나 폭력을 사용하는등 우리의 실정법을 위반하여 재판을 받고 재판과정에서 충분한 증거가 드러나 유죄판결이 선고된 사람들임을 밝혀 둠

- 그러나 비단 간첩이나 폭력사용자가 아니더라도 실정법을 위반한 사람들에 대하여 이를 모두 양심범이라 주장하는 것은 이해하기 어려움

- 단적인 예로, 자유의 천국이라고 불리우는 미국에서조차도 공산주의자들의 활동을 규제하기 위하여 반역.내란 기타

6

0045

국가전복활동에 대한 일반조항 외에 전복활동통제법과 공산주의자통제법을 가지고 있는 것임

- 우리는 40여년동안 세계에서 가장 호전적이고 폐쇄적인 북한과 휴전선 하나를 사이에 두고 대치하여 있으며, 북한은 지금도 우리의 자유민주주의체제를 파괴하기 위하여 무력에 의한 직접남침이나 간첩침투등 간접침략에 의한 적화통일을 끊임없이 획책하고 있음 (푸에블로호 납치사건, 미류나무도끼 만행사건, 칼기폭파사건, 아웅산 폭파사건 등)

- 이러한 위협에 대처하여 우리 국가의 안전과 국민의 생존 및 자유를 확보하기 위하여 국가보안법이 있는 것이며, 따라서 우리의 체제를 전복하기 위한 반국가활동이나 북한의 대남 적화통일 전략.전술에 동조하는 반국가사범등을 양심범이라는 이름 아래 처벌하지 말아야 한다는 것은 더 나아가 우리나라가 공산화되어도 좋다는 뜻이 되는 것임

0046

7

- 대한민국의 헌법 이념을 파괴하고 국가주권을 무시하는 실정법위반 행위를 한 사람들에 대하여는 엄중처벌할 수 밖에 없으며, 이러한 국가보안법위반사범들을 양심범이라는 이유로 특별한 취급을 하여야 한다는 주장은 그 국가의 안전과 국민의 생존권을 신중히 고려하지 못한 독단적 견해임.

8

0047

o 많은 정치인 및 종교인이 정부의 감시를 받고 있다는 내용에 관하여

- 6.29 선언이후 우리사회 전반에 걸쳐 민주화, 자율화가 진전되면서 국민각자의 인권 및 권리의식이 상당히 고양되었음

- 오히려 그 도를 지나쳐 각종 불법집단행동으로 자신의 요구를 무조건 관철하려는 부작용까지도 낳고 있는 실정임

- 이러한 상황에서 아무런 법적근거없이 개인에 대하여 정부가 감시를 한다는 것은 있을 수 없는 일이며, 동 보고서의 내용은 아무런 근거도 없는 것임.

9 0048

o 한겨레신문 이영희 논설위원은 허가없이 북한 기사를 게재하였다 하여 체포되었다는 내용에 관하여

- 이영희 논설위원은 단순히 북한기사를 게재한 사실로 체포된 것이 아님

- 동인은 정부와는 아무런 협의없이 북한으로 들어가기 위하여 일본을 방문, 친북한 인사를 만나 "존경하는 김일성 주석 각하" 와 잠시라도 직접 대화하는 시간을 허락받도록 해달라는 서신을 전달하는 등

- 정부 몰래 밀입북하기 위하여 구체적 계획을 수립, 이를 일본에 있는 친북한 인사에게 송부하여 입북 계획을 진행시키는 등

- 현행법상 금지되어 있는 반국가단체로의 잠입을 계획한 혐의로 체포된 것임

- 참고로 현재 우리나라에서는 정부의 승인을 받으면 얼마든지 북한을 방문할 수 있도록 되어 있음.

0049

10

o 정치적 반대, 범죄자, 학생운동가의 경우 출국이 금지되는 경우가 있다는 내용에 관하여

- 모든 나라와 마찬가지로 우리나라의 출입국관리법에도 일정한 사유가 있을 경우 출국을 금지시킬 수 있도록 되어 있음

- 그러나 이는 범죄행위로 인하여 수배중이거나 재판중인 자들이나 또는 수사대상에 올라 있는 사람들에 대하여만 국한하는 등 극히 엄격하게 적용되고 있을 뿐 임의로 출국을 금지하는 사례는 없음

- 따라서 범죄자들의 경우에도 사법처리가 완전히 끝나거나 수사. 재판에 지장이 없을 경우에는 출국금지를 시키지 않고 있으며, 더구나 단순히 정치적 반대자, 또는 운동가라는 이유만으로 출국을 금지시키는 경우는 없음.

//

0050

o 한국의 교도소에서 정치범에 대하여 때때로 잠 안재우기 및 심리적 압박을 가하고 있다는 인권운동가들의 주장을 인용한 내용에 관하여,

- 한국의 교도소는 모든 재소자에 대하여 평등하게 대우하고 있으며 정치범이라하여 특별한 처우를 하는 일은 없음.

- 이러한 주장도 결국 범죄를 저지르고 교도소에 수감된 범죄자들의 근거없는 일방적 주장이라고 할 것인바, 이러한 내용을 아무런 비판 없이 보고서에 인용하고 있음은 무책임한 태도라는 인상을 받았음.

0051

12

국제사면위의 양심범 석방촉구에 관하여

그동안 수차 정부가 그 견해를 밝힌 바와 같이 정부는 현행법을 위반하지 않고 단순히 내심에 특정한 사상을 가지고 있다거나 어떠한 정치적 신념을 가지고 있다는 이유만으로 처벌한 사람은 단 한명도 없음.

따라서 한국에는 양심범은 없다고 단언할 수 있으며, 다만 6.29선언 이전에 과거 민주화 요구와 관련되어 구속된 사람들을 시국사범이라고 부른 적이 있으나 이들은 '88.12.21 전면적인 사면을 실시한 바 있음.

국제사면위는 이시영, 김성규를 양심범이라고 주장하고 있으나 이시영은 이적표현물을 제작,판매하는 등 국가보안법을 위반한 사람이고 김성규는 재일 북한공작원에게 포섭되어 수원비행장시설 및 경비상황 등 군사기밀을 탐지,수집하는 등 간첩행위를 한 사람임.

그리고 이시영은 '90.2.3 법원의 보석결정으로 석방된 바 있음.

정부는 범법자의 교정.교화 차원에서 모든 범죄자에 대하여 일정한 요건을 구비할 경우 석방조치를 취하고 있으나 이는 일부세력이 주장하는 소위 양심범이라는 이유로 석방하는 것이 아님을 분명히 함.

13

0052

관리번호 90-524

기 안 용 지

분류기호 문서번호	국연 2031 (전화 :)	시 행 상 특별취급	
보존기간	영구·준영구. 10. 5. 3. 1.	장 관	
수 신 처 보존기간			
시행일자	1990. 2. 26.		

보조기관	국 장	전결	협조기관	미주국장 :	문 서 통 제
	과 장				
기안책임자	황 순 택				발 송 인

경 유 수 신 참 조	수신처 참조	발신명의		
제 목	미국무부 89년도 아국 인권 상황 보고서			

미국무부가 최근 미의회에 제출한 89년도 세계 인권 상황 보고서중 남북한 관계 부분 및 관련자료를 별첨 송부하오니 귀업무에 참고하시기 바랍니다.

1990. 12. 31. 에 예고문에 의거 일반문서로 재분류됨

첨 부 : 1. 남·북한 관계 부분 각 1부.

2. 상부 보고사항 1부.

3. 법무부 논평 기사 1부.

4. 북한 논평(외신) 1부. 끝.

0053

1505-25(2-1) 일(1)갑 85. 9. 9. 승인

190mm×268mm 인쇄용지 2급 60g/㎡ 가 40-41 1986. 2. 13.

수신처 : 주유엔, 주제네바, 주유네스코 대사

0054

1505-25(2-2) 일(1)을 "내가아낀 종이 한장 늘어나는 나라살림" 190mm×268mm 인쇄용지 2급 60g/m²
85. 9. 9.승인 가 40-41 1988. 9. 23

미 국무부 '89 세계인권상황보고서 중
한국관계 부분에 대한 정부입장

미 국무부는 1990. 2. 21 미 의회에 169개국에 대한 '89년도 연례 인권보고서를 제출하였는 바, 동 보고서의 한국관계 부분에 관하여 정부의 입장을 밝히고자 함.

먼저 우리는 동 보고서가 한국의 인권상황을 파악하는데 있어 진실에 접근하려고 노력한 점을 평가함.

특히 전반적인 우리의 인권상황이 전체적으로 크게 개선되어지고 있고, 완전한 민주주의를 성취하기 위하여 큰 진전을 보였다는 긍정적인 시각에 대하여 동의함.

그러나 동 보고서의 일부 내용이 불합리하고 때로는 악의적인 일부 세력의 허위주장이라고 할 수밖에 없는 사실들을 [illegible] 표현을 하고 있는데 대하여 우려를 금할 수 없으며, 이러한 몇가지 내용에 관하여 지적하고자 함.

0055

o 89 하반기 국가보안법 수감자에 대한 고문사례 (특히 서경원 및 보좌관 신문시) 주장이 있다는 내용에 대하여

- 제6공화국 정부 출범이래 고문이나 가혹행위를 근절시키기 위한 노력이 계속되고 있으며, 특히 공안사범들에 대하여 가혹행위를 한 사례가 없음

- 보고서의 내용과 같이 당사자들이 일방적으로 가혹행위를 당했다는 주장을 한 사실은 있으나 그 어느것도 사실로 드러난 적이 없음

- 특히 서경원이나 보좌관들의 경우 처음 변호인들과의 접견시에는 가혹행위를 당한 사실이 없다고 스스로 인정한 적도 있을 뿐만 아니라

- 법원도 동인들이 검찰수사시 아주 자유롭고 임의로운 상태에서 진술을 하였다고 판시하면서 당사자들의 주장을 일축한 바 있음.

2

0056

ㅇ 심문과정에 변호인의 동석이 허용되지 않고 있으며, 변호인 접견이 거부된 사례가 있다는 내용에 관하여,

- 변호인 접견은 헌법상 보장되고 있으며, 이를 제한하거나 거부할 수 없게 되어 있으며, 따라서 변호인들이 수사중이라도 언제든지 피의자와 만날 수 있는 권리가 있음

- 다만 우리 형사소송법상 피의자의 신문과정에 변호인을 필요적으로 참여시키게 되어 있지는 않으므로 이는 수사기관의 의무사항이 아니며, 또한 변호인이 접견을 요구할 때 마침 중요한 수사가 진행중에 있으면 불가피하게 다소 지연되는 사례는 있을 수 있으나 보고서의 내용과 같이 접견 자체를 거부하거나 제한한 사실은 없음

- 외국의 경우 변호인의 접견을 임의로 제한할 수 있도록 되어 있는 나라들도 있음.

0057

3

o 정치적으로 민감한 사건에 대해서는 사법부가 아직도 정치적 압력에 굴복당하고 있다는 비판이 있다는 내용에 관하여,

- 사법부의 경우 여소야대 국회에서 여, 야 합의로 인준된 대법원장 취임이후 완전한 독립이 보장되고 있으며, 사법부가 정치적 압력에 굴복당하고 있다는 것은 전혀 사실과 다르다고 생각됨

- 오히려 사법부가 독립성을 갖고 소신있는 판결을 함으로써 수사기관의 적법절차 준수등이 용도되고 있는 실정임

- 사법부가 정치적 압력에 굴복당하고 있다는 비판은 범죄행위로 인하여 당연히 유죄판결을 받은 피고인들이나 그 관련자들의 일방적이고 때로는 악의적인 주장일 뿐임

0058

4

ㅇ 언론 및 집회의 자유를 제한하기 위해 국가보안법이 적용되는 경우도 있다는 내용에 관하여

- 제6공화국 정부에 들어서 가장 획기적이고 명백한 진전이 있었다면 이는 언론의 자유인 것임. 따라서 언론의 자유를 제약한다는 것은 현 우리나라에서는 상상할 수도 없는 일임

- 또한 우리나라에는 지난 국회에서 여.야가 합의하여 집회및 시위에 관한 법률이 제정된 바 있고, 따라서 집회나 시위는 동 법률에 의하여 규율되고 있으므로 이를 국가보안법으로 규제할 필요도 없는 것임

- 더 나아가 집회및 시위에 관한 법률과 국가보안법과는 전혀 다른 내용의 법률로서 단순한 집회행위에 대하여 국가보안법을 적용한다는 것은 상식에 반하는 일이라 아니할 수 없음.

0059

5

o 89. 8월현재 인권단체 기준으로 정치범은 200~300여명 있는 것으로 추산된다는 내용에 관하여

- 정치범이 무엇인가에 대해서는 말하는 사람마다 그 개념 규정을 달리하고 있음

- 그러나 정치범을 어떻게 규정하던 간에 이들은 모두 간첩행위 또는 정부의 전복을 기도하거나 폭력을 사용하는등 우리의 실정법을 위반하여 재판을 받고 재판과정에서 충분한 증거가 드러나 유죄판결이 선고된 사람들임을 밝혀 둠

- 그러나 비단 간첩이나 폭력사용자가 아니더라도 실정법을 위반한 사람들에 대하여 이를 모두 양심범이라 주장하는 것은 이해하기 어려움

- 단적인 예로, 자유의 천국이라고 내세우는 미국에서조차도 공산주의자들의 활동을 규제하기 위하여 반역.내란 거다

0060

6

국가전복활동에 대한 일반조항 외에 전복활동을 제법과 공산주의자를 제법을 가지고 있는 것임

- 우리는 40여년동안 세계에서 가장 호전적이고 폐쇄적인 북한과 휴전선 하나를 사이에 두고 대치하여 왔으며, 북한은 지금도 우리의 자유민주주의체제를 파괴하기 위하여 무력에 의한 직접남침이나 간첩침투등 간접침략에 의한 적화통일을 끊임없이 획책하고 있음 (東베를린 납치사건, 미루나무도끼 만행사건, 칼기폭파사건, 아웅산 폭파사건 등)

- 이러한 위협에 대처하여 우리 국가의 안전과 국민의 생존 및 자유를 확보하기 위하여 국가보안법이 있는 것이며, 따라서 우리의 체제를 전복하기 위한 반국가활동이나 북한의 대남적화통일 전략.전술에 동조하는 반국가사범들을 양심범이라는 이름 아래 처벌하지 말아야 한다는 것은 더 나아가 우리나라가 공산화되어도 좋다는 뜻이 되는 것임

0061

7

- 대한민국의 헌법 이념을 파괴하고 국가주권을 무시하는 실정법위반 행위를 한 사람들에 대하여는 엄중 처벌할 수 밖에 없으며, 이러한 국가보안법위반사범들을 양심범이라는 이유로 특별한 취급을 하여야 한다는 주장은 그 국가의 안전과 국민의 생존권을 신중히 고려하지 못한 독단적 견해임.

0062

ㅇ 많은 정치인 및 종교인이 정부의 감시를 받고 있다는 내용에 관하여

- 6.29 선언이후 우리사회 전반에 걸쳐 민주화, 자율화가 진전되면서 국민각자의 인권 및 권리의식이 상당히 고양되었음

- 오히려 그 도를 지나쳐 극히 일부집단들이 불법으로 자신의 요구를 무조건 관철하려는 부작용까지도 낳고 있는 실정임

- 이러한 상황에서 아무런 법적근거없이 개인에 대하여 정부가 감시를 한다는 것은 있을 수 없는 일이며, 동 보고서의 내용은 아무런 근거도 없는 것임.

0063

9

ㅇ 한겨레신문 이영희 논설위원은 허가없이 북한 기사를 게재하였다 하여 체포되었다는 내용에 관하여

- 이영희 논설위원은 단순히 北한 기사를 게재한 사실로 체포된 것이 아님

- 동인은 정부와는 아무런 협의없이 북한으로 들어가기 위하여 일본을 방문, 친북한 인사를 만나 "한겨레신문 김일성 주석 국가와 잠시라도 직접 대화하는 시간을 허락받도록 해달라는 서신을 전달하는 등

- 정부 몰래 밀입북하기 위하여 구체적 계획을 수립, 이를 일본에 있는 친북한 인사에게 송부하여 입북 계획을 진행시키는 등

- 현행법상 금지되어 있는 반국가단체로의 잠입을 계획한 혐의로 체포된 것임

- 참고로 현재 우리나라에서는 정부의 승인을 받으면 얼마든지 북한을 방문할 수 있도록 되어 있음.

0064

10

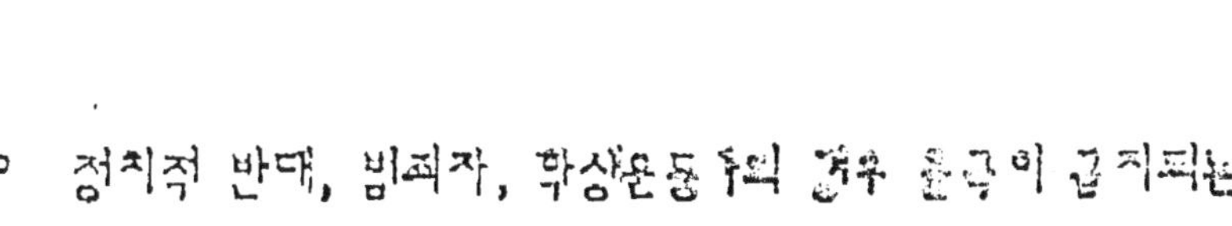

o 정치적 반대, 범죄자, 학생운동 등의 경우 출국이 금지되는 경우가 있다는 내용에 관하여

- 모든 나라와 마찬가지로 우리나라의 출입국관리법에도 일정한 사유가 있을 경우 출국을 금지시킬 수 있도록 되어 있음

- 그러나 이는 범죄행위로 인하여 수배중이거나 재판중인 자들이나 또는 수사대상에 올라 있는 사람들에 대하여만 국한하는 등 극히 엄격하게 적용되고 있을 뿐 임의로 출국을 금지하는 사례는 없음

- 따라서 범죄자들의 경우에도 사법처리가 완전히 끝나거나 수사, 재판에 지장이 없을 경우에는 출국금지를 시키지 않고 있으며, 더구나 단순히 정치적 반대자, 또는 운동가라는 이유만으로 출국을 금지시키는 경우는 없음.

0065

//

ㅇ 한국의 교도소에서 정치범에 대하여 [illegible] 등 고문행위 및 심리적 압박을 가하고 있다는 인권운동가들의 주장을 인용한 내용에 관하여,

- 한국의 교도소는 모든 재소자에 대하여 평등하게 대우하고 있으며 정치범이라 하여 특별한 처우를 하는 일은 없음.

- 이러한 주장은 결국 범죄를 저지르고 교도소에 수감된 범죄자들의 근거없는 일방적 주장이라고 할 것인바, 이러한 내용을 아무런 비판 없이 보고서에 인용하고 있음은 무책임한 태도라는 인상을 받았음.

0066

12

(별첨2)

美 国務部의 89年度 人權状況 報告書

1990. 2.

外 務 部

0067

美 國務部는 89年度 國家別 人權狀況 報告書를 最近 議會에 提出하였으며 議會는 이를 2.21(水) 10:00(韓國時間 2.22(木) 00:00) 對外에 公開할 豫定인 바, 同 報告書 內容中 南北韓 人權狀況에 關해 美側으로부터 事前 入手한 內容을 報告드립니다.

主要內容

(概 觀)

- 韓國은 權威主義를 脫皮해가고 있으며, 完全한 民主主義 達成을 위해 커다란 進展을 이룩함

- 韓國은 過去보다 훨씬 더 寬容的이고 公開的인 社會이며, 言論은 신랄하고 自由로움

- 盧大統領의 政治犯 赦免으로 全般的인 人權狀況은 改善되었으나, 國家保安法 및 集示法 適用事例가 頻繁하고 一部 拷問 主張이 있음.

- 情報機關의 活動은 1989年 다시 增加됨.

(市民的 自由의 尊重)

- 言論, 出版, 集會 및 結社의 自由는 훨씬 伸張됨

  - 國家保安法 違反行爲는 繼續 團束
  - 特殊機關에 대한 言論接近 不許
  - 大學의 自由는 學生示威와 關聯 制限 받음

- 宗敎의 自由는 制限받지 않음

0068

(政治的 權利의 尊重)

ㅇ 韓國民은 自由롭고 公正한 方法으로 政府를 選擇할 權利 保有

ㅇ 88.4月 總選時 與小野大 現象으로 國會의 獨立的 役割이 增大되었으나, 與野 및 野黨 相互間의 對立으로 效率的 運營이 制限당함

(人權團體의 活動 保障)

ㅇ 政府는 國際人權團體의 面談에 기꺼이 응함

ㅇ 國會 및 政黨內에 人權關係 委員會 設置

(人間 尊嚴性 尊重)

ㅇ 司法府의 獨立性이 增大됨.

ㅇ 이철규 事件, 東義大 事件 및 서경원 事件等 記述

ㅇ 保安事犯의 增加
- 89年中 1,315名 逮捕(國家保安法 違反 嫌疑者 284名 包含)
- 不穩出版物 所持 嫌疑者 190名 逮捕
- 韓國政府는 政治犯의 存在 否認
- 韓國內 人權團體는 800餘名의 政治犯이 있다고 主張하나 國際人權 基準에 의하면 約2-3百名의 政治犯이 있는 것으로 推定됨

0069

北韓의 人權狀況

(概　觀)

ㅇ 89年中에도 北韓 住民의 基本權은 拒否당하고 硬直된 統制下에 있음.

ㅇ 北韓의 國際테러 支援行爲 포기 證據 없음

(人間 尊嚴性)

ㅇ 政治犯 處刑 및 暗殺과 服役囚에 對한 拷問 자행

ㅇ 不法逮捕 및 不公正한 裁判 자행

- 105,000名 政治犯이 強制收容所에 監禁

(市民的 自由 剝奪)

ㅇ 國際人權 規約上의 表現, 集會 및 結社의 自由 剝奪

(政治的 自由 不在)

ㅇ 金日成 및 金正日에 依한 政治制度 獨占 掌握

(國際監視活動 不許)

ㅇ 北韓內 人權團體 不在
- 國際 人權團體의 北韓訪問 不許

0070

向後対策

ㅇ 北韓의 人權狀況에 관하여 國內外的으로 弘報하고, 對北接觸 機會等을 利用하여 北韓의 民主化와 人權伸張을 위한 諸般 努力 積極 展開

ㅇ 第6 共和國 出帆以後 全般的인 人權狀況 改善과 民主化 進展에 대한 今番 報告書의 評價를 適切히 弘報

ㅇ 我國의 人權伸張 및 民主化 進展의 實相에 대한 美側의 理解 提高를 위한 諸般 努力 繼續 展開

- 끝 -

0071

국제사면위의 양심범 석방촉구에 관하여

그동안 수차 정부가 그 견해를 밝힌 바와 같이 정부는 현행법을 위반하지 않고 단순히 내심에 특정한 사상을 가지고 있다거나 어떠한 정치적 신념을 가지고 있다는 이유만으로 처벌한 사람은 단 한명도 없음.

따라서 한국에는 양심범은 없다고 단언할 수 있으며, 더욱 6.29선언 이전에 과거 민주화 요구와 관련하여 구속된 사람들을 시국사범이라고 부른 적이 있으나 이들은 '88.12.21 전면적인 사면을 실시한 바 있음.

국제사면위는 이시영, 김성규를 양심범이라고 주장하고 있으나 이시영은 이적표현물을 제작, 판매하는 등 국가보안법을 위반한 사람이고 김성규는 재일 북한공작원에게 포섭되어 수원비행장시설 및 경계상황 등 군사기밀을 탐지, 수집하는 등 간첩행위를 한 사람임.

그리고 이시영은 '90.2.3 법원의 보석결정으로 석방된 바 있음.

정부는 인도주의적 교정.교화 차원에서 모든 범죄자에 대하여 적정한 요건을 구비할 경우 석방조치를 취하고 있으나 어느 일부세력이 주장하는 소위 양심범이라는 이유로 석방하는 것은

13

0072

(별첨3)

서울신문

1990. 2. 24. 토, 2면

89세계人權보고서 "韓國부분은 허위"

法務部 밝혀

법무부는 23일 美國 국무부의 「89세계인권상황보고서」중 우리나라와 관련된 부분(본지 22일자 5면)에 대한 정부의 입장을 발표했다.

법무부는 이날 『이 보고서의 일부 내용이 일방적일 뿐만 아니라 악의적인 일부세력의 허위주장이라고 할 수밖에 없는 사실들을 마치 있는 것처럼 표현하고 있는데 대해 우려를 금할 수 없다』고 밝혔다.

0073

관리번호	90-371

외 무 부

종 별 :

번 호 : USW-1005 일 시 : 90 0302 1153

수 신 : 장관(미북)

발 신 : 주 미 대사

제 목 : 국무부 인권 보고서

연:USW-0833

1. 연호, 국무부의 89 년도 아국관련 인권 보고서와 관련, 당관 정태익 참사관은 3.5. (월) PAULA DOBRIANSKY 인권담당 부차관보를 면담할 예정임.

2. 동 면담시 3.1 절 특사 내용 설명과 함께 금번 인권 보고서에 대한 아측의 입장을 전달할 예정인바, 동면담시 참고코자 하니 금번 인권 보고서와 관련, 아측 견해 또는 관계기관 설명자료등이 있으면 조속 회시 바람.

(대사 대리 이승곤-국장)

예고:90.12.31. 일반

1990.12.31 에 예고문에 의거 일반문서로 재분류됨

미주국 차관 1차보 국기국

PAGE 1

90.03.03 06:01

외신 2과 통제관 ET

0074

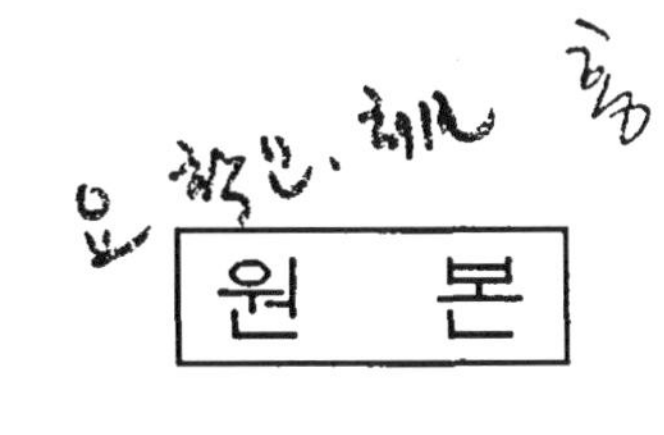

관리 번호	90-2273

외 무 부

종 별 : 지 급

번 호 : USW-5129 일 시 : 90 1116 1532

수 신 : 장관(미북,기정)

발 신 : 주 미 대사

제 목 : KENNEDY상원의원 요청

1. EDWARD KENNEDY 상원의원은 11.7. 자 본직앞 서한에서 11.20 일 개최되는 로버트 케네디 인권상 수상식에 인재근(김근태 부인)이 참관토록 초청하였으나, 동인이 상금 여권 을 받지 못하였다고 하면서 여권 발급을 요청하여 왔는바,동건 관련 사항을 확인하여 당관에 회시 하여주기 바람.

2. 상기 인재근은 자녀 2 명(김병민 및 김병준)을 동반할 계획이라 함.

3. 동 서한은 별전 팩스 송부함.

(대사 박동진- 국장)

90.12.31. 까지

미주국 안기부

PAGE 1

90.11.17 06:42

외신 2과 통제관 FE

0075

EDWARD M. KENNEDY
MASSACHUSETTS

USW(F) - 3093
수신 : 장관 (미북)
발신 : 주미대사
제목 : 케네디 상원의원 서한

United States Senate

WASHINGTON, DC 20510

November 7, 1990

배부처	장관실	차관실	一차보	二차보	기획실	의전장	아주국	미주국	구주국	중아국	국기국	경제국	통상국	정문국	영교국	총무과	감사관	공보관	외연원	청와대	총리실	안기부
	/	/	/					o						/						/	/	/

2370 Massachusetts Ave., N.W.
Washington, D.C. 20008

Dear Ambassador Park:

I am writing to ask your assistance in ensuring In Jae-Keun is able to join me and the Kennedy family for the 1990 Robert F. Kennedy Human Rights award ceremony on November 20th.

As you may know, she and her husband, Kim Keun-Tae, were unable to attend our ceremony in 1987 and we would be greatly honored to welcome In Jae-Keun this year. It is my understanding that In Jae-Kuen has yet to receive a passport and thus it is unclear whether she will be able to travel to the United States to be with us. She plans to travel with her two children, Buyng-Min and Buyng-Joon.

I would appreciate any assistance you could provide to ensure that In Jae-Kuen and her children will join us for our November 20th ceremony. I have asked my senior foreign policy advisor, Nancy Soderberg, to contact you directly regarding this matter.

Thank you for your assistance in this matter.

Sincerely,

Edward M. Kennedy

0076

報告畢
✓

報 告 事 項

1990.11.19
美 洲 局
北 美 課(45)

題 目 : 케네디 議員, 김근태 妻 인재근 旅券 發給 要請

Edward Kennedy 미 상원의원은 11.7 자 주미대사앞 서한을 통해 90.11.20(화) 개최 예정인 로버트 케네디 인권상 수상식에 88년 동 인권상 수상자인 김근태의 처 인재근의 참관을 위한 여권 발급을 요청하여 온 바, 관련사항 아래 보고드립니다.

1. 관계부처 입장(안기부)

   o 인재근은 89.2.28. 집시법 위반으로 기소중인자임에도 불구, 케네디 의원 요청에 따라 동인에게 여권 발급을 허가할 경우, 정부가 외부 압력에 굴복하는 인상을 주고 향후 유사 사례 발생시 반정부 인사들이 이를 전례로 삼을 가능성이 농후함.
      - 이에따라 금번 여권 발급 요청을 불허 예정

   o 인재근은 미국내 각 인권 단체들과의 긴밀한 연락망을 통하여 정부의 민주화 조치등에 관해 왜곡된 선전 활동을 계속하고 있으며, 동인의 여행을 허가할 경우 반정부 왜곡 선전 활동을 더욱 강화할 것으로 예상됨.

0077

2. 조치 예정사항

o 케네디 의원측에 대하여는 주미 대사를 통하여 정부의 입장을 적절한 방법으로 통보토록 함.

3. 참고 사항

o 87.10. 로버트 케네디 추모회, 김근태에 대한 인권상 수상 결정

o 87.11.28. 로버트 케네디 인권상 대리 수상을 위한 인재근의 출국 신청에 대해 정부는 이를 허가한 바 있으나, 인재근은 여권 수령을 거부함.

- 재미 반정부 인사 최성일이 대리 수상

o 88.5. 김근태에 대한 케네디 인권상을 인재근에 대리 시상키 위해 케네디 추모회 대표단 8명 방한. 끝.

0078

공 란

공 란

공 란

김근태 케네디인권상 수상 관련 일지

✓ o 87.10.3 W.P. 김근태부부에 대한 케네디인권상 수여결정 보도

✓ o 87.10.7 로버트.케네디 미망인, 주미대사앞 서한을 통해 김근태부부 출국 협조요청

o 87.10.19 정태익참사관, 케네디 추모회장 (Lee Fentress) 면담시 수여결정 취소 요청

o 87.10.21 주미대사, 케네디 추모회측이 요구한 김근태 초청장 영사확인 거부 (인재근 초청장은 영사확인)

o 87.11.13 케네디 상원의원측, 인재근(김근태부인)의 출국 허용을 주미대사관에 요청

✓ o 87.11.14 인재근, 여권신청

o 87.11.17 주한 미대사관(Miller 1등서기관), 인재근 출국 협조 요청

o 87.11.17 케네디 상원의원, 주미대사앞 전화로 인재근 출국 협조 요청

o 87.11.18 릴리대사, 외무장관 면담시 인재근 출국허용 요청

✓ o 87.11.20 케네디인권상 시상식(최성일이 대리수상)

✓ o 87.11.28 외무부, 인재근에 대한 여권발급 결정

0082

~~0063~~ 40

✓ ㅇ 88. 1.25 케네디 상원의원측, 김근태부부에 대한 인권상 시상차 Joseph Kennedy 하원의원이 2.12 방한 예정임을 주미대사관에 통보

✓ ㅇ 88. 1.27 로버트.케네디 미망인, 노태우 민정당총재 앞 서한을 통해 김근태 사면 요청

ㅇ 88. 1.28 장선섭 주미공사, 케네디 추모회측에 대해 케네디 하원의원 방한계획의 철회(또는 연기) 촉구

ㅇ 88. 1.29 미주국장, 카트만 주한미대사관 참사관에게 케네디 하원의원 방한의 시기적 부적절성 설명

ㅇ 88. 2.1 케네디 추모회측, 케네디하원의원등 대표단의 방한시기 연기결정을 주미대사관에 통보

ㅇ 88. 2.22 카트만 주한미대사관 참사관, 김근태 사면불포함 소문에 대한 우려표명

ㅇ 88. 2.25 시거차관보, 주미대사 면담시 김근태 석방문제에 대한 관심표명

ㅇ 88. 2.26 케네디 상원의원 보좌관, 주미대사관측에 김근태 사면불포함 관련 우려표명

ㅇ 88. 2.26 미주국장, 김근태의 사면불포함 사실을 카트만 참사관에게 설명

ㅇ 88. 2.27 시국사범등 대사면 조치

ㅇ 88. 3.1 국무부 대변인, 김근태등의 사면불포함에 실망했다고 논평

0083

~~0064~~ 47

√ o 88. 3.16 케네디 추모회측, 4.3 부터 1주일간 10명의 대표단을 파견 방침임을 주미대사앞 서한으로 통보하고, 김근태 면회 및 비자발급 등 협조 요청

o 88. 3.16 주미 김용규 참사관, 케네디 상원의원 보좌관에게 동 대표단 방한계획 철회 촉구

o 88.3.17. 김근태 면회 및 김근태에 대한 인권상 직접 수여를 포기하는 조건하에 비자발급하는 방향으로 상부 건의키로 [redacted]와 협의

* 상기내용 장관보고

o 88.3.19. 안기부, 법무부 앞 의견문의 공문 발송

- 김근태 면회 및 인권상 직접수여를 포기하는 조건하에 비자발급하는 방안에 대한 안기부, 법무부 입장 문의

o 88.3.19. 미주국장, 안기부 송부국장과 통화시 입국허용 필요성 설명

o 88.3.21. 미주국장, 안기부 송부국장과 통화시 입국허용 필요성 설명

o 88.3.23. 주한미대사관 Arvizu 2등서기관과 통화시 대표단의 김근태 면회요구가 수락 불가함을 언급

o 88.3.24. [redacted], 당초 실무자간 합의된 대로 3.25중 상부재가 예정임을 외무부에 전화 통보

0084

~~0065~~ 452

- 88.3.24. 상기 안기부 통보에 의거, 주미대사 앞 전문으로 진전 사항 통보
  - 김근태 면회등을 포기하는 조건하에 입국허용하는 방향으로 검토중임을 통보

- 88. 3.24 대표단중 1명(Derian), 주미대사관에 입국비자 신청

- 88. 3.25 주미 김용규 참사관, 케네디 상원의원 보좌관과 전화시 케네디 추모회측 요청이 수락불가함을 설명

- 88.3.25. ██████, 상부 재가과정에서 실무건의안을 백지화하고 입국불허 방향으로 재검토 중임을 외무부에 전화통보

- 88. 3.25 주한미대사관 Arvizu 2등 서기관, 케네디 추모회 대표단이 4.5 부터 방한키로 결정하였으며 이중 9명이 비자를 소지하고 있음을 외무부에 통보
  (동사실을 즉각 안기부에 통보하고 장관보고)

- 88.3.25. 안기부 송부국장, 북미과장과 통화시 비자소지 불문 입국불허 방침 시사
  - 북미과장, 입국저지에 따른 부작용에 우려 표명

- 88.3.25. 주미대사에게 비자소지자 9명의 비자취득 경위 조사지시

- 88.3.28. 북미과, 입국허용문제 관련 검토서 작성 (장관보고)
  - 입국불허 방침의 제반문제점 지적

0085

~~0066~~

- o 88.3.28. 외무장관, 안기부장과 전화통화시 안기부측의 입국 불허방침의 문제점 지적

- o 88.3.28. 주미대사, 대표단 비자보유 현황 보고

- o 88.3.28. Soderberg 케네디의원 보좌관, 4.3. 미리 입국예정임을 주미대사관에 통보

- o 88.3.28. 법무부, 비자발급 관련 입장 회신공문
  - 인권상 수여목적 입국자에 대한 비자발급이 곤란함을 통보

- o 88.3.29. 안기부 송부국장, 미주국장과 통화시 입국불허 방침을 미측에 통보토록 요청
  - 미주국장, 안기부 방침에 대한 우려 표명

- o 88.3.29. 북미과장, 상기 안기부 입장을 문서로 통보해 주도록 요청

- o 88.3.29. ██████, 안기부 입장 문서를 전화로 북미과에 통보 (통화요록 작성)

- ✓ o 88. 3.29 주미대사 및 주한미대사관을 통해 케네디추모회측에 입국거부 방침 통보

- o 88. 3.29 - 미국무부, 아국정부의 입국거부 결정에 비판적 논평
  - Clark 부차관보, 유감표명 및 재고요청
  - 케네디추모회, 재고요청

0086

~~0087~~

44

ㅇ 88.3.30. 미주국장, 안기부 송부국장과 통화시 입국거부에 따른 미측반발에 우려 표명

- 송부국장은 입국불허 결정시 이미 각오한 바라고 응답

ㅇ 88.3.31. 관계부처 대책회의
(정무수석, 안기부 1차장, 외무차관, 법무차관)

ㅇ 88.3.31. 릴리대사, 장관면담시 Whitehead 부장관의 입국허용 촉구 멧시지 전달 및 입국문제 재고요청

ㅇ 88.4.1. 주한 미대사관 Kartman 참사관, 대표단 방한시 5월초로 연기되었음을 미주국장에게 통보

- 향후 외교경로를 통해 방한건 협의 예정

ㅇ 88.4.1. 방한연기 사실 특별보고, 주미대사 및 안기부에 통보

0087

~~0088~~

공　란

공　　　란

관리 번호	P0-2282

	분류번호	보존기간

발 신 전 보

번 호 : WUS-3811 901119 1732 FI 종별 :

수 신 : 주 미 대사 . ~~총영사~~

발 신 : 장 관 (미북)

제 목 : 케네디 의원, 인재근 여권 발급 요청

대 : USW-5129

1. 대호 인재근은 89.2.27. 집시법 위반으로 현재 재판에 계류중인 자이므로 본부는 관계부처와 협의하에 금번 여권 발급 신청을 불허키로 결정 하였음. 귀관은 케네디 의원측에 상기 정부 입장을 적절히 통보하고 결과 보고 바람.

2. 상기 정부 입장 결정시 모아진 대호건 관련 관계부처 입장을 아래 통보하니 귀관만 참고로 하기 바람.

가. 인재근은 89.2.28. 집시법 위반으로 현재 재판이 계류중인바, 정부가 케네디 의원의 대호 요청에 따라 인재근의 출국을 허용할 경우, 정부가 법 집행에 있어 외부 압력에 굴복하는 인상을 줌으로써 향후 유사 사례 발생시 전례가 될 것임.

나. 또한 인재근은 85.12.12. 결성된 민가협(민주화 실천 가족 운동 협의회) 총무로서 활동하면서 귀주재국내 각 인권 단체들과의 긴밀한 연락망을 통하여 정부의 민주화 조치등에 관해 왜곡된 선전 활동을 계속하고 있으며, 동인의 출국을 허가할 경우 상기 반정부 왜곡 활동을 더욱 강화할 것으로 예상됨.

/ 계 속 /

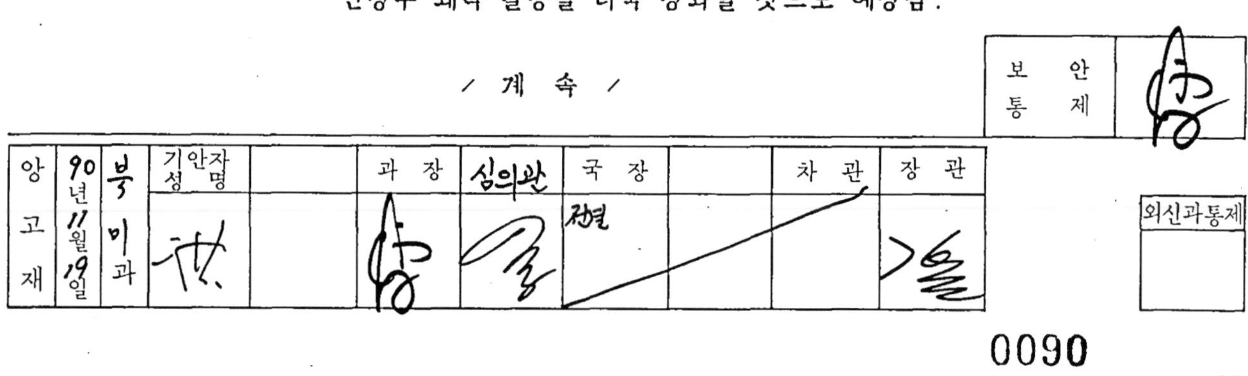

보안 통제	

앙 고 재	90년 11월 19일	북미과	기안자 성명		과 장	심의관	국 장		차 관	장 관
							전결			

외신과통제

0090

~~0073~~

~~48~~

다. 인재근은 정부의 87.11. 로버트 케네디 인권상 대리 수상을 위한 출국 허가시 여권 수령을 거부, 88.5. 케네디 추모회 대표단 8명이 방한, 동 인권상을 인재근에 대리 시상한 바 있음.

라. 인재근은 지난 10.18. 여권 발급 신청시 실제 여행목적 및 행선지를 11.5-10간 일본 관광 목적으로 은폐한 바 있었으나, 11.3. 검찰에 계류중인 집시법 위반 사건 관련, 대호 시상식에 참석할 수 있도록 출국 허가를 요청하는 탄원서를 제출한 바 있음. 끝.

(미주국장 반기문)

0091

~~0074~~ 49

報 告 畢
✓

報 告 事 項

1990.11.19
美 洲 局
北 美 課(45)

題 目 : 케네디 議員, 김근태 妻 인재근 旅券 發給 要請

> Edward Kennedy 미 상원의원은 11.7 자 주미대사앞 서한을 통해 90.11.20(화) 개최 예정인 로버트 케네디 인권상 수상식에 88년 동 인권상 수상자인 김근태의 처 인재근의 참관을 위한 여권 발급을 요청하여 온 바, 관련사항 아래 보고드립니다.

1. 관계부처 입장(안기부)

o 인재근은 89.2.28. 집시법 위반으로 기소중인자임에도 불구, 케네디 의원 요청에 따라 동인에게 여권 발급을 허가할 경우, 정부가 외부 압력에 굴복하는 인상을 주고 향후 유사 사례 발생시 반정부 인사들이 이를 전례로 삼을 가능성이 농후함.

- 이에따라 금번 여권 발급 요청을 불허 예정

o 인재근은 미국내 각 인권 단체들과의 긴밀한 연락망을 통하여 정부의 민주화 조치등에 관해 왜곡된 선전 활동을 계속하고 있으며, 동인의 여행을 허가할 경우 반정부 왜곡 선전 활동을 더욱 강화할 것으로 예상됨.

0092

~~0075~~ 63

2. 조치 예정사항

o 케네디 의원측에 대하여는 주미 대사를 통하여 정부의 입장을 적절한 방법으로 통보토록 함.

3. 참고 사항

o 87.10. 로버트 케네디 추모회, 김근태에 대한 인권상 수상 결정

o 87.11.28. 로버트 케네디 인권상 대리 수상을 위한 인재근의 출국 신청에 대해 정부는 이를 허가한 바 있으나, 인재근은 여권 수령을 거부함.
   - 재미 반정부 인사 최성일이 대리 수상

o 88.5. 김근태에 대한 케네디 인권상을 인재근에 대리 시상키 위해 케네디 추모회 대표단 8명 방한. 끝.

0093
~~0076~~ 64

공　　란

공 란

2. 1991. 1월

~~0075~~

0096

홍

주 미 대 사 관

미국(정) 700- 6 1991. 1 . .

수신 : 장 관

참조 : 미주국장

제목 : 인권관계 문의

주재국 Western Illinois 대의 강사이며 Amnesty International 회원인 Drake Simmerman 은 Western Illinois 간첩사건으로 청주 교도소에 복역중인 "김성만(당 33세)"에 대해 하기 사항을 문의해온 바, 관련 사항을 회시하여 주시기 바랍니다.

- 아 래 -

가. 동 김성만이 90.12. 사면조치에 포함되었는지 여부

나. 사면되지 않았을 경우 출감 예정 시기. 끝.

주 미 대 사

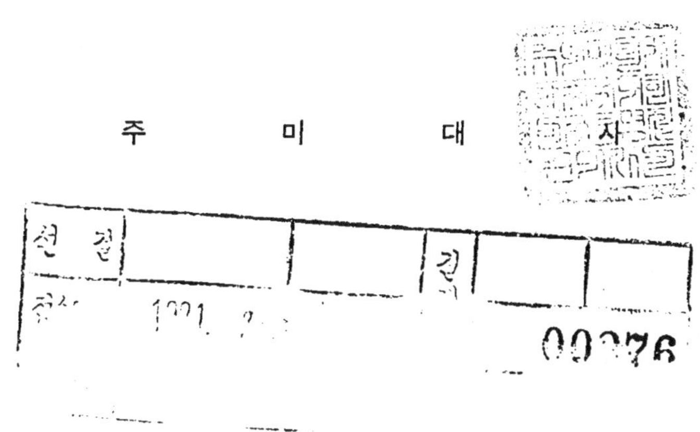

0076

0097

관리 번호	91-47

분류번호	보존기간

발 신 전 보

번 호 : WUS-0095 910111 1353 DA 종별 :

수 신 : 주 미 대사 ~~총영사~~

발 신 : 장 관 (미북)

제 목 : 인권관계 문의 회보

대 : 미국(정) 700-6

1. 대호 김성만은 88.12.21. 사형에서 무기 징역으로 감형되어 상금 대전 교도소에서 복역중임.

2. 또한 동인은 구랍 사면조치에 고려 대상이 아니었으며 법무부로서는 동인에 대한 석방을 고려할 단계가 아니라 함. 끝.

(미주국장 반 기 문)

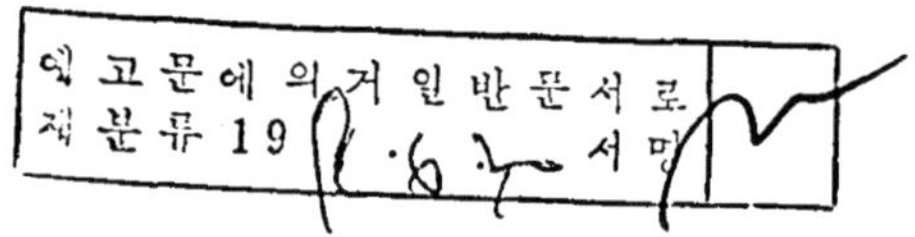
예고문에 의거 일반문서로 재분류 19 . . 서명

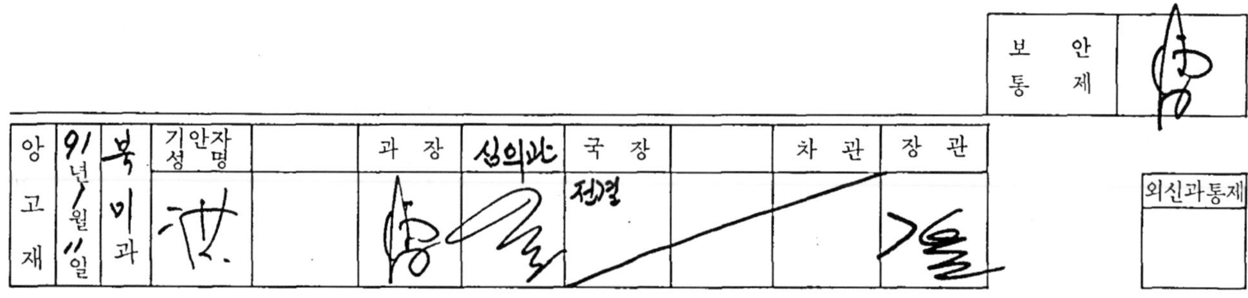
보안 통제	

앙 고 재	91년 1월 11일	북미과	기안자 성명		과 장	심의관	국 장		차 관	장 관
							전결			

외신과통제

0098 ~~0077~~

배부처	법무부	대검	청와대	기타기관
	장차법검고 무활정 실국국 관관장장장	공안부장	정책조사보좌관	제안외공법 1 기무보제 행 조부부처처

정 보 보 고

1. 제 목

인권문제관련 언론보도

2. 출 처

인 권 과

(1991.1.11)

3. 내 용

o 보도요지

. 미국 인권단체 휴먼라이트워치 (Human Rights Watch)는 1.10자로 연례보고서 (Annual Review)를 발표하면서, 세계 각국의 인권상황을 거론하였는 바, 그 내용중 아국관련부분으로 "한국정부는 표현과 집회의 자유를 제약하고(그 증거로 정치범들의 숫자가 증가하였다고 예시), 노조 및 교육계에 대한 탄압을 계속하여 왔다"는 요지의 언급을 하였다는 것임

. 1.11자 경향(2면,2단), 중앙(4면,1단), 연합통신

o 휴먼라이트워치

. 회 장 : Robert Bernstein

. 소재지 : 뉴욕(본부)

. 구 성 : 아프리카워치, 아메리카워치, 아시아워치, 헬싱키워치, 중동워치 등 5개 위원회로 구성된 명목상의 통합기구일 뿐 위 5개 위원회와는 별도의 조직실체는 없는 것으로 판단됨

o 기사 게재경위

. 외신원문의 내용은 아국을 인권침해가 상존하는 국가로만 지칭하였을 뿐 구체적인 근거를 게재하지 아니하였고, 연합통신은 위 외신을 그대로 인용 보도하였으나,

. 경향, 중앙 등은 연합통신 주미특파원이 휴먼라이트워치측이 발표하였다는 연례보고서를 검토하여 송고한 것에 기초하여 보도한 것임

0099 ~~0078~~

o 조 치

. 경향, 중앙 등 언론보도내용에 대하여 반박논평문을 작성, 국내언론 및 외신에 배포하고

. 외무부와 협조하여 상기 단체가 발표하였다는 보고서 원본을 조속 입수, 대응할 예정임

o 첨부 : 1. 반박 논평문 1부.

2. 관련 국내.외 기사 사본 1부.

0100 ~~0079~~

2

미국 인권단체 휴먼라이트워치 보고서에 대한 법무부 논평

'91. 1. 11

법무부는 1.10 미국 민간인권단체인 휴먼라이트워치가 연례보고서를 통해 우리나라의 인권상황이 지속적으로 악화된 것처럼 보고 있는데 대하여 이 보고서의 내용이 객관적이고 합리적인 근거가 결여되어 있으며, 우리나라의 실정법 질서를 무시하였다고 반박하는 논평을 발표하였음.

상기 단체가 거론한 표현.집회의 자유제약 문제에 관하여 보면, 한국에는 단순히 신념, 사상을 갖고 있음을 이유로 처벌되는 사람은 없고, 그 신념 등을 토대로 자유민주주의체제를 부정, 폭력혁명세력을 지지하는 등 적극적으로 사회질서 위반행위에 나아간 사람을 처벌하는 것임에도, 이 보고서가 편향적인 시각에 서서 합리적인 설명이나 자료의 제시를 생략한 채, 우리나라가 표현.집회의 자유를 제약하는 국가인 것처럼 지칭한 것은 잘못된 것임을 지적하지 않을 수 없음

3 0101 ~~0080~~

법무부는 또 보고서가 언급하고 있는 이른 바 "정치범"이라는 개념의 적구금자는 한국에 없으며, 오히려 이들은 단지 국가존립과 안전에 위해를 가하고 실정법을 위반함으로써 법치주의를 파괴하고 있는 자들일 뿐인 사실을 명백히 함과 동시에, 상기 단체가 어떠한 근거나 기준의 제시도 없이 한국에서 정치범들의 숫자가 계속 증가하고 있다고 주장하고 있음에 대하여 깊은 유감을 표명하였음.

법무부는 특히 이 보고서가 한국의 인권문제에 미행정부가 개입하도록 주장하고 있음은 심히 유감스러운 일이라고 말하면서, 휴먼라이트워치측의 부정확하고 자의적인 주장은 시정되어야 할 것임을 촉구하였음

한국정부는 제6공화국 출범이후 대대적인 사면,복권을 실시하였고 형사소송법, 사회안전법, 집회및시위에관한법률 등 법령을 정비하였으며, 범법자의 구속에서 집행에 이르기까지 철저하게 적법절차에 따라 법집행이 이루어지도록 최선을 다하고 있음에도 이 보고서가 정부의 이러한 노력을 무시하고 당사자들의 일방적이고 왜곡된 주장만을 반영하고 있는데 대하여 유감의 뜻을 표시하고 진정한 민주주의가 정착되기 위해서는 먼저 법과 질서가 확립되어야 하고, 범법자가 정치범 등으로 뒤바뀌는 풍토가 시정되어야 하며, 더이상 이러한 문제가 사법절차 밖에서 시비되어서는 안될 것이라고 밝혔음

0102 ~~0081~~

4

* 경향신문 ('91.1.11. 2면)

"韓國 人權상황 지속적 약화"

美민간人權단체 지적

【워싱턴=聯合】미국의 민간 인권단체인 휴먼 라이츠워치는 10일 연례보고서를 통해 한국정부의 인권과 민주적개혁에 대한 약속은 표현과 집회의 자유에 대한 제한으로 90년 한해동안 지속적으로 약화됐었다고 보고 인단고 밝혔다.

이단체는 세계각국 인권상황을 보고한 가운데 한국에 대해 정부의 말과 현실사이의 차이를 드러내는 지표의 하나로 정치범들의 숫자가 계속해서 증가했다고 지적하고 정부가 노동조합 및 교육계에 대한 탄압을 계속하고 있다고 말했다.

이 보고서는 미국이 한국정부의 인권과 민주화에 관해 한국정부 대하여 한국의 인권유린사태를 억제하려는 노력은 없었다면서 미국은 한국정부 당국이 되려고 촉구하고 있는 시점에서 이를 개선하겠다는 약속을 얻어내는데 실패했다고 말해야 한다고 덧붙였다.

* 중앙일보 ('91.1.11. 4면)

韓國 人權개선 지난한해 약화

美민간단체 분석

【워싱턴=聯合】미국의 민간 인권단체인 人權감시단(휴먼라이츠 워치)은 10일 연례보고서를 통해 韓國정부의 인권과 민주적 개혁에 대한 약속은 표현과 집회의 자유에 대한 제한으로 90년 한해동안 지속적으로 약화됐다고 분석했다.

세계 각국의 인권상황을 보고하는 이 보고서는 韓國에서 정치범 숫자가 계속 증가했다고 지적하고 韓國정부가 노동조합및 교육계에 대한 탄압을 계속하고 있다고 지적했다.

* 한국일보

('91.1.12 4면)

'한국人權상황 악화'

美인권단체 보고서

【워싱턴=聯合】미국의 민간 인권단체인 휴먼 라이츠 워치는 10일 연례보고서를 통해 「한국정부의 인권과 민주적 개혁에 대한 약속은 표현과 집회의 자유에 대한 제약으로 90년 한해동안 지속적으로 약화된 것으로 보인다」고 밝혔다.

이 단체는 세계각국 인권상황을 보고한 가운데 한국에 대해 「정부의 말과 현실 사이의 차이를 드러내는 지표의 하나는 정치범들의 숫자가 계속해서 증가했다」고 지적하고 정부가 노동조합 교육계에 대한 탄압을 계속하고 있다고 밝혔다.

0103

~~0082~~

연합 H1-096 S06 외신(589)

한국 人權탄압 만연

(뉴욕 AFP.AP=聯合) 아시아지역에서 네팔과 캄보디아,아프가니스탄의 인권 상황이 개선되고있는 반면 한국과 인도네시아,필리핀등 인권탄압이 횡행하는 기타 아시아의 많은 지역에서는 인권이 부시행정부의 외교 정책목표가 되고 있지않다고 미국의 주요 민 간인권단체인 휴먼라이트위치가 10일 발표했다.

휴먼라이트위치는 또 부시 행정부가 인권문제에 대해 이중기준을 적용하는등 일관성 없는 인권정책을 펴고있으며 특히 이라크에 대항하는 연합전선을 결성하는 과정에서 독재자들과 협력하고 인권 억압을 지원하고 있다고 비난했다.

이 단체는 이날 발표한 보고서에서 네팔에서는 왕정을 대체해 다당제 민주정부가 들어서고있는등 아시아에서는 드물게 민주주의가 신장되고 있다고 지적했으며 캄보디아와 아프가니스탄에서 오랜 내전과 갈등을 해소하려는 노력들이 진전을 보이고 있다고 평가했다.

이 보고서는 이와관련 부시행정부가 미얀마에 대해서는 인권 문제를 거론하면서도 중국에 대해서는 유화적인 자세를 보이고있는등 이중기준을 적용하고 있으며 스리랑카와 미얀마에 대한 인권문제 거론도 말로만 그칠 뿐 실제 행동이 뒷받침되지 않고있다고 지적했다.

이 보고서는 또 부시행정부가 反이라크전선결성 과정에서 이집트와 모로코,사우디,터키등의 인권 상황에 대해 묵인적 침묵하던 태도를 더욱 강화하고있다고 비난했다.(끝)

(YONHAP) 910111 0935 KST

~~0083~~

0104

6

GL.GL
o0486 ASI/AFP-BA73------
r i U.S.-rights-Asia 1 01-10 0283
Few bright spots in gloomy human rights picture in Asia last year -- group

NEW YORK, Jan 10 (AFP) -- Nepal, Cambodia and Afghanistan provided the few bright spots in an otherwise gloomy human rights picture in Asia last year, Human Rights Watch reported Thursday.

Among the bright spots, it singled out Nepal, where a pro-democracy movement, "inspired in part by events in Eastern Europe, managed to curb the powers of the king, replace a repressive government with a multiparty parliamentary system, and promulgate a new constitution guaranteeing civil and political rights."

It also cited progress in efforts to settle long-standing conflicts in Cambodia and Afghanistan. In the case of Cambodia, it however noted that by year's end, a U.N. peace plan endorsed by the four Cambodian parties had run into trouble and fighting was escalating with the onset of the dry season.

In its annual review of human rights around the world and U.S. policy in that sphere, the New York-based group also noted what it described as contradictions and inconsistencies in U.S. policy toward human rights violators in the region.

"Administration officials castigated Burma and appeased China; talked with the Soviet Union about settling the Afghan conflict while supporting an abusive guerrilla offensive against Kabul; spoke of determination to prevent the Khmer Rouge from returning to power (in Cambodia) while supporting the Khmer Rouge's (non-communist) allies," it said.

"On Sri Lanka and especially Burma, the Bush administration was outspokenly critical of abuses but did not back up the criticism with concrete actions," it added.

more
AFP 101749 GMT JAN 91

GL.GL
o0488 ASI/AFP-BA75------
r i U.S.-rights-Asia 2-last 01-10 0156
(WASHINGTON)

"In much of the rest of the region where abuses were rampant -- Indonesia, the Philippines, South Korea -- human rights were simply not on the Bush administration's foreign policy agenda," the report said.

Freedom of expression was in short supply throughout the region, the report added, with political dissenters being arrested and jailed in China, including Tibet; Indonesia, including East Timor; and Burma.

In Singapore, the report noted that although Lee Kuan Yew turned over his prime minister's post to Goh Chok Tong in November, "No one believed he had really relinquished power or that Singapore's intolerance of political opposition and freedom of expression would alter."

The group acknowledged that, due to its limited resources, it focused little attention on Bangladesh, Brunei, Malaysia, North Korea, Pakistan, Singapore and Taiwan.

ga/dm
AFP 101750 GMT JAN 91
AFP 101756 GMT JAN 91

0105

7 ~~0084~~

정 보 보 고

배부처	법무부	대검	청와대	기타기관
	✓✓✓✓✓○ 장차법검요 무찰청 실국역 판관장장찰	✓○ 공안부장	○✓ 정책조사보좌관	✓✓✓✓○○○ 제안외공법 1행 기무보제 조부부처처

1. 제 목

"휴먼라이트워치" 인권보고서에 대한 법무부 논평관련 언론보도(2)

2. 출 처

인 권 과

(1991.1.12)

3. 내 용

미국 민간인권단체인 "휴먼라이트워치"가 발간한 연례보고서 주요내용이 '91.1.11자 각 신문에 보도된데 대하여 당부에서 논평을 발표하였으며 (1.11. 정보보고 필), 논평중 일부가 1.11자 연합통신, AFP 통신에 의해 보도되었음

첨부 : 연합통신 보도문 및 AFP 통신 보도원문(영문) 사본 각 1부.

0106 ~~0085~~

(YONHAP) 910111 20□ KST

연합 H1-418 S03 사회(274)

법무부,휴먼라이트워치보고서 관련 성명

(서울=聯合) 법무부는 11일 한국의 인권상황이 지속적으로 악화되고 있다고 지적한 미국 민간인권단체인 휴먼라이트워치의 연례보고서와 관련, 성명을 내고 " 보고서가 언급하고 있는 이른바 정치범이라는 개념의 피구금자는 한국에 없으며 오히려 이들은 실정법을 위반함으로써 법치주의를 파괴하고 있는 자들일 뿐 "이라고 반박했다.

법무부는 또 " 보고서 내용은 편향된 시각에 서서 합리적인 설명이나 자료제시를 생략한 채 당사자의 일방적 주장만을 반영하고 있다"며 " 특히 한국의 인권문제에 미행정부가 개입하도록 주장하고 있는 것은 심히 유감스럽다"고 밝혔다.(끝)

(YONHAP) 910111 2010 KST

~~0086~~ 0107

~~0085~~

9

GL.GL
c0260 ASI/AFP-AJ91-----
r i SKorea-rights 01-11 0252
S.Korea slams Asia Watch report

SEOUL, Jan 11 (AFP) - The South Korean Government Friday slammed an annual report by the U.S.-based human rights organization Asia Watch which said the human rights situation worsened last year with a continuous increase in the number of political prisoners.

The Justice Ministry said in a press statement that the annual report by Asia Watch "lacked the basis for objectivity and reasonableness."

Referring to the alleged restrictions on freedom of expression and assembly in South Korea which the annual report raised, the Justice Ministry pointed out that no one is punished in this country for any ideology or political belief.

Only punished are those who violated laws by actively supporting violent revolutions to overthrow the democratic system, the ministry statement said.

It added that there are no detainees who could be categorized as "political prisoners" in South Korea since they are all violators of laws now in force.

"We deeply regret that Asia Watch reported a continuing increase of political prisoners without presenting any definition or standard," the statement said.

South Korea's main political opposition, the Party for Peace and Democracy (PPD) said in a report last month that more people were being arrested for political offenses under President Roh Tae-Woo's government than under its authoritarian predecessor.

It said 1,351 dissidents were currently in jail, most of them students and workers.

pkm/mb
AFP 111128 GMT JAN 91

0108

10

~~0087~~

정 보 보 고

배부처	법무부	대검	청와대	기타기관
	✓장관 ✓차관 ✓법무실장 ✓검찰국장 ✓교정국장 ○	✓공안부장 ○	✓사정(법률) ✓정책조사보좌관	✓제1조정 ✓안기부 ✓외무부 ✓공보처 ✓법제처 ○ ○ ○

1. 제 목

"휴먼라이트워치" 연례보고서에 대한 법무부 논평관련 언론보도(3)

2. 出 처

인 권 과

(1991.1.14)

3. 내 용

- 1.12자 동 제목의 정보보고와 관련임

- 미국 민간인권단체인 아시아워치가 발간한 연례보고서에 대한 당부논평이 경향신문(1.12), 중앙일보(1.13) 및 AP통신(1.13)에 의해 보도되었음

- 첨부 : 국내 신문기사 및 AP통신 보도원문(영문) 사본 각 1부.

0109

~~0088~~

* 경향신문 ('91.1.12. 14면)

"정치범은 없다"

법무부, 美보고 반박

법무부는 11일 한국의 인권상황이 지속적으로 악화되고 있다고 지적한 미국 민간인권단체인 휴먼라이트워치의 연례보고서와 관련, 성명을 내고 『보고서가 언급하고 있는 이른바 정치범이라는 개념의 피구금자는 한국에 없으며 오히려 이들은 실정법을 위반함으로써 법치주의를 파괴하고 있는 자들일 뿐이라고 반박했다.

법무부는 『보고서는 내용은 편향된 시각에서 서서 합리적인 설명이나 자료제시를 생략한채 일방자의 일방적 주장만을 반영하고 있다』며 특히 한국의 인권문제에 미국정부가 개입하도록 부추기고 있는것은 심히 유감스러운일이라고 밝혔다.

* 중앙일보 ('91.1.13. 2면)

"美인권단체 보고서 不公平하고 편향적"

법무부 반박성명

법무부는 12일 韓國의 인권상황이 지속적으로 악화되고 있다고 지적한 美國 민간인권단체인 휴먼라이트워치의 연례보고서와 관련, 성명을 내고 『이른바 「정치범이라는 개념의 피구금자는 韓國에 없으며 이들은 국가보안법등 실정법을 위반하고 폭력등으로 법치주의를 파괴하고 있는 사람들일 뿐』이라고 반박했다.

법무부는 「보고서가 편향적인 시각에서 서서 합리적인 설명이나 자료제시없이 우리나라에 대해 편파·왜곡된 의 자료를 제시하고 있는데다 지극히 정당한 …이라며 특히 韓國의 인권문제에 美國정부가 개입하도록 부추기고 있는 것은 심히 유감스러운 일』이라고 밝혔다.

0110

~~0089~~

12.

AP-TK-13-01-91 0936GMT<

W1122
r IBX TXAB21 13-01 00297
01 87
^South Korea-Human Rights
^Government Rebuts Charges by U.S. Human Rights Group<

SEOUL, South Korea (AP) - The government on Sunday rejected allegations by a U.S. activist group that the human rights situation in South Korea has worsened under President Roh Tae-woo.

''The report lacks objectivity and shows ignorance of our laws,'' the Justice Ministry said in a statement.

Human Rights Watch, a New York-based independent group, said in a recent report that freedom of speech and the status of other human rights in South Korea had worsened under the Roh government.

''No one in this country is punished simply because of his political ideology. However, when a person is motivated by his political belief to attempt to subvert or destroy our free and democratic system, he will have to be brought to justice,'' the ministry said.

''And yet, the report made, without presenting any fact or reasonable grounds, a biased comment that the Republic of (South) Korea is a state that habitually restricts freedom of expression and assembly. This is totally wrong,'' it said.

The ministry also denied that the number of political prisoners has increased steadily under the Roh government, inaugurated in 1988.

Domestic religious groups claim that about 1,300 people have been jailed for political or labor activities outlawed by the government.

The government says it holds no political prisoners and that anyone in jail has broken South Korean laws.

''By political prisoners, Human Rights Watch seems to mean those who have been brought to justice for committing illegal acts imperiling national security and survival,'' the ministry said.

''It is deeply regrettable that the group has made such an allegation without presenting any factual information,'' it said.

^END<

0111

~~0090~~-

13

京鄕新聞
1991. 1. 11. 金, 2면

"韓國 人權상황 지속적 약화"

美민간人權단체 지적

【워싱턴=연합】미국의 민간인권단체인 휴먼 라이츠워치는 10일 연례보고서를통해『한국정부의 인권과 민주적개혁에 대한 약속은 표현과 집회의 자유에대한 제약으로 90년한해동안 지속적으로 약화된것처럼 보인다』고 말했다.

이단체는 세계각국 인권상황을 보고하는가운데 한국에 대해『정부의 말과 현실사이의 차이를 드러내는 지표의 하나로 정치범들의 숫자가 계속해서 증가했다』고 지적하고 정부가 노동조합및 교육계에대한 탄압을 계속해왔다고말했다.

이 보고서는 미국이표방하고있는 조용한외교가 한국의 인권위반사례를 억제하고있다는 증거가 없다면서 미국은 한국이 유엔 회원국이 되려고 추구하고있는 시점에서 이문제를인권상황을 개선하겠다는 약속을 얻어내는계기로 삼아야한다고 덧붙였다.

0112

~~0091~~

中央日報

1991. 1. 11. 金, 4면

韓國 人權개선 지난한해 약화

美민간단체 분석

【워싱턴=聯合】 美國의 민간인권단체인 人權감시단(휴먼라이츠 워치)은 10일 年例보고서를 통해 韓國정부의 인권과 민주적 개혁에 대한 약속은 표현과 집회의 자유에 대한 제약으로 90년 한햇동안 지속적으로 약화됐다고 분석했다。

세계 각국의 인권상황을 보고하는 이 보고서는 韓國에서 정치범 숫자가 계속 증가했다고 지적하고 韓國정부가 노동조합및 교육계에 대한 탄압을 계속하고 있다고 지적했다。

0113

~~0602~~

관리번호	91/57

외 무 부

종 별 : 지 급

번 호 : USW-0127 일 시 : 91 0111 1633

수 신 : 장관(해신,해기,정홍)사본:~~주뉴욕총영사~~(문)

발 신 : 주 미 대사

제 목 : 인권보고서

공람		정보1과	정보2과	홍보과	문화과	외신1과	외신2과
	년월일			0			

대:WUS-0097

1.HUMAN RIGHTS WATCH 는 1.10 발간한 연례 각종 인권보고서(368PP)중 한국부분(P 218-222)에서 한국의 인권상황 및 BUSH 행정부의 대한 인권정책을 비난한바, 아국관련 부분 별전 송부함.

2. 동보고서는 한국정부의 인권및 민주 개혁공약이 언론및 집회의 자유에 대한 제약이 증대됨에 따라 꾸준히 약화되어 가고 있는것처럼 보인다고지적하고,미행정부가 추진하고 있는 조용한 외교(QUIET DIPLOMACY)정책은 실제 한국의 인권상황을 개선하는데 별 다른 기여를 하지 못하고 있다고 비난함.

3. 동보고서는 개혁으로 부터의 후퇴 제하 ASIA WATCH 발간 한국 인권 보고서에 대해 객관적이고 합리적인 근거를 결여하고 있으며, 한국의 실정법 질서를 외면한것이라고 비난하는 성명을 한국정부가 발표했다고 언급함.

4. 표제 보고서에는 북한의 인권 상황이 언급되어 있지 않음을 참고 바람.(공보관-외보부장)

예고:91.12.31 일반

유엔과 이 copy 전달함

정보인 (19 . . .)

일반문서로 재분류(1991 . 12 . 31 .)

공보처 정문국 공보처 미주국 국기국

PAGE 1

91.01.12 08:30

외신 2과 통제관 FE

0114 ~~0093~~

관리 번호	91-48

	분류번호	보존기간

발 신 전 보

번 호 : WUS-0113 910112 1238 FK 종별 :

WNY -0059

수 신 : 주 미 대사 ~~총영사~~ (사본 주뉴욕 총영사)

발 신 : 장 관 (미북)

제 목 : Human Rights Watch 보고서

연 : WUS(F)-16

1. 연호 1.11.자 뉴욕발 AP 및 AFP는 아시아 지역에서 네팔, 캄보디아, 아프간의 인권 상황이 개선되고 있는 반면 한국, 인니, 필리핀 등에서는 인권 탄압이 횡행되고 있다고 1.10. 발표된 Human Rights Watch 보고서를 인용 보도했음.

2. 상기에 따라, 법무부는 1.11.자 국내 언론에 연호 반박 논평문을 배포하였는 바, 상기 보고서를 구득 지급 송부 바라며 동 단체 개요, 활동 등 관련사항 파악 보고 바람. 끝.

(미주국장 반기문)

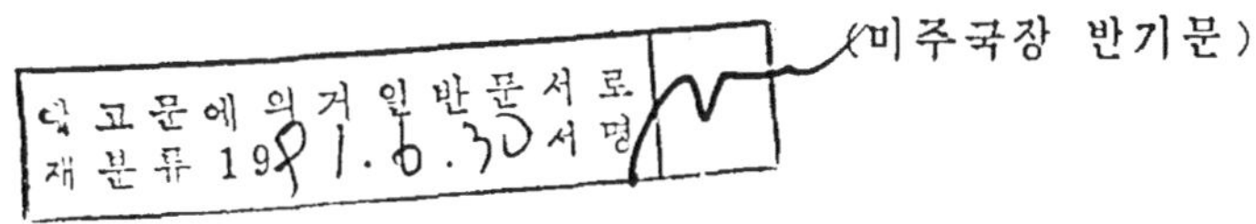
예고문에 의거 일반문서로 재분류 1991.6.30 서명

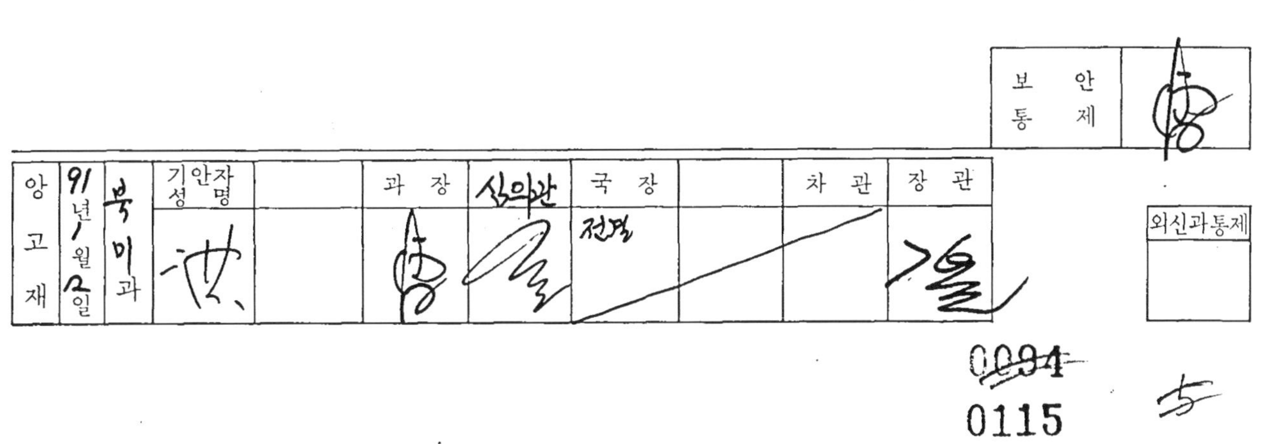

보안 통제	

앙 고 재	91년 1월 12일	북미과	기안자 성명		과 장	심의관	국 장		차 관	장 관
							전결			

외신과통제

~~0094~~
0115

5

관리번호	91-66

원 본

외 무 부

종 별 : 지 급

번 호 : USW-0175 일 시 : 91 0114 1930

수 신 : 장관(미북) 사본 :주뉴욕 총영사-직송필

발 신 : 주 미 대사

제 목 : HUMAN RIGHTS WATCH 보고서

대 WUS-0113

1.HUMAN RIGHTS 개요

가. 설립 1987

나. 회원수 2,000

다. 본부 HUMAN RIGHTS WATCH, 485 FIFTH AVE., N.Y.

라. ASIA WATCH 와의 관계 HUMAN RIGHTS WATCH 는 모 기관으로서 산하에 AFRICA WATCH, AMERICAS WATCH, ASIA WATCH, HELSINKI WATCH, MIDDLE EAST WATCH 를 두고 있음.

2. 대호 보고서, 아국관련 사항을 우선 FAX(USW(F)-0154)송부하고, 보고서는 파편 송부 위계임.

(대사 박동진-국장)

91.6.30 까지

예고문에 의거 일반문서로 재분류 1991.6.7 서명

미주국

PAGE 1

91.01.15 11:04

외신 2과 통제관 BT

0116

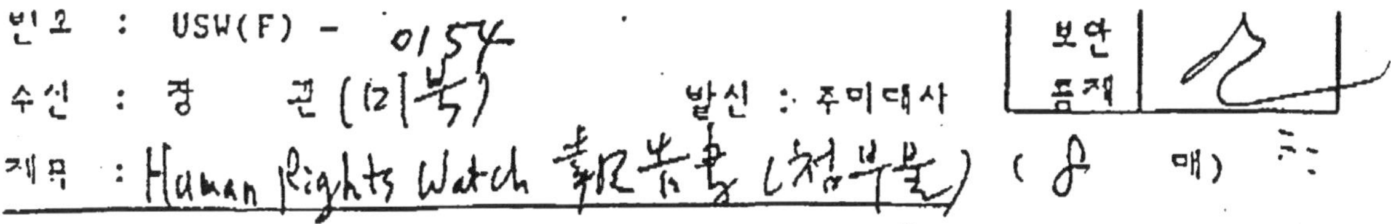
번호 : USW(F) - 0154
수신 : 장 관 (미북) 발신 : 주미대사
제목 : Human Rights Watch 報告書 (첨부물) (8 매)
보안 통제

ASIA WATCH OVERVIEW

Asia witnessed a few triumphs and many more setbacks for human rights in 1990. One notable triumph was the success of the pro-democracy movement in Nepal, inspired in part by events in Eastern Europe, which managed to curb the powers of the King, replace a repressive government with a multiparty parliamentary system, and promulgate a new Constitution guaranteeing civil and political rights. In Cambodia and Afghanistan, the US-Soviet rapprochement led to progress in efforts to settle long-standing wars, although by the end of the year, the fragile agreement of the four parties to the Cambodian conflict on a UN-led transition authority had run into serious trouble, and fighting was escalating with the onset of the dry season. The Soviet Union's waning interest in supporting Afghan President Najibullah led the latter to embark on a program of reform which, if properly implemented, could lead to significantly greater freedoms of expression, association and assembly.

Those were the bright spots in an otherwise gloomy picture. Singapore's Lee Kuan Yew, one of the world's longest serving heads of state, turned over his prime minister's post to Goh Chok Tong in November but no one believed he had really relinquished power or that Singapore's intolerance of political opposition and freedom of expression would alter. The Chinese government announced the release of some 881 prisoners but thousands were believed to remain in custody, and the trials of the "black hands" of the 1989 demonstrations were being prepared at year's end.

Democratic governments such as Sri Lanka and India were torn apart by civil strife, partly of their own making, and reacted to opposition abuses by committing serious human rights violations themselves. Newly elected governments, such as those in Pakistan and the Philippines, proved increasingly unable to assert civilian control over unruly or uncooperative militaries. The government of South Korea, also recently elected, proceeded with its "Nordpolitik" at the highest levels while cracking down on those who tried to visit or contact counterparts in North Korea, and suppressing organizations such as trade unions suspected of being influenced by the left.

Political dissenters continued to be imprisoned in Indonesia and East Timor, China and Tibet, and Burma, where the ruling State Law and Order Restoration Council failed to turn over power to an opposition overwhelmingly elected to the National Assembly on May 27.

Freedom of expression was in short supply throughout the region. In China and Tibet, dissent continued to be punished with arrest and imprisonment; students who took part in the 1989 demonstrations in Tiananmen Square had the fact noted in their personnel files, perhaps endangering their job prospects for the rest of their lives. In Indonesia, a student who criticized
0117 government policies was sentenced to eight-and-a-half years in prison on subversion charges. In Burma, monasteries were shut down as monks took a prominent role in protests against the
0096 military leadership. In Cambodia, senior government officials including a Cabinet minister were arrested for advocating a multiparty system. In Sri Lanka, a member of parliament was stopped

were imposed in Singapore. If there was one overriding abuse in a continent marked by a crazy quilt of political systems and conflicts, it could well be the lack of freedom of expression, from which many other abuses followed.

Bush administration policies toward human rights violators in the region were contradictory and inconsistent. Administration officials castigated Burma and appeased China; talked with the Soviet Union about settling the Afghan conflict while supporting an abusive guerrilla offensive against Kabul; spoke of determination to prevent the Khmer Rouge from returning to power while supporting the Khmer Rouge's military allies.

Nowhere were the contradictions more obvious than on China. The administration lobbied against congressionally imposed sanctions even though prisoner releases, the safe passage of Fang Lizhi and his family out of China, and the lifting of martial law in Tibet and China were carefully timed efforts by the Chinese authorities to maintain trading privileges and ease the resumption of loans. Assistant Secretary of State for Human Rights and Humanitarian Affairs Richard Schifter went to Beijing in December to hold discussions on human rights, but only after the administration had effectively lifted all sanctions but one (the ban on military sales) in exchange for Chinese cooperation in the Persian Gulf. By seeing Foreign Minister Qian Qichen at the White House in October and allowing the World Bank to resume loans of a nonhumanitarian nature, President Bush sent a strong signal to Beijing that differences over human rights were over. That signal may have made the Schifter visit possible; it also may have rendered it irrelevant by removing any remaining leverage that the US had to force concessions.

On Cambodia and Afghanistan, the Bush administration worked toward conflict resolution through a formula of setting up a transition authority leading to general elections. At the same time, however, it continued supporting the non-Communist resistance in both countries rather than pressing for a ceasefire in the belief that to strengthen the resistance would wrest further concessions from the governments of Hun Sen and Najibullah. That policy risked backfiring. In Cambodia, the lack of discipline by non-Communist forces operating in "liberated zones" in northwest Cambodia made the Khmer Rouge look good by comparison. In Afghanistan, the anger over civilian deaths caused by the *mujahedin* rocketing of Afghan cities could only have benefited the government.

On Sri Lanka and especially Burma, the Bush administration was outspokenly critical of abuses but did not back up the criticism with concrete actions. Sanctions or other economic measures were required by law to be imposed if the Burmese government had not released political prisoners or begun moves to hand over power to the popularly elected Assembly by October 1. By the end of the year, no action had been taken.

In much of the rest of the region where abuses were rampant -- Indonesia, the Philippines, South Korea -- human rights were simply not on the Bush administration's foreign policy agenda.

Because of the scale of abuses there and the cowardice of the Bush administration's response, China continued to receive the greatest share of Asia Watch's staff time and resources. Asia Watch issued three reports and maintained the most comprehensive list available of political arrests and releases. Asia Watch helped shape the congressional debate over sanctions, testifying in Congress nine times during the year on China, particularly with regard to the

170

0154 -2

~~0097~~
0118

debate over whether to extend Most Favored Nation trading status for China.

Asia Watch also engaged governments directly in debate. It was the first human rights organization invited to undertake a mission by the Hun Sen government in Cambodia and by the Najibullah government in Afghanistan. Both vists were opportunities to discuss human rights concerns at length with senior government officials, including, in Afghanistan, a two-hour meeting with President Najibullah. A mission to South Korea in June led to a continuing exchange of letters with the Korean government over labor rights and imprisonment under the National Security Law. In September, Asia Watch met with Indonesian Foreign Minister Ali Alatas to discuss issues ranging from abuses in East Timor to the use of the anti subversion law to detain political opponents. Even in countries that Asia Watch cannot officially visit, such as China, it was clear from government denunciations of our reports that our allegations were reaching their intended target.

In general, the higher our profile in a particular country, the greater the interest of local human rights organizations in sharing information and working together. Publicity about our concerns as expressed in reports and press releases thus strengthened our relationships with local human rights monitors, particularly in East and Southeast Asia. Asia Watch benefited from extensive press coverage in the Bangkok and Hong Kong newspapers of its work on China, Tibet, Burma, Cambodia, Indonesia and Japan.

Japan deserves a special mention. During the year, Asia Watch made a concerted effort to build contacts with Japanese organizations and individuals with the aim of encouraging Japan to use its enormous economic and political leverage in Asia for promoting human rights. Toward that end, Asia Watch staff visited Japan in June and convened a meeting of Japan specialists in Washington to discuss opportunities for influencing the policy-making process. We also joined with Japanese organizations in protesting the treatment of Chinese dissidents in Japan.

As in earlier years, Asia Watch, given its limited resources, was forced to be selective about the countries on which it worked. There was little work done on Bangladesh, Brunei, Malaysia, North Korea, Pakistan, Singapore or Taiwan. Afghanistan, Burma, Cambodia, China, India, Indonesia, Nepal, the Philippines, South Korea, Sri Lanka and Vietnam received most of our attention in 1990.

SOUTH KOREA
(Republic of Korea)

Human Rights Developments

The South Korean government's commitment to human rights and democratic reform seemed to weaken steadily in 1990 as restrictions on freedom of expression and association increased.

In January, two opposition political parties merged with the ruling party to form the Democratic Liberal Party (DPL), which in turn controled more than two-thirds of the seats in the National Assembly. It pledged to use its power to effect political reforms and reconciliation with North Korea. To counter widespread skepticism about its sincerity, the government released 22 political prisoners, including Suh Sung, who had been incarcerated for nearly 20 years.*

By the middle of the year, however, that skepticism seemed well founded. As in 1989, writers, publishers, political activists and others were arrested and prosecuted for expressing views contrary to those of the government on reunification between the two Koreas, or for engaging in personal pro-unification diplomacy through unauthorized travel to North Korea. The number of political prisoners, one indicator of this gap between governmen rhetoric and reality, continued to rise. By the end of July 1990 there were nearly 1,400 prisoners detained for politically motivated crimes, according to Minkahyop, an organization of families of these prisoners, although many of these were charged with acts of violence. Nearly half were workers and labor activists. Some 435 were detained under the National Security Law, a broadly worded statute providing stiff penalties for anyone accused of supporting or benefiting an "anti-state organization." Like the National Security Law, the Law on Assembly and Demonstration, which allows the government to ban a wide range of gatherings, also remained in force in 1990; as of June, some 200 had been arrested under it. The Agency for National Security Planning, historically involved in domestic surveillance and interrogation of political opponents as well as espionage cases, had no new legal limits placed on its activities, and continued to be involved in the arrest of dissidents, labor activists and publishers suspected of sympathizing with North Korea. Though fewer than before, incidents of torture and mistreatment of detainees continued to be reported.

One of those arrested under the National Security Law was Hong Song-dam, chairman of the Kwangju chapter of the National Artists Federation (Minminyon). Hong's main offense was to have sent to Pyongyang, North Korea a photographic slide of a large mural that he had painted. In June, he was sentenced to seven years in prison. Hong alleged that he had been tortured during his three weeks of detention by the Agency for National Security Planning.

---

* Suh was arrested in April 1971 on charges of "anti-state activities" and held until his parole in February 1990. He was one of Korea's most well known and longest-serving political prisoners. His original death sentence had been commuted to life imprisonment in 1973.

0154-4

0120

~~2099~~

On September 29, 1990, Kim Keun-tae, a prominent leader of the opposition movement and recipient of the Robert F. Kennedy Human Rights Award in 1987, was sentenced to three years in prison for violations of the National Security Law and the Law on Assembly and Demonstration. He was charged in connection with demonstrations on May 9, 1990 by at least 100,000 people protesting the formation of the new governing party. The demonstration led to a firebomb attack on the US Information Service building in downtown Seoul; as many as 1,900 demonstrators were detained by the police. Kim was not involved in the violence. It appears that he was arbitrarily singled out because of the influential role that he was playing in Chonminyon, the movement to unify the opposition, since he was the only person prosecuted for a serious offense in connection with the demonstration.

In early October, the limits of democratization were brought into sharp focus when an agent in the Defense Security Command, the military's counterintelligence agency, publicly revealed the existence of an extensive spying program that kept at least 1,300 politicians, labor leaders, academics, religious leaders, journalists and others under regular surveillance. President Roh Tae Woo immediately fired his Defense Minister and the head of the Defense Security Command (DSC) but replaced them with loyalists. The new Defense Minister, Lee Jong-koo, said in October that the DSC woud no longer engage in domestic surveillance activities.

Increasing trade union activity gave rise to a concerted crackdown on labor organizers and independent trade unions, yielding violence on both sides. The government set a hardline tone when, on January 20, it unveiled a tough program to crack down on labor. President Roh told his key ministers that "labor problems should be coped with resolutely at an early stage and forces behind illegal disputes should be subject to stern punishment." The Labor Ministry produced a new set of guidelines, including a ban on strikes over such "political demands" as seeking the release of imprisoned workers. The right to organize and bargain collectively continued to be undermined by restrictive laws; company goons and plainclothes and riot police continued to be used to break up strikes, sometimes using excessive force; and hundreds of union leaders and organizers were arrested for their union activities in violation of their freedom of assembly and association.

Thousands of riot police were mobilized in April to crush strikes at the Korean Broadcasting System in Seoul, and at the Hyundai companies, a huge industrial conglomerate with shipbuilding and other facilities in the port city of Ulsan. In addition, throughout 1990, the government harshly suppressed efforts by workers to form an independent nationwide union federation, Chonnohyop. The government declared the federation illegal, arrested its key leaders, harassed member unions by launching probes into their internal affairs and accounting, and blocked their rallies and demonstrations on the grounds that it feared violence.

The government also failed to amend laws prohibiting public- and private-school teachers from organizing unions.* An independent teachers union, Chunkyojo (Korean Teachers and Educational Workers Union), formed in May 1989 and declared illegal by the government even before its inauguration, saw thousands of its members and supporters arrested for participating in rallies and demonstrations. Some 1,500 Chunkyojo members were dismissed

---

* In 1989, the National Assembly passed an amendment to the Trade Union Law which would have lifted the ban on union organizing by public-school teachers; President Roh vetoed it.

219

0154-5

0121

~~0100~~

12

from their jobs for union-related activities in 1989, and ideological tests were introduced the same year to screen out potential pro-union college graduates from obtaining teaching positions.

US Policy

The Bush administration in 1990 continued to state that it was committed to human rights and democratic reforms in South Korea. But its failure to comment publicly and forcefully when the number and severity of human rights violations increased sent the opposite signal.

Notably, the administration missed several opportunities to comment publicly on specific human rights abuses. One such occasion was President Roh's meeting with President Bush in Washington on June 6. The meeting followed Roh's "summit" in San Francisco with Soviet President Mikhail Gorbachev where steps toward reunification and improved relations between North and South Korea were discussed, indicating an easing of the concerns over subversion from the north that underlay many South Korean restrictions on human rights. The Washington meeting also took place shortly before a special legislative session was due to begin in Seoul, reportedly to take up reforms in the National Security Law, labor laws, and various other statutes limiting human rights. Asia Watch publicly urged the administration to use the occasion to press the South Korean government to implement legal reforms, including revision of the National Security Law, and to release those imprisoned for non-violent political activity. However, as far as could be determined from the published accounts of the talks, neither President Bush nor the State Department made any reference to human rights concerns.

US officials in Seoul told Asia Watch that it was current policy to raise human rights concerns only through quiet, diplomatic channels because of the Korean government's sensitivity and the danger that public criticism could give rise to anti-Americanism. They rejected the view that the US embassy should be publicly outspoken about human rights abuses, or that it should demonstrate its concern about detainees subjected to abuses by seeking to visit them. The embassy was also reluctant to consider sending observers to trials of trade-union leaders and others charged for peaceful political activities, either as an act of protest over the prosecutions or as a signal of US concern that trial procedures meet international standards of due process.

There is no evidence that this quiet diplomacy is working to curb Korean abuses. At a time when South Korea is seeking to become a member of the United Nations, the US should use Korea's desire for international acceptance to press publicly for improvements in the human rights situation.

The United States continues to be one of South Korea's most important trade markets. South Korea exported $20.2 billion worth of goods to the US in 1988 and and $19.7 billion in 1989. In 1989, over $80 million in insurance and investment guarantees were given to US investors in South Korea through the Overseas Private Investment Corporation (OPIC).* OPIC

* OPIC guarantees to South Korea declined steadily in 1990 due to a ceiling imposed by the OPIC board of directors which was lifted late in the year.

220

0154 -6

0122

~~0101~~ 

is mandated by Congress to "take into account...all available information about observance of and respect for human rights and fundamental freedoms" in countries receiving OPIC assistance. Other federal statues* also link US trade benefits to the recipient government's respect for internationally recognized worker rights, including the right to freedom of association and the right to organize and bargain collectively. In November, Asia Watch testified during the annual OPIC review and called for the termination of OPIC assistance to South Korea due to the failure of the Korean government to take steps to adopt and implement labor rights.

The Work of Asia Watch

An Asia Watch delegation visited South Korea from June 5 to 17 to examine freedom of expression and labor rights.

Based in large part on information gathered during the mission, Asia Watch in November published *Retreat from Reform: Labor Rights and Freedom of Expression in South Korea.*

In December, Asia Watch published a newsletter, "The *Plantados* of Asia: "Non-Converted Political Prisoners in South Korea." The publication described the plight of 57 long-term political prisoners, 25 of them men in their 60s and older, detained under the National Security Law and the Anti-Communist Law.** They are languishing in prison with no hope for parole or inclusion in government amnesties because they have refused to submit to government pressure to "convert" their political beliefs from communism to democracy. Requiring prisoners to sign "conversion" statements violates their rights to freedom of expression and conscience as guaranteed by the International Covenant on Civil and political Rights and the South Korean Constitution. The Korean government sent a letter to Asia Watch on December 13 responding to the newsletter. It said that most of the prisoners in question were convicted North Korean espionage agents, that they were not being coerced into "conversion" but rather instilled with "a respect for the laws of our democratic society," and that Asia Watch had failed to take into account "the constant menace of internal subversion by the North."

Throughout 1990, Asia Watch conveyed its concerns directly to the Korean government on a number of individual prisoner cases, such as Dan Byong-ho, head of Chonnohyop, and Yun Yong-kyu, chairman of the Korean Teachers and Educational Workers' Union.

At the end of April, Asia Watch wrote to President Roh expressing concern about reports of injuries and arrests during violent clashes between riot police and workers in Ulsan at the Hyundai Heavy Industries; between police and student demonstrators in Seoul; and between police and demonstrators in Kwangju. Asia Watch urged that Korean law enforcement officials respond to the demonstrations in complaince with the UN Code of Conduct for Law

---

* Section 502(3)(8) of the 1984 Trade Act.

** The Anti-Communist Law was enacted in 1961 by President Park Chung-lee to block the activities of Communist and pro-Communist organizations which were considered a threat to national security.

221

0154-7

0123

~~0102~~

Enforcement Officials, which provides that they may use force "only when strictly necessary and to the extent required for the performance of their duty."

In July and August, Asia Watch protested the imprisonment of Kim Keun-tae and called for his prompt and immediate release. The Director of the Human Rights Division of the Ministry of Justice responded to various Asia Watch appeals on behalf of Kim by saying that he and fellow members of the opposition coalition Chonminnyon had referred to the South Korean government as a "pro-American military dictatorship." This and other phrases in the Chonminnyon charter were deemed to be "concepts...used by North Korea to bring about instability and incite revolution in South Korea" and therefore to violate the National Security Law. He also equated Kim's participation in rallies with "instigating violence," though without providing any evidence of instigation.

In response to the Asia Watch report *Retreat from Reform*, the Korean government issued a public statement critical of the report, charging that it was "lacking in objective and reasonable grounds and ignored the legal order in the Republic."

Asia Watch continued to be an important source of information for those in Congress concerned with human rights in Korea. With support from Asia Watch, ten members of Congress sent a cable in mid-February to Korean authorities calling for the release of Suh Sung; he was released two weeks later. In March, the Congressional Working Group on International Labor Rights, a bipartisan group of 50 US senators and representatives, wrote to South Korean officials about the deterioration of labor rights in South Korea. In October, a letter by 46 members of the Congressional Human Rights Caucus focused on the detention of political prisoners and the "conversion" system.

The United States continues to be one of South Korea's most important trade markets. South Korea exported $20.2 billion worth of goods to the United States in 1988 and $19.7 billion in 1989.* In 1989, over $80 million in insurance and investment guarantees were given to US investors in South Korea through the Overseas Private Investment Corporation (OPIC).** OPIC is mandated by Congress to "take into account...all available information about observance of and respect for human rights and fundamental freedoms" in countries receiving OPIC assistance. Other federal statutes*** also link US trade benefits to the recipient governments' respect for internationally recognized worker rights, including the right to freedom of association and the right to organize and bargain collectively. In November, Asia Watch testified during the annual OPIC review and called for the termination of the OPIC program of assistance to South Korea because of the failure of the Korean government to take steps to adopt and implement labor rights.

* *Official Statistics*, US Department of Commerce, July 26, 1990.

** OPIC guarantees to South Korea declined steadily in 1990 due to a ceiling imposed by the OPIC board of directors. The ceiling was lifted late in the year.

*** Section 502(3)(8) of the 1984 Trade Act.

222

0154

0124

~~0103~~ 15

홍

주 미 대 사 관

미국(정) 700 - 123 　　　　　　　　　　　　　　　　　　　1990. 1. 4.

수신 : 장 관

참조 : 미주국장

제목 : Human Rights Watch 보고서

연 : USW-0175

연호, Human Rights Watch 가 발간한 1990년 World Report 를 별첨 송부합니다.

첨부: Human Rights Watch 보고서. 끝.

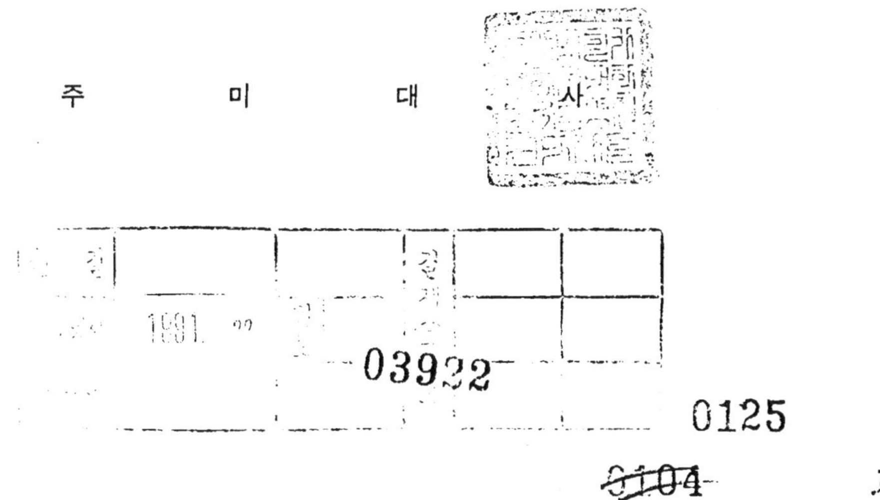

주 미 대 사

03922

0125

~~0104~~

관리번호	91-65

외 무 부

종 별 :

번 호 : HLW-0026 일 시 : 91 0114 1720

수 신 : 장관(해외,미북,동문)

발 신 : 주 호노루루 총영사

제 목 : 인물동향보고(서승)

1. 서울대 간첩사건에 연루된바있던 "서승"이 90.9 월에 이어 당지를 방문,아래와같이 강연계획이라고 하는바, 참고로 보고함.

-일시:91.1.15(화)14:30

-주관:하와이대학교 한국학연구소(소장: 서대숙박사)

-장소:한국학연구소 강의실

-제목:TOWARD A KOREAN UNIFICATION:A HUMANTARIAN REFLECTION

2. 동인은 버클리대 연수차 미본토로 가는도중 당지를 방문한바, 동건관련 특이사항 있을시 추보하겠음.

(총영사 손장래-해외공보관장)

예고:91.1.31 까지

예고문에 의거 일반문서로 재분류 1991.1.31 서명

공보처 미주국 안기부

PAGE 1

91.01.15 13:29

외신 2과 통제관 BT

0126 ~~0105~~

홍

관리번호	91-114

외 무 부

종 별 :

번 호 : NYW-0057 일 시 : 91 0115 1400

수 신 : 장관(해신,미북) 사본:주미대사(공)-중계필

발 신 : 주 뉴욕 총영사(문)

제 목 : HUMAN RIGHTS WATCH 보고서

대:WNY-0059

1. 당관 문화원장은 제호 보고서에 대해, KPS 송부된 법무부 장관 반박서를인용, 별송 서한을 당지 소재 HUMAN RIGHTS WATCH 본부에 송부하였기 보고함.

2. 동 책자 정파편 1 부 송부 위계임.

(원장-관장)

예고:91.3.31. 까지

일반문서로 재분류 1991.3.31

공보처 미주국

PAGE 1

91.01.16 07:34

외신 2과 통제관 BT

0127 ~~0106~~ 46

관리 번호 91-84

원 본

외 무 부

종 별 :

번 호 : HLW-0035 일 시 : 91 0116 1640

수 신 : 장관(미북,해외,동문)

발 신 : 주 호노루루 총영사

제 목 : 인물동향보고(서승)

연:HLW-0026

1. 서승은 아래와같이 강연함.

일시:91.1.15(화)14:30-17:00

장소:하와이대 한국학연구소 강의실

참석자:40 명(대부분 한국인유학생및 일부 미국인 학생 교수)

통역: 최영호교수(하와이대 사학과)

2. 강연내용

-한반도 통일및 인권문제를 주제로 언급하면서 남북통일 정책 비교, 19 년간의 감옥생활, 최근 한국정부의 북방및 대북정책이 평화통일 지향식으로 보이나오히려 현 정부하에서 정치범 숫자가 과거보다 증가 했으며 보안법등의 존재로평화통일의 장애가되고있음.

-한국정부는 대소 수교, 대중공과의 관계개선을 통해 북한을 고립시키고 궁극적으로 독일식의 흡수통일을 추구하고있음.

-남북한 어느쪽이 통일을 주도하는 것에는 관심없으며, 오로지 민중의 이익을 위하고 평화와 인권을 존중하는 정부가 통일을 주도하는 것을 희망함.

3. 질의응답

남한의 인권만 언급하고 북한의 인권 상황에 대해서 언급 않는 것은 형평을잃고 있다는 질의에 대해 서승은 자신의 지식과 경험만을 예기하는것이라고 답변.

4. 평가

가. 동강연을 주관한 서대숙 박사는 중립적인 위치에서 남, 북한 쌍방간의의견을 청취하는 토론의 광장을 마련하는데 의의가 있다고 하면서 서승의 강연내용에 대해 좁은 경험에 의한 비이론적이며 혁명가적인 논리를 전개함으로서 학술적인 가치는

미주국 영교국 안기부 공보처

PAGE 1

91.01.17 13:46

외신 2과 통제관 BT

0128 ~~0107~~

없다고 언급했음.

나. 서승이 과거의 고통과 보복심리는 별로 노출하지 않고 원색적인 격렬한언사도 없었으나 강연도중 자신의 학창시절 정상적인 얼굴 모습의 사진을 일부청중들에게 나누어 줌으로서 과거와 현재의 상황을 청중 스스로가 판단케 하기도하였음.

(총영사 손장래-국장)

예고:91.1.31 까지

PAGE 2

0129 ~~0108~~

미북(윤주미) 홍

분석관

분류기호 문서번호	정홍20501- 12	협조문용지 (720-2339)	결재	담당	과장	국장
시행일자	1991. 1. 19					
수 신	수신처참조	발 신	정보문화국장 (서명)			
제 목	인권문제 관련 대책회의 개최					

최근 외국정부 및 인권단체 (Amnesty Int'l 포함) 가 거론하고 있는 아국의 소위 "인권문제" 에 관한 대책 수립을 위해 아래와 같이 관계부처 회의를 개최코저 하오니 귀국도 인권관련 소관사항에 관한 대책방안을 마련하여 동 회의에 참석하여 주시기 바랍니다.

- 아 래 -

가. 회의일시 : 1991.1.22 (화) 오후 4시

나. 장 소 : 외무부 제1차관보실 (제1종합청사 806호)

다. 참석대상자: 외무부 제1차관보 (회의 주재)

대통령 비서관

행정조정실 조정관

외무부 관계국장 ✓

국가안전기획부 담당국장

법무부 담당국장

라. 준비사항 : 인권문제로 거론되고 있는 내국민 및 외국인

/ 계 속 /

0130

~~0109~~ ~~20~~

(국내 거주자 포함) 들의 명단, 범법

사실, 재판 진행 상황 및 수형 현황

(국가안전기획부, 법무부 소관)과

대책 방안. 끝.

수신처 : 아주국장, 미주국장, 구주국장, 국제기구조약국장

~~0110~~ 0131

리뷰 (오판정리)
- 정문교 등 참고.
(3계)

법　　　무　　　부

인권 2031-0846　　503-7045　　1991. 1. 21

수신 외무부장관

참조 미주국장

제목 아시아워치 인권보고서 및 휴먼라이트워치 연례보고서에 대한 대응자료 송부

우리부는 인권문제관련 관계기관대책회의 ('90.11.23) 결과에 따라 아시아워치 인권보고서에 대하여 각 부서별로 분석검토한 자료의 종합결과 및 '91.1.11에 발간한 휴먼라이트워치 연례보고서에 대한 당부입장을 별첨과 같이 송부하오니 상기 단체에 설명될 수 있도록 적의 조치하여 주시기 바랍니다.

첨부 : 관련자료 1부. 끝.

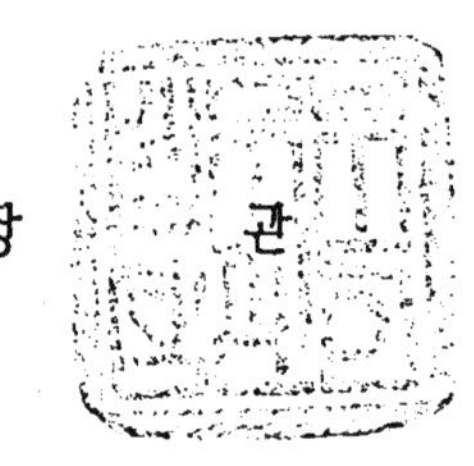

법　무　부　장　관

1991. 21

1905

0132

0111

아시아워치 人權報告書 및 휴먼라이트워치

年例報告書에 대한 政府 立場

0133

~~0112~~

23

- 차 례 -

~~0113~~

0134

~~24~~

미 인권단체 아시아워치 인권보고서 분석결과

o 아시아워치는 '90.11 인권보고서를 발간하고 우리나라의 인권상황이 개혁으로부터 후퇴하고 있다고 지적하면서 일부 객관적이고 합리적인 근거가 결여된 내용을 싣고 있음

o 법무부는 '90.11.13 동 보고서에 대하여 유감과 반박의 논평을 발표함과 동시에 동 보고서 원문을 입수하여 항목별 내용분석을 하였음

o 상기 논평문 및 동 보고서에 대한 항목별 내용 분석결과는 별첨과 같음

o 별 첨

Ⅰ. 미 인권단체 아시아워치 보고서에 대한 법무부논평 ('90.11.13)

Ⅱ. 미 인권단체 아시아워치 보고서에 대한 항목별 내용 분석결과

1

~~0114~~ ~~25~~
0135

I. 미 인권단체 아시아워치 보고서에 대한 법무부논평 ('90.11.13)

2

~~0115~~
0136
~~26~~

미국 인권단체 아시아워치 보고서에 대한 법무부 논평

'90. 11. 13

법무부는 최근 미국 민간인권단체인 아시아워치가 인권보고서를 발간하여 우리나라의 인권상황이 개혁으로부터 후퇴하고 있다고 지적한데 대하여 이 보고서의 내용이 객관적이고 합리적인 근거가 결여되어 있으며 우리나라의 실정법 질서를 무시하였다고 반박하는 논평을 발표하였음.

법무부는 이 보고서가 국가보안법을 정확하게 이해하지 못하고 우리나라의 특수한 안보상황을 고려하지 못한 상태에서 그 역할이나 기능을 왜곡해서 판단하고 있는데 대하여 깊은 유감을 표명하였음

법무부는 또 아시아워치 보고서가 범법행위자들이 겉으로 내건 일방적인 주장만을 유의하고 그들이 저지른 수많은 폭력시위와 파괴행위, 자유민주주의체제의 전복기도행위 등은 전혀 간과하고 있을 뿐만 아니라 북한의 대남적화혁명노선에 동조하는 행위를 처벌할 사례를 가지고 통일에 관한 일반시민들의 입장표명이 금지되고 있는 것으로 오해하고 있다고 지적하였음

3

~~0116~~ ~~39~~
0137

법무부는 특히 이 보고서가 미국의 대한 (對韓) 교역 및 투자행위가 반노조정책을 승인하는 것으로 여기도록 허용해서는 안된다고 하면서, 인권문제에 미행정부가 개입하도록 주장하고 있음은 심히 유감스러운 일이라고 말하였음

법무부는 제6공화국 출범이후 더이상 구속자 석방문제가 거론되지 않도록 대대적인 사면, 복권을 실시하였고 형사소송법, 사회안전법, 집회및시위에관한법률 등 법령을 정비하고, 범법자의 구속에서 집행에 이르기까지 철저하게 적법절차에 따라 법집행이 이루어지도록 최선을 다하고 있음에도 이 보고서가 정부의 이러한 노력을 무시하고 당사자들의 일방적이고 왜곡된 주장만을 반영하고 있는데 대하여 유감의 뜻을 표시하고 진정한 민주주의가 정착되기 위해서는 먼저 법이 존중되어야 하고, 범법자가 정치범이나 양심수 등으로 뒤바뀌는 풍토가 시정되어야 하며, 더이상 범법자들에 대한 석방문제가 사법절차 밖에서 시비되어서는 안될 것이라고 밝혔음

4

~~0117~~ ~~28~~

0138

Ⅱ. 미 인권단체 아시아워치 보고서에 대한 항목별 내용 분석결과

제 2부 표현의 자유권 침해

(일반적 분석)

o 국가보안법, 집회및시위에관한법률, 노동조합법, 노동쟁의조정법 등 아국 법률의 정확한 의미와 필요성을 이해하지 못하고 일방적인 시각에서 인권탄압법률이라고 설명하고 있음

o 범법행위자에 대한 처벌은 민주법치국가에서 당연한 정부의 역할임에도 이를 억압 또는 탄압 (repression 또는 suppression) 이라고 표현하고 있고, 사법조치를 설명함에 있어 범법행위자들이 주장하는 동기만을 부각, 설명하고, 그 동기의 모순점, 범법행위의 내용, 사법조치되어야 하는 이유 등에 대해서는 전혀 설명하지 않는 등 편향된 시각에서 작성 되었음

o 구사대가 정부의 정보기관원들과 연계되어 있는 것으로 믿어진다 (23쪽 7-13행)고 하는 등 사실의 근거없이 왜곡된 판단을 그대로 기술하였음

6

~~0119~~ ~~30~~
0140

(개별적 분석)

1. 발행인, 노동운동가, 작가, 정치적 반대파, 통일주창자와 표현의 자유를 행사한 사람들을 투옥하고 있다는 주장에 대하여 (5쪽 2-4행)

   o 투옥된 사람들은 실정법을 위반했기 때문에 투옥된 것임.
   한국은 남북분단으로 인한 대치상태를 벗어나지 못하고 있으며, 국가존립을 위해 필요한 최소한의 법적 제약을 유지할 수 밖에 없음
   법은 사회상을 반영하는 것이라고 볼 때 냉전의 마지막 유산인 한국의 특수상황을 고려하여야 하며, 누구나 법을 위반하였을 시 상응하는 처벌을 받는 것은 민주사회의 상식이라 할 것임

2. 언론 및 출판사업에 대한 광범위한 자체검열 주장에 대하여(5쪽 4행)

   o 한국사회에서 6공화국 이후 가장 크게 변화한 부분이 언론.출판분야로 언론.출판에 대한 정부의 통제는 없음.
   자체 검열이 행해지고 있다고 하나 이는 언론기관.단체의 자율적인 윤리기구이며, 신문의 품위를 지키기 위한 자체의 노력을 잘못 표현한 것임

3 외신정보에 대한 접근의 제한주장에 대하여 (5쪽 5행)

ㅇ 외신의 정보에 대한 접근이 제한된다는 주장은 왜곡된 것임.
극히 일부의 경우 장소상의 문제 때문에 취재 기자수를
제한하는 경우는 있으나 이 경우도 pool 취재는 허용되기
때문에 정보에의 접근을 제한하는 것은 아님

4. 방송매체가 대체로 정부에 의해 소유.운영되고 있다는 주장에
대하여 (5쪽 6행)

ㅇ 한국은 1980년 이후 유럽제국처럼 공영방송체제를 유지해
왔으며, 전국망 방송중 KBS는 국가가 출자하되, MBC는
공익재단 소유이고, 경영진은 공히 정부로부터 중립적. 독립적
기구인 방송위원회에 의하여 구성되는 별개의 이사회에 의하여
경영되고 있음.
방송의 공영체제는 다수 국가에서 채택되고 있는 보편적
제도중의 하나이고, 한국정부는 1990년 방송매체의 확대를
위하여 민영방송을 허용하였으며, 향후 다수의 민방이 경영되게
될 것임

8

0142
~~0121~~ 32

5. 국가보안법의 운용에 대하여 (5쪽 14-17행, 5쪽 22-29행, 7쪽 10-24행)

o 국가보안법은 통일을 주장하거나 정부의 정책을 비판한다고 하여 처벌할 수 있는 법률이 아니며, 이는 문제의 본질을 오인시키고 있는 것임

o 만약 단순히 그와 같은 이유로 처벌을 한다면 정부를 비판하는 기사가 매일같이 게재되는 신문이나 통일을 주장하는 많은 사람들의 존재를 설명할 수 없을 것임

o 통일문제에 대하여 설명하면, 국내의 극소수 좌익세력들은 북한의 대남적화통일전략에 동조하여 1단계로 우리 사회 내부의 반정부 . 반체제 세력을 모두 규합하여 통일전선을 구축하고, 2단계로 무장폭력혁명에 의하여 현 정부를 타도한 후 이른바 민중정권을 수립하며, 3단계로 잔존하는 자본주의 요소를 제거하여 사회주의 혁명을 완수한 다음 연북통일(聯北統一)을 달성한다는 전략하에 폭력혁명을 선동하고 있으며, 그와 같은 선동이 국가보안법에 위반하는 것임

o 위와 같은 선동내용은 각 범법행위자들의 연설, 책자, 유인물에 객관적으로 나타나 있음에도 아시아워치는 이를 의도적으로 무시하고 전혀 인용하지 않았으며, 통일을 주장하거나 정부 정책을 비판한다는 이유로 처벌되었다고 왜곡하여 설명하고 있음

6. 홍성담 사건에 대하여 (8쪽 4-12행)

- 범죄사실을 미화하여 설명함으로써 사법처리의 의미를 오인시키고 있음

- 민족해방운동사라는 그림은 민족해방 민중민주주의혁명이론에 입각하여 광주사태 등 한국 근현대사의 역사적 사건들을 반미제국주의 투쟁과 반파쇼 민주투쟁의 시각에서 왜곡 해석하여 이를 형상화시킨 것이며, 학생들에게 투쟁의식을 고취시키기 위해 순회 전시하고 북한에 송부한 것임

- 물론 그림은 문자로 쓴 논문, 글보다 그 내용을 판단하기는 어렵지만 경우에 따라 선동성은 훨씬 강한 것임

- 또한 홍성담이 송부한 책은 단순한 책이 아니라 국내 운동권 세력의 동향 및 정세에 관한 책자들이며, 책자를 송부받은 사람도 단순한 친북인사가 아니라 통일전선형성을 위해 북한의 해외 전위조직으로 활동중인 사람임에도 이를 정확하게 설명하지 아니하였음

10

0144

~~0123~~ 34

7. 집회및시위에관한법률에 대하여 (9쪽 1-5행, 10쪽 3-18행)

o 집회및시위에관한법률의 내용을 객관적으로 설명하지 아니하고 억압의 수단으로만 왜곡 설명하고 있음

o 어느나라나 표현의 자유, 집회의 자유를 무제한 보장하고 있는 것은 아님

o 집회및시위에관한법률에 위반한 사람들은 대부분 동 법률에서 규정하고 있는 옥외집회 또는 시위주최자에 대한 사전신고 규정이나 제5조에서 규정하고 있는 집단적인 폭행. 협박. 손괴. 방화 등으로 공공의 안녕질서에 직접적인 위협을 가할 것이 명백한 집회 또는 시위의 주최, 선전, 선동 금지규정에 위반된 사람들임

o 위와 같은 규정은 공공질서와 집회. 시위의 평온을 확보하기 위해 대부분의 자유민주국가가 가지고 있는 규정이며, 아시아워치가 강조하고 있는 표현의 자유의 평화적 행사 보장과도 모순되는 규정이 전혀 아님

0145

8. 김근태 사건에 대하여 (9쪽 16-26행, 10쪽 3-18행)

o 정부가 김근태만을 정치적 이유로 탄압하고 있다는 취지로 기술하였음

o 1990.5.9 전국 60여개 대학에서 불법시위를 개최하여 화염병 30,000여개가 난무하고, 서울미문화원 등 23개소가 불길에 휩싸였으며, 서울. 부산. 대구. 광주. 전주 등 전국 주요 대도시에서의 폭력시위로 경찰관 250여명이 중경상을 입었음

o 이에 따라 불법시위를 주최하고, 폭력시위를 선동한 국민연합의 이수호, 한상열, 이부영 등이 김근태와 함께 구속영장이 발부되었으며, 그밖에도 5.9의 폭력시위와 관련하여 서울에서만 13명이 구속되었음

o 그리고 김근태만을 각종 집회나 시위의 유일한 주최자로 간주하지 않았으며, 김근태의 공소장에도 명확히 나타나는 바와 같이 이부영, 이창복, 이수호, 한상열, 송갑석 등이 함께 각종 집회나 시위의 주최자로 되어 있으며, 이들도 구속되거나 수배된 상태임

o 따라서 정부가 김근태만을 사법조치 하였다는 것은 정확한 사실에 기초하지 아니한 것임

0146

o 또한 정부가 김근태의 체포이유를 변경했다고 주장하나 이는 '90.9.11자 서한에서 이미 밝힌 바와 같이 동인은 '90년 5월 집회는 물론 '90년 2월 집회의 혐의를 받고 있었음. 이것은 구속영장 및 공소장을 확인해 보면 명확히 알게 될 것임

(참고 '90.9.11자 서한내용 : You state in your letter that the government is more interested in bringing Mr. Kim to trial based on changed reasons for his arrest. An examination of the warrant for arrest and the indictment against Mr. Kim wil reveal that he was arrested and will be tried for both the May 1990 and February 1990 assembly in violation of the laws governing public assembly and rally.)

o 김근태의 행동이 "이적"(利敵)인지에 대하여 명확하지 않다는 주장에 대하여는 공소장에 기재된 동인의 범죄사실을 보면 확실히 알 수 있음

김근태와 함께 전민련 관계자들은 "전민련 결성 선언문", "7천만 국내외 동포에게 드리는 글", "결의문", "사업계획"을 작성하여 전민련 결성대회에서 이를 낭독하였는데, 그 주요내용은

- 우리 민족은 분단 이후 반세기동안 지속되어온 미국의 신식민주의적 간섭과 군사독재의 가혹한 탄압에도 굴하지 않고 투쟁해 왔다.

0147

- 외세와 이에 의존하고 있는 군사독재와 독점재벌은 분단을 통해 막대한 이익을 얻고 있기에 분단의 고착화를 바라고 있다.

- 미.일 외세의 한반도 분단 고착화 정책과 신식민지주의적 지배는 집요하게 지속되고 있다.

- 당면한 정세는 친미 군사독재를 고착시키고 두개의 한국을 정착 시키려는 미국과 현 정권의 반역사적 기도와 이에 맞서 민주 정부 수립과 조국통일을 쟁취해 내기 위해 투쟁하는 한국 민중과의 심각한 대결로 이루어져 있다.

- 전민련은 분단체제의 영속과 독재의 유지, 강화를 도모하는 외세와 특권 군부독점자본, 특권관료에 대해서는 사자와 같이 용맹스런 투쟁의 선봉이다 등으로 되어 있음

o 이것은 북한이 대남적화혁명전략하에 행하고 있는 선전.선동과 동일한 내용으로서, 국가안보를 위해 그와 같은 선전.선동행위와 그에 동조하는 행위를 처벌하도록 규정하고 있는 국가보안법을 위반한 것임

o 그리고 집회및시위에관한법률에서도 옥외집회 또는 시위를 주최하고자 할 때는 48시간전에 관할 경찰서장에게 일시, 장소, 예정인원 등을 신고하도록 되어 있고, 당연히 폭력시위나 폭력시위의 선동 등은 불법행위임에도, 김근태는

0148

~~0127~~ 38

- 신고없이 '89.1.22 대학로에서 학생, 근로자 등 12,000 여명이 모인 가운데 "노태우 정권의 민중운동탄압 및 폭력테러 규탄대회"를 주최하고, '89.2.27 미대사관 앞에서 30여명이 모여 "부시방한 반대 및 팀스피리트 훈련중지"시위를 주최하고

- '90.2.25 대구 경북대학교에서 600여명이 모인 가운데 "반민주 3당 야합분쇄 및 민중기본권쟁취 국민대회"에 참석하여 폭력시위를 선동, 참석자들이 화염병과 돌 등을 던지는 폭력시위를 함으로써 승용차 7대가 파손되고 경찰관 5명이 부상당하였으며

- '90.4.21 연세대 대강당에서 1,500여명이 모인 가운데 "국민연합결성대회"에 참석하여 시위의 선두에서 폭력시위를 선동, 역시 경찰관 12명이 부상당하였으며

- '90.5.9 명동성당 입구 등에서 20,000여명이 모인 가운데 "민자당해체 노태우 정권 퇴진촉구 궐기대회"를 개최하여 폭력시위를 선동, 경찰관 185명이 부상당하고 차량 6대가 손괴되었음

o 대한민국 헌법 제21조에서는 언론·출판·집회·결사의 자유를 보장하고 있으며, 정부도 이러한 기본권이 보장되도록 최대한의 노력을 하고 있음

o 그러나 개인의 자유는 무한한 것이 아니며 그에 대한 합리적인 제한은 현대의 민주적인 헌법국가에서 헌법의 전체적 가치 질서의 실현을 위해 불가피한 것으로 받아 들여지고 있음

0149

o 그러므로 대한민국 헌법 제37조 제2항에서는 국민의 모든 자유와 권리는 국가안전보장, 질서유지 또는 공공복리를 위하여 필요한 경우에 한하여 법률로서 제한할 수 있다고 규정하고 있음 (다만 제한하는 경우에도 자유와 권리의 본질적인 내용을 침해할 수는 없음)

o 이에 따라 국가보안법과 집회및시위에관한법률은 표현의 자유 및 집회.시위의 자유를 일정한 범위에서 제한하고 있고, 김근태는 위 제한규정을 위반한 것임

o 물론 어떤 개인이 국가보안법이나 집회및시위에관한법률이 헌법에서 보장하고 있는 자유의 본질적인 내용을 침해하고 있다고 생각할 수 있으나, 그런 경우 우리 헌법하에서 민주사회의 시민으로서 취할 수 있는 행동은 헌법재판소에 국가보안법이나 집회및시위에관한법률이 위헌법률임을 주장하는 심판을 제청하여 판단을 받거나, 평화적이고 합법적인 방법으로 법률개정을 주장 내지 탄원하여야 할 것이지 바로 위 법률들을 위반하는 행위를 하여서는 안된다고 생각함

* 참고로 헌법재판소는 1990년4월 2일 국가보안법 제7조 제1항, 제5항은 각 그 소정행위가 국가의 안전과 존립을 위태롭게 하거나 자유민주적 기본질서에 위해를 줄 경우에 적용된다고 할 것이므로 이러한 해석하에 헌법에 위배되지 않는다는 결정을 한 바 있음 (헌법재판소 89 헌가 113호).

0150

16

~~0129~~ ~~40~~

9. 장명국 사건에 대하여 (11쪽 20-30행)

ㅇ 범죄사실을 사실 그대로 설명하지 않고 의도적으로 왜곡하였음

ㅇ 동인이 게재한 글들은 폭력혁명을 선동하였기 때문에 국가보안법을 위반한 것임

ㅇ 예를 들면, 새벽 6호에 게재된 '한국사회의 성격과 7,8월 노동자 대투쟁'에서는 한국사회가 미제국주의의 대리정권에 의하여 간접적인 방식으로 통치되는 식민지 사회이므로 반미자주화, 반파쇼 민주화 투쟁을 전개하여 민족해방과 계급해방을 달성해야 한다고 선동하였으며, 새벽 7호에 게재된 '사무전문직 노동자의 계급적 범주와 역할'에서는 사무전문직 노동자들은 생산직 노동자와 굳게 단결하여 자주, 민주, 통일의 이념적 가치를 높이 들고 민중과 함께 미제국주의와 그 대리정권을 타도하여 민족해방 민중민주주의 혁명을 달성해야 한다고 선동하였음

ㅇ 그럼에도 불구하고 아시아워치 보고서는 위와 같은 내용을 그대로 소개하지 않고 경제적 계급, 사회계층화라는 표현으로 범죄사실을 왜곡하였음

10. 김사인, 임규찬 사건에 대하여 (12쪽 9-17행)

- 광주사태에 대한 글을 게재했다는 것이 구속이유인 것처럼 설명하고 있으나, 그 글의 내용이 광주민주화운동을 프롤레타리아의 계급혁명으로 해석하고 그 정신을 잇는 무장봉기를 선동하는 것이었기 때문에 구속된 것임에도 이를 정확하게 설명하지 아니하였음

- 두번째 구속이 된 것도 대통령을 비방했기 때문이 아니라 동국대학교 신문 제1036호에 "변혁운동 단절깨고 진보적 문화운동 앞장" 이라는 제목으로'1987년 대파업투쟁 이후 이 땅의 노동자들은 계급투쟁의 시대를 열었고 현재 노동자 계급의 당파성 시대를 열어가기 위한 중차대한 시점에서 혁명의 주력군으로서 노동자계급의 강철같은 대오형성과 이의 주도중심인 전위조직의 형성문제가 당면과제'라는 내용의 계급혁명을 선동하는 글을 게재했기 때문임에도 이를 사실대로 설명하지 아니하였음

11. 전향을 거부한 자는 부당한 처우를 받고 있다는 주장에 대하여 (14쪽 1-13행, 15-24행)

o 교정시설의 기능은 수형자를 교정교화하여 건전한 국민사상과 근로정신을 함양하고 기술교육을 실시하여 사회에 복귀시키는데 있음

o 이에 따라 자유민주주의를 부정하는 좌익수형자에 대하여도 일반수형자와 꼭 같이 교정교육의 차원에서 자유민주체제의 우월성을 인식하고 공산주의 사상의 허구성을 인식하도록 각종 교정교화활동을 전개하고 있으나, 공산주의 신념의 포기는 전적으로 본인의 자유로운 의사에 맡기고 있으며, 이를 강요하는 일은 없을 뿐 아니라 강요에 의한 전향이란 아무런 의미가 없는 것임

o 따라서 간첩행위 등을 하다가 검거되어 형을 받은 좌익수형자에 대하여는 교도소내에서 다각적인 교정교화활동을 전개할 뿐 스스로 자유의사에 따라 전향여부를 결정하게 하고 있으므로 결코 양심의 자유를 침해하는 일은 없음

o 모든 재소자는 규정에 따라 동일한 처우를 받고 있으며, 미전향 좌익수형자라 할지라도 접견, 서신수발, 신문열독 등 모든 권리는 다른 재소자와 꼭 같이 보장받고 있으며, 전향하지 않았다는 이유로 차별대우 등 부당한 처우를 받은 일은 없음

o 다만, 이들은 공산주의 사상을 확고히 주장하며 우리나라의 국시와 자유민주주의 체제 자체를 부정하고 있으므로 다른 재소자들에게 미칠 영향을 고려하여 다중집회에의 참석이나 가석방 등의 누진처우를 신중히 하고 있을 뿐임

o 대전교도소에 수용중인 국가보안법 및 반공법 위반자의 대부분은 북한에서 간첩교육을 받고 남파되어 대한민국 정부의 전복을 기도하고 인명을 살상하는 등 간첩행위를 하다가 검거되어 정당한 사법절차를 밟아 형이 확정되어 그 집행중에 있는 자들임

o 이들중에는 고령자와 30년이상 장기복역한 자가 있으나 건강상태는 양호하며 처우에 있어서도 법률이 정하는 바에 따라 급양, 외부교통권 등 기본적 인권과 인간적인 생활을 최대한 보장하고 있으므로 인권에 관한 국제규약 등에 위배되는 사례는 없었음

o 이들중 일부 인원은 전향제도 폐지를 요구하며 2-3일간 불식한 사실이 있으나 스스로 잘못된 것임을 인식하고 자진 취식하였으며, 전향을 하지 않는다는 이유로 구타를 하거나 정신적, 육체적 압력을 가하는 일은 없음

0154

0133 44

제 3 부 노동자의 권리침해

(일반적 분석)

보고서의 내용은 한국노동현실이 객관적인 시각에서 조사, 분석되어 있지 않고 있으며, 논조도 일부 극소수 정부 비판세력의 주장과 동조하는 등 극히 편향적임

0155

21

~~0134~~

(개별적 분석)

1. 역대 정부가 노조를 좌익시하였다는 비판에 대하여 (19쪽 18-20행)

ㅇ 한국사회는 광복이후 1950년 6.25 동란때까지 좌우익 대립을 경험한 바 있으며, 노동운동도 예외는 아니었음. 그러나 전후 사회. 경제체제가 안정되고 1953년 노동관계법이 전면 제정됨에 따라 노조활동은 법상 보호받게 되었으며, 노조도 경제적 조합주의에 입각하여 근로자의 권익신장 노력을 꾸준히 전개하여 왔고, 정부도 정당한 노조활동을 적극 보장하여 왔음

ㅇ 70년대 중반에는 노조의 파업을 일시적으로 금지시킨 적이 있기는 하나, 전반적으로 볼 때 합법적인 노조활동은 보호받아 왔음. 일부 노조활동을 하는 사람들 가운데 마르크스나 레닌의 계급혁명이론관점에서 계급폭력혁명을 선동함으로써 국가보안법을 위반하여 사법조치된 사례가 있긴 하나, 이는 노조원의 개별활동을 문제삼은 것이며 노조들을 좌익시한 사례는 없음.
따라서 역대 정부가 노조를 좌익시하였다는 비판은 사실과 다름. 더욱이 6.29 선언 이후 노조 및 조합원이 폭발적으로 늘어난 사실은 우리나라의 노동권이 전면적으로 보장되고 있음을 극명하게 보여주고 있음

0156

~~0135~~ ~~46~~

2. 제5공화국 하에서 독립적인 노조의 불인정에 대하여 (19쪽 21행)

ㅇ 우리나라 노동조합은 1953년 노동조합법 제정이후 기업별 노조체제를 유지하여 오다 1960년대-70년대 산업체제로 전환하였으나, 그 당시에도 노조조직 형태는 사실상 기업별 노조가 주종을 이루어 왔었음.
이에 따라 1980년 노조조직체계를 다시 기업별체제로 바꾸었으며, 1987년 법개정 이후에는 노조설립 형태에 아무런 제한을 두지 않는 자유설립주의를 취하여 오고 있으나 사실상 기업별 노조가 대부분인 점을 볼 때 자주적인 개별 노조가 허용되지 않는다는 것은 사실과 다름

ㅇ 이러한 역사적 배경하의 기업별 노조는 그 조직대상이 직종별 근로자가 아닌 사업체 소속 전체 근로자이기 때문에 한 사업체내에 복수노조를 허용할 경우 노조조직 확장 등을 둘러싼 노.노간의 경쟁 등 부작용이 크게 우려되기 때문에 복수노조를 금하고 있는 것임.
그러나 복수노조를 금하는 것이 노조의 독립성을 저해한다고 할 수는 없는 것임. 왜냐하면 노동조합법상 절차에 따라 정당하게 노조를 설립할 기회는 누구에게나 보장되어 있고, 또 일단 설립된 노조는 차별없이 법적 보호를 받기 때문임.

3. 정부에서 구사대를 이용하여 노사분규를 해결한다는 등의 주장에 대하여 (20쪽 15-17행)

ㅇ 정부가 노.사 어느 일방에 편향적인 정책을 수립.집행할 이유나 당위성이 없으므로 공정하고 중립적인 입장에서 이루어지고 있으며

ㅇ 현실적으로 이른바 "구사대" 동원 등 사업주의 부당노동 행위에 대하여는 노동관계법 위반여부 등을 철저히 조사하여 의법조치 하는 한편 사전지도와 교육에 힘쓰고 있으며, 폭력 등 일반형사법 위반에 대하여는 공공의 안녕과 국법질서 확립을 위하여 관계법에 따라 의법조치 되고 있으므로

ㅇ 정부에서 구사대를 이용하여 노사분규를 해결한다는 등의 주장은 사실을 왜곡하는 것임

4. 남한의 국내노동법이 ILO 헌장의 기본원리인 결사의 자유를 위반하고 있다는 주장에 대하여 (21쪽 13-16행)

ㅇ 파업에 관하여 명시적으로 언급한 ILO의 조약은 없음. 즉 1948.7.9의 결사의 자유와 단결권 보호에 관한 조약 제87호와 1949.7.1의 단결권 및 단체교섭권에 대한 원칙의 적용에 관한 조약 제98호에는 쟁의행위 문제에 관한 입장이 표명되어 있지 아니함

0158

24

o 노동쟁의조정법은 노동관계의 공정한 조정을 도모하고 노동쟁의를 예방 또는 해결함으로써 산업평화의 유지와 국민경제 발전에 기여함을 목적으로 한 법으로서, 민사상 면책(제8조), 근로자구속제한(제9조), 채용·대체금지(제15조)조항 등을 통하여 정당한 쟁의행위를 적극 보호하고 있으며 다만, 쟁의행위가 국민경제와 국민의 일상생활에 미치는 영향을 감안하여 필요한 최소한의 절차규정을 두고 있음

o 따라서 노동쟁의조정법을 통하여 ILO 헌장의 기본원리인 결사의 자유를 침해할 가능성이 있다는 것을 전제로 한 주장은 타당치 아니함

5. 노동조합법이 제5공화국 시절의 후원을 받은 노조 이외의 조직을 위법으로 단정한다는 주장에 대하여 (21쪽 22-27행)

o 기존의 노동조합과 조직대상을 같이하거나 기존 노동조합의 정상적 운영을 방해하는 노조의 설립을 제한하는 규정은 1963년 이래 기존 노동조합의 보호를 목적으로 계속 유지되어온 것이므로 동 규정이 제5공화국 시절에 설립된 회사의 후원을 받는 노조나 노조연맹 이외의 조직을 위법 조직으로 단정한다는 주장은 왜곡된 것임

6. 노동조합법에 의한 노조설립의 신고에 대하여 (22쪽 6-12행)

ㅇ 노동조합법에 의한 노조설립의 신고는 단순히 행정관청에 노조설립을 신고하는 절차임에도 동 보고서는 설립의 사전인가요건으로 왜곡하고 있으며, 설립신고서에 단순히 소속된 연합단체의 명칭, 임원의 성명과 주소 등을 기재토록 한 것을 소속연합단체의 규약, 임원의 배경, 조합원 등에 관한 정보를 포함하는 신고서를 제출토록 하는 것으로 왜곡 과장하고 있음

7. 제3자 개입금지 규정에 대하여 (22쪽 17행 - 23쪽 14행)

ㅇ 노사문제 특히 쟁의행위는 노사당사자간에 자율적으로 해결하는 것이 바람직하며, 당사자 이외의 제3자가 조정,선동,개입하는 것은 분쟁의 확산과 장기화를 초래한다는 우리나라의 경험을 토대로 제3자 개입금지 규정을 두고 있음

ㅇ 그러나 변호사, 공인노무사 등이 개입의사없이 법령에 의하여 부여된 권한의 범위내에서 노사당사자의 요청에 따라 단순히 자문에 응하는 행위는 현행법의 해석으로도 제3자 개입 행위에 해당하지 아니함

ㅇ 제3자 개입 금지조항은 개별기업의 노조활동이나 쟁의행위에 제3자가 개입하여 특히 불법, 폭력분규 등을 조종. 선동하는 행위를 처벌하는 규정이며, 노동자들에게 노동관계법에 대하여 자문, 상담, 교육하는 행위를 처벌하는 규정이 아님에도 구체적 사례를 제시하지도 아니한 채 이를 왜곡 설명하였음

8. 단체교섭과 파업에 대하여 (23쪽 15행 - 12쪽 7행)

o 쟁의행위에 관하여 직접적으로 언급한 ILO조약은 없으므로 위 주장은 타당치 아니함

o 우리나라 헌법에서는 단체행동권을 보장하고, 이의 구체적인 실현을 위하여 노동조합법 및 노동쟁의조정법에서 쟁의행위에 대한 민.형사상의 면책 등을 인정하고 있음

o 쟁의행위는 노사쌍방에 대한 경제적인 손실은 물론, 쟁의 행위와 직접적인 관계가 없는 제3자인 일반국민의 일상 생활에 직.간접으로 중대한 영향을 미치게 되고, 나아가서는 국민경제에 영향을 주게 되므로 쟁의행위가 국가, 사회에 미치는 부정적 효과를 최소화하기 위하여 그 구체적인 행사에 대하여 노동쟁의조정법에서 최소한의 규제를 하고 있음

o 보고서에 적시된 「안전.보호시설의 정지. 폐지행위금지」 규정은 일본의 노동관계조정법 제36조에도 규정되어 있고, 독일에서도 이론적으로 확립되어 있는 것으로 알고 있으며, 정치파업. 동정파업. 경영간섭 목적의 쟁의행위가 정당하지 않다는 것은 우리나라 헌법이 제33조 제1항에서 근로조건의 향상을 위하여 노동3권을 보장하고 있다는 것을 명백히 하고 있다는 점을 고려할 때 당연한 논리적 귀결임

0161

9. 파업에 대하여 (24쪽 8행 - 25쪽 13행)

o 제반 노사문제는 노사쌍방의 자율적인 대화와 타협을 통해 평화적으로 해결해 나가야 하나, 우리나라에서는 노사문제의 자율해결의 경험이 부족하고 축적된 합리적 관행이 없어 불법적인 노사분규가 폭발적으로 발생하는 등 산업사회의 안정이 크게 저해된 바 있으며, 아직도 노사문제에 수반되는 불법행위는 대수롭지 않게 생각하는 풍조가 남아 있음

. 따라서 정부는 폭력이나 파괴행위 등 정당한 한계를 벗어나는 경우에는 그것이 비록 노사문제에서 기인 되었다고 하더라도 노사관계 준법질서 확립을 위하여 엄정하게 책임을 묻고 있으며, 사용자의 부당노동행위에 대하여도 강력하게 규제를 하고 있음

. 그러나 법테두리내에서 정당하게 행하여지는 노조나 근로자들의 활동에 대하여는 노동관계법에 따라 적극적으로 보호하고 있음

o 따라서 우리나라 정부에서 파업을 분쇄하기 위하여 여러가지 방법을 사용하고 있다는 주장은 사실과 다르며 근거없는 주장에 불과함

0162

~~0141~~ 52

o 예를 들면, 보고서에서는 대구태화염직의 경우를 사례로 적시하면서 파업중공장 밖에서 북을 친 혐의로 근로자들이 체포되었다고 주장하고 있는 것은 사실과 다름

. 동사에서는 1990.4.29 임금 448,000원으로 인상키로 노사간에 합의한 바 있으나, 염색부소속 근로자의 반발로 1990.5.1부터 점거농성을 개시하자 회사측에서 1990.5.4 직장폐쇄를 하였음에도 대학생 및 외부 근로자와 합세, 계속 불법 점거농성을 하여 1990.5.12 경찰을 투입, 강제해산 하였으며, 이 과정에서 노조원 이병재 등 4명을 폭력행위등처벌에관한법률위반, 업무방해죄, 화염병사용등에관한법률위반 등으로 구속한 바 있고, 불법농성이 1990.6.1까지 계속되자 1990.5.12 - 1990.6.1 사이에 노동조합장 박영배 등 6명을 업무방해죄 등으로 구속하였음

. 따라서 단지 공장 밖에서 북을 친 혐의로 근로자를 구속 하였다는 주장은 전혀 사실과 상위함

29

0163

~~0142~~ 53

제4부 전 노 협

(일반적 분석)

- 아시아워치 보고서 내용이 주로 국내일간지 기사 등을 인용하고 있어 부분적으로는 통계수치 등 주요내용과 어느정도 객관적인 사실에 근거하고 있는 것으로 보이나 일부의 경우는 사실과 다른 내용임

- 그러나 보고서의 논조는 전노협에 대한 정부의 시각이나 조치 등에 대하여 비판적이며 정부의 정당한 조치에 대하여도 부정적인 시각에서 정리하고 있는 반면 전노협의 불법, 부당한 언동에 대해서는 비판을 유보하고 정당성을 인정하고자 하는 편향적인 시각이 엿보임

- 특히 전노협의 이념적인 급진성과 위법행위에 대한 규제 등 정부의 정당한 조치들을 단순한 노동운동탄압 차원에서만 이해하려는 편협된 시각을 갖고 있음

30

0164

~~0143~~

(개별적 분석)

1. 정부의 500개 회사에 대한 조사주장에 대하여
   (27쪽 19-21행)

   o 정부에서는 90년 상반기 전국 160여개의 주요 노동조합을 대상으로 노동조합법 제30조에 따라 노동조합의 경리 등 운영전반에 대한 업무조사를 계획 추진하였음

   o 업무조사 대상 노동조합의 경우 500개가 아닌 160여개이며 이들 대상 노조가 모두 전노협가입 노조가 아닌 전노협 미가입 노조도 다수포함되어 있음

2. 정부의 노동쟁의 행위 지침발표 주장에 대하여(27쪽 27행-28쪽 5행)

   o 노동조합의 쟁의행위는 목적과 수단, 절차 등이 정당한 경우에 한해서 민.형사상의 면책 등 법의 보호를 받을 수 있으며 정당성을 벗어난 쟁의행위는 법적 제재가 불가피한 것임. 따라서 구속자석방, 특정회사 노조집행부의 퇴진 등을 요구하는 정치파업이나 다른 노동조합의 파업을 지원하기 위한 동정파업, 파업기간중의 임금지급을 요구조건으로 행하는 파업 등은 정당성을 상실한 쟁의행위로서 법의 보호를 받을 수 없는 것임. 따라서 정부에서는 노동조합의 정당한 쟁의행위를 지도함으로써 위법행위의 발생을 사전예방하기 위하여 동 지침을 널리 홍보한 것임

0165

3. 정부가 중요산업에서 불안이 심각할 경우 비상권력의 동원을 고려할 것이라는 것에 대하여 (28쪽 9 - 10행)

ㅇ 정부에서 중요산업에서의 불안이 심각해질 경우 비상권력의 동원을 고려할 것이라는 내용의 발언을 했다는 것은 전혀 사실무근의 내용임. 다만 정부에서는 노동쟁의가 발생할 경우 노동쟁의조정법이 규정하는 절차에 따라 알선, 조정, 중재 등 조정절차를 진행할 수 있으며, 특히 노동부 장관은 쟁의행위가 공익사업에 관한 것이거나 그 규모가 국민의 일상생활을 위태롭게 할 위험이 현존하는 경우 쟁의행위를 일시 중지시킬 수 있는 긴급조정의 결정을 할 수 있으며 이러한 긴급조정은 필요시 항상 검토될 수 있는 것임 (노동쟁의조정법 제40조 - 41조)

4. 전노협의 규제 이유에 대하여 (28쪽 23 - 24행)

ㅇ 전노협은 제2의 노총을 표방하면서 결성을 선언한 바 있으나 한국의 노동법상 전노협이 단위노조의 상급단체로서 법적구성 요건을 갖출 수 없기 때문에 정당한 노동단체로 적법한 활동을 할 수 없음. 따라서 정부에서 전노협을 적법단체로 인정할 수 없는 것은 당연한 것임

32

0166

~~0145~~ ~~56~~

o 정부에서 전노협을 규제한 것은 그들을 두려워해서가 아니라 급진적이고 과격한 일부 소수의 위법행위자를 법절차에 따라 격리함으로써 절대다수의 선량한 근로자들을 보호하고 건전한 노동운동을 정착시키기 위한 불가피한 조치였음

5. 정부가 전노협의 집회권리를 부정하고 있다는 주장에 대하여 (29쪽 4 - 6행)

o 정부는 전노협의 모든 집회를 부정한 것은 아님. 전노협은 결성후 등반대회, 각종 수련회, 각종 회의 등 합법적이고 순수한 내부적 활동은 자유롭게 이루어졌음

o 다만 일부 법절차를 무시한 반정부 집회에 대하여는 시민의 일상생활을 불안하게 하는 폭력과 가두시위가 예상됨에 따라 불법행위를 사전예방 한다는 취지에서 규제하게된 것임

6. 1989.11.12 전노협을 조직할 수 있는 권리를 증진시키고, 인천지부장 최동식(28)의 석방요구를 위한 시위 계획을 경찰이 봉쇄한 이유 (29쪽 5 - 7행)

0167

o 인노협의장 최동식 (남일금속 노조위원장)은 89.11.11 서울 동국대에서 개최한 전국노동자대회 전야제에 참석타가 집시법 및 정기간행물 등록에 관한 법률위반 혐의로 수배중, 서울시경에 검거되었으며

o 89.11.12 보라매공원에서 개최예정인 노동자대회는 최동식의 석방요구와는 관련없는 집회로 관할 노량진경찰서에서 폭력시위가 예상되어 집회금지 통보후 전노협 측의 불법집회 강행을 저지하기 위해 차단한 것임

7. 1989.1.22 성대 수원캠퍼스에서 전노협 창립총회관련 약 600여 전경이 시위해산을 위해 수원캠퍼스에 진입한 이유 (29쪽 11 - 14행)

o 90.1.22 13:00경 부터 성균관대 수원캠퍼스에서 사전구속영장이 발부된 당시 전노협의장 단병호 (41세, 전 동아건설 창동공장 노조위원장) 주최로 전노협 창립대회를 개최한다는 첩보를 입수하고 사전구속영장이 발부된 수배자 단병호 검거와 사전에 허가받지 않는 대학내의 불법집회이므로 사전 이를 막기위하여 진입한 것임

0168

~~0147~~ 68

8. 1990.3.18 전노협의 서울, 인천, 대구 등 5개 대도시에서 집회시 약 15,000명을 동원, 시위를 봉쇄, 1,552명 연행, 7명을 제외한 나머지는 훈방, 석방되고 7명중 4명은 즉심, 3명은 심리중이라는 주장의 진상 (29쪽 15 - 20행)

o 90.3.18 서울 등의 3개 시도에서 전노협 주최로 단병호 (전 전노협의장) 석방과 '90임금투쟁 전진대회와 관련하여 집회 신고없는 불법집회를 봉쇄하는 과정에서 총 1,552명을 연행하여 그중 4명을 즉심, 3명은 불구속 입건한 바 있으며, 나머지 1,548명은 귀가 조치한 바 있음

9. 90.1.22 전노협 발족과 관련 136명이 체포되었다는 주장의 진상 (29쪽 22 - 24행)

o 90.1.22 성균관대 수원분교에서 전노협 발족과 관련하여 불법집회를 해산시키는 과정에서 진압경력에게 화염병투척, 투석 등 폭력행사 혐의로 다우전자 노조위원장 이영희(25세, 여)등 141명을 연행한 바 있음

10. 90. 2월초 치안본부에서 전국 경찰서에 3월 3일까지 단병호 체포지시와 함께 특별수사반을 설치하고, 수색을 위한 특수 수색팀을 구성, 사찰, 교회, 여인숙 및 학생들의 아파트를 수색할 예정이었다는 진상 (29쪽 26 - 29행)

- 89.11.12 서울대 도서관 앞에서 "노동자대회" 등 4회에 걸쳐 불법집회 및 폭력시위를 주도한 혐의로 집시법, 화염병법, 폭력행위 등 처벌에 관한 법률을 적용 89.12.30 사전구속영장을 발부받아 수배하였으며 수배자 검거를 위해 수사전담반을 편성하고 일선서도에 공조수사 지시한 바 있음

11. 단병호의 체포 이유 (29쪽 30행 -30쪽 1행)

- 89.11.12 서울대 도서관 앞에서의 "노동자대회" 등 4회에 걸쳐 불법집회 및 폭력시위 주도한 혐의로 구속영장에 의해 체포한 것임

12. 삼성제약 노조간부 김은임과 김영순 등의 구속에 대하여 (30쪽 20 - 21행)

- 삼성제약 노조간부 김은임과 김영순 등 2명의 경우 한양대학교 부속병원 등 22개사의 노사분규 제3자 개입 혐의와 노동조합 업무조사 등을 거부한 혐의로 구속조치된 바 있으나 이들이 단순히 노동조합 업무조사를 거부했다는 이유만으로 구속된 것은 아님

36

0170 ~~0149~~ ~~60~~

o 또한 동 보고서는 노조업무 조사를 거부할 경우 모든 체포되는 것으로 주장하고 있으나 그동안 노조업무 조사를 거부했다는 이유 하나만으로 구속조치된 노조간부는 단 1명도 없음. 다만 구속의 경우 제3자 개입 혐의 등 다른 범죄가 병합되는 경우 사법절차에 따라 정당하게 조치된 것임

37

0171

~~0150~~

제 5 부 현 대

(일반적 분석)

- 보고서가 1987.7.4 현대엔진 노조결성 이후 8월의 울산 현대계열사의 대형분규, 현대중공업의 1988.12 파업, 1990.4, 5월 파업, 제임스리 (이윤섭)의 테러사건, 현대건설 "서충희" 납치사건 등에 관해서는 국내 일간지 및 당시 방송을 인용하여 사건자체는 사실적으로 기술하고 있으나, 이러한 일련의 사건 배경과 그 조치에 대해서는 지나치게 정부와 경영주에 의한 노동운동 탄압이라고 편향적인 시각에서 보고 있음

- 보고서에 기술된 파업은 대부분 노동관계법에서 정한 적법절차를 거치지 않는 불법파업으로서, 이 불법행위자에 대한 처벌은 법치주의 국가의 당연한 행위임에도, 아시아워치는 이를 체포와 해고의 남발로 보는 등 정부가 노동조합법 규정들을 이용 경영진과 함께 근로자들의 권리를 억제하려 했다는 시각에서 보고 있음

0172

38

~~0151~~ 65

ㅇ 결론적으로 아시아워치가 급진성향의 근로자들의 노선과 일반 조합원들의 노동조합주의 운동의 미구분, 불법파업과 적법파업의 구별없이 정부와 회사가 노사분규를 과격한 분파로 비난, 지도자 투옥 등으로 울산의 현대계열사의 3년간 대형노사분규 유발 등 상황을 악화시켰다고 결론지은 것은 타당성이 없음

(개별적 분석)

1. 현대가 노조를 조정하기 위해 뇌물, 위협, 침투 등을 하였다는 주장에 대하여 (33쪽 18-19행)

o 1987.8. 소위 민주노조 추진세력에 의해 구성된 2대 집행부는 1987.8.27 임시총회를 열어 초대 임원진의 사퇴를 승인하고 새 임원을 선출하여 동 8.31 울산시청에 신고를 마침으로써 법적으로 인정된 것임

o 동 집행부는 1987.9.1 회사와의 임금협상 결렬을 이유로 즉시 전면파업에 돌입하여 회사의 중요장비를 수단으로 출발하여 울산시청까지 집단 가두시위를 하였고, 시청사의 파괴 및 방화, 회사 본관건물 및 주요장비의 파괴 등 폭력 행사를 자행함. 이는 적법한 쟁의행위의 절차를 따르지 않았을 뿐만 아니라 무차별 폭행을 행사함으로써 지역 전체의 치안마비상태를 초래하게 되어 이 불법행위에 대한 책임을 물어 동 집행부 간부들이 체포, 구금되었던 것이며, 동 보고서에서 주장하는 바 노조를 조정키 위한 회사의 뇌물, 위협, 침투는 아님

0174

0153

2. 현대노조원의 체포에 대하여 (33쪽 19-23행)

- 1987.9.4 - 9.5까지 2대 집행부 임원 대다수가 체포, 구금되자 이들로 인한 파업 및 폭동의 수습을 위해서 조합원 중에서 자발적으로 수습대책위를 구성, 동년 9.20 회사와의 합의로 파업이 마무리되었음

- 당시 체포, 구금되었던 2대 집행부의 임원중 대다수는 1988.1.14까지 기소유예, 보석, 집행유예 등으로 석방되었고, 경남 지노위의 임원개선 명령에 의하여 임시총회 소집권자가 지명되어 1988.2 조합원 총회를 거쳐 3대 조합장 및 집행부를 구성케 되었음.
  3대 조합장은 조합원 전체의 65%의 지지를 얻어 총회의 선거로 당선되었음

- 이러한 사실에서 볼 때 보고서의 동 주장은 근거없는 일방적 주장임

41

0175

0154 65

3. 정부의 공권력 사용에 대하여 (33쪽 24-26행)

- 1988.2에 선출된 3대 집행부는 동년 4월에 회사와 임금 협약을 체결했고, 6월부터는 단체협약 체결을 위한 단체 교섭에 착수하여 교섭을 진행하던 중, 동년 12월 노조 활동과는 무관하게 장기 무단결근, 인사명령 불복 등의 이유로 징계 해고된 인원들의 복직과 회사가 수용하기 어려운 퇴직금 누진제, 상여금 600% 지급안을 요구하며 파업에 돌입한 바, 당시 회사는 방위산업체로서 법에 의해 쟁의행위자체가 금지된 사업장으로서 파업을 할 수 없었음에도 불구하고 파업을 강행하였고, 파업과정에서 조합장을 어용으로 매도하여 퇴진요구를 하는 등 극심한 노.노간의 분쟁양상을 보여 주었음. 파업과정도 폭행, 파괴, 방화 등 1987.8. 사태와 유사한 폭동의 형태로 진행되었으며, 치안유지를 위해 경찰이 투입되어 장기 점거농성을 해제하므로써 수습됨

- 이후 1990.4에도 노동관계법의 절차에 의하지 않은 즉각적이고도 불법적인 파업을 진행하였고, 이 과정에서도 역시 폭력 및 직장 무단점거가 자행되어 경찰력에 의한 강제해산이 수반되었음

- 이와 같이 당시의 노사분규는 단체교섭 사항이 아닌 해고자 복직문제, 적법절차를 무시한 힘의 논리에 의한 조합운영 등의 결과인 것임

0176

0155 66

ㅇ 정부는 노사를 불문하고 불법행위에 대해서는 의법조치하여 국가전체의 산업평화를 유지할 책임이 있는 만큼 공권력 투입은 불가피하였고, 만약 그러한 불법파업을 방치하였다면 이의 장기화로 국가경제의 위태로움을 초래하였을 것임

4. 현대노조의 파업에 대하여 (34쪽 3-12행)

ㅇ 당시의 파업이 적법절차를 무시한 불법파업이었고 그 행동 또한 중장비를 동원한 시청청사 점거, 시내도로 차단, 방화, 회사 통신시설파괴 등 과격하였음은 이미 서술하였음

ㅇ 정부는 1987년말 노동관계법을 개정, 노동조합설립형태를 자율화하고 절차를 간소화하였으며, 노조의 자율성 보장을 위하여 행정관청의 간섭조항을 대폭 축소하였음.
또한 유니온샵 제도를 허용하고 쟁의행위의 제한사항을 완화하는 등 노동조합의 원활한 활동을 강화하였음

ㅇ 이를 토대로 모든 노사문제는 노사자율에 의해 해결되도록 하고 어떠한 경우든 불법행위에 대해서는 노사를 막론, 처벌함으로써 법질서를 확립하여 왔음

ㅇ 따라서 1987.8, 1988, 1990의 불법파업과 관련, 이를 주도적으로 행한 자의 처벌은 당연하였고, 회사는 회사규칙에 의해 이들을 해고한 것임

0177

o 만약 적법한 절차에 의해 노동조합이 임금인상, 기타 근로조건 개선을 위해 파업을 한 경우에도 파업을 했다는 이유로 정부가 노조지도자를 처벌하고 회사가 이들을 해고하였다면 노동조합의 권리를 억제했다고 할 수 있을 것이나, 정부는 적법절차에 의한 노동조합 활동은 적극 보호하여 왔음.

예를 들어 같은 현대계열인 현대자동차의 1988, 1990년 2차에 걸쳐 대형파업을 하였으나, 조합 집행부가 적법절차를 거쳐 진행하였기 때문에 노조지도자 체포, 해고 등은 없었음

5. 국내 인권감독기관이나 야권 지도자들은 1987.9.3 현대중공업 근로자 300여명의 울산시청 난입관련 노조위원장 15명 포함 300여명을 체포한 것은 정부가 분규탄압을 정당화하기 위해 과잉 진압했다는 주장에 대하여 (34쪽 27-31행)

o 현대엔진 및 현대중공업 노조원 2만여명은 1987.7.28부터 동년 9.1까지 임금인상 등을 요구하면서 쇠파이프 등으로 무장, 폭력시위를 자행하여 울산시내를 무법천지화 하였으며, 특히 동년 9.2. 11:30부터 울산시청에 난입, 시청청사와 승용차 21대 등 소훼 및 유리창 381장 등 약 2억원 상당의 재물을 손괴하였고, 현대중공업 회사 본관건물 컴퓨터 등 약 23억원 상당의 재물을 손괴하므로 부득이 공공의 사회안녕 질서와 산업평화유지 차원에서 시위현장과 용의자 집 등에서 80명을 연행, 노조위원장 이원건 등 37명을 집회및시위에관한 법률, 화염병처벌에관한법률, 폭력행위등처벌에관한법률 등 실정법 위반이 중대하여 구속한 것임

44

0178

~~0157~~

~~68~~

6. 1988.3.16 농성중이던 노조지도자 권용목씨외 2명이 협상차 현대엔진 5층 사무실에서 내려왔을 때, 권씨가 회사측에 의해 납치되었다는 소문으로 노동자시위가 확산됐고, 이런 혼란속에서 회사 경비원 한명이 돌에 맞아 사망하자 협상이 중단되고 시위가 과격양상을 띠자 경찰이 권씨를 "노동자를 선동하였다"는 이유로 체포하였다는데 그 체포의 정확한 이유에 대하여 (36쪽 6-14행)

ㅇ 권용목은 1987.9 울산시청 난입사건으로 구속되었다가 1988.2.4 울산지원에서 징역1년, 집유2년을 선고받고 출소, 동년 2.6자로 회사로부터 해고되었는데도 1990. 2.5 - 동년 3.17까지 매일 근로자 200-500명을 집결케 하여 불법파업 선동, 기물파손 등으로 총 52억원 상당의 재산상의 손해를 가했을 뿐만 아니라 기간중 약 93억원 상당의 생산손실을 초래하였으며, 특히 1988.3.16. 10:00경 권용목 등 3명이 회사 임원진과 협상을 제의하여 본관 1층에서 경비하던 청원경찰이 동인을 안내하여 회사 임원진이 있는 구본관 사무실로 가는 것을 목격한 근로자 오종쇄 등이 확성기로 회사측에서 협상팀을 강제 납치, 감금하였다고 방송하여 근로자들을 흥분시킨 후, 회사본관에 방화하고 건물옆 L.P.G. 탱크를 폭파하겠다고 위협하였으며, 동일 13:00경 근무교대차 가던 경비원 오인석에게 근로자들이 블록조각을 던져 뇌좌상 등으로 사망케 하는 사건이 발생하므로 관련자인 권용목을 포함 108명을 연행, 그중 25명을 구속 조치하였음

0179

~~0158~~ 69

7. 1988.12 파업시위중 전경의 대단위 무력시위 진압으로 700여명의 노동자가 검거되었다가 대부분 석방되었다는 진상에 대하여 (36쪽 16-18행)

o 현대중공업에서는 1988.12.12 노사협약 체결시 노조의 요구조건 136개 항목중 132개항을 합의하고 퇴직금 누진제 등 4개항만 미합의 계속 노사협의중 반노조집행부 (소위 민주노조)에서 현노조를 어용노조로 매도하고 계속 불법파업 및 폭력으로 노사상호간에 171명이 피소되었고 약 30여회의 노노간, 노사간 충돌사건으로 250여명의 부상자가 속출 하였으며, 동시에 강성근로자가 회사내에서 장기농성하면서 화염병과 L.P.G등 위해물질을 쌓아 놓고 농성하고 있어 1989.3.30. 05:00 정복경찰관 70개중대 9,011명을 투입 진압하고 1,838명 연행 47명을 구속하고 나머지 근로자는 귀가시킨 바 있음

8. 1990.2 노조지도자 6명의 항소심관련 현대노조원 20,000여명이 파업하자 회사측에서 경찰에 업무방해로 고소한 이유와 이영현을 체포한 이유에 대하여 (36쪽 20행 - 37쪽 4행)

o 1989.3.30 연행되어 구속된 근로자중 실형이 선고된 이원건 등 5명의 항소심에서 김진국, 오종쇄 2명에 대하여 구형량이 1심보다 상향 구형되자 회사의 사주에 기인한 것으로 오인하고, 차기 노조위원장인 이영현(29) 등이

0180

주동이 되어 2.6 - 2.7까지 회사내에서 15,000여명의 근로자를 집결시켜 놓고 불법집회 및 파업으로 업무방해하여 약 83억원 상당의 매출손실을 가하여 회사로부터 피소 되었는데 출석요구에 불응하고 다시 1990.2.9 부산고법 공판정에 전근로자를 집결하라고 지시해 놓고 1990.2.8. 21:00경 울산에서 부산으로 가던중 검거된 것임

o 이 부분은 1990년 현대중공업사태의 원인에 관한 부분인 바, 노조원들이 믿었다는 내용이 사실인지에 대해 언급하지 않고 그 주장만을 그대로 반영함으로써 사태의 원인이 회사측에 있고, 회사와 검찰이 유착되어 있는 것 같은 인상을 주고 있음

o 그러나 검찰은 회사측으로부터 구형을 상향해 달라는 요청을 받은 바 없으며, 김진국과 오종쇄에 대한 구형의 상향은 당연한 것이었음

o 왜냐하면, 김진국은 집회및시위에관한법률위반으로 1심에서 징역 3년을 구형받은 별개의 사건이 항소심에서 병합되었으며, 오종쇄는 상해치사죄 등으로 1심에서 징역 7년을 구형받은 별개의 사건이 항소심에서 병합되었으므로 당연히 병합구형 되었던 것 뿐임

o 병합되는 사건이 없었던 나머지 3명에 대해서는 구형이 1심대로 유지되었음을 확인해보면 분명해질 것이며, 이와 같이 아국의 사법절차 관행상 명백히 타당한 구형이었음에도, 이를 회사의 음모라는 시각에서 허위사실을 유포시키고 투쟁의 단서로 삼았던 것임

9. 1990.4.20 노조부의장 우기하씨 체포이유가 시위선동을 방해하기 위한 방편이라는 주장과 관련 우기하의 체포이유에 대하여 (37쪽 12-13행)

ㅇ 우기하는 1990.2.5 부산고법에서 구속근로자들중 김진국, 오종쇄 등 2명의 구형량이 1심보다 상향되자 이영현 등과 같이 1990.2.6 - 2.10까지 20,000여명의 근로자를 선동, 불법파업. 조퇴케하여 약 83억원 상당의 생산손실을 가해 회사로부터 2회 피소되었는데도 출석에 불응하여 사전 구속영장을 발부받아 소재 수사중 1990.4.20 검거 구속한 것임

10. 1990.4.28 현대중공업 파업현장에 10,000여명의 전경을 투입, 파업노동자를 해산하고 100여명을 구속했다는 주장에 대하여 (37쪽 15-18행)

ㅇ 1990.2.5 부산고법에서 전년도 노사분규 관련 현중 구속자의 구형량이 1심보다 높게 되자 노조간부들은 회사의 사주에 기인된 것으로 오인, 불법시위. 업무방해타가 피소되어 이영현 등 3명이 구속되고 전 노조장 송명주 등 3명은 불구속 되고, 우기하 등 2명에 대하여 사전영장을 발부받아 수사중 우기하를 검거하자 KBS 노조시위자는 구속시키지 않으면서 근로자만 구속시킨다고 항의, 9.25까지 계속 파업하면서 회사내에 사제박격포 등 위해물질 등을 쌓아 두고 장기농성을

자행하여 회사기능을 마비시키고 지역경제와 사회안정을 저해하여 회사의 공권력투입 요청으로 압수수색영장을 발부받아 1990.3.29. 05:00 경력 81개 중대 9,600여명 투입, 총 1,296명 연행, 그중 48명을 구속하였음

11. "제임스리 테러사건"과 관련 재벌경영진과 경찰이 긴밀히 접촉했다는 주장에 대하여 (37쪽 23-28행)

o 당시 본건과 관련 구속된 전 울산경찰서장 권중수 등 2명은 경영진과 밀착협의가 있어 구속한 것이 아니고, 본 사건을 사전에 예방하지 못하고, 사후에도 상부에 보고하지 않는 등 직무를 유기한 혐의로 구속한 것으로, 재벌경영진과 접촉했다는 사실은 확인되지 않음

12. 1.17 국회 노동위에서 "제임스리 테러사건" 관련 조사에서 경찰이 직접 연루된 증거를 발견했다는 주장에 대하여 (38쪽 25-27행)

o 당시 국회 노동위의 기록을 확인할 수 없으나, 본건 관련 구속된 권중수 등의 송치의견서를 확인한 바, 제임스리와의 관련부분을 발견할 수 없음

13. 일반 재소자들이 현대노조원을 구타하였다는 주장에 대하여 (40쪽 7-11행, 40쪽 31행, 41쪽 1-9행)

- 1990.4, 5월의 파업과 관련하여 구속된 현대노조 근로자들은 울산 남부경찰서에 수용되어 있었으며, 1심이 종료되고 항소한 자들만이 법원관할에 의하여 부산구치소에 수용하고 있었음

- 1990.4.28 울산 남부경찰서 수용인원이 과밀하여 그들중 12명을 부산구치소로 이송 수용하였으나, 이들은 부산구치소에 이송되어 온 이후 규칙을 위반하는 일 없이 수용생활을 잘 하고 있음

- 우리나라 교도소에 수용된 재소자에게 급여되는 주.부식은 미결인 경우 자비로 구입하여 사용하고, 기결은 교도소에서 급여함을 원칙으로 하고 있으나 미결 재소자중 자비로 주.부식을 구입하는 자는 극히 일부이며, 이들을 제외한 모든 재소자의 주.부식은 교도소에서 공급하고 있음

- 교도소에서 재소자에게 공급되는 주.부식은 사회 영양사 등 전문인으로 구성된 급식관리위원회에서 충분한 양과 칼로리를 공급할 수 있도록 작성된 메뉴에 의하여 공급하고 있을 뿐 아니라 자비로 빵, 우유 등 간식의 구매를 허가하는 등으로 음식물은 충분함

- 노조원들에게 물품이 우송되어 오거나 가족들로부터 반입되는 물품을 중단시킨 사실이 없을 뿐 아니라 재소자 상호간에 음식물을 갈취하거나 정량이 미달되게 공급하는 일은 전혀 없으며, 일반재소자가 근로자를 구타한 사실도 전혀 없음

50

0184 ~~0163~~ ~~24~~

14. 부산구치소 수용중 현대노사분규 관련자들의 학대행위에 대하여
(42쪽 18-36행, 43쪽 1-9행)

o 부산구치소에 수용중인 현대중공업 노사분규관련자 김남석 등 44명은

. 1990.5.31 마산교도소에서 이송되어온 (주) 통일노사 관련자 전영규 등 6명이 부산지법 항소심 심리공판시 입정을 완강히 거부하여 실력으로 입정시킨데 불만을 품고, 1990.6.1. 18:00경 관련직원 공개사과 등을 요구하며 거실문을 발로 차는 등 집단소란을 부려, 수차 교도관들이 자제토록 설유하였으나 이에 불응하므로 전체 재소자의 수용질서 유지상 부득이 강제진압하여 분리수용하였을 뿐임

. 강제진압 당시 직원들과 소란 재소자들간에 약간의 몸싸움은 있었으나 재소자들을 구타한 사실은 없으며 이들은 강제진압에 대한 불만으로 2일간 불식한 사실이 있으나 스스로 잘못을 뉘우치고 전원 자진하여 취식하였음

. 다만, 김남석은 울산경찰서에서 부산구치소로 이송할 당시 이송을 거부하다가 수갑을 찬 손목이 약간 긁힌 사실은 있으나 이로 인해 치료를 요구하거나 치료받은 사실은 없으며, 수용당시부터 지금까지 변호인으로부터 입원 진료 신청을 받았거나 치료를 받은 사실이 없음

. 6.5 노조원 및 가족 50여명이 구치소 민원접수실에서 법정강제입실에 항의 농성하므로 구치소장이 당시의 정황을 설명하고 이해를 촉구하자 농성자들은 이를 수긍하고 자진 해산하였으며, 농성으로 인하여 접견 신청이 일시 중지된 사실은 있으나 구치소장이 이들에게 사과를 한 사실은 없음

0186

~~0165~~

76

제 6 부 전 교 조

(일반적 분석)

ㅇ 동 보고서는 몇몇 부분에서 사실무근인 내용을 기술하고 있으며, 내용의 논조는 전교조의 정당성에 바탕을 두고 정부의 정당한 법집행을 탄압으로 왜곡하는 등 편향적 시각에서 일방적으로 기술하고 있음

ㅇ 동 보고서는 전교조의 실체 및 전교조가 주장하는 참교육의 실상에 대한 깊이 있는 인식없이 단순히 전교조의 주장만을 기술하고 한국정부가 전교조를 허용하지 않은 이유를 국내법 규정외에는 일체 언급하지 않아 전교조 문제에 대하여 객관적으로 기술하였다고 볼 수 없음

0187

53

~~0166~~

(개별적 분석)

1. 전교조의 주장을 교육의 자치성, 전문성확립, 교육에서의 민주성 확립, 교원의 사회경제적 지위향상, 교원의 시민적 권리확보, 교육환경개선, 민족.민주.인간화 교육의 구현, 국내외 다른 단체와의 협력 등으로 파악하고 있음 (46쪽 1-10행)

   o 이러한 내용만으로 전교조의 실체를 판단한다면 중대한 인식착오를 범하고 있음을 지적하지 않을 수 없음

   o 전교조는 소수의 급진적이고 과격한 핵심적 교사 운동세력에 의하여 추진되었으며 이들은 과거 수년간 한국 국민이 수용할 수 없는 편향된 이데올로기로 정부당국과 대결하여 오는 동안 체제 저항세력으로 고착화되었으며 이들은 현존하는 국가제도를 비민주적이고 반동적인 독재국가로 규정하고 자유민주주의 교육체제 및 이념을 부정하였으며, 오로지 정부와 적대적 대결로 교육권을 탈취하겠다는 저의를 보였으며 필연적으로 정치 이념투쟁을 지향하게 되었음

   o 전교조는 현존하는 교육제도를 자본주의 사회의 모순을 재생산하는 구조로 인식하여 이를 타도 대상으로 삼고 이를 성취하기 위하여 현 질서의 파괴마비를 획책하였음 이러한 주장은 전교조의 각종 자료에서 명백히 증명될 수 있으며 순수한 교육개혁 차원을 넘어선 전교조의 정치 이념적 투쟁 방향은 결코 한국국민에게 용납될 수 없음

0188

54

~~0187~~

3. 전교조의 활동으로 해직된 사람은 약 1,500여명이며, 많은 사람이 중재위원회에 복직신청을 하였으나 복직된 사람은 극소수에 불과함. '89.12에 거창지원은 2명의 사립교원에 대하여 그들의 활동의 사회질서와 교육에 해롭지 않다는 이유로 복직을 명령함 (47쪽 1 - 4행)

o '89.5.28 전교조 결성이후 이에 가입한 교육은 전체교원 303,390명의 약 4.2% 인12,610명으로, 이중 11,145명이 주위 동료교사 및 학부모의 설득으로 탈퇴하였으며 끝까지 노조활동을 고집하여 해직된 교원은 1,465명임. 당초 해직교원 1,530명이었으나 이중 65명은 소청.재심 과정에서 노조를 탈퇴, 현직에 복직되었음

o 한편 거창지원에서의 해임무효판결은 상급 법원인 마산지방 법원에서 원심을 파기, 해임처분의 정당성을 입증한 바 있음

o 동 판결문에서는 "우리가 지향하는 민주사회에서는 각자의 주장은 법이 허용하는 테두리 안에서 개진되어야 하며 사회구성원의 이해관계나 의견대립으로 물의가 야기될 경우 정부가 이를 조정하는 정책을 제시하는 것은 당연하며 자기의 주장을 관철하기 위해 법을 어기고 소속 조직의 위계질서를 파괴하면서 그 직을 이용 단체행동에 가담하여 품위에 맞지 않은 언행을 일삼는 원고에게 교육적 견지에서 적법한 절차에 의하여 징계해임 한 것은 상당하고 하등의 징계권 일탈이나 남용이 있다고 할 수 없다"고 판시하고 있음

0189

~~0168~~

4. 전교조와 관련하여 부당한 전보조치한 사실에 대하여

(47쪽 36행 - 48쪽 2행)

o 전교조와 관련하여 교원을 부당하게 전보조치한 사실은 없음

5. 전교조와 관련한 학대행위에 대하여 (48쪽 3 - 12행)

o 전교조가 불법적인 집회를 개최하여 경찰이 원천봉쇄하거나 동 집회 참가자들을 연행한 적은 있으나 대부분 즉시 훈방조치하여 방면하였으며 이들을 학대하는 행위는 없었음. 더욱이 발가벗기고 구타한 사실은 있을 수 없는 일로서 동 보고서의 내용은 전적으로 잘못된 것임

6. 전교조의 참교육론에 대하여 (50쪽 10 - 13행)

o 참교육론은 일견 한국교육 현실을 개선하고 교육의 질을 향상시키려는 보편적인 교육비판이나 운동으로 오해되기 쉽지만 그 핵심에 있어서는 특정한 이데올로기 만을 "참"이라고 전제한 교육이념론임

0190

57

~~0169~~

2. 한국교총은 단순히 대한교련의 후신이며, 한국교총 회장이 문교부 승인을 받고 집행부가 퇴임한 정부관료에 의하여 구성됨

(46쪽 13 - 17행)

- 1989.12에 대한교련은 자율성을 신장하고 교직단체로서의 위상을 확립하기 위하여 임원취임 승인제 철폐, 부회장 및 대의원 수 증원, 평교사 참여기회 확대 등을 내용으로 하는 획기적인 정관 개정을 단행하였으며, 명칭도 한국교총으로 개명하였음

- 따라서 한국교총을 단순히 대한교련의 후신으로 보는 시각은 잘못된 것이며 더욱이 한국교총 회장이 문교부장관의 승인을 받고 집행부가 퇴임한 정부관료에 의하여 구성된다는 동 보고서의 내용은 전혀 사실무근이며 나아가 이러한 주장은 한국교총에 가입한 대다수 한국교원의 자긍심을 짓밟는 일임

- 참고로 현재 국회에 상정되어 있는 "교원지위에 관한 특별법" 내용중 한국교총에 교섭.협의권을 부여하는 조항은 그동안 한국교총이 꾸준히 주장하여 수용된 것으로서, 이는 교원 이익 대변 단체로서의 한국교총의 현 위상을 말해주고 있음

0191

0170

ㅇ 참교육이 겉으로는 누구에게나 호소력있는 민족.민주.인간화 교육을 내세우고 있지만 그 핵심적 내용은 자유 민주주의적 교육의 본질과는 다른 민중이념에 기초한 교육이념으로

첫째, 자유민주주의적인 교육의 본질과는 어긋나는 체제 변혁적 교육과 이를 위한 편향된 의식화 교육의 성격을 가지고 있으며

둘째, 교육계 일반이 사용하는 교육적 용어의 의미를 내적으로 변용해서 보통 사람에게 쉽게 파악되지 않는 핵심적 의미구조를 전술로 가지고 있고

셋째, 지나친 논리의 비약과 일반화, 도식화하여 타당성 없는 논리전개와 억지 주장이 내재하여 있고

넷째, 교육내용이나 활동이 민중민주주의적 사회관, 경제 결정론적 인간관 및 이에 따른 편향된 지식관을 기초로 전개되기 때문에 자유민주주의를 신봉하는 한국 국민으로서는 이를 받아들일 수 없는 것임

ㅇ 이러한 참교육을 주장하는 전교조 핵심 운동세력은

- 민족교육을 주장하면서 기실은 계급론적 시각에 의한 좌경의식화 교육을 실시하고 민중중심의 사회건설을 목표로 하고 있으며
- 민주교육을 주장하면서 사회체제 유지를 위한 가치와 덕목은 모두 지배집단의 이데올로기 시각에서 부정거부하고 저항과 투쟁만을 가치있는 덕목으로 삼고

0192

~~0171~~ 

58

. 인간화 교육을 주장하면서 계급론적 사고와 반체제의식을 고양하고 자본주의 사회의 경쟁윤리를 비판하고 있음 이때문에 전교조의 실체가 무엇인가를 간파한 대다수 한국국민은 전교조의 주장을 외면하게 되었고, 한국정부는 전교조를 허용할 수 없었던 것임

o 또한 현직교사 일부가 전교조에 동조하는 것도 실제적으로는 전교조의 주장이나 이념에 동조하는 것이 아니고 단순히 교원처우 개선 등 교육개혁 차원에서 임을 한국 정부는 확신하고 있음

제 7 부 방송및언론노조

(개별적 분석)

1. '48 이래 모든 정권이 언론을 억제해 왔다는 주장에 대하여 (53쪽 14 - 15행)

   o 모든 정권이 전부 언론을 통제 운운은 지극히 감정적인 표현으로 6공화국 이후 언론의 완전한 자유보장을 무시한 표현임

2. KBS사태에 대하여 (56쪽 26행 - 57쪽 5행)

   o 과거의 경력만을 가지고 KBS사장을 친정부적인 인사이니, 노조 통제에 일가견이 있느니 하는 것은 지나친 주관적 판단으로 KBS사태의 근본원인은 노조의 불법적 집단행동의 결과이며, 노조활동은 적법한 테두리 안에서만 보호받을 수 있는 바 시설물 점거 등 불법집단행동은 당연히 경찰의 제지를 받게 되는 것임

3. 서기원사장 임명문제에 대하여 (57쪽 7 - 8행)

   o KBS사장은 정부가 선임하는 것이 아니고 KBS 이사회의 추천을 받아 임명하는 것이며, 대통령의 임명권은 명목상의 권한에 불과함

0194

~~0173~~

84

60

제 8 부 오리엔트전자

(일반적 분석)

본 보고서 내용중 수은중독과 관련된 부분은 노조측 주장만을 그대로 수용하여 객관성이 결여되어 있으며, 노조의 행정불신으로 인해 유도된 결론은 타당성이 희박함

0195

~~0174~~ ~~85~~

(개별적 분석)

1. 근로자들의 직업병에 대하여 (64쪽 1 - 6행)

° 근로자들이 지방노동관서에 요양신청을 하지 않고 임의로 병원을 찾아 자비로 진단을 받았으며 그 진단결과 뇨중 수은의 허용기준을 상회하는 5명중 2명은 '90. 5. 8 지방노동관서에 요양 신청하여 '90. 5. 11 요양 승인을 받았으나, 나머지 3명은 지방노동관서에서 요양신청토록 안내하였으나 신청을 거부하였으며 추후 안향자 등 4명이 요양을 신청하여 '90. 10. 11자로 산재요양을 승인하였음

° 동 사업체의 사업주에 대하여는 산업안전보건법 위반 혐의로 '90. 6. 11자 입건, 처벌하였으며

° 관할 지방노동관서에서는 전문기관에 의뢰하여 동 사업체에 대한 작업환경 측정을 실시 ('90.5.9 - 12)하고 국소배기 시설 보완 등 9개 사항을 개선토록 시정지시 하여 '90. 10. 30 시정 완료된 사실을 확인하였음

0196

62

~~0175~~ ~~86~~

2. 회사 간부들의 구타 사건과 관련 노조와 노동자들이 공식 고소를 하였음에도 불구하고 경찰에서는 범인을 수사, 기소하지 않고 있다는 주장 (64쪽 16 - 18행)

o '90. 6. 18 서울 남부서 민원실 (접수번호 제6711호)에 노동자 유제선, 김금련, 권형숙, 김미옥 명의의 고소장이 접수되어 수사개시, 회사관련 자인 생산부장 고경일, 생산계장 이석제, 총무과장 정병용, 생산기사 권철용 등 4명을 폭력행위등처벌에관한법률위반을 적용, 입건 수사하고 '90.7.26 남부지청에 송치하였음

3. 노동부의 공기중 수은허용 농도에 대하여 (64쪽 28 - 38행)

o 현행 노동부의 공기중 수은허용 농도 0.1mg/m³이라는 내용은 잘못으로 노동부가 고시하고 있는 기준은 금속수은의 공기중 허용농도는 0.05mg/m³ 로 WHO 기준 및 미국 OSHA 의 PEL과 같은 수준임
(근거 : 유해물질의 허용농도, 노동부 고시 제 88-69호, P46-47, 1988)

4. 구로경찰서의 경찰관 1명이 공장에서 자고, 취사를 위해 부탄가스 사용을 불법이라고 통보했다는 주장 (65쪽 3 - 5행)

o 오리엔트 전자회사 옆에는 깨스저장고 등 위험물품이 많은 곳으로 구로서 경찰관이 동 회사 건물관리인 (권춘길 대리) 에게 근로자 파업시 깨스폭발 등 위험발생이 우려되므로 이를 방지하기 위해 위험물 반입을 금지하도록 통보한 바 있음

5. 지배인과 책임자들은 사장의 지시로 노조원을 폭행하자, 노조원들은 폭력 주범자들의 이름을 대며 경찰에 고소했으나, 수사 및 체포하지 않은 이유와 서울 남부서 정보과 사복경찰이 구타 사건을 목격하고도 저지하거나, 중제하지 않았다는 주장의 진상 (65쪽 10 - 11행, 16 - 19행)

o 경찰에서는 모든 사건이 접수되면 법정 기일내에 처리를 원칙으로 하고 있어, 수사를 하지 않았다는 주장은 사실 무근이며, 실제로 '90. 6. 18 오리엔트전자 노조원 명의의 고소장을 접수받아 즉시 수사에 착수, 생산부장 등 4명을 입건, 불구속처리 했고

o 경찰관이 폭행현장을 목격하고도 방치하였다는 이들의 주장은 사실과 다름

0198

64

~~0177~~ 88

6. 병든 노동자들의 치료문제에 대하여 (65쪽 20 - 22행)

- 노조측은 그들의 이익을 대변한다고 생각하는 구로의원 (원장 : 박계열, 30세)만 전폭적으로 신뢰하고 그 이외의 의료기관에 대해서는 불신하고 있으나 구로의원은 시설.인력 등이 부족하여 혈액, 요등을 타기관에 의뢰하여 분석하는 실정임

- 지방노동관서에서 정밀 진단을 받도록 한 의료기관은 고려대학교 의과대학의 환경의학연구소로서 동 대학 및 연구소는 국내 굴지의 기관으로 인력, 시설, 규모 및 진단능력면에서 명성이 높을뿐 아니라 동 연구소는 국내 유일의 수은분야 전문진단기관으로 지정된 기관임

0199

~~0178~~

89

제 9 부 결론및권고

(일반적 분석)

ㅇ 한국 정부는 국내법하에서 보장된 표현과 결사의 자유를 부인하거나, 이를 행사하려는 사람들을 구속한 사실이 없으며, 명백히 국내법을 위반한 사람들에 대하여 독립된 사법부로부터 구속영장을 발부받아 구속하고 그 재판결과에 따라 집행하고 있는 것임

ㅇ 김근태, 홍성담, 김현장은 신념을 평화적으로 표현한 것 때문에 구속된 사람들이 아님. 김근태는 수회의 폭력시위를 주최, 선동하였으며, 홍성담과 김현장은 계급폭력혁명의 선동과 관련되어 있음

ㅇ 장명국, 권용목, 단병호는 평화적인 노조활동 때문에 구속된 사람들이 아님. 장명국은 계급폭력혁명을 선동하고 타기업의 분규에 개입하여 과격투쟁을 선동하였으며, 권용목은 해고된 상태에서 폭력시위를 선동하는 방법으로 분규에 개입하였고, 단병호는 폭력시위를 주최, 선동하였음

0200

66

~~0179~~ ~~90~~

미 인권단체 휴먼라이트워치 연례보고서 분석결과

o 휴먼라이트워치는 '91. 1. 연례보고서를 발간하고, '90 중반부터 한국의 인권상황이 악화되고 있다고 지적하면서 대부분 '90.11 발간한 아시아워치 인권보고서의 내용을 싣고 있음

o 법무부는 '91.1.11 동 보고서에 대하여 유감과 반박의 논평을 발표함과 동시에, 동 보고서의 원문을 입수하여 내용분석을 하였음

o 상기 논평문 및 동 보고서에 대한 내용 분석결과는 별첨과 같음

o 별 첨

Ⅰ. 미 인권단체 휴먼라이트워치 연례보고서에 대한 법무부 논평 ('91. 1. 11)

Ⅱ. 미 인권단체 휴먼라이트워치 연례보고서에 대한 내용 분석결과

0201

~~0180~~

I. 미 인권단체 휴먼라이트워치 연례보고서에 대한 법무부논평(91.1.11)

0202 ~~0181~~

68

미국 인권단체 휴민라이트위치 보고서에 대한 법무부 논평

'91. 1. 11

법무부는 1.10 미국 민간인권단체인 휴민라이트위치가 연례보고서를 통해 우리나라의 인권상황이 지속적으로 악화된 것처럼 보고 있는데 대하여 이 보고서의 내용이 객관적이고 합리적인 근거가 결여되어 있으며, 우리나라의 실정법 질서를 무시하였다고 반박하는 논평을 발표하였음.

상기 단체가 거론한 표현.집회의 자유제약 문제에 관하여 보면, 한국에는 단순히 신념, 사상을 갖고 있음을 이유로 처벌되는 사람은 없고, 그 신념 등을 토대로 자유민주주의체제를 부정, 폭력혁명세력을 지지하는 등 적극적으로 사회질서 위반행위에 나아간 사람을 처벌하는 것임에도, 이 보고서가 편향적인 시각에 서서 합리적인 설명이나 자료의 제시를 생략한 채, 우리나라가 표현.집회의 자유를 제약하는 국가인 것처럼 지칭한 것은 잘못된 것임을 지적하지 않을 수 없음

법무부는 또 보고서가 언급하고 있는 이른 바 "정치범"이라는 개념의 법규정자는 한국에 없으며, 오히려 이들은 단지 국가존립과 안전에 위해를 가하고 실정법을 위반함으로써 법치주의를 파괴하고 있는 자들일 뿐인 사실을 명백히 함과 동시에, 상기 단체가 어떠한 근거나 기준의 제시도 없이 한국에서 정치범들의 숫자가 계속 증가하고 있다고 주장하고 있음에 대하여 깊은 유감을 표명하였음.

법무부는 특히 이 보고서가 한국의 인권문제에 미행정부가 개입하도록 주장하고 있음은 심히 유감스러운 일이라고 말하면서, 휴먼라이트워치측의 부정확하고 자의적인 주장은 시정되어야 할 것임을 촉구하였음

한국정부는 제6공화국 출범이후 대대적인 사면,복권을 실시하였고 형사소송법, 사회안전법, 집회및시위에관한법률 등 법령을 정비하였으며, 범법자의 구속에서 집행에 이르기까지 철저하게 적법절차에 따라 법집행이 이루어지도록 최선을 다하고 있음에도 이 보고서가 정부의 이러한 노력을 무시하고 당사자들의 일방적이고 왜곡된 주장만을 반영하고 있는데 대하여 유감의 뜻을 표시하고 진정한 민주주의가 정착되기 위해서는 먼저 법과 질서가 확립되어야 하고, 범법자가 정치범 등으로 뒤바뀌는 풍토가 시정되어야 하며, 더이상 이러한 문제가 사법절차 밖에서 시비되어서는 안될 것이라고 밝혔음

~~0183~~

70

0204

Ⅱ. 미 인권단체 휴먼라이트워치 연례보고서 요지 및 내용 분석결과

71

~~0184~~

0205

보고서 요지

- 한국정부의 인권, 민주개혁정책 1990년중 계속 뒷걸음질

- 민자당 결성후 정치범 22명 석방 등 조치가 있었으나 '90년도 중반부터 인권상황 악화

- 정치범 증가 : '90.7말 현재 약 1,400명 (민가협 자료)
  - 약 절반이 노동자 및 노동운동가
  - 국가보안법 위반 약 485명
  - 집시법 위반 약 200명

- 인권문제사례
  - 홍성담 : 대형걸개그림사건, 안기부에 3주간 구금되었을때 고문당함
  - 김근태 : 민자당 합당 반대시위 계기로 당국이 자의적으로 잡아들임
  - 보안사 사찰대상자료 폭로사건
  - 노동운동 탄압 강화
    - 정부 1.20 강경방침 수립 (노대통령 지시)
    - 노동부 guideline
    - 과도한 폭력을 사용한 진압 등 (KBS, 현대, 전노협 탄압)
  - 전교조 탄압관련 시위참석회원 및 지지자 수천명 체포

72

0185

0206

96

분석결과

o 휴먼라이트워치 연례보고서 주요내용이 대부분 아시아워치 인권보고서 내용에 포함되어 있음

o KBS, 현대, 전노협, 전교조 부분 -> 아시아워치 인권보고서에서 부분별로 상세하게 설명

o 홍성담, 김근태에 대한 개인별 자료 -> 제2부 (표현의 자유권 침해)에서 설명

73

~~0186~~

0207

~~97~~

관리 번호	91-122

	분류번호	보존기간

발 신 전 보

번 호 : WUS-0243 910121 1933 DA 종별 :

수 신 : 주 미 대사. ~~총영사~~

발 신 : 장 관 (미북)

제 목 : Asia Watch, Human Rights Watch 보고서 대응

연 : WUS-0113

대 : USW-0175

1. 본부는 6공 출범이후 착실한 민주화 진행에 따른 국내 인권 상황 개선을 기초로 국제 민간 인권 단체들의 아국 인권 상황 거론시 과거 소극적 대응에서 적극적 대응 자세로 전환하여 표제 단체들을 비롯한 여러 인권 단체들의 왜곡되고 편향된 주장 내용에 대해서 현지 공관장들로 하여금 본부 작성 반박 자료를 근거로 즉각 대응토록 하여 왔음.

2. 특히 정부는 90.4.10. 국제 인권 규약에 가입함으로써 발효 1년후인 91.7.9.한 공식적인 인권 보고서를 작성, 유엔에 제출하여야 하는 의무와 관련, 국내 유관 기관간 업무 협조 체제도 강화하는등 대비에 만전을 기하고 있음.

3. 표제 Asia Watch 보고서 내용은 전반적으로 왜곡된 내용과 편향된 시각으로 일관되어 있기는 하나, 우리의 북방정책 추진과 관련 국가보안법 및 집시법 적용 남용 주장, 시국 사범 구속에 따른 가혹 행위 주장, 노동 기본권 및 표현의 자유 침해 주장, 장기 복역수 처우 문제등 ~~국제 관련~~

/ 계 속 /

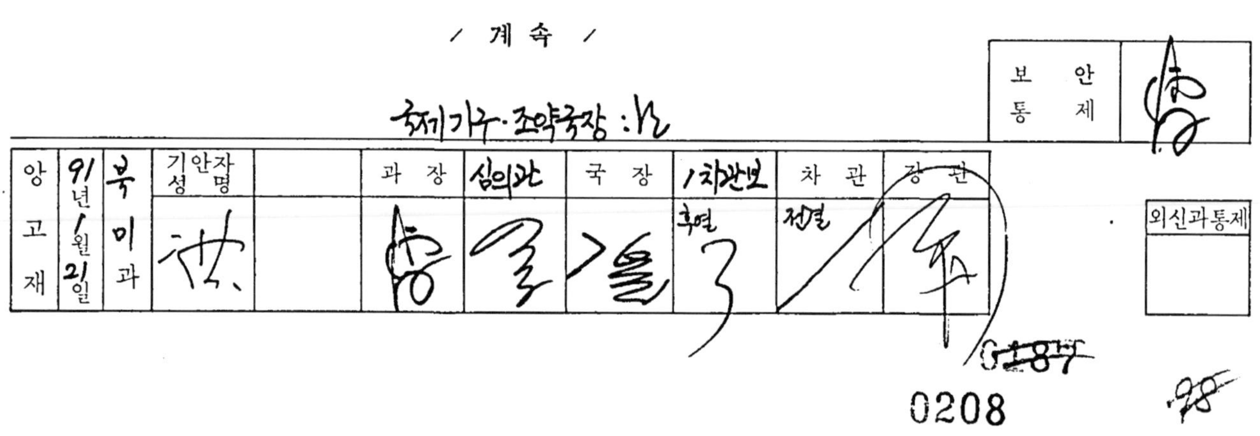

국제기구·조약국장 : 전결

보 안 통 제	

앙 고 재	91년 1월 21일	북미과	기안자 성 명		과 장	심의관	국 장	1차관보	차 관	장 관
								후열	전결	

외신과통제

~~0187~~

0208

~~98~~

소위 한국의 인권문제와 관련된 사항들을 모두 포함하고 있음. 본부로서는 과거 각 인권 단체들의 개별적인 사안 지적과는 달리 동 보고서가 모든 사안들을 포괄적으로 주장하고 있기 때문에 관계 부처 회의 개최등을 통해 각부처별로 분석 자료를 작성, 취합하여 반박자료를 작성하게 되었음.

4. 또한 관계부처 회의 결과, 제6공화국 출범이후 국내 사회상의 변화 및 한국 정부의 민주화 추진 의지에 따른 각종 법령 정비 사례, 구속자 석방, 사면, 복권등 국내적 노력 및 국제 인권 규약 가입등 국제적 노력에의 동참을 홍보하는 영문 자료 작성의 중요성이 지적되어, 현재 법무부, 공보처 등이 영문 인권 백서 작성 작업을 진행중에 있음.

5. 상기 법무부가 취합한 표제 보고서 반박자료를 파편 송부 예정인 바, 귀관은 우선 동 자료를 기초로 설득력 있는 영문 대응 자료를 작성, 양 단체에 전달하고 동 단체들의 반응을 관련 사항 보고 바람. 끝.

(차관 유종하)

예고 : 91.12.31. 일반

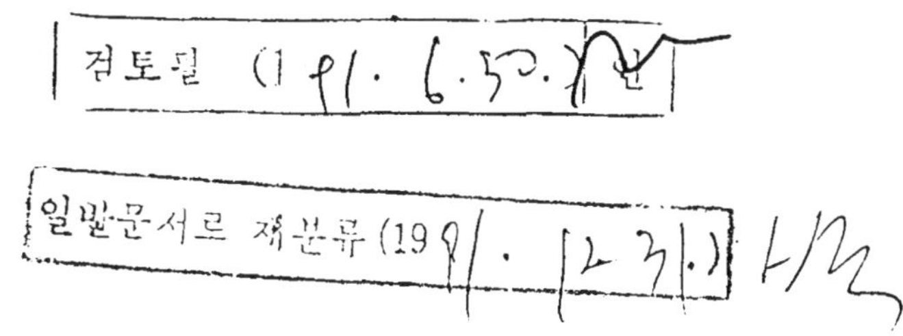

~~0188~~
0209

홍

관리번호	91-120

원 본

외 무 부

종 별 : 지 급

번 호 : USW-0361 일 시 : 91 0122 1825

수 신 : 장관(미북)

발 신 : 주 미 대사

제 목 : 홍성담 관계 상원의원 서한

대:미북 0160-2977

연: USW-5400

대호 홍성담에 대한 인권 문제 관련, 하기 상원의원앞으로 본직명의 반박 서한(91.1.18 자)을 발송하였음을 보고함.

0 CARL LEVIN(민주-미시간)

0 JOHN KERRY(민주-매사추세츠)

0 PAUL SIMON(민주-일리노이)

0 POTRICK LEAHY(민주-버몬트)

(대사 박동진-국장)

91.6.30 까지

91.6.30

미주국

PAGE 1

91.01.23 09:46

외신 2과 통제관 BW

0210 0189 126

관리번호	91-264

기 안 용 지

분류기호 문서번호	미북 0160- 85	(전화 : 720-4648)	시 행 상 특별취급	
보존기간	영구. 준영구 10. 5. 3. 1.	장 관		
수 신 처 보존기간				
시행일자	1991.1.22			

보조기관			협조기관		문서통제
	국 장	전결			검열 1991. 1. 23
	심의관				
	과 장				
기안책임자	홍석규				발송인 1991. 1. 23 외무부

경 유 수 신 참 조	주영대사, 주뉴욕총영사	발신명의	
제 목	Asia Watch, Human Rights Watch 보고서 반박 자료 송부		

1. 본부는 6공 출범이후 착실한 민주화 진행에 따른 국내 인권 상황 개선을 기초로 국제 민간 인권 단체들의 아국 인권 상황 거론시 과거 소극적 대응에서 적극적 대응 자세로 전환하여 표제 단체들을 비롯한 여러 인권 단체들의 왜곡되고 편향된 주장 내용에 대해서 현지 공관장들로 하여금 본부 작성 반박 자료를 근거로 즉각 대응토록 하여 왔습니다.

2. 특히 정부는 90.4.10. 국제 인권 규약에 가입함으로써 발효

/ 계 속 /

0211

~~0190~~

1년후인 91.7.9.한 공식적인 인권 보고서를 작성, 유엔에 제출하여야 하는 의무와 관련, 국내 유관 기관간 업무 협조 체제도 강화하는등 대비에 만전을 기하고 있습니다.

3. 표제 Asia Watch 보고서 내용은 전반적으로 왜곡된 내용과 편향된 시각으로 일관되어 있기는 하나, 우리의 북방정책 추진과 관련 국가 보안법 및 집시법 적용 남용 주장, 시국 사범 구속에 따른 가혹 행위 주장, 노동 기본권 및 표현의 자유 침해 주장, 장기 복역수 처우 문제등 소위 한국의 인권문제와 관련된 사항들을 모두 포함하고 있어 본부로서는 과거 각 인권 단체들의 개별적인 사안 지적과는 달리 동 보고서가 모든 사안들을 포괄적으로 주장하고 있기 때문에 관계부처 회의 개최등을 통해 각부처별로 분석 자료를 작성, 취합하여 반박자료를 작성하게 되었습니다.

4. 또한 관계부처 회의 결과, 제6공화국 출범이후 국내 사회상의 변화 및 한국 정부의 민주화 추진 의지에 따른 각종 법령 정비 사례, 구속자 석방, 사면, 복권등 국내적 노력 및 국제 인권 규약 가입등 국제적 노력에의 동참을 홍보하는 영문자료 작성의 중요성이 지적되어, 현재 법무부, 공보처

/ 계 속 /

0212
~~0191~~

등이 영문 인권 백서 작성 작업을 진행중에 있음을 첨언합니다.

5. 상기 법무부가 취합한 표제 보고서 반박자료를 별첨 송부하오니 귀지 인권단체들의 아국 인권 문제 거론시 대응 및 반박에 참고 바랍니다.

첨부 : 상기 자료 1부. 끝.

예고 : 91.12.31. 일반

검토필 (1991.6.30.)

일반문서로 재분류 (1991.12.31.)

0192

0213 139

관리 번호 11-263

기 안 용 지

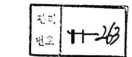

분류기호 문서번호	미북 0160-87	(전화 : 720-2321)	시 행 상 특별취급	
보존기간	영구.준영구, 10. 5. 3. 1.	장 관		
수 신 처 보존기간				
시행일자	1991.1.22.			

보존기간			협조기관		문 서 통 제
국 장	전 결				검열 1991. 1. 23
심의관					
과 장					
기안책임자	홍석규				발 송 인
경유 수신 참조	주미대사		발신명의		1991. 1. 23 외무부

제 목	Asia Watch, Human Rights Watch 보고서 반박 자료 송부

연 : WUS -0243

검토필 (1991. 6. 30.) 인

연호, 법무부 취합 반박 자료를 별첨 송부합니다.

첨부 : 상기자료 1부. 끝.

예고 : 91.12.31.일반

0214

0193 140

홍

관리번호	91-167

원 본

외 무 부

종 별 : 지 급

번 호 : USW-0438　　　　　　일 시 : 91 0125 1826

수 신 : 장관(미북)

발 신 : 주 미 대사

제 목 : 국무부 인권 보고서

1. 당관 안호영 서기관이 금 1.24 국무부 한국과 LANIER 담당관에게 탐문한바에 따르면 국무부가 FOREIGN ASSISTANCE ACT 에 따라 매년 의회에 제출하는 인권 보고서가 예년과 마찬가지로 2 월중에 제출될것으로 본다고 하면서 최근 주한미대사관과 국무부 인권국이 준비한 초안에 대해 한국과가 의견을 첨부한바, 한국에 대해서는 정치 발전 사실을 부각하는 쪽으로 촛점을 맞추었다고 자평하였음.

2. 이에 대해 안 서기관은 1) 국무부 인권 보고서가 비록 행정부가 의회에 제출하는 보고서 이기는 하나 한국내에서 많은 관심의 대상이 되고,2)통상 문제,걸프전, SOFA 개정등 한. 미 관계 발전을 위해 중차대한 문제에 직면하고 있는현 시점에서 양국 정부가 불필요한 잡음의 요인을 최대한 제거하려는 노력이 필요함을 인식하여 신중히 검토하여 줄것을 요청하였음.

(대사 박동진-국장)

91.12.31 까지

재분류 (1991. 6. 30.)

일반문서로 재분류 (1991. 12. 31.)

미주국　차관　1차보　정문국　안기부

PAGE 1　　　　　　91.01.26　09:16

외신 2과　통제관 FE

0215 ~~0194~~

관리번호	91-186

분류번호	보존기간

발 신 전 보

번 호 : WUS-0338 910129 0006 DA 종별 :

수 신 : 주 미 대사. ~~총영사~~

발 신 : 장 관 (미북)

제 목 : 국무부 인권 보고서

대 : USW-0483

연 : WUS-0243

1. 대호 주한 미 대사관과 국무부 인권국이 준비한 초안을 가능하면 사전 입수토록 노력하고 결과 보고 바람.

2. 또한 한국과 의견 제출시 한국내 정치 발전 사실 부각과 함께 연호 Asia Watch 및 Human Rights Watch 보고서에 대한 반박자료 내용이 일부라도 반영 되도록 조치 바람.

3. 또한 노 대통령께서는 지난 1.16. 통일원 연두보고시 "북한에게 인권 문제를 제기하고 최소한의 자유라도 허용하라고 요구하고 또 이를 국제적으로 환기 시켜 북한으로 하여금 개방과 개혁 그리고 민주화를 추진치 않을 수 없게 유도하라" 고 지시한 바 있음과 관련, 동 보고서중 북한내 인권 상황 부분에 대한 자료도 탐문 보고 바람. 끝.

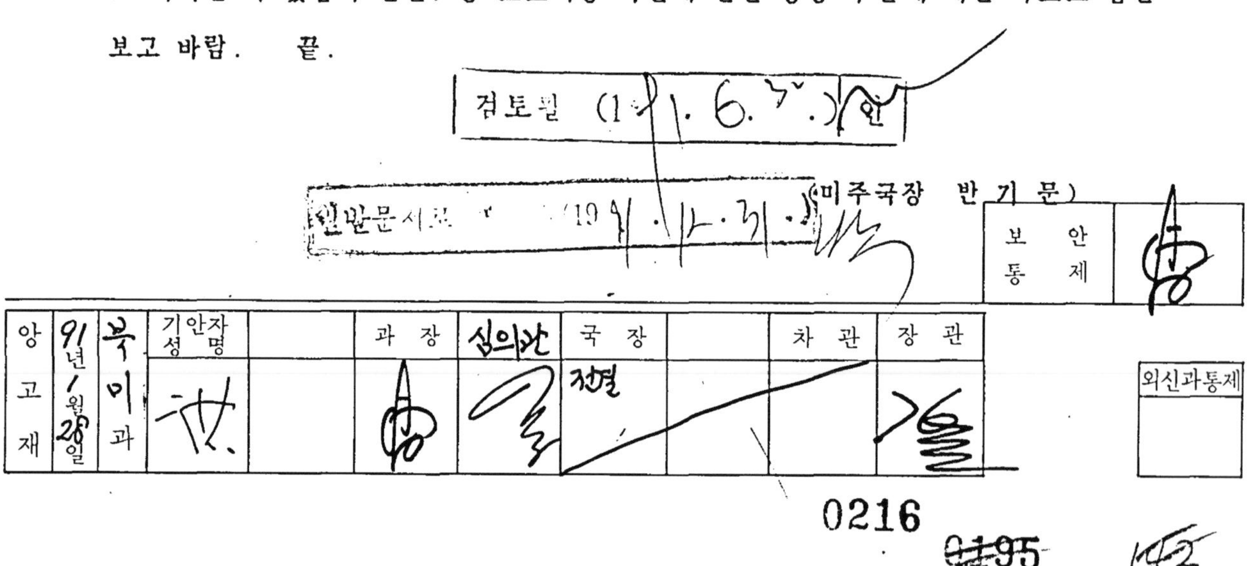

검토필 (1991. 6. 30.)

일반문서로 재분류(1991. 12. 31.)

(미주국장 반 기 문)

보안통제	

앙고재	91년 1월 28일	북미과	기안자 성명		과 장	심의관	국 장		차 관	장 관
							전결			

외신과통제

0216

~~0195~~

인권 관련 설명 자료

1. 세계 각국이 나름대로의 법률과 규범, 관습을 가지고 국가를 통치하듯이 우리나라 또한 법치국가로서 모든국민이 법률앞에 평등하며 법률이 허용하는 범위내에서 자유롭게 생활하고 있읍니다. 이러한 국가질서의 기본적 바탕위에서 근로자들의 노동운동의 기본이되는 노동조합 활동에 대하여는 헌법을 비롯 노동관계 법령에서 노동 3권이 확고히 보장되고 있을 뿐 아니라 특히 노동조합 활동에 대하여는 노동조합법에서 특별히 규정하여 보장하고 있습니다. 따라서 정당한 노동조합 활동에 대하여는 국가의 공권력으로 탄압할 수 가 없으며, 사용자에 의하여 부당하게 침해되지 아니하도록 보호하고 있읍니다.

법령으로 근로자의 단결권, 단체교섭권 및 단체행동권을 보장한 기본취지는 근로자가 노동조합을 결성하여 사용자와 대등한 입장에서 근로조건을 집단적으로 결정할 수 있도록 하기 위한 것입니다. 우리나라의 경우 근로자 2인 이상이면 노동조합을 결성할 수 있으며, 일단 정당하게 설립된 노동조합의 대표자는 사용자에게 단체협약의 체결을 요구할 수 있고, 사용자가 이를 거부시 부당노동행위로 제재를 받게 되어 있읍니다. 아울러 단체교섭이 결렬되었을 경우 노동조합은 단체행동을 통하여 그들의 요구사항을 관철시킬 수도 있읍니다.

2. 이렇듯 근로자는 헌법 및 노동관계 법령으로 노동 3권을 보장받고 있지만 이를 무제한으로 행사할 수는 없는 것이며, 노동권 보장의 기본취지에 적합하게 행사되어야 하는 것입니다. 더구나 노동조합 활동을 보장한다고 하더라도 국민으로서 지켜야 할 권리와 의무가 있는 것이며, 그 권리와 의무를 무시하고 국가의 근본인 법 질서를 파괴하는 행위에 대하여 개별적 인권을 침해

0217 ~~0196~~ 144

하지 않는한 범위내에서 엄정한 법 적용은 불가피한 것입니다. 이러한 차원에서 우리나라 노동현장에서 발생되는 노사간의 갈등문제 해결을 위한 정당한 활동에 대하여는 노사를 막론하고 구속을 하거나 국가권력으로 탄압하는 예는 없으며, 다만 반국가적인 행동(사상적 행동)이나 불법적인 파괴, 폭력등 지나친 과격 행동을 하는 일부 근로자들에 대하여는 국가의 존립과 법 질서 확립의 차원에서 엄격하게 처벌하고 있으며 이는 앞으로도 그러할 것입니다.

3. 따라서 노동권을 정당하게 행사하는 노동조합이나 조합원 개인의 인권을 탄압한다는 비판은 전혀 현실과 다르며, 그러한 자료를 어떠한 경로를 통하여 입수하였는지 알수는 없으나 이는 허위과장된 내용일 것으로 사료됩니다. 노동부로서도 구체적이고 정확한 구속 근로자수를 파악할 수는 없지만, 예를 들어 IMF 측 명단에 포함되어 있는 『정윤광』 (서울지하철공사 전 노조위원장)의 경우 법 절차를 무시한 불법파업,사무실 점거 및 파괴, 폭력행사 (폭력 및 업무 방해죄)로 구속된 바 있으며 현대 엔진 노조위원장 『권용묵』의 경우에도 88.12, 89.4 2차에 걸쳐 같은 그룹의 타회사인 현대중공업의 불법파업을 선동하고 공권력 격퇴를위한 노동자 출정식을 주도한 (폭력 및 업무방해죄 등) 이유로 구속된 바 있읍니다.

요컨대 그들 스스로는 정당한 노동운동을 하다가 구속되었다고 주장하지만, 사실을 살펴보면 야당 주도하에 개정된 현행 노동관계법에 규정되어 있는 정당한 절차를 무시하였거나, 노동관계법과는 관계없는 기타 법을 위반하였기 때문에 구속된 것에 불과한 것이며, 이를 두고 노동운동을 탄압하였다고 주장하는 것은 잘못된 것이라고 아니할 수 없으며 사실확인 없이 일방적으로 우리나라를 비판한 귀측의 태도에 유감을 표명하지 않을 수 없읍니다.

앞으로는 어느 일방의 그릇된 목적으로 선전하는 자료를 인용하기 보다는 좀더 사실내용 확인을 통한 올바른 이해가 있었으면 합니다.

0218

~~0197~~ 145

國際人權規約報告書　作成計劃

1991. 1.

法　　務　　部

0219

~~0198~~

1. 目 的

ㅇ 規約 가입에 따른 人權狀況報告書 제출의무의 이행

- A規約 (生存. 福祉權) : 92. 6. 30한
- B規約 (自由. 參政權) : 91. 7. 9한

ㅇ B規約 報告書 작성, 제출

2. 基本方針

가. 記述方法

ㅇ 法秩序 확립과 人權伸張을 위한 정부의 확고한 意志와 努力을 이해할 수 있도록 記述

ㅇ 外國人의 시각에서 보더라도 우리의 人權實狀을 올바르게 파악하여 정부의 입장에 共感할 수 있도록 설득력 있는 論理 전개

나. 作成時期

ㅇ 人權保障意志를 대외적으로 홍보하기 위해 기한내 제출이 중요하므로 關係部處간 긴밀한 협의하에 조속 추진

(단, 國家保安法 등 主要 人權關聯法令의 改正日程과도 연계검토 필요)

ㅇ 별첨: 각 국가별 人權規約報告書 제출시점별 분류

*報告書 제출시한을 이행한 국가는 그리 많지 않음.

1

0220

~~0199~~

3. 收錄內容

가. 一般的 事項

ㅇ 當事國내에서 B規約상 權利가 보장되는 일반적 法律 體系에 대한 설명을 記述

- 規約상 權利의 憲法 등에의 規定여부
- 規約 條項과 國內法과의 관계
- 人權問題의 관할부처
- 人權侵害를 주장하는 個人이 취할 수 있는 措置
- 規約상의 諸規定 履行保障을 위한 국가의 措置

나. 個別的 事項

ㅇ 人權規約의 각 조항 (27개조항) 에 관련된 사항을 記述

- 개별적 權利의 시행에 따른 司法. 行政的 措置
- 法令, 慣行으로 취해지고 있는 制限措置
- 人權伸張을 위하여 취한 措置에 관한 사항

다. 기 타

ㅇ 人權保障에 관한 關聯法令條項 등 (영문본) 첨부

4. 報告書 작성 관계부처 協議會 설치

가. "人權擁護政策協議會" 에서 基本政策 결정

* 人權擁護政策協議會

— 司正首席, 行政首席, 政策調査補佐官, 外交安保補佐官, 總理 行調室長, 法務. 內務. 外務. 公報處 次官, 安企部 特補

人權規約報告書 작성에 따른 기본방향 수립, 報告書 내용 확정

나. "報告書 작성 實務會議" 에서 報告書 내용 심의

— 기히 운영중인 "人權問題實務協議會"를 적절히 운용

— 參席範圍: 青瓦台 法律秘書官, 政策調査秘書官, 外交安保秘書官
總理室 外交安保審議官
外務部 國際機構條約局長, 國際聯合課長
法務部 人權課長
公報處 公報政策室 第2企劃官, 海外公報官 企劃部長
治安本部 搜査部長
敎育部 敎職局長
勞動部 勞政局長
安企部 第3特補室

3

0222

~~0201~~

149

— 任　　務 : 편집방향, 요강 등 政策的 事項 결정 및 報告書 내용 심의, 人權擁護政策協議會에 보고

다. "人權規約報告書 작성 작업반"에서 報告書 작성

— 法務部 人權課 주관하에 유관부처 實務課長級 중심의 作業班 편성, 운영 (기히 설치된 "關係部處 人權擔當官 會議"를 적절히 운용)

— 委員 : 外務部 國際聯合課長, 法務部 人權課長및 檢事, 統一院, 公報處, 治安本部, 國防部, 敎育部, 文化部, 勞動部, 法制處의 擔當課長

— 任務 : 人權規約 내용중 소관부처 해당사항에 관한 資料蒐集 및 執筆, 報告書에 첨부될 所管法令 영문본의 정비 등

— 運營 : 수시 會議開催, 問題点 등 협의

라. 推進日程 (기한내 제출을 전제로 함)

ㅇ 報告書 작성에 관한 협의 : 1월중

ㅇ 報告書 작성 : 1－3월 (유관부처)

— 각 部處別 作成資料를 3월말까지 法務部 人權課로 송부

— 法務部에서 취합, 5월초순 外務部 송부

4

0223

0202

ㅇ 報告書 영문번역 : 5－6월중순 (外務部)

ㅇ 最終檢討 및 提出 : 6－7월초

5. 參考資料

첨부 1) 日本의 人權規約報告書 작성결과

첨부 2) 各國의 人權規約報告書 제출시기

0224

~~0203~~

(별첨 1)

日本의 國際人權規約 報告書 作成經過

1. 確認經緯

ㅇ 日本에 연수 또는 派遣勤務중인 檢事 등에 의뢰하여 확인

ㅇ 日辯連의 人權심포지엄 기록 책자

2. 日本의 가입경과

ㅇ 77년 署名, 78년 批准 (A, B規約)

ㅇ B規約 選擇條項, 選擇議政書는 미가입

3. 人權報告書 제출 (B規約)

ㅇ 1차 - 1980. 10.

ㅇ 2차 - 1987. 12.

4. 作成經過 (2차 報告書)

ㅇ 法務省 각 室. 局별로 해당부분의 草案을 작성하여 官房 秘書課에서 취합 —> 外務省

ㅇ 外務省에 파견된 檢事 2명 (海外駐在 法務官 요원은 아님)이 전담하여 最終案 작성 —> 關係部處會議를 거쳐 확정

ㅇ UN人權理事會 축조심의시 (1988. 7. 20~23) 10명의 外交官, 檢事가 出席. 答辯

7

0225

~~0204~~ 152

(별첨 2)

Status of the Submission of Initial Report
by States Parties under Article 40
of the International Convenant on Civil and Political Rights
as of 15 November 1990.

	State Party	Date of entry into force	Date of Submission
o	Afghanistan	24 April 1983	2 April 1984
	Algeria	12 December 1989	-
	Argentina	8 November 1986	11 April 1989
o	Australia	13 November 1980	11 November 1981
	Austria	10 December 1978	10 April 1981
	Barbados	23 March 1976	24 October 1978
	Belgium	21 July 1983	15 December 1987
	Bolivia	12 November 1982	26 October 1988
	Bulgaria	23 March 1976	27 June 1978
	Burundi	9 August 1990	-
	Byelorussian Soviet Socialist Republic	23 March 1976	9 June 1978
	Cameroon	27 September 1984	11 August 1988
	Canada	19 August 1976	18 April 1979
	Central African Republic	8 August 1981	28 October 1987

0226
~~0205~~ 155

State Party	Date of entry into force	Date of Submission
Chile	23 March 1976	5 August 1977
Colombia	23 March 1976	14 November 1979
Congo	5 January 1984	12 February 1986
Costa Rica	23 March 1976	14 August 1979
o Cyprus	23 March 1976	23 March 1977
Czechoslovakia	23 March 1976	17 June 1977
Democratic People's Republic of Korea	14 December 1981	1) 23 October 1983 2) 2 April 1984
Democratic Yemen	9 May 1987	13 January 1989
o Denmark	23 March 1976	21 March 1977
Dominican Republic	4 April 1978	18 July 1984
Ecuador	23 March 1976	31 March 1977
Egypt	14 April 1982	8 March 1984
El Salvador	29 February 1980	2 June 1983
Equatorial Guinea	25 December 1987	not yet received
Finland	23 March 1976	6 April 1977
France	4 February 1981	3 May 1982
Gabon	21 April 1983	not yet received
Gambia	22 June 1979	3 June 1984
German Democratic Republic	23 March 1976	28 June 1977
Germany, Federal Republic of	23 March 1976	25 November 1977

State Party	Date of entry into force	Date of Submission
Guinea	24 April 1978	19 August 1980
Guyana	15 May 1977	20 March 1981
Hungary	23 March 1976	16 May 1977
Iceland	22 November 1979	31 March 1981
India	10 July 1979	4 July 1983
Iran(Islamic Republic of)	23 March 1976	21 April 1982
Iraq	23 March 1976	5 June 1979
Ireland	8 March 1990	-
Italy	15 December 1978	26 February 1980
Jamaica	23 March 1976	12 September 1980
Japan	21 September 1979	24 October 1980
Jordan	23 March 1976	7 July 1981
Kenya	23 March 1976	15 August 1979
Lebanon	23 March 1976	6 April 1983
o Libyan Arab Jamahiriya	23 March 1976	4 March 1977
Luxembourg	18 November 1983	1 July 1985
Madagascar	23 March 1976	16 July 1977
Mali	23 March 1976	14 August 1979
Malta	13 December 1990	-
o Mauritius	23 March 1976	24 January 1977
o Mexico	23 June 1981	19 March 1982

State Party	Date of entry into force	Date of Submission
Mongolia	23 March 1976	20 December 1978
Morocco	3 August 1979	9 February 1981
Netherlands	11 March 1979	11 February 1981
New Zealand	28 March 1979	11 January 1982
Nicaragua	12 June 1980	12 March 1982
Niger	7 June 1986	not yet received
o Norway	23 March 1976	22 March 1977
Panama	8 June 1977	20 July 1984
o Peru	28 July 1978	2 July 1979
Philippines	23 January 1987	22 March 1988
Poland	18 June 1977	23 March 1979
Portugal	15 September 1978	29 September 1980
Republic of Korea	10 July 1990	-
Romania	23 March 1976	29 July 1978
Rwanda	23 March 1976	20 January 1981
Saint Vincent and the Grenadines	9 February 1982	31 December 1989
San Marino	18 January 1986	14 September 1988
Senegal	13 May 1978	8 August 1979
Somalia	24 April 1990	-
Spain	27 July 1977	1 September 1978
Sri Lanka	11 September 1980	23 March 1983

State Party	Date of entry into force	Date of Submission
Sudan	18 June 1986	not yet received
Suriname	28 March 1977	1 May 1979
o Sweden	23 March 1976	21 March 1977
Syrian Arab Republic	23 March 1976	28 June 1977
Togo	24 August 1984	22 September 1988
Trinidad and Tobago	21 March 1979	23 March 1984
Tunisia	23 March 1976	30 March 1977
Ukrainian Soviet Socialist Republic	23 March 1976	31 August 1978
Union of Soviet Socialist Republics	23 March 1976	30 January 1978
o United Kingdom of Great Britain and Northern Ireland	20 August 1976	18 August 1977
United Republic of Tanzania	11 September 1976	20 August 1979
Uruguay	23 March 1976	29 January 1982
Venezuela	10 August 1978	5 November 1979
Viet Nam	24 December 1982	7 July 1989
Yugoslavia	23 March 1976	28 February 1978
Zaire	1 February 1977	4 February 1987
Zambia	10 July 1984	24 June 1987

인권규약 제40조에 의한 규약당사국 보고서 작성지침

1. PART I : 일반적 사항

o 본 부분에서는 규약당사국 내에서 시민적, 정치적 권리가 보호되도록 보장하는 일반적 법률체계에 대한 설명을 기술함
특히 하기내용을 포함해야 함

a) 규약에서 언급되고 있는 개개의 권리들이 헌법에서 또는 별도의 "권리장전 (Bill of Right)"에서 보호받도록 규정되어 있는지 여부와 또한 동 권리의 침해시에 대비하여 헌법 또는 권리장전에 여하한 규정이 기술되어 있는지 그 내용

b) 인권규약의 규정들이 재판소, 사법기관, 행정기관에 의해 직접 원용되고 강행될 수 있는지 또는 규약이 관계기관에 의하여 집행되기 위하여는 국내법 또는 행정규정으로서의 전환 과정을 거쳐야 하는지 여부

c) 인권문제의 관할부처 (사법, 행정, 기타기관 등)는 어떠한 기관이 있는가?

d) 인권침해를 주장하는 개인이 취할 수 있는 조치는?

e) 인권규약의 제규정의 이행보장을 위해 국가가 취한 조치는?

0231
~~0210~~
158

2. PART II : 인권규약 I, II, III 의 각 조항에 관련된 사항

o 본 부분에는 인권규약의 각 조항과 관련하여 기술하여야 함

a) 각각의 권리와 관련, 시행되고 있는 사법적, 행정적 또는 기타 조치들

b) 인권에 대하여 법령 또는 관행으로서 취해지고 있는 제한조치 (한시적인 조치 포함)

c) 국가의 관할하에 있는 개인의 권리 향유에 영향을 미치는 요인 또는 문제점 등

d) 인권신장을 위하여 취해진 조치에 관한 사항

*. 보고서에는 관련 법령 등의 사본이 첨부되어야 함.
관련법령 등을 첨부하지 않을 경우에는 동 관련 법령을 참조치 않아도 이해될 수 있도록 보고서가 상세히 작성되어야 함

*. 인권이사회는 규약당사국의 최근 인권상황의 검토를 위하여 규약 제40조 (1) (b)의 규정에 따라 추가보고서 제출을 요청할 수 있음

0232

~~0211~~ 159

관리번호	91-176

공 보 처

기획 35260-13 - 215 (720-4649) 1991. 01. 28.

수신 외무부장관

참조 정보문화국장

제목 북한 인권문제 관련 해외홍보대책(안) 송부

1. 북한의 인권문제를 제기하여 국제적인 여론을 환기, 북한의 개방과 개혁을 촉진시키기 위한 해외홍보대책(안)을 별첨 송부하오니 현지 언론 접촉설명등 주재지 실정에 맞게 적의 활용, 홍보 하시기 바랍니다.

첨부 : 동 홍보 대책(안) 1부. 끝.

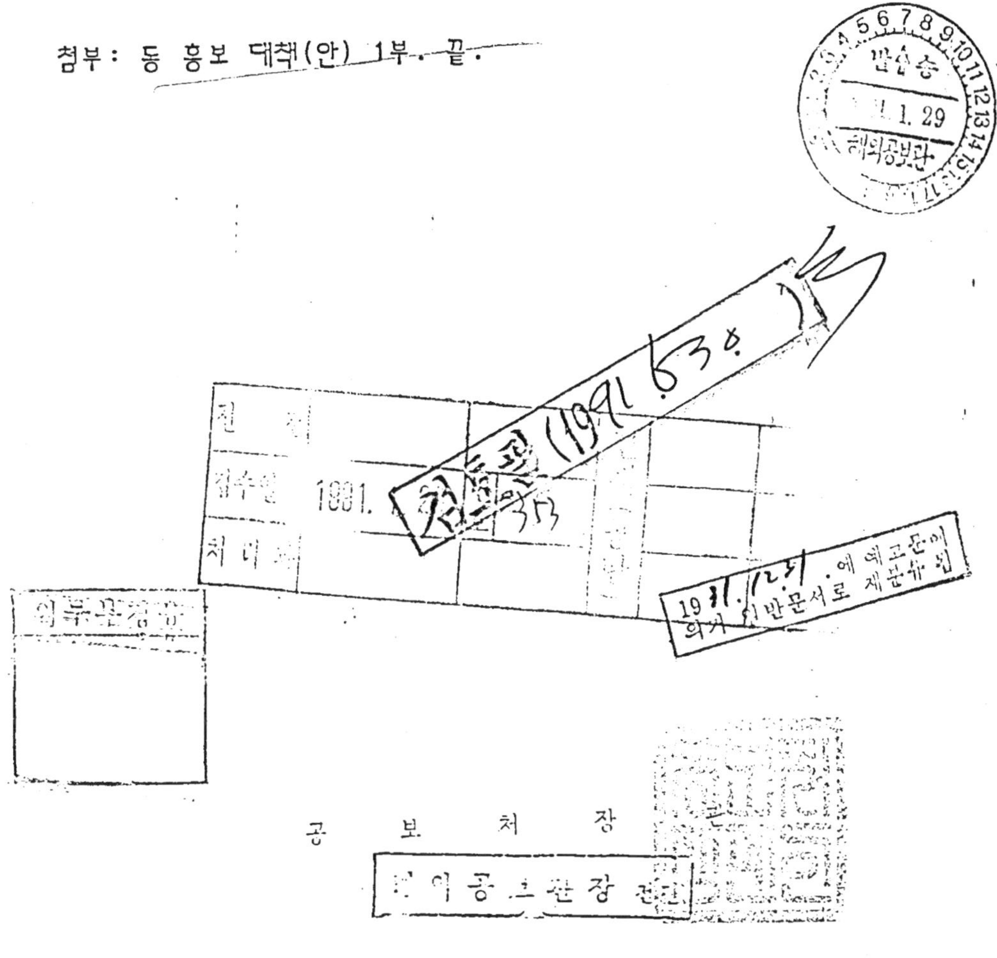

공 보 처 장

해외공보관장 전결

0233

北韓人權問題提起 海外弘報對策(案)

1. 目 標

- 北韓의 開放과 改革을 促進시키기위한 적극적이고 주도적인 對北戰略의 일환으로서
- 北韓의 人權과 自由問題를 提起하여 國際的인 與論을 喚起시킴.

2. 推進方向

- 統一, 北方政策弘報의 일환으로 持續 推進
- 外信 重點活用및 弘報資料 製作,配布 竝行
- 김일성.김정일 生日, 北韓 創建日등 北韓 主要契機 集中活用

弘報 着眼 事項

- 북한의 인권문제 제기가 "내정간섭적 맞대응" 이라는 형태로 과장되게 비춰지지 않도록함.
- 고위당국자회담등 현재 진행중인 일련의 남북대화분위기에 긍정적으로 기여토록함(북한의 통일전선전략 포기를 위한 카드로 활용)

* 이를 위해 (1) 홍보논리를 정립, 관계부처간의 홍보방향을 조절하고 (2) 제3자에 의한 문제제기와 민간차원의 여론형성이 자연스럽게 이루어지도록 외신활용과 각종홍보자료 제작, 배포에 중점을 두고 추진코자 함.

0234

~~0213~~

3. 細部 弘報事業

가. 北韓人權關聯 報告書 活用

o 대상: Amnesty International 및 미국무부발간 년례 인권보고서,
Asia Watch 북한 인권보고서(89년), Freedom House 발간
"1989년 세계의 자유"등

o 활용

- 제1안 (Korea Herald 활용)
  . Korea Herald 기획기사 연재
  . 연재완료후 영문단행본 발간
- 제2안 (제3국에 의한 현지출판)
  . 미 홍보전문회사 AEA를 통해 미국내 출판 가능성 검토
  . 일본등 주요국가 출판사에 의한 현지어 번역도서 발간

나. 北韓人權關聯 單行本.證言集 出版

o 전 북한주재 동독대사 집필 "Nordkorea" 출판

- 저자: Hans Maretzki
- 출판사: 독일 Anita Tykve Verlag(크라운판, 250쪽 내외)
- 활용: 독어판 출판후(91.3월), 영문및 국문판 출판추진
  * 국문판은 홍보조사국 협조. 추진

o "북한의 형법" 영문판 발간 협조

- 발행: 북한연구소
- 지원: 번역및 감수 협조
- 활용: 관계부처 발간후 서울.동경 상주외신, 주한외국공관, 전재외공관
  등 여론형성층에 배포

~~0214~~

0235

o 북한 귀순자 증언집 발간(영문 소책자)

- 내용

. 전 북한군 소위 김남준 증언(월간조선 91.1월호 별책부록 "북한의 군대와 정치범 수용소 체험)

. 귀순 대학생의 증언(관계부처 협의. 증언및 자료협조)

- 분량: 40쪽내외, 10,000부 제작

다. 國內外 學術行事 活用

o 한반도 정세특별조사단(Korea Study Group) 5개국 순회

- 순회활동: Robert Scalapino 교수를 단장으로한 미국의 저명학자등 11명의 서울, 평양, 모스크바, 북경, 동경 순회(5월)

- 활용

. 출발전 주미대사 브리핑을 통해 문제를 제기

. 귀국후 보고서발간, 국제회의 개최, 미국 주요도시 순회강연시 북한의 폐쇄체제 및 인권문제를 제기토록 유도

o 통일. 북방정책 해외학술행사시 문제 제기

- 소련 IMEMO(3월), 독일 홈볼트및 베를린자유대(5월)등 한반도 통일문제 학술행사 활용

- 영국 RIIA, 불란서 IFRI등 서구 순회세미나 활용(10-11월)

- 소련, 헝가리, 유고등 동구 Forum 활용(9-10월)

o 국내 학술행사. 세미나

- "현대사 재조명"등 국내 학술행사(홍보조사국 협조)

- 4대통신등 서울상주외신 참석유도. 기사화

0236

~~0215~~

라. 弘報資料 製作 配布

o "북한의 헌법" Backgrounder발간(요지발췌, 10면)
- 서울.동경상주외신, 주한외국공관에 배포

o Korea Update에 "북한의 인권" 고정란 설치
- 5호담당제등 용어해설, 일문일답 연재

o Korea Newsreview 에 "북한 전망대" 고정칼럼 연재
- "북한의 헌법"및 "북한 귀순자 증언집"등의 주요내용을 요약,
  시리즈로 연재

마. 主要外信 企劃特輯 및 記事 揭載

o 서울.동경상주외신대상 브리핑 실시(1회)
- 시기: 김정일 생일(2.16), 김일성 생일(4.15), 북한창건일(9.9) 계기
- 주관: 관계부처
- 내용: 북한의 최근동향, 인권상황 영화상영 및 질의응답등

o 초청.방한언론인 인터뷰 주선 및 자료제공 강화
- 대상: 초청언론인(60명), 자비방한언론인(연 1,000명 예상)
- 활용: 통일원, 북한연구소등 관계인사 인터뷰 적극 주선 및
  관련자료 제공확대

~~0216~~
0237

o 주요외신 기사화 유도

- 대상 : 주요 외국언론 고정칼럼 활용
- 내용 : 전재외공보관, 주요언론 접촉, 기사화 추진(북한인권관련 최신 자료 제공등)

바. 僑胞言論 特輯 揭載

o 대상 : 미국, 일본등 주요지역 교포언론 대상(미주 동아일보, 미주 조선일보, 미주 중앙일보, 미주 한국일보, 호주소식, 일본 통일일보등)

o 내용 : 전 북한 원산농대 이우홍저 "어둠의 공화국", 하기하라료저 "서울과 평양"등 활용

사. 北韓人權 記事集 發刊

o 내용 : 주요외신의 북한인권관련기사 종합(영어, 일어 2종)
o 활용 : 국내 유관기관 배포, 참고자료로 활용

添附 : 北韓人權關聯資料 目錄

0238

~~0217~~

첨부

北韓人權關聯資料 目錄

1. Human Rights in the Democratic Peoples' Republic of Korea (Asia Watch, 미네소타 법률가 국제인권위원회, 1989)
2. 북한의 형법(북한연구소, 1990)
3. 북한형법의 실상(국가안전기획부 자료, 1990)
4. 북한의 인권(통일원, 1989)
5. 어둠의 공화국(통일일보사, 1990)
6. 가난의 공화국(통일일보사, 1990)
7. 북한 4년 체험적 보고(신기원사, 1989)
8. 서울과 평양(도서출판 다나, 1990)
9. 북한 사법제도 연구(월간조선, 1990. 9월)
10. 북한 그 충격의 실상(월간조선, 1991.1월 별책부록)
11. 북한의 인권실상(내외통신, 1983)
12. 북한 공산집단의 기본권 박탈(자유평론사, 1978)
13. A Peek into North Korea (내외통신, 1988)
14. North Korea: George Orwell's 1984 (해외공보관, 1984)
15. North Korea: A Self-styled Paradise (해외공보관, 1985)
16. Dateline Pyongyang (해외공보관, 1986)
17. North Korea Opens its Door a Crack (해외공보관, 1989)

0239

~~0218~~

정리보존문서목록					
기록물종류	일반공문서철	등록번호	2012080152	등록일자	2012-08-28
분류번호	701	국가코드	US	보존기간	영구
명 칭	한국 인권상황 관련 미국 동향, 1990-91. 전5권				
생 산 과	북미1과	생산년도	1990~1991	담당그룹	
권 차 명	V.2 1991.2월				
내용목차	* 1990년도 인권보고서 발표(국무부, 91.2.1) * 북한 인권상황 포함				

0001

홍

관리 번호	91-216

원 본

외 무 부

종 별 : 지 급

번 호 : USW-0547 일 시 : 91 0201 1446

수 신 : 장관(미북)

발 신 : 주 미 대사

제 목 : 국무부 인권 보고서

대 WUS-0243(1), 0338(2)

1. 당관 안호영 서기관은 금 2.1. 국무부 한국과 LANIER 담당관과 접촉, 대호(2) 3항 북한내 인권 상황에 대한 보고서를 수교받은바, 동 내용 팩스편 송부함(USWF-0507)

2. 동 보고서는 금일중 상. 하원 외교위에 제출된 이후에 일반에게 공개될것이라함.

3. 작년도 인권 보고서가 2 월하순에 제출되었음에 비추어 금년도 인권 보고서가 서둘러 제출된 이유를 문의하자, LANIER 담당관은 사견이나 행정적인 절차 이외에는 특별한 이유는 없는것으로 안다고 답변함.

5. 대호 (1) 법무부 작성 반박자료는 작 1.31. 당관에 도착한바, 당지 HUMAN RITHTS WATCH 와 의 접촉 결과는 추보 위계임.

(대사 박동진-국장)

예고:91.12.31 일반

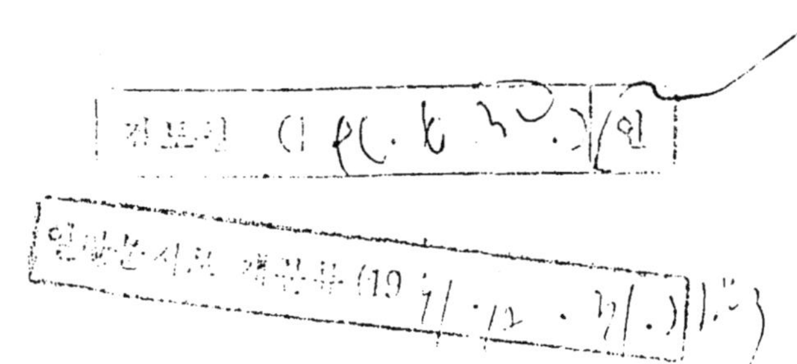

미주국 차관 1차보 정문국 청와대 안기부

PAGE 1

91.02.02 05:45

외신 2과 통제관 CW

0002

번호 : USW(F)- 0407 USW -5141의 첨부물
수신 : 장 관 (미북)
발신 : 주미대사
제목 : 국무부 인권보고서 (첨부) (북한)

서울 상세 ... 홍

DEMOCRATIC PEOPLE'S REPUBLIC OF KOREA*

The Democratic People's Republic of Korea (DPRK), formed in 1948 during the Soviet administration of the northern half of the Korean peninsula, is a Communist dictatorship under the rule of the Korean Workers' Party (KWP). The party exercises absolute power on behalf of its leader, General Secretary Kim Il Sung, who is also President of the DPRK. Kim Il Sung, who has been in power for 42 years, has groomed his son, Kim Jong Il, as his successor. The younger Kim ranks second in the party and, together with his father, is the subject of a personality cult.

The North Korean regime subjects its people to rigid controls. For each person the regime establishes security ratings which determine access to employment, schools, medical facilities, and stores as well as admission to the KWP. Individual rights are subordinated to the rights of the State and the party.

In the DPRK's centralized economy, the State directs all significant economic activity. Soviet-style economic reform has been firmly resisted, and as Soviet aid and concessional trade declines, overall economic growth and the already Spartan standard of living have fallen further. Real gross national product growth in 1990 is estimated at 2 percent or less, and serious distribution bottlenecks, nonproductive allocation of resources, and a worsening foreign debt hinder development efforts.

In 1990 North Korea continued to deny its citizens the most fundamental human rights. The Government allowed more foreign visitors and permitted a number of overseas Koreans into the country for family reunification. However, although the DPRK has held three high-level meetings with South Korea, it has avoided substantive discussion of the family reunification issue.

The North Korean penal code is draconian, stipulating capital punishment and confiscation of all assets for a wide variety of "crimes against the revolution," including defection, slander of the party or State, and having reactionary printed matter. The regime permits no independent press or associations, and little outside information reaches the general public except that which the Government approves and disseminates.

*The United States does not have diplomatic relations with the Democratic People's Republic of Korea. North Korea forbids representatives of governments that do have relations with it, as well as journalists and other invited visitors, the freedom of movement that would enable them to assess human rights conditions there. Most of this report, therefore, is based on information obtained over a period of time extending from well before 1990. While limited in scope and detail, the information is indicative of the human rights situation in North Korea today.

0003

DEMOCRATIC PEOPLE'S REPUBLIC OF KOREA

RESPECT FOR HUMAN RIGHTS

Section 1 Respect for the Integrity of the Person, Including Freedom from:

a. Political and Other Extrajudicial Killing

According to several defectors believed to be reliable, the régime has summarily executed some political prisoners and political opponents of Kim Il Sung and Kim Jong Il. A 1990 report indicates that a potential defector involuntarily repatriated from China and a dissenting student were, in separate incidents, executed without trial.

For over 20 years, North Korea has intermittently directed terrorist attacks against South Korea, including the bombing of Korean Air Flight 858 off the coast of Burma in November 1987, which killed all 115 people on board, and the September 1983 bombing in Rangoon, Burma, which took the lives of 17 high-ranking South Korean officials..

b. Disappearance

There is no information available on disappearance within North Korea. There are several reports that over the past 10 years the DPRK has kidnaped South Koreans, Japanese, and other foreign citizens outside of its borders. According to a 1988 report by Asia Watch and the Minnesota Lawyers International Human Rights Committee (MLIHRC), these kidnapings were apparently carried out to enhance Pyongyang's technical and espionage capabilities.

c. Torture and Other Cruel, Inhuman, or Degrading Treatment or Punishment

As noted in the Asia Watch/MLIHRC report, "all available evidence indicates that, at least through the early 1980's, North Korean prisoners were routinely tortured or ill-treated during interrogation and at times during later imprisonment." The report noted that many prisoners have died from torture, disease, starvation, or exposure. Korean film producer Shin Sang-Ok and his actress wife, Choi Un-Hui, who claimed to have been kidnaped by North Korean operatives overseas and who escaped from North Korean officials in Vienna in 1986, also attested to hearing repeated stories of beatings during incarceration. Shin personally experienced denial of sleep, starvation rations, and solitary confinement, as well as being required to sit motionless for long periods of time.

d. Arbitrary Arrest, Detention, or Exile

Little information is available on specific criminal justice procedures and practices in North Korea. North Korea has refused to permit outside observation of its legal system and practices.

North Korean law provides that prisoners may be held for interrogation for a period not to exceed 2 months. This period may be extended indefinitely, however, if the Interrogation Department obtains the approval of the Chief Prosecutor. There are reports of persons being detained for 12 months without trial or charge. Shin noted that it is very difficult for family members or other concerned persons to obtain information regarding charges being leveled against an accused person or even where an accused person is being

0004

detained. Habeas corpus or its equivalent does not exist in law or in practice.

North Korean defectors to South Korea in 1989 estimated that the regime holds at least 105,000 political prisoners and their family members in "concentration camps," where they are prohibited from marrying and required to grow their own food. Based on defector testimony and other sources, the Republic of Korea estimates North Korea detains about 150,000 political prisoners and family members in maximum security camps in remote, isolated areas. North Korean officials deny the existence of such gulags or prisons but admit the existence of "education centers" for people who "commit crimes by mistake." The Asia Watch/MLIHRC report lists 12 such prison camps believed to exist in the DPRK. The camps include four thought to have been added in 1982 to accommodate between 6,000 and 15,000 new prisoners resulting from a campaign by Kim Jong Il to purge his critics and rivals. The Institute of North Korean Studies report notes that several former high officials, including former Prime Ministers, are imprisoned in the camps. The Asia Watch/MLIHRC report states that most maximum security prisoners allegedly have been confined without trial or formal charges. Visitors and any form of communication with detainees, although once allowed, are said to be prohibited.

In October 1990, North Korea released two Japanese merchant seamen, Isamu Beniko and Yoshio Kuriura, in connection with an offer to Japan to begin normalizing bilateral relations. The DPRK detained the pair during a port call in North Korea in October 1983 in retaliation for the defection of a DPRK army sergeant who stowed away on their ship, the Fujisan Maru, on a prior trip and sought refuge in Japan. North Korea announced that the two seamen were tried in December 1987 and sentenced to 15 years' "reformation through labor" for espionage and "abduction" of a North Korean citizen. The DPRK depicted the release as a "humanitarian" act, but it was clearly done in order to meet a Japanese condition for entering into normalization talks.

e. Denial of Fair Public Trial

The Constitution states that courts are independent and that judicial proceedings are to be carried out in strict accordance with the law, which contains elaborate procedural guarantees. According to the Asia Watch/MLIHRC report, these safeguards are not followed in practice, and it appears the party exercises pervasive control over the criminal justice system. Article 138 of the Constitution states that "cases are heard in public, and the accused is guaranteed the right to a defense; hearings may be closed to the public as stipulated by law." There are numerous reports, however, of the Public Security Ministry dispensing with trials in political cases and instead referring cases to the Ministry of State Security for imposition of punishment.

When trials are held, lawyers are apparently assigned by the Government. According to the Asia Watch/MLIHRC report, defense lawyers are not considered representatives of the accused, but rather independent parties who are "expected to help the court by persuading the accused to confess his guilt." The report adds, "The counsel must...only present facts to mitigate punishment."

0005

The Shins noted a distinction between political and common criminals, asserting that the State affords trials only to the latter. North Korea equates "political criminals" with those who criticize the regime. Numerous other reports suggest that political offenses include such forms of lese majesty as sitting on newspapers bearing Kim Il Sung's picture.

f. Arbitrary Interference with Privacy, Family, Home, or Correspondence

The regime subjects the people to a pervasive program of indoctrination designed to shape and control individual consciousness. Preschool children are drilled in homage to Kim Il Sung and his family, while school age children are subjected daily to a half day of indoctrination. Youths and adults are required to participate in daily ideological training conducted during school or at places of employment. Government-organized neighborhood units also provide indoctrination for persons who neither work nor go to school. The daily indoctrination requires rote recitation of Party maxims and policies and strives for ideological purity. Multiple North Korean security organizations enforce these controls.

Koreans with relatives who fled to the South appear to be classified as part of the "hostile class" in the DPRK's elaborate class system, which is based in part on loyalty to the regime. Members of this class are subject to discriminatory treatment. The Government prevents Japanese wives of Koreans repatriated from Japan since 1959 from visiting Japan. Because their letters are subject to strict censorship, many have lost contact with their families.

Although the Constitution states that "citizens are guaranteed the inviolability of person and residence and the privacy of correspondence," the practice is otherwise. The Government has developed a pervasive system of informers throughout the society and, according to the Shins and several defectors, electronic surveillance of residences is also pervasive. In school, the authorities encourage children to discuss what their parents have said at home. The Government conducts monthly "sanitation" inspections to check on household activities. Each house is required to display portraits of Kim Il Sung and Kim Jong Il. The Asia Watch/MLIHRC report concluded that "because of the surveillance and the attendant risk of consequences, fear appears to govern all social relationships."

Section 2 Respect for Civil Liberties, Including:

a. Freedom of Speech and Press

Although the Constitution states that "citizens have the freedoms of speech, the press, assembly, association, and demonstration," the regime permits such activities only in support of government objectives. Other articles of the Constitution that require citizens to follow the "Socialist norms of life" and to obey a "collective spirit" take precedence over individual political or civil liberties. Amnesty International (AI) in its 1988 Report stated that the Government strictly curtails the rights of freedom of expression and association guaranteed under the International Covenant on Civil and Political Rights, to which North Korea became a party in 1981. According to these sources, persons criticizing the President or his policies were liable to punishment by imprisonment or "corrective labor." A defector interviewed by Asia Watch/MLIHRC in 1986 reported that a scientist, whose home was bugged through his radio set, was arrested and executed for statements made at home critical of Kim Il Sung. The Institute of North Korean Affairs report on the DPRK penal code notes that drafting, keeping, or distributing "reactionary" printed matter is punishable by death.

Foreign media are excluded, domestic media censorship is enforced, and no deviation from the official government line is tolerated. The regime prohibits listening to foreign media broadcasts except by high government officials, and violators reportedly are subject to severe punishment. Most urban households have radio and some have television, but reception is limited to domestic programming. The Government controls artistic and academic works, and visitors report that the primary function of plays, movies, operas, and books is to contribute to the cult of personality surrounding the "Great Leader," Kim Il Sung, and the "Dear Leader," Kim Jong Il.

b. Freedom of Peaceful Assembly and Association

No public meetings can be held without government authorization. There appear to be no organizations other than those created by the Government. The State even prohibits apolitical groups such as neighborhood or alumni organizations. Professional associations exist solely as another means of government control over the members of these organizations.

c. Freedom of Religion

Although the Constitution provides that "citizens have religious liberty and the freedom of antireligious propaganda," the regime, in fact, has severely persecuted Christians and Buddhists since the late 1940's and discriminates against persons whose family or relatives once had a strong religious involvement.

Despite these purges, the regime today uses government-sponsored religious organizations to proclaim the practice of religious freedom. The DPRK claims to have 10,000 Christians who worship in 500 home churches. A few Buddhist temples are in operation, and the country's first two Christian churches were built in late 1988. The churches are included in the fixed itinerary for many foreign visitors to Pyongyang. Some visitors attest to the authenticity of the church services and to the faith of the several dozen worshipers observed. Other visitors say the church activity appears staged. No North Korean religious official is ever known to have preached that there is any moral authority higher than that of Kim Il Sung. Kim, his family, and his juche (self-reliance) ideology are accorded reverence akin to worship, and the cult of the Kim family is functionally akin to organized religion.

d. Freedom of Movement Within the Country, Foreign Travel, Emigration, and Repatriation

The DPRK regime strictly controls internal travel, requiring a travel pass for any movement outside one's home village; these passes are granted only for required official or certain personal travel. Personal travel is usually limited to attending the wedding or funeral of a close relative. Long delays in obtaining the necessary permit often result in denial

0007

of the right to travel even for these limited purposes. State control of internal travel is also ensured by a ration system that distributes coupons valid only in the region issued. In October 1989, the DPRK announced a liberalization of internal travel, but a few months later, claiming that transportation facilities were inadequate, it rescinded the measure.

Reports, primarily from defectors, indicate that forced resettlement, particularly of those deemed politically unreliable, is common. Permission to reside in, or even enter Pyongyang, the capital, is strictly controlled.

Foreign travel is limited to officials and trusted artists, athletes, and academics. The regime does not allow emigration, and only 1,000 or so defectors have succeeded in fleeing the country. The regime retaliates against the relatives of those few persons who manage to escape. Involuntarily repatriated defectors have been jailed, or in some cases, executed.

In 1989, in a rare departure from isolationist controls, the DPRK sent students to a short seminar in Japan. Aside from this, the regime does not allow students to study outside of Communist countries for any period. It tightened controls over DPRK students studying abroad when six defected from Eastern Europe in 1989, and in 1990 called back all foreign students from Eastern Europe.

From 1959 to 1982, 93,000 Korean residents of Japan, including 6,637 Japanese wives, voluntarily repatriated to North Korea in response to nationalistic appeals. Despite DPRK assurances that the wives, 1,828 of whom still had Japanese citizenship, would be allowed to go home to Japan every 2 or 3 years, none is known to have returned to Japan, and most have never been heard of again. The Asia Watch/MLIHRC report and other sources say most of the returnees and their families were categorized in the "wavering class," were given poor food, clothing, and housing, were subjected to hard labor, and were treated with contempt. When reports of their harsh treatment became known overseas, voluntary repatriation dried up. Recent reports suggest that treatment of Japanese spouses has improved, since they have access to much-needed hard currency.

North Korea has permitted entry to several thousand overseas Korean residents in Japan, China, North America, and elsewhere to visit their relatives. Recently the regime has granted entry to greater numbers of other visitors, including journalists, tourists, and 15,000 foreign participants in the 13th World Festival of Youth and Students held in Pyongyang in July 1989. Visitors are closely monitored, and itineraries are usually fixed, although some visitors reported they were allowed to walk freely around the vicinity of their hotels.

Section 3 Respect for Political Rights: The Right of Citizens to Change Their Government

There is no mechanism by which the citizenry can effect transitions in leadership or changes in government. The political system is completely dominated by Kim Il Sung and heir-designate Kim Jong Il. The legislature, the Supreme People's Assembly, which meets only a few days a year, has never taken any action other than unanimous passage of resolutions presented to it by the leadership. In an effort to create an appearance of democracy, the DPRK has created several "minority parties." They exist only as rosters of 0008 officials who have token representation in the People's Assembly and completely support the government line.

Free elections do not exist in North Korea. Although elections to the Supreme People's Assembly were held in November 1986, and to provincial, city, and county assemblies in November 1989, in all cases the Government approved only one candidate in each electoral district. According to the government-controlled media, over 99 percent of the voters turned out to elect 100 percent of the approved candidates. Despite the long and rigorous selection process for membership in the KWP, most party members have no voice in decisionmaking, serving only to carry out the decrees promulgated by party leader Kim Il Sung and his top subordinates.

Section 4 Governmental Attitude Regarding International and Nongovernmental Investigation of Alleged Violations of Human Rights

No organizations exist within North Korea to report on or observe human rights violations. North Korea does not participate in any international or regional human rights organizations.

The Government has not allowed Amnesty AI, Asia Watch, the MLIHRC, or any other international organization to visit North Korea to monitor human rights practices. A DPRK representative called a preliminary version of the Asia Watch/MLIHRC report "full of lies and fabrications," and warned that if it were published, the human rights organizations would "be held fully responsible for all the consequences arising therefrom."

Section 5 Discrimination Based on Race, Sex, Religion, Language, or Social Status

The Constitution states that "women hold equal social status and rights with men." However, few women have reached high levels of the party or the Government. Women are represented proportionally in the labor force, with the exception of small factories where the work force is predominantly female.

The regime discriminates against the physically handicapped. Handicapped persons, other than war veterans, are reportedly not allowed within the city limits of Pyongyang. According to the Asia Watch/MLIHRC report, authorities check for deformities in the capital city every 2 or 3 years and remove the disabled, some of the elderly, widows, and the sick to the countryside. The dwarf community has been banished to a remote mountain settlement.

Nothing is known about the extent to which violence against women is practiced or tolerated.

North Korea is a homogeneous country and is relatively devoid of minority groups.

Section 6 Worker Rights

a. The Right of Association

Free labor unions do not exist in North Korea. Because the party by definition purports to represent the interests of labor, trade unions exist in form only. There is a single 0009

Labor Front, called the General Federation of Trade Unions of Korea, which is affiliated with the Communist-controlled World Federation of Trade Unions. Operating under this umbrella, unions function on the classical Soviet model, with responsibility for mobilizing workers behind productivity goals and state targets, and for the provision of health, education, cultural, and welfare facilities. They do not have the right to strike. North Korea is not a member of the International Labor Organization.

b. The Right to Organize and Bargain Collectively

Workers have no right to organize or to bargain collectively.

c. Prohibition of Forced or Compulsory Labor

There is no prohibition on the use of forced or compulsory labor. The Government routinely uses military conscripts for forced labor. AI's 1987 Report cited reports that some "political prisoners" were allegedly sentenced to "corrective labor," which could be served at a person's normal workplace (working for some or no wages) or at farms or mines in areas where conditions are very harsh.

d. Minimum Age for Employment of Children

No data are available on the minimum age for employment of children.

e. Acceptable Conditions of Work

No data are available on minimum wages or occupational safety and health. Wages are set by government ministries. The State assigns all jobs; ideological purity, rather than professional competence, is the primary standard used in deciding who receives a particular job. Absence from work without a doctor's certificate results in a reduction in a worker's rations. The Constitution stipulates a workday limited to 8 hours, but several sources report that most laborers work 12 to 16 hours daily. The regime's propaganda euphemistically refers to these extra hours as "patriotic labor" done on a "voluntary" basis by the workers.

0010

홍

원 본

외 무 부

종 별 : 지 급

번 호 : USW-0573　　　　　　　　　　일 시 : 91 0201 1956

수 신 : 장 관(미북)

발 신 : 주 미 대사

제 목 : 국무부 인권 보고서

1.국무부는 금 2.1 1990년 인권 보고서를 발표하면서 SCHIFTER 인권 담당 차관보 주재로기자 회견을 가짐.

2. SCHIFTER 차관보는 짧은 성명을 통해 1990년 인권 상황을 개관하면서 전통적인 의미의 인권 문제는 아니나 종족간의 분쟁으로 인한 인명 살상에 대한 깊은 우려를 표시함.

3.이어서 있은 질의 응답시 세계에서 가장 인권상황이 나쁜 국가를 지적해 달라는 질문에 대해 SCHIFTER 차관보는 북한과 쿠바를 지적하면서, 알바니아도 같은 범주에 속하였으나 이제는 개선되고 있다고 답변함.

4. 동 차관보 성명및 3 항 PVU의 응답 내용FAX 송부함.

첨부: USW(F)-416

(대사 박동진-국장)

미주국　1차보　정문국　안기부

PAGE 1

91.02.02　10:07 WG

외신 1과 통제관

0011

번호 : USW(F) - 0416

수신 : 장 관 (미북)　　　　발신 : 주미대사

보안 통제	

제목 : 국무부 人權보고서 (USW-0573 첨부물) (2 매)

STATE DEPARTMENT BRIEFING ON ITS ANNUAL REPORT TO CONGRESS ON HUMAN RIGHTS PRACTICES FOR 1990/ BRIEFER: RICHARD SHIFTER, ASSISTANT SECRETARY HUMAN RIGHTS AND HUMANITARIAN AFFAIRS

FRIDAY, FEBRUARY 1, 1991

SPOKESMAN: Good afternoon. I think we're ready to start. Once again, this is an on-the-record briefing on the State Department's Report to Congress on Human Rights Practices for 1990. The briefer will be Richard Shifter, Assistant Secretary for Human Rights and Humanitarian Affairs. Thank you.

MR. SCHIFTER: Just a few introductory comments. Before we get to the individual trees, I'll say a few words about the view of the human rights forest from the vantage point of the Human Rights Bureau.

As we try to analyze the trends of the year 1990, there is both good news and bad news. The good news relates to developments as they concern the traditional concepts of human rights: free and fair elections and respect for the fundamental freedoms enshrined in the universal declaration of human rights. Totalitarian and authoritarian dictatorships are on the decline worldwide, and democracy and respect for the rights of the individual by governments are on the rise. We have not only seen the consolidation of democracy in Eastern Europe, but 1990 has also seen progress toward democracy in such widely differing countries as Benin, Cape Verde, Chile, Nepal, Nicaragua, Mongolia, and Sao Tome and Principe. Apartheid is on the wane, as we heard today, and there's a great deal of democratic ferment throughout sub-Saharan Africa.

That is not to say that the end of history has been reached as far as the cause of democracy is concerned. We still have a long way to go and there are indeed situations in which two steps forward are followed by one step back, to coin a phrase. But as I've said, the overall trend is distinctively positive.

Now, let me turn to the problem which has moved to the foreground of human rights concerns. It is the problem of death and destruction associated with interethnic and intercommunal conflict. This is not a human rights problem in the traditional sense. However, as interethnic conflicts frequently involve excesses or disregard of human life for security forces, they have become part of the human rights agenda. They include some conflicts which have received media attention, as well as others which tend to be overlooked.

Few Americans are fully aware of the tragic results of the internal conflicts in Liberia; in Somalia, for instance; of the measures taken by Mauritania against its black population; of continuing intercommunal strife in India and Sri Lanka. In each of these countries, the year 1990 saw many hundreds and sometimes

0012

0416 -1

FEB.01 '91 20:02 KOREAN EMBASSY WASHINGTON DC　P.001

thousands of noncombatants die as a result of intercommunal strife. In Sudan, literally hundreds of thousands are now threatened with starvation because of the failure of both parties to the civil war to cooperate fully with international relief efforts.

Not in the same category but also involving the mass killings of noncombatants has been the Iraqi occupation of Kuwait. A regime committed to totalitarian practices at home struck out against its neighbor and applied its brutal practices to the population now subjugated to its rule.

Let me conclude with a few words about US human rights policy. In the first instance, we seek to assess human rights conditions worldwide. The compilation which we submitted to the Congress last night constitutes such an assessment. Next, we tried to determine what we can do to help end the human rights problem or at least ameliorate conditions. Now, action can take the form of a public pronouncement, a private demarche, or increasingly, a program to assist countries which want to initiate institutional changes designed to protect human rights.

We do not claim that we base our foreign policy exclusively on human rights considerations. This government has national security interests which must be given great weight. But while seeking to protect our national security, we also weave human rights concerns into our relations with foreign governments. More often than not, these areas of our concern coincide.

Q Mr. Secretary, would you care to list the three or four more notorious violators of human rights worldwide?

MR. SCHIFTER: Well, the standard ones that I've always felt you know, let me just put it to you this way. It depends whether you're measuring it by the first of the standards that I mentioned or the second standard. If you measure it by the first standard, which is the issue of totalitarianism, total repression, I want to give you the same answer that I've given before to this question, and that is that North Korea and Cuba stand out as the most systematically repressive countries in the world. Albania was in that category, and as you may have noted, is beginning to move.

If you measure it by the number of -- numbers of persons killed in the various ethnic disputes, I have listed some of them. There are a number of -- Somalia, for example, really was a -- has been a great tragedy. Liberia, the whole development in Liberia in 1990 was truly terrifying in terms of the many thousands of people killed. I think about half the country was displaced. It really was a horrible set of consequences for the people there.

The danger now in Sudan, and that is something I would suggest one take a look at. Everyone who is looking at the situation tells me that the breakdown in the efforts to bring food to Southern Sudan may really result literally in hundreds of thousands of people dying.

0013

0416-2

FEB.01 '91 20:03 KOREAN EMBASSY WASHINGTON DC P.002

수신: 法務部 유?현 人權課長 503-7046
발신: 外務部 홍??? 서기관 [illegible]

DEMOCRATIC PEOPLE'S REPUBLIC OF KOREA*

The Democratic People's Republic of Korea (DPRK), formed in 1948 during the Soviet administration of the northern half of the Korean peninsula, is a Communist dictatorship under the rule of the Korean Workers' Party (KWP). The party exercises absolute power on behalf of its leader, General Secretary Kim Il Sung, who is also President of the DPRK. Kim Il Sung, who has been in power for 42 years, has groomed his son, Kim Jong Il, as his successor. The younger Kim ranks second in the party and, together with his father, is the subject of a personality cult.

The North Korean regime subjects its people to rigid controls. For each person the regime establishes security ratings which determine access to employment, schools, medical facilities, and stores as well as admission to the KWP. Individual rights are subordinated to the rights of the State and the party.

In the DPRK's centralized economy, the State directs all significant economic activity. Soviet-style economic reform has been firmly resisted, and as Soviet aid and concessional trade declines, overall economic growth and the already Spartan standard of living have fallen further. Real gross national product growth in 1990 is estimated at 2 percent or less, and serious distribution bottlenecks, nonproductive allocation of resources, and a worsening foreign debt hinder development efforts.

In 1990 North Korea continued to deny its citizens the most fundamental human rights. The Government allowed more foreign visitors and permitted a number of overseas Koreans into the country for family reunification. However, although the DPRK has held three high-level meetings with South Korea, it has avoided substantive discussion of the family reunification issue.

The North Korean penal code is draconian, stipulating capital punishment and confiscation of all assets for a wide variety of "crimes against the revolution," including defection, slander of the party or State, and having reactionary printed matter. The regime permits no independent press or associations, and little outside information reaches the general public except that which the Government approves and disseminates.

---

*The United States does not have diplomatic relations with the Democratic People's Republic of Korea. North Korea forbids representatives of governments that do have relations with it, as well as journalists and other invited visitors, the freedom of movement that would enable them to assess human rights conditions there. Most of this report, therefore, is based on information obtained over a period of time extending from well before 1990. While limited in scope and detail, the information is indicative of the human rights situation in North Korea today.

0014

DEMOCRATIC PEOPLE'S REPUBLIC OF KOREA

RESPECT FOR HUMAN RIGHTS

Section 1 Respect for the Integrity of the Person, Including Freedom from:

a. Political and Other Extrajudicial Killing

According to several defectors believed to be reliable, the régime has summarily executed some political prisoners and political opponents of Kim Il Sung and Kim Jong Il. A 1990 report indicates that a potential defector involuntarily repatriated from China and a dissenting student were, in separate incidents, executed without trial.

For over 20 years, North Korea has intermittently directed terrorist attacks against South Korea, including the bombing of Korean Air Flight 858 off the coast of Burma in November 1987, which killed all 115 people on board, and the September 1983 bombing in Rangoon, Burma, which took the lives of 17 high-ranking South Korean officials..

b. Disappearance

There is no information available on disappearance within North Korea. There are several reports that over the past 10 years the DPRK has kidnaped South Koreans, Japanese, and other foreign citizens outside of its borders. According to a 1988 report by Asia Watch and the Minnesota Lawyers International Human Rights Committee (MLIHRC), these kidnapings were apparently carried out to enhance Pyongyang's technical and espionage capabilities.

c. Torture and Other Cruel, Inhuman, or Degrading Treatment or Punishment

As noted in the Asia Watch/MLIHRC report, "all available evidence indicates that, at least through the early 1980's, North Korean prisoners were routinely tortured or ill-treated during interrogation and at times during later imprisonment." The report noted that many prisoners have died from torture, disease, starvation, or exposure. Korean film producer Shin Sang-Ok and his actress wife, Choi Un-Hui, who claimed to have been kidnaped by North Korean operatives overseas and who escaped from North Korean officials in Vienna in 1986, also attested to hearing repeated stories of beatings during incarceration. Shin personally experienced denial of sleep, starvation rations, and solitary confinement, as well as being required to sit motionless for long periods of time.

d. Arbitrary Arrest, Detention, or Exile

Little information is available on specific criminal justice procedures and practices in North Korea. North Korea has refused to permit outside observation of its legal system and practices.

North Korean law provides that prisoners may be held for interrogation for a period not to exceed 2 months. This period may be extended indefinitely, however, if the Interrogation Department obtains the approval of the Chief Prosecutor. There are reports of persons being detained for 12 months without trial or charge. Shin noted that it is very difficult for family members or other concerned persons to obtain information regarding charges being leveled against an accused person or even where an accused person is being

0015

detained. Habeas corpus or its equivalent does not exist in law or in practice.

North Korean defectors to South Korea in 1989 estimated that the regime holds at least 105,000 political prisoners and their family members in "concentration camps," where they are prohibited from marrying and required to grow their own food. Based on defector testimony and other sources, the Republic of Korea estimates North Korea detains about 150,000 political prisoners and family members in maximum security camps in remote, isolated areas. North Korean officials deny the existence of such gulags or prisons but admit the existence of "education centers" for people who "commit crimes by mistake." The Asia Watch/MLIHRC report lists 12 such prison camps believed to exist in the DPRK. The camps include four thought to have been added in 1982 to accommodate between 6,000 and 15,000 new prisoners resulting from a campaign by Kim Jong Il to purge his critics and rivals. The Institute of North Korean Studies report notes that several former high officials, including former Prime Ministers, are imprisoned in the camps. The Asia Watch/MLIHRC report states that most maximum security prisoners allegedly have been confined without trial or formal charges. Visitors and any form of communication with detainees, although once allowed, are said to be prohibited.

In October 1990, North Korea released two Japanese merchant seamen, Isamu Beniko and Yoshio Kuriura, in connection with an offer to Japan to begin normalizing bilateral relations. The DPRK detained the pair during a port call in North Korea in October 1983 in retaliation for the defection of a DPRK army sergeant who stowed away on their ship, the Fujisan Maru, on a prior trip and sought refuge in Japan. North Korea announced that thé two seamen were tried in December 1987 and sentenced to 15 years' "reformation through labor" for espionage and "abduction" of a North Korean citizen. The DPRK depicted the release as a "humanitarian" act, but it was clearly done in order to meet a Japanese condition for entering into normalization talks.

e. Denial of Fair Public Trial

The Constitution states that courts are independent and that judicial proceedings are to be carried out in strict accordance with the law, which contains elaborate procedural guarantees. According to the Asia Watch/MLIHRC report, these safeguards are not followed in practice, and it appears the party exercises pervasive control over the criminal justice system. Article 138 of the Constitution states that "cases are heard in public, and the accused is guaranteed the right to a defense; hearings may be closed to the public as stipulated by law." There are numerous reports, however, of the Public Security Ministry dispensing with trials in political cases and instead referring cases to the Ministry of State Security for imposition of punishment.

When trials are held, lawyers are apparently assigned by the Government. According to the Asia Watch/MLIHRC report, defense lawyers are not considered representatives of the accused, but rather independent parties who are "expected to help the court by persuading the accused to confess his guilt." The report adds, "The counsel must...only present facts to mitigate punishment."

0016

The Shins noted ■istinction between politi■ and common criminals, asserting that the State affords trials only to the latter. North Korea equates "political criminals" with those who criticize the regime. Numerous other reports suggest that political offenses include such forms of lese majesty as sitting on newspapers bearing Kim Il Sung's picture.

f. Arbitrary Interference with Privacy, Family, Home, or Correspondence

The regime subjects the people to a pervasive program of indoctrination designed to shape and control individual consciousness. Preschool children are drilled in homage to Kim Il Sung and his family, while school age children are subjected daily to a half day of indoctrination. Youths and adults are required to participate in daily ideological training conducted during school or at places of employment. Government-organized neighborhood units also provide indoctrination for persons who neither work nor go to school. The daily indoctrination requires rote recitation of Party maxims and policies and strives for ideological purity. Multiple North Korean security organizations enforce these controls.

Koreans with relatives who fled to the South appear to be classified as part of the "hostile class" in the DPRK's elaborate class system, which is based in part on loyalty to the regime. Members of this class are subject to discriminatory treatment. The Government prevents Japanese wives of Koreans repatriated from Japan since 1959 from visiting Japan. Because their letters are subject to strict censorship, many have lost contact with their families.

Although the Constitution states that "citizens are guaranteed the inviolability of person and residence and the privacy of correspondence," the practice is otherwise. The Government has developed a pervasive system of informers throughout the society and, according to the Shins and several defectors, electronic surveillance of residences is also pervasive. In school, the authorities encourage children to discuss what their parents have said at home. The Government conducts monthly "sanitation" inspections to check on household activities. Each house is required to display portraits of Kim Il Sung and Kim Jong Il. The Asia Watch/MLIHRC report concluded that "because of the surveillance and the attendant risk of consequences, fear appears to govern all social relationships."

Section 2 Respect for Civil Liberties, Including:

a. Freedom of Speech and Press

Although the Constitution states that "citizens have the freedoms of speech, the press, assembly, association, and demonstration," the regime permits such activities only in support of government objectives. Other articles of the Constitution that require citizens to follow the "Socialist norms of life" and to obey a "collective spirit" take precedence over individual political or civil liberties. Amnesty International (AI) in its 1988 Report stated that the Government strictly curtails the rights of freedom of expression and association guaranteed under the International Covenant on Civil and Political Rights, to which North Korea became a party in 1981. According to these sources, persons criticizing the President or his policies were liable to

0017

punishment by imprisonment or "corrective labor." A defector interviewed by Asia Watch/MLIHRC in 1986 reported that a scientist, whose home was bugged through his radio set, was arrested and executed for statements made at home critical of Kim Il Sung. The Institute of North Korean Affairs report on the DPRK penal code notes that drafting, keeping, or distributing "reactionary" printed matter is punishable by death.

Foreign media are excluded, domestic media censorship is enforced, and no deviation from the official government line is tolerated. The regime prohibits listening to foreign media broadcasts except by high government officials, and violators reportedly are subject to severe punishment. Most urban households have radio and some have television, but reception is limited to domestic programming. The Government controls artistic and academic works, and visitors report that the primary function of plays, movies, operas, and books is to contribute to the cult of personality surrounding the "Great Leader," Kim Il Sung, and the "Dear Leader," Kim Jong Il.

b. Freedom of Peaceful Assembly and Association

No public meetings can be held without government authorization. There appear to be no organizations other than those created by the Government. The State even prohibits apolitical groups such as neighborhood or alumni organizations. Professional associations exist solely as another means of government control over the members of these organizations.

c. Freedom of Religion

Although the Constitution provides that "citizens have religious liberty and the freedom of antireligious propaganda," the regime, in fact, has severely persecuted Christians and Buddhists since the late 1940's and discriminates against persons whose family or relatives once had a strong religious involvement.

Despite these purges, the regime today uses government-sponsored religious organizations to proclaim the practice of religious freedom. The DPRK claims to have 10,000 Christians who worship in 500 home churches. A few Buddhist temples are in operation, and the country's first two Christian churches were built in late 1988. The churches are included in the fixed itinerary for many foreign visitors to Pyongyang. Some visitors attest to the authenticity of the church services and to the faith of the several dozen worshipers observed. Other visitors say the church activity appears staged. No North Korean religious official is ever known to have preached that there is any moral authority higher than that of Kim Il Sung. Kim, his family, and his juche (self-reliance) ideology are accorded reverence akin to worship, and the cult of the Kim family is functionally akin to organized religion.

d. Freedom of Movement Within the Country, Foreign Travel, Emigration, and Repatriation

The DPRK regime strictly controls internal travel, requiring a travel pass for any movement outside one's home village; these passes are granted only for required official or certain personal travel. Personal travel is usually limited to attending the wedding or funeral of a close relative. Long delays in obtaining the necessary permit often result in denial

0018

of the right to travel even for these limited purposes. State control of internal travel is also ensured by a ration system that distributes coupons valid only in the region issued. In October 1989, the DPRK announced a liberalization of internal travel, but a few months later, claiming that transportation facilities were inadaquate, it rescinded the measure.

Reports, primarily from defectors, indicate that forced resettlement, particularly of those deemed politically unreliable, is common. Permission to reside in, or even enter Pyongyang, the capital, is strictly controlled.

Foreign travel is limited to officials and trusted artists, athletes, and academics. The regime does not allow emigration, and only 1,000 or so defectors have succeeded in fleeing the country. The regime retaliates against the relatives of those few persons who manage to escape. Involuntarily repatriated defectors have been jailed, or in some cases, executed.

In 1989, in a rare departure from isolationist controls, the DPRK sent students to a short seminar in Japan. Aside from this, the regime does not allow students to study outside of Communist countries for any period. It tightened controls over DPRK students studying abroad when six defected from Eastern Europe in 1989, and in 1990 called back all foreign students from Eastern Europe.

From 1959 to 1982, 93,000 Korean residents of Japan, including 6,637 Japanese wives, voluntarily repatriated to North Korea in response to nationalistic appeals. Despite DPRK assurances that the wives, 1,828 of whom still had Japanese citizenship, would be allowed to go home to Japan every 2 or 3 years, none is known to have returned to Japan, and most have never been heard of again. The Asia Watch/MLIHRC report and other sources say most of the returnees and their families were categorized in the "wavering class," were given poor food, clothing, and housing, were subjected to hard labor, and were treated with contempt. When reports of their harsh treatment became known overseas, voluntary repatriation dried up. Recent reports suggest that treatment of Japanese spouses has improved, since they have access to much-needed hard currency.

North Korea has permitted entry to several thousand overseas Korean residents in Japan, China, North America, and elsewhere to visit their relatives. Recently the regime has granted entry to greater numbers of other visitors, including journalists, tourists, and 15,000 foreign participants in the 13th World Festival of Youth and Students held in Pyongyang in July 1989. Visitors are closely monitored, and itineraries are usually fixed, although some visitors reported they were allowed to walk freely around the vicinity of their hotels.

Section 3 Respect for Political Rights: The Right of Citizens to Change Their Government

There is no mechanism by which the citizenry can effect transitions in leadership or changes in government. The political system is completely dominated by Kim Il Sung and heir-designate Kim Jong Il. The legislature, the Supreme People's Assembly, which meets only a few days a year, has never taken any action other than unanimous passage of resolutions presented to it by the leadership. In an effort to create an appearance of democracy, the DPRK has created several "minority parties." They exist only as rosters of

0019

officials who have taken representation in the People's Assembly and completely support the government line.

Free elections do not exist in North Korea. Although elections to the Supreme People's Assembly were held in November 1986, and to provincial, city, and county assemblies in November 1989, in all cases the Government approved only one candidate in each electoral district. According to the government-controlled media, over 99 percent of the voters turned out to elect 100 percent of the approved candidates. Despite the long and rigorous selection process for membership in the KWP, most party members have no voice in decisionmaking, serving only to carry out the decrees promulgated by party leader Kim Il Sung and his top subordinates.

Section 4 Governmental Attitude Regarding International and Nongovernmental Investigation of Alleged Violations of Human Rights

No organizations exist within North Korea to report on or observe human rights violations. North Korea does not participate in any international or regional human rights organizations.

The Government has not allowed Amnesty AI, Asia Watch, the MLIHRC, or any other international organization to visit North Korea to monitor human rights practices. A DPRK representative called a preliminary version of the Asia Watch/MLIHRC report "full of lies and fabrications," and warned that if it were published, the human rights organizations would "be held fully responsible for all the consequences arising therefrom."

Section 5 Discrimination Based on Race, Sex, Religion, Language, or Social Status

The Constitution states that "women hold equal social status and rights with men." However, few women have reached high levels of the party or the Government. Women are represented proportionally in the labor force, with the exception of small factories where the work force is predominantly female.

The regime discriminates against the physically handicapped. Handicapped persons, other than war veterans, are reportedly not allowed within the city limits of Pyongyang. According to the Asia Watch/MLIHRC report, authorities check for deformities in the capital city every 2 or 3 years and remove the disabled, some of the elderly, widows, and the sick to the countryside. The dwarf community has been banished to a remote mountain settlement.

Nothing is known about the extent to which violence against women is practiced or tolerated.

North Korea is a homogeneous country and is relatively devoid of minority groups.

Section 6 Worker Rights

a. The Right of Association

Free labor unions do not exist in North Korea. Because the party by definition purports to represent the interests of labor, trade unions exist in form only. There is a single

0020

DEMOCRATIC PEOPLE'S REPUBLIC OF KOREA

Labor Front, called the General Federation of Trade Unions of Korea, which is affiliated with the Communist-controlled World Federation of Trade Unions. Operating under this umbrella, unions function on the classical Soviet model, with responsibility for mobilizing workers behind productivity goals and state targets, and for the provision of health, education, cultural, and welfare facilities. They do not have the right to strike. North Korea is not a member of the International Labor Organization.

b. The Right to Organize and Bargain Collectively

Workers have no right to organize or to bargain collectively.

c. Prohibition of Forced or Compulsory Labor

There is no prohibition on the use of forced or compulsory labor. The Government routinely uses military conscripts for forced labor. AI's 1987 Report cited reports that some "political prisoners" were allegedly sentenced to "corrective labor," which could be served at a person's normal workplace (working for some or no wages) or at farms or mines in areas where conditions are very harsh.

d. Minimum Age for Employment of Children

No data are available on the minimum age for employment of children.

e. Acceptable Conditions of Work

No data are available on minimum wages or occupational safety and health. Wages are set by government ministries. The State assigns all jobs; ideological purity, rather than professional competence, is the primary standard used in deciding who receives a particular job. Absence from work without a doctor's certificate results in a reduction in a worker's rations. The Constitution stipulates a workday limited to 8 hours, but several sources report that most laborers work 12 to 16 hours daily. The regime's propaganda euphemistically refers to these extra hours as "patriotic labor" done on a "voluntary" basis by the workers.

0021

번호 : USW(F) - 412
수신 : 장 관 (미북, 검홍)
발신 : 주미대사
제목 : 국무부 인권보고서

A10 SATURDAY, FEBRUARY 2, 1991 THE WASHINGTON POST

State Dept. Accuses Iraq of Wide Rights Abus

Annual Report Also Criticizes Three Main Arab Allies of U.S. in Gulf War, Israel

By John M. Goshko and Al Kamen
Washington Post Staff Writers

The State Department accused Iraq yesterday of widespread murder, torture and other human rights abuses in occupied Kuwait.

But it also found major shortcomings in the rights records of the United States' three principal Arab allies against Iraq—Syria, Saudi Arabia and Egypt—and criticized Israel's handling of Palestinian unrest in the West Bank and Gaza Strip.

The department's annual report on human rights around the world pointed to a near-universal pattern of abuses in the Middle East, ranging from use of terror tactics by Iraq and Syria to suppression of political freedoms in the other Arab countries.

The report said that while democracy and personal liberties flourish inside Israel, Palestinians in the adjoining occupied territories frequently are subjected to harsh and demeaning treatment under the Israeli military's campaign against the uprising, known in Arabic as the intifada, that began in December 1987. The department said that improvements made during the first nine months of 1990 gave way during an upsurge of violence resulting from the tensions of the Persian Gulf crisis.

"Iraq's abysmal record of repression was even more flagrant in 1990," the report on that country said, recounting in detail its flouting "of established norms of civilized behavior" following the Aug. 2 invasion of Kuwait by holding hundreds of foreign nationals as human-shield hostages and engaging in "mass extrajudicial killings, summary executions and widespread arrests and torture of Kuwaiti citizens."

It cited several atrocities reported previously by private rights organizations such as Amnesty International and by Kuwaiti refugees testifying to Congress and the United Nations. These included charges that Iraqi troops murdered scores of premature babies by throwing them out of incubators, systematically murdered handicapped and infirm people, hanged scores of students and dumped hundreds of bodies, bearing evidence of torture and mutilation, at the doors of hospitals.

Among U.S. allies in the region, Syria got the harshest report. The report called the Assad government "an authoritarian regime which does not hesitate to use force against its citizens." It added, "Major human rights abuses—including torture, arbitrary arrest and detention and denial of freedom of speech, press, association and the right of citizens to change their government—continued to characterize the regime's record in 1990."

The department pointed to a near-universal pattern of abuses in the Middle East, ranging from use of terror tactics by Iraq and Syria to suppression of political freedoms in the other Arab countries.

Egypt has a better record, but still was cited for continuing to restrict basic human rights, torturing detainees, holding at least 1,000 political prisoners and persecuting Islamic fundamentalists.

The report on Saudi Arabia said that "the legitimacy of the regime rests to a large degree on its perceived adherence to the precepts of a puritanically conservative form of Islam." As a re-

0022

2/2 cop

sult, the report continued, there is torture and mistreatment of prisoners, particularly political detainees; severe restrictions of freedom of the press, religion and political practice, and discrimination against women and foreign workers. It added, though, that the huge influx of U.S. and other foreign troops to Saudi Arabia had given some impetus to "positive changes."

Saying that the United States "remains concerned about the continuing violence, death and injuries" in the Israeli-occupied territories, the report said that Palestinian support for Iraq had led to a number of serious incidents in late 1990, including the killing of 17 Palestinians by Israeli police during a riot in the Old City of Jerusalem and a rash of random Palestinian stabbing attacks on Israelis.

It noted an upsurge of politically motivated violence by Palestinians against other Palestinians, and it said that the 165 Palestinians killed by their own people exceeded the 130 killed by Israeli authorities. But it criticized Israel for reacting with travel bans, deportations of Palestinian leaders, administrative detentions, barring of family reunifications, closure of four Palestinian universities and business and resource-use practices that give Jews advantages over Palestinians.

Among other major Arab countries, Jordan, which has tilted toward neighboring Iraq, was cited as posing important human rights concerns because of King Hussein's continuance of martial law, the use of broad police powers, a ban on legally recognized political parties and general lack of political freedom.

Iran, a non-Arab, Islamic country that regards Iraq and the United States as its two foremost enemies, was called "a major violator of human rights. Abuses included summary executions of political opponents; widespread torture; repression of freedom of speech, press, assembly and association; continuing repression of the Baha'i religious community . . . , and severe restrictions on women's and workers' rights."

417-2

0023

2/2 WP

번호 : USW(F) -
수신 : 장 관
발신 : 주미대사
제목 :

보안 통제	

(매)

Growth of Soviet Civil Rights Said to Be in Jeopard[y]

By Al Kamen and John M. Goshko
Washington Post Staff Writers

Increased ethnic violence, a new emphasis on law and order and last month's violent crackdown on independence movements in the Baltics jeopardize the "dramatic growth in the exercise of political and civil rights" experienced in the Soviet Union through most of 1990, according to the State Department.

In its annual report to Congress on the status of individual liberties worldwide, the department said the changes carry "dangerous implications for the entire country."

The uneven situation it described in the Soviet Union was in keeping with the department's overall assessment of a year in which human rights around the world gained and suffered.

Last year the dramatic human rights gains of 1989, especially in Eastern Europe, were for the most part "being largely consolidated," the report found. But it also described continued widespread violations of human rights in China and Iraq's "reign of terror and human rights abuses" in Kuwait that it said "reminded the world of the dangers that repressive regimes can pose to regional security and international order."

"There is both good news and bad news," assistant secretary of state for human rights Richard Schifter said yesterday at a news conference.

"The good news," he said, is that "totalitarian and authoritarian dictatorships are on a decline worldwide and democracy and respect for the rights of the individual by governments are on the rise."

The bad news is "the problem of death and destruction associated with inter-ethnic and inter-communal conflict," which "has moved to the foreground of human rights concerns," he said.

The 1,700-page report, covering 168 countries, is prepared at the direction of Congress, which outlines areas that need to be reviewed, including freedom of speech, religion and travel. The reporting is done by embassies and is intended to be factual.

But a private organization, Human Rights Watch, while praising the overall report, denounced several of the country sections as improperly influenced by political considerations. "Fear of embarrassing Saudi Arabia" led to "underrepresenting the seriousness of human rights abuses" there, Human Rights Watch claimed, while the killing of 17 Palestinian demonstrators in Jerusalem last October received "only cursory treatment."

The organization also criticized the brief mention of the killing of unarmed demonstrators in Lithuania and Latvia as an "inappropriate gift" to Moscow and said the report "all but ignores significant abuses of human rights by the American-armed UNITA" rebels fighting the leftist government in Angola.

Africa was one area where "new democratic ferment was most clearly in evidence," the report said, noting "significant movement away from apartheid in South Africa," movement toward democratic rule in sub-Saharan Africa and independence for Namibia.

But the region also saw "large-scale death and devastation" from civil wars and clan-based or tribal warfare in Liberia, Somalia, Ethiopia and Sudan. And while the government in Pretoria was praised for aiming at dismantling apartheid, the "black majority remained disenfranchised and continued to suffer from pervasive discrimination." And whatever progress occurred was made against "a bloody backdrop . . . [of] escalating violence," the report said.

The human rights outlook in Latin America also was mixed, the department said. Nicaragua, Haiti and Chile were moving into the ranks of democracies, and leaving Cuba as the only Marxist regime in the region. But leftist insurgencies and "excessive responses by government security forces" caused "scores of noncombat deaths in El Salvador, hundreds in both Colombia and Guatemala and 3,000 to 4,000 in Peru," it said.

The human rights situation was uneven in Asia as well, the report said, with moves toward democracy in Mongolia and Nepal offset by repression in China and North Korea, which "remains one of the most severely repressive regimes in the world."

Burma experienced one of the major setbacks for democracy in Asia last year, the report said. Elections held to end decades of dictatorship were nullified by the military. Schifter called Burma "one of the real sad cases" last year.

* Asia, China — (No mention on the
↓ North Korea ROK)

0024

272 [illegible]

한겨레신문
1991. 2. 3. 日, 13면

미국무부 인권보고서 한국상황 요지

미 국무부가 최근 공개한 인권보고서는 한국의 정보기관, 수감자에 대한 가혹행위, 정치범 등에 대한 인권단체 등의 실태조사 또는 주장을 담고 있다. 이 보고서의 내용을 요약해 소개한다. 〈편집자〉

"정부 발뺌불구 정치범 수백명"

'범죄전쟁'뒤 불법구금·가혹행위 가속

국보법 족쇄 여전…민간인 사찰 판쳐

한국은 권위주의로부터 민주주의와 개방을 향한 변천을 90년에도 계속했다. 그러나 아직도 권위주의적 과거의 잔재는 남아 있다.

정보기관이 행하는 정치적 반대자들에 대한 감시와 국가보안법에 의한 구금도 계속되었다.

90년 1월 당시 여당과 두개의 야당이 합쳐 새로운 여당을 만들었는데 그것은 한국 정치를 대결의 시기로 밀어넣었다.

89년에 이어 90년에도 막강한 정보기관들은 88년보다 눈에 띄게 활동적이었다.

정보기관들은 계속 여러 계층의 사람들에 대한 정보를 수집했으며, 정부당국은 위협하다고 가보안법이 적용되어야 한다고 밝혔는데, 실제 한국정부는 그들이 위험하다고 생각하는 견해를 가진 사람들을 계속 체포하였다.

그리고 한국정부가 거듭된 약속을 했는데도 군사정보기관은 수많은 민간인들에 대한 정보를 수집하고 있었다.

가혹행위에 대한 믿을만한 주장들이 90년에도 계속 나왔다.

정치적 사건인 경우에는 널리 알려지긴 하지만, 비정치적 사건인 경우 가혹행위는 더 널리 퍼져 있다는 것이 변호사들의 주장이다.

알려지고 있는 가혹행위로는 잠 안재우기, 장시간 세워놓기, 구타 등이 있다.

다고 주장한다.

정치범의 숫자를 정확하게 추정하기는 어렵다. 왜냐하면 많은 사람들이 체포되었다가 그냥 석방되기도 하고, 재판을 받지 않고 풀려나기도 하기 때문이다.

특히 결사의 자유를 행사하다 잡힌 사람과 파업시위중 폭력을 행사했다고 해서 잡힌 사람을 구별하기가 쉽지 않다. 아무튼 90년 가을 현재, 국제인권기준에 따른 정치범의 숫자는 수백명에 이르는 것으로 보인다.

한국정부는 정부의 허가 없이 북한과 접촉하는 사람들을 계속 체포하였다. 베를린에서 북한 관리를 만난 세명의 인권운동가들이 12월에 체포되었으며, 화가 홍성담씨는 간첩 혐의로 유죄판결을 받았다.

그의 혐의 가운데 하나는 그의 그림을 담은 슬라이드를 북한에 보낸 것이 국가비밀을 누설했다는 것이었다. 또 유명한 반체제인사 김근태씨가 국가보안법·집시법 위반으로 3년형을 선고받았다. 그의 혐의 가운데 하나는 시위장에서 자신이 속한 단체의 헌장을 낭독함으로써 '이적행위'를 했다는 것이다.

생각하는 견해를 가진 수많은 사람들을 때로는 영장도 없이 구금하였다. 경찰력의 과다한 사용에 관한 믿을만한 보도들이 있었으며, 특히 '범죄와의 전쟁' 선포 이후 그런 보도들은 크게 늘어났다.

87년과 88년에 이룩한 진보에 비추어볼 때 오늘의 한국은 분명 80년대 중반보다는 더 개방적이다.

그러나 민주주의의 이상과 현실적인 관행 사이에 있는 지속적 괴리는 국가보안법·집시법·노동관계법을 적용, 계속 정치적 반대자·학생·노동자들을 체포하는 데서 뚜렷이 드러난다. 수감인들에 대한 가혹행위도 계속 보도되고 있다.

헌법재판소는 국가안보에 실질적 위협이 있을 경우에만 국

90년에도 학생들과 경찰은 자주 충돌, 돌과 화염병을 던지고 최루탄을 쏘았다. 시위자들을 체포하는 과정에서 경찰이 구타하는 수많은 사례들이 보도되었으며, 2월에는 반정부시위를 취재하던 두명의 기자가 사복경찰에게 구타당한 사실도 있었다.

헌법재판소는 지난해 3월 변호사들은 아무 때나 자신이 맡고 있는 피고인들을 접견할 수 있는 권리가 있다고 판시했다. 그러나 국가보안법의 경우 취조기간 동안에는 변호사 접견권이 거의 허용되지 않고 있다고 변호사들은 말한다.

한국의 인권단체들은 90년 중반께까지 정치범의 숫자가 89년말의 8백명보다 훨씬 많은 1천3백명에 이를 것이라고 말했다. 그러나 한국정부는 정치범은 없

많은 정치·종교계 인사들이 여전히 여러 종류의 정부 감시를 받고 있다.

지난해 봄 여당의 대표최고위원인 김영삼씨는 국가안전기획부가 자신의 정계 동료들과 재정지원자들을 괴롭히고 있다고 불평했다. 정치적으로 의심을 받는 배경을 갖고 있는 사람들은 여전히 취업과 승진에 제약을 받고 있으며, 그것은 특히 정부·방송기관·교육계에서 심하다. 많은 인권운동가들은 대기업들이 비공식적 블랙리스트를 가지고 있다고 주장하고 있다.

〈워싱턴=정연주 특파원〉

0025

1990年度 美 国務部 人權報告書(北韓)

1991. 2.

外 務 部

국제기구조약국장 :

앙고제	북미과	91년 2월 4일	담 당	과 장	심의관	국 장	차관보	차 관	장 관

0026

2.1(金) 美 國務部가 議會에 提出한 1990年度 人權報告書中 北韓 關聯 部分을 要約 報告드립니다.

主要內容

(槪 要)

- ㅇ 北韓은 1948年 建國以來 朝鮮勞動黨 主導의 共産 獨裁政權下에 있음
  - 國民 個個人의 權利는 國家와 黨의 權利에 從屬

- ㅇ 90年中에도 國民의 基本權 유린은 계속됨
  - 南.北 高位會談 開催에도 불구, 家族相逢等 實質問題 討議 拒否姿勢 堅持

- ㅇ 刑法은 苛酷하며 獨立 言論이나 結社는 不許됨
  - 所謂 各種 '反革命 犯罪'에 대해서는 死刑 및 全財産 沒收로 處刑
  - 一般 國民들은 外部 情報로부터 完全 遮斷

- ㅇ 北韓內 12個의 政治犯 收容所에는 最少 10萬5千名의 政治犯이 收容되어 있음
  - 韓國政府는 北韓內 最少 15萬名의 政治犯 收容 推定

0027

(人間尊嚴性의 尊重)

ㅇ 金日成과 金正日에 대해 反對하는 政治犯에 對해서는 正式 裁判 節次없이 處刑함

ㅇ 지난 20年間 南韓에 대한 테러 攻擊을 자행해 왔음

- 87年 KAL機 爆破事件, 韓國僑民 拉致事件等

ㅇ 收監者에 대한 拷問, 苛酷行爲와 不法逮捕, 拘禁事例는 繼續되고 있음

(市民的 自由의 尊重)

ㅇ 政府를 支持하는 言論. 集會. 結社의 自由만을 認定함

ㅇ 40年代 以來 敎會 및 사찰에 대한 彈壓으로 官製 宗敎團體만이 存在함

ㅇ 海外旅行은 公務員 및 制限된 文化界 人士들에게만 制限的으로 許容되며, 國內旅行마저 統制되고 있음

(政治的 權利의 尊重)

ㅇ 自由選擧制의 不在로 國民들이 政權 變更에 影響을 미칠 制度 自體가 保障되어 있지 않음

0028

(國際人權團體 接近 遮斷)

ㅇ 北韓은 國際赦免委나 아시아워치 等 어떠한 國際人權 團體의 訪北도 許容치 않음

- ~~國際人權團體 報告書 內容은 '거짓과 造作'이라 誹謗, 罵倒~~

(勞動者 權利의 保障)

ㅇ 北韓은 勞動者들의 罷業權이나 團體協約 締結權을 保障치 않음

- ~~하루 12-16時間 勞動에 酷使시키면서도 이를 自發的 또는 愛國勞動이라 糊塗~~

評価 및 向後 措置計劃

ㅇ 北韓內 人權狀況에 대한 制限된 情報에도 불구, 北韓內 廣範圍한 人權彈壓 事例를 비교적 正確히 記述함

- 同 報告書 內容의 國內外~~弘報~~(전파 傳播)를 통한 北韓의 民主化 및 開放誘導 努力 展開 必要

* 쉬프터 国務部 人権担当 次官補는 同 報告書 発表 記者会見時, 北韓, 쿠바, 알바니아等을 世界에서 가장 人権狀況이 나쁜 国家로 指摘

ㅇ 青瓦台, 外務部, 法務部, 公報處 等 有關機關間 緊密 協調下에 人權 關聯 國內外 綜合 弘報計劃을 樹立 예정임 ~~施行할 豫定임~~

~~[illegible]~~.

끝.

0029

Country Reports on Human Rights, 1990

DEMOCRATIC PEOPLE'S REPUBLIC OF KOREA

THE DEMOCRATIC PEOPLE'S REPUBLIC OF KOREA (DPRK), FORMED IN 1948 DURING THE SOVIET ADMINISTRATION OF THE NORTHERN HALF OF THE KOREAN PENINSULA, IS A COMMUNIST DICTATORSHIP UNDER THE RULE OF THE KOREAN WORKERS' PARTY (KWP). THE PARTY EXERCISES ABSOLUTE POWER ON BEHALF OF ITS LEADER, GENERAL SECRETARY KIM IL SUNG, WHO IS ALSO PRESIDENT OF THE DPRK. KIM IL SUNG, WHO HAS BEEN IN POWER FOR 42 YEARS, HAS GROOMED HIS SON, KIM JONG IL, AS HIS SUCCESSOR. THE YOUNGER KIM RANKS SECOND IN THE PARTY AND, TOGETHER WITH HIS FATHER, IS THE SUBJECT OF A PERSONALITY CULT.

THE NORTH KOREAN REGIME SUBJECTS ITS PEOPLE TO RIGID CONTROLS. FOR EACH PERSON THE REGIME ESTABLISHES SECURITY RATINGS WHICH DETERMINE ACCESS TO EMPLOYMENT, SCHOOLS, MEDICAL FACILITIES, AND STORES AS WELL AS ADMISSION TO THE KWP. INDIVIDUAL RIGHTS ARE SUBORDINATED TO THE RIGHTS OF THE STATE AND THE PARTY.

IN THE DPRK'S CENTRALIZED ECONOMY, THE STATE DIRECTS ALL SIGNIFICANT ECONOMIC ACTIVITY. SOVIET STYLE ECONOMIC REFORM HAS BEEN FIRMLY RESISTED, AND AS SOVIET AID AND CONCESSIONAL TRADE DECLINES, OVERALL ECONOMIC GROWTH AND THE ALREADY SPARTAN STANDARD OF LIVING HAVE FALLEN FURTHER. REAL GNP GROWTH IN 1990 IS ESTIMATED AT TWO PERCENT OR LESS, AND SERIOUS DISTRIBUTION BOTTLENECKS, NONPRODUCTIVE ALLOCATION OF RESOURCES, AND A WORSENING FOREIGN DEBT HINDER DEVELOPMENT EFFORTS.

IN 1990 NORTH KOREA CONTINUED TO DENY ITS CITIZENS THE MOST FUNDAMENTAL HUMAN RIGHTS. THE GOVERNMENT ALLOWED MORE FOREIGN VISITORS AND PERMITTED A NUMBER OF OVERSEAS KOREANS INTO THE COUNTRY FOR FAMILY REUNIFICATION. HOWEVER, ALTHOUGH THE DPRK HAS HELD THREE HIGH LEVEL MEETINGS WITH SOUTH KOREA, IT HAS AVOIDED SUBSTANTIVE DISCUSSION OF THE FAMILY REUNIFICATION ISSUE.

THE NORTH KOREAN PENAL CODE IS DRACONIAN, STIPULATING CAPITAL PUNISHMENT AND CONFISCATION OF ALL ASSETS FOR A WIDE VARIETY OF "CRIMES AGAINST THE REVOLUTION," INCLUDING DEFECTION, SLANDER OF THE PARTY OR STATE, AND HAVING REACTIONARY PRINTED MATTER. THE REGIME PERMITS NO INDEPENDENT PRESS OR ASSOCIATIONS, AND LITTLE OUTSIDE INFORMATION REACHES THE GENERAL PUBLIC EXCEPT THAT WHICH THE GOVERNMENT APPROVES AND DISSEMINATES.

0030

RESPECT FOR HUMAN RIGHTS

SECTION 1 RESPECT FOR THE INTEGRITY OF THE PERSON, INCLUDING FREEDOM FROM:

A. POLITICAL AND OTHER EXTRAJUDICIAL KILLING

ACCORDING TO SEVERAL DEFECTORS WHO ARE BELIEVED TO BE RELIABLE, THE REGIME HAS SUMMARILY EXECUTED SOME POLITICAL PRISONERS AND POLITICAL OPPONENTS OF KIM IL SUNG AND KIM JONG IL. A 1990 REPORT INDICATES THAT A POTENTIAL DEFECTOR INVOLUNTARILY REPATRIATED FRON CHINA AND A DISSENTING STUDENT WERE, IN SEPARATE INCIDENTS, EXECUTED WITHOUT TRIAL.

FOR OVER 20 YEARS, NORTH KOREA HAS INTERMITTENTLY DIRECTED TERRORIST ATTACKS AGAINST SOUTH KOREA, INCLUDING THE BOMBING OF KOREAN AIR FLIGHT 858 OFF THE COAST OF BURMA IN NOVEMBER 1987, WHICH KILLED ALL 115 PEOPLE ON BOARD, AND THE SEPTEMBER 1983 BOMBING IN RANGOON, BURMA, WHICH TOOK THE LIVES OF 17 HIGH-RANKING SOUTH KOREAN OFFICIALS. INFILTRATORS INTO SOUTH KOREA, INCLUDING ARMED COMMANDOS, HAVE COMMITTED A NUMBER OF OUTRAGES, INCLUDING AN ATTACK ON THE PRESIDENTIAL RESIDENCE, THE BLUE HOUSE, IN 1968, AND AN ASSASSINATION ATTEMPT ON PRESIDENT PARK CHUNG HEE IN 1974 THAT INSTEAD KILLED HIS WIFE.

B. DISAPPEARANCE

THERE IS NO INFORMATION AVAILABLE ON DISAPPEARANCE WITHIN NORTH KOREA. THERE ARE SEVERAL REPORTS THAT OVER THE PAST 10 YEARS THE DPRK HAS KIDNAPED SOUTH KOREANS, JAPANESE, AND OTHER FOREIGN CITIZENS OUTSIDE OF ITS BORDERS. ACCORDING TO A 1988 REPORT BY ASIA WATCH AND THE MINNESOTA LAWYERS INTERNATIONAL HUMAN RIGHTS COMMITTEE (MLIHRC), THESE KIDNAPINGS WERE APPARENTLY CARRIED OUT TO ENHANCE PYONGYANG'S TECHNICAL AND ESPIONAGE CAPABILITIES.

C. TORTURE AND OTHER CRUEL, INHUMAN, OR DEGRADING TREATMENT OR PUNISHMENT

AS NOTED IN THE ASIA WATCH/MLIHRC REPORT "ALL AVAILABLE EVIDENCE INDICATES THAT, AT LEAST THROUGH THE EARLY 1980'S, NORTH KOREAN PRISONERS WERE ROUTINELY TORTURED OR ILL-TREATED DURING INTERROGATION AND AT TIMES DURING LATER IMPRISONMENT." THE REPORT NOTED THAT MANY PRISONERS HAVE DIED FROM TORTURE, DISEASE, STARVATION, OR EXPOSURE. KOREAN FILM PRODUCER SHIN SANG-OK AND HIS ACTRESS WIFE, CHOI UN-WUI, WHO CLAIMED TO HAVE BEEN KIDNAFED BY NORTH

0031

KOREAN OPERATIVES OVERSEAS AND WHO ESCAPED FROM NORTH KOREAN OFFICIALS IN VIENNA IN 1986, ALSO ATTESTED TO HEARING REPEATED STORIES OF BEATINGS DURING INCARCERATION. SHIN PERSONALLY EXPERIENCED DENIAL OF SLEEP, STARVATION RATIONS, AND SOLITARY CONFINEMENT, AS WELL AS BEING REQUIRED TO SIT MOTIONLESS FOR LONG PERIODS OF TIME.

D. ARBITRARY ARREST, DETENTION, OR EXILE

LITTLE INFORMATION IS AVAILABLE ON SPECIFIC CRIMINAL JUSTICE PROCEDURES AND PRACTICES IN NORTH KOREA. NORTH KOREA HAS REFUSED TO PERMIT OUTSIDE OBSERVATION OF ITS LEGAL SYSTEM AND PRACTICES.

NORTH KOREAN LAW PROVIDES THAT PRISONERS MAY BE HELD FOR INTERROGATION FOR A PERIOD NOT TO EXCEED 2 MONTHS. THIS PERIOD MAY BE EXTENDED INDEFINITELY, HOWEVER, IF THE INTERROGATION DEPARTMENT OBTAINS THE APPROVAL OF THE CHIEF PROSECUTOR. THERE ARE REPORTS OF PERSONS BEING DETAINED FOR 12 MONTHS WITHOUT TRIAL OR CHARGE. SHIN NOTED THAT IT IS VERY DIFFICULT FOR FAMILY MEMBERS OR OTHER CONCERNED PERSONS TO OBTAIN INFORMATION REGARDING CHARGES BEING LEVELED AGAINST AN ACCUSED PERSON OR EVEN WHERE AN ACCUSED PERSON IS BEING DETAINED. HABEAS CORPUS OR ITS EQUIVALENT DOES NOT EXIST IN LAW OR IN PRACTICE.

NORTH KOREAN DEFECTORS TO SOUTH KOREA IN 1989 ESTIMATED THAT THE REGIME HOLDS AT LEAST 105,000 POLITICAL PRISONERS AND THEIR FAMILY MEMBERS IN "CONCENTRATION CAMFS," WHERE THEY ARE PROHIBITED FROM MARRYING AND REQUIRED TO GROW THEIR OWN FOOD. BASED ON DEFECTOR TESTIMONY AND OTHER SOURCES, THE REPUBLIC OF KOREA ESTIMATES NORTH KOREA DETAINS ABOUT 150,000 POLITICAL PRISONERS AND FAMILY MEMBERS IN MAXIMUM SECURITY CAMPS IN REMOTE, ISOLATED AREAS. NORTH KOREAN OFFICIALS DENY THE EXISTENCE OF SUCH GULAGS OR PRISONS BUT ADMIT THE EXISTENCE OF "EDUCATION CENTERS" FOR PEOPLE WHO "COMMIT CRIMES BY MISTAKE." THE ASIA WATCH/MLIHRC REPORT LISTS 12 SUCH PRISON CAMPS BELIEVED TO EXIST IN THE DPRK. THE CAMPS INCLUDE FOUR THOUGHT TO HAVE BEEN ADDED IN 1982 TO ACCOMMODATE BETWEEN 6,000 AND 15,000 NEW PRISONERS RESULTING FROM A CAMPAIGN BY KIM JONG IL TO PURGE HIS CRITICS AND RIVALS. THE INSTITUTE OF NORTH KOREAN STUDIES REPORT NOTES THAT SEVERAL FORMER HIGH OFFICIALS, INCLUDING FORMER PRIME MINISTERS, ARE IMPRISONED IN THE CAMPS. THE ASIA WATCH/MLIHRC REPORT STATES THAT MOST MAXIMUM SECURITY PRISONERS ALLEGEDLY HAVE BEEN CONFINED WITHOUT TRIAL OR FORMAL CHARGES. VISITORS AND ANY FORM OF COMMUNICATION WITH DETAINEES, ALTHOUGH ONCE ALLOWED, ARE SAID TO BE

0032

PROHIBITED.

IN OCTOBER 1990, NORTH KOREA RELEASED TWO JAPANESE MERCHANT SEAMEN, ISAMU BENIKO AND YOSHIO KURIURA, IN CONNECTION WITH AN OFFER TO JAPAN TO BEGIN NORMALIZING BILATERAL RELATIONS. THE DPRK DETAINED THE PAIR DURING A PORT CALL IN NORTH KOREA IN OCTOBER 1983 IN RETALIATION FOR THE DEFECTION OF A DPRK ARMY SERGEANT WHO STOWED AWAY ON THEIR SHIP, THE FUJISAN MARU, ON A PRIOR TRIP AND SOUGHT REFUGE IN JAPAN. NORTH KOREA ANNOUNCED THAT THE 2 SEAMEN WERE TRIED IN DECEMBER 1987 AND SENTENCED TO 15 YEARS' "REFORMATION THROUGH LABOR" FOR ESPIONAGE AND "ABDUCTION" OF A NORTH KOREAN CITIZEN. THE DPRK DEPICTED THE RELEASE AS A "HUMANITARIAN" ACT, BUT IT WAS CLEARLY DONE IN ORDER TO MEET A JAPANESE CONDITION FOR ENTERING INTO NORMALIZATION TALKS.

WITH REGARD TO FORCED OR COMPULSORY LABOR, SEE SECTION 6.C.

E. DENIAL OF FAIR PUBLIC TRIAL

THE CONSTITUTION STATES THAT COURTS ARE INDEPENDENT AND THAT JUDICIAL PROCEEDINGS ARE TO BE CARRIED OUT IN STRICT ACCORDANCE WITH THE LAW. WHICH CONTAINS ELABORATE PROCEDURAL GUARANTEES. ACCORDING TO THE ASIA WATCH/MLIHRC REPORT, THESE SAFEGUARDS ARE NOT FOLLOWED IN PRACTICE, AND IT APPEARS THE PARTY EXERCISES PERVASIVE CONTROL OVER THE CRIMINAL JUSTICE SYSTEM. ARTICLE 138 OF THE CONSTITUTION STATES THAT "CASES ARE HEARD IN PUBLIC AND THE ACCUSED IS GUARANTEED THE RIGHT TO DEFENSE; HEARINGS MAY BE CLOSED TO THE PUBLIC AS STIPULATED BY LAW." THERE ARE NUMEROUS REPORTS, HOWEVER, OF THE PUBLIC SECURITY MINISTRY DISPENSING WITH TRIALS IN POLITICAL CASES AND INSTEAD REFERRING CASES TO THE MINISTRY OF STATE SECURITY FOR IMPOSITION OF PUNISHMENT.

WHEN TRIALS ARE HELD, LAWYERS ARE APPARENTLY ASSIGNED BY THE GOVERNMENT. ACCORDING TO THE ASIA WATCH/MLIHRC REPORT, DEFENSE LAWYERS ARE NOT CONSIDERED REPRESENTATIVES OF THE ACCUSED, BUT RATHER INDEPENDENT PARTIES WHO ARE "EXPECTED TO HELP THE COURT BY PERSUADING THE ACCUSED TO CONFESS HIS GUILT." THE REPORT ADDS, "THE COUNSEL MUST...ONLY PRESENT FACTS TO MITIGATE PUNISHMENT."

THE SHINS NOTED A DISTINCTION BETWEEN POLITICAL AND COMMON CRIMINALS, ASSERTING THAT THE STATE AFFORDS TRIALS ONLY TO THE LATTER. NORTH KOREA EQUATES "POLITICAL CRIMINALS" WITH THOSE WHO CRITICIZE THE REGIME. NUMEROUS OTHER REPORTS SUGGEST THAT POLITICAL OFFENSES INCLUDE SUCH FORMS OF LESE MAJESTY AS SITTING ON NEWSPAPERS BEARING KIM IL SUNG'S PICTURE.

0033

F. ARBITRARY INTERFERENCE WITH PRIVACY, FAMILY, HOME, OR CORRESPONDENCE

THE REGIME SUBJECTS THE PEOPLE TO A PERVASIVE PROGRAM OF INDOCTRINATION DESIGNED TO SHAPE AND CONTROL INDIVIDUAL CONSCIOUSNESS. PRESCHOOL CHILDREN ARE DRILLED IN HOMAGE TO KIM IL SUNG AND HIS FAMILY WHILE SCHOOL AGE CHILDREN ARE SUBJECTED DAILY TO A HALF DAY OF INDOCTRINATION. YOUTHS AND ADULTS ARE REQUIRED TO PARTICIPATE IN DAILY IDEOLOGICAL TRAINING CONDUCTED DURING SCHOOL OR AT PLACES OF EMPLOYMENT. GOVERNMENT-ORGANIZED NEIGHBORHOOD UNITS ALSO PROVIDE INDOCTRINATION FOR PERSONS WHO NEITHER WORK NOR GO TO SCHOOL. THE DAILY INDOCTRINATION REQUIRES ROTE RECITATION OF PARTY MAXIMS AND POLICIES AND STRIVES FOR IDEOLOGICAL PURITY. MULTIPLE NORTH KOREAN SECURITY ORGANIZATIONS ENFORCE THESE CONTROLS.

KOREANS.WITH RELATIVES WHO FLED TO THE SOUTH APPEAR TO BE CLASSIFIED AS PART OF THE "HOSTILE CLASS" IN THE DPRK,S ELABORATE CLASS SYSTEM, WHICH IS BASED IN PART ON LOYALTY TO THE REGIME. MEMBERS OF THIS CLASS ARE SUBJECT TO DISCRIMINATORY TREATMENT. THE GOVERNMENT PREVENTS JAPANESE WIVES OF KOREANS REPATRIATED FROM JAPAN SINCE 1959 FROM VISITING JAPAN. BECAUSE THEIR LETTERS ARE SUBJECT TO STRICT CENSORSHIP, MANY HAVE LOST CONTACT WITH THEIR FAMILIES.

ALTHOUGH THE CONSTITUTION STATES THAT "CITIZENS ARE GUARANTEED THE INVIOLABILITY OF PERSON AND RESIDENCE AND THE PRIVACY OF CORRESPONDENCE," THE PRACTICE IS OTHERWISE. THE GOVERNMENT HAS DEVELOPED A PERVASIVE SYSTEM OF INFORMERS THROUGHOUT THE SOCIETY AND, ACCORDING TO THE SHINS AND SEVERAL DEFECTORS, ELECTRONIC SURVEILLANCE OF RESIDENCES IS ALSO PERVASIVE. IN SCHOOL, THE AUTHORITIES ENCOURAGE CHILDREN TO DISCUSS WHAT THEIR PARENTS HAVE SAID AT HOME. THE GOVERNMENT CONDUCTS MONTHLY "SANITATION" INSPECTIONS TO CHECK ON HOUSEHOLD ACTIVITIES. EACH HOUSE IS REQUIRED TO DISPLAY PORTRAITS OF KIM IL SUNG AND KIM JONG IL. THE ASIA WATCH/MLIHRC REPORT CONCLUDED THAT "BECAUSE OF THE SURVEILLANCE AND THE ATTENDANT RISK OF CONSEQUENCES, FEAR APPEARS TO GOVERN ALL SOCIAL RELATIONSHIPS."

SECTION 2 RESPECT FOR CIVIL LIBERTIES, INCLUDING:

A. FREEDOM OF SPEECH AND PRESS

ALTHOUGH THE CONSTITUTION STATES THAT "CITIZENS HAVE THE FREEDOMS OF SPEECH, THE PRESS, ASSEMBLY, ASSOCIATION AND

0034

ALTHOUGH THE CONSTITUTION PROVIDES THAT "CITIZENS HAVE RELIGIOUS LIBERTY AND THE FREEDOM OF ANTIRELIGIOUS PROPAGANDA," THE REGIME, IN FACT, HAS SEVERELY PERSECUTED CHRISTIANS AND BUDDHISTS SINCE THE LATE 1940'S AND DISCRIMINATES AGAINST PERSONS WHOSE FAMILY OR RELATIVES ONCE HAD A STRONG RELIGIOUS INVOLVEMENT.

DESPITE THESE PURGES, THE REGIME TODAY USES GOVERNMENT-SPONSORED RELIGIOUS ORGANIZATIONS TO PROCLAIM THE PRACTICE OF RELIGIOUS FREEDOM. THE DPRK CLAIMS TO HAVE 10,000 CHRISTIANS WHO WORSHIP IN 500 HOME CHURCHES. A FEW BUDDHIST TEMPLES ARE IN OPERATION, AND THE COUNTRY'S FIRST TWO CHRISTIAN CHURCHES WERE BUILT IN LATE 1988. THE CHURCHES ARE INCLUDED IN THE FIXED ITINERARY FOR MANY FOREIGN VISITORS TO PYONGYANG. SOME VISITORS ATTEST TO THE AUTHENTICITY OF THE CHURCH SERVICES AND TO THE FAITH OF THE SEVERAL DOZEN WORSHIPERS OBSERVED. OTHER VISITORS SAY THE CHURCH ACTIVITY APPEARS STAGED. NO NORTH KOREAN RELIGIOUS OFFICIAL IS EVER KNOWN TO HAVE PREACHED THAT THERE IS ANY MORAL AUTHORITY HIGHER THAN THAT OF KIM IL SUNG. KIM, HIS FAMILY, AND HIS JUCHE (SELF-RELIANCE) IDEOLOGY ARE ACCORDED REVERENCE AKIN TO WORSHIP, AND THE CULT OF THE KIM FAMILY IS FUNCTIONALLY AKIN TO ORGANIZED RELIGION.

D. FREEDOM OF MOVEMENT WITHIN THE COUNTRY, FOREIGN TRAVEL, EMIGRATION, AND REPATRIATION

THE DPRK REGIME STRICTLY CONTROLS INTERNAL TRAVEL, REQUIRING A TRAVEL PASS FOR ANY MOVEMENT OUTSIDE ONE'S HOME VILLAGE; THESE PASSES ARE GRANTED ONLY FOR REQUIRED OFFICIAL OR CERTAIN PERSONAL TRAVEL. PERSONAL TRAVEL IS USUALLY LIMITED TO ATTENDING THE WEDDING OR FUNERAL OF A CLOSE RELATIVE. LONG DELAYS IN OBTAINING THE NECESSARY PERMIT OFTEN RESULT IN DENIAL OF THE RIGHT TO TRAVEL EVEN FOR THESE LIMITED PURPOSES. STATE CONTROL OF INTERNAL TRAVEL IS ALSO ENSURED BY A RATION SYSTEM THAT DISTRIBUTES COUPONS VALID ONLY IN THE REGION ISSUED. IN OCTOBER 1989 THE DPRK ANNOUNCED A LIBERALIZATION OF INTERNAL TRAVEL, BUT A FEW MONTHS LATER, CLAIMING THAT TRANSPORTATION FACILITIES WERE INADAQUATE, IT RESCINDED THE MEASURE.

REPORTS, PRIMARILY FROM DEFECTORS. INDICATE THAT FORCED RESETTLEMENT, PARTICULARLY FOR THOSE DEEMED POLITICALLY UNRELIABLE, IS COMMON. PERMISSION TO RESIDE IN, OR EVEN ENTER PYONGYANG, THE CAPITAL, IS STRICTLY CONTROLLED.

FOREIGN TRAVEL IS LIMITED TO OFFICIALS AND TRUSTED ARTISTS, ATHLETES, AND ACADEMICS. THE REGIME DOES NOT ALLOW EMIGRATION, AND ONLY 1,000 OR SO DEFECTORS HAVE

0035

DEMONSTRATION," THE REGIME PERMITS SUCH ACTIVITIES ONLY IN SUPPORT OF GOVERNMENT OBJECTIVES. OTHER ARTICLES OF THE CONSTITUTION THAT REQUIRE CITIZENS TO FOLLOW THE "SOCIALIST NORMS OF LIFE" AND TO OBEY A "COLLECTIVE SPIRIT" TAKE PRECEDENCE OVER INDIVIDUAL POLITICAL OR CIVIL LIBERTIES. AMNESTY INTERNATIONAL'S 1988 REPORT STATED THAT THE GOVERNMENT STRICTLY CURTAILS THE RIGHTS OF FREEDOM OF EXFRESSION AND ASSOCIATION GUARANTEED UNDER THE INTERNATIONAL COVENANT ON CIVIL AND POLITICAL RIGHTS, TO WHICH NORTH KOREA BECAME A PARTY IN 1981. ACCORDING TO THESE SOURCES, PERSONS CRITICIZING THE PRESIDENT OR HIS POLICIES WERE LIABLE TO PUNISHMENT BY IMPRISONMENT OR "CORRECTIVE LABOR." A DEFECTOR INTERVIEWED BY ASIA WATCH/MLIHRC IN 1986 REPORTED THAT A SCIENTIST WHOSE HOME WAS BUGGED THRQUGH HIS RADIO SET, WAS ARRESTED AND EXECUTED FOR STATEMENTS MADE AT HOME CRITICAL OF KIM IL SUNG. THE INSTITUTE OF NORTH KOREAN AFFAIRS REPORT ON THE DPRK PENAL CODE NOTES THAT DRAFTING, KEEPING. OR DISTRIBUTING "REACTIONARY" PRINTED MATTER IS PUNISHABLE BY DEATH.

FOREIGN MEDIA ARE EXCLUDED, DOMESTIC MEDIA CENSORSHIP IS ENFORCED, AND NO DEVIATION FROM THE OFFICIAL GOVERNMENT LINE IS TOLERATED. THE REGlME PROHIBITS LISTENING TO FOREIGN MEDIA BROADCASTS EXCEPT BY HIGH GOVERNMENT OFFICIALS, AND VIOLATORS REPORTEDLY ARE SUBJECT TO SEVERE PUNISHMENT. MOST URBAN HOUSEHOLDS HAVE RADIO AND SOME HAVE TELEVISION, BUT RECEPTION IS LIMITED TO DOMESTIC PROGRAMMING. THE GOVERNMENT CONTROLS ARTISTIC AND ACADEMIC WORKS, AND VISITORS REPORT THAT THE PRIMARY FUNCTION OF PLAYS, MOVIES. OPERAS, AND BOOKS IS TO CONTRIBUTE TO THE CULT OF PERSONALITY SURROUNDING "THE GREAT LEADER," KIM IL SUNG, AND "THE DEAR LEADER," KIM JONG IL.

B. FREEDOM OF PEACEFUL ASSEMBLY AND ASSOCIATION

NO PUBLIC MEETINGS CAN BE HELD WITHOUT GOVERNMENT AUTHORIZATION. THERE APPEAR TO BE NO ORGANIZATIONS OTHER THAN THOSE CREATED BY THE GOVERNMENT. THE STATE EVEN PROHIBITS APOLITICAL GROUPS SUCH AS NEIGHBORHOOD OR ALUMNI ORGANIZATIONS. PROFESSIONAL ASSOCIATIONS EXIST SOLELY AS ANOTHER MEANS OF GOVERNMENT CONTROL OVER THE MEMBERS OF THESE ORGANIZATIONS.

FOR A DISCUSSION OF FREEDOM OF ASSOCIATION AS IT APPLIES TO LABOR UNIONS, SEE SECTION 6.A.

C. FREEDOM OF RELIGION

0036

SUCCEEDED IN FLEEING THE COUNTRY. THE REGIME RETALIATES AGAINST THE RELATIVES OF THOSE FEW PERSONS WHO MANAGE TO ESCAPE. INVOLUNTARILY REPATRIATED DEFECTORS HAVE BEEN JAILED, OR IN SOME CASES, EXECUTED.

IN 1989, IN A RARE DEPARTURE FROM ISOLATIONIST CONTROLS, THE DPRK SENT STUDENTS TO A SHORT SEMINAR IN JAPAN. ASIDE FROM THIS, THE REGIME DOES NOT ALLOW STUDENTS TO STUDY OUTSIDE OF COMMUNIST COUNTRIES FOR ANY PERIOD. IT TIGHTENED CONTROLS OVER DPRK STUDENTS STUDYING ABROAD WHEN SIX DEFECTED FROM EASTERN EUROPE IN 1989, AND IN 1990 CALLED BACK ALL FOREIGN STUDENTS FROM EASTERN EUROPE.

FROM 1959 TO 1982, 93,000 KOREAN RESIDENTS OF JAPAN. INCLUDING 6,637 JAPANESE WIVES, VOLUNTARILY REPATRIATED TO NORTH KOREA IN RESPONSE TO NATIONALISTIC APPEALS. DESPITE DPRK ASSURANCES THAT THE WIVES, 1,828 OF WHOM STILL HAD JAPANESE CITIZENSHIP, WOULD BE ALLOWED TO GO HOME TO JAPAN EVERY 2 OR 3 YEARS, NONE IS KNOWN TO HAVE RETURNED TO JAPAN AND MOST HAVE NEVER BEEN HEARD OF AGAIN. THE ASIA WATCH/MLIHRC REPORT AND OTHER SOURCES SAY MOST OF THE RETURNEES AND THEIR FAMILIES WERE CATEGORIZED IN THE "WAVERING CLASS," WERE GIVEN POOR FOOD, CLOTHING, AND HOUSING, WERE SUBJECTED TO HARD LABOR, AND WERE TREATED WITH CONTEMPT. WHEN REPORTS OF THEIR HARSH TREATMENT BECAME KNOWN OVERSEAS, VOLUNTARY REPATRIATION DRIED UP. RECENT REPORTS SUGGEST THAT TREATMENT OF JAPANESE SPOUSES HAS IMPROVED, SINCE THEY HAVE ACCESS TO MUCH-NEEDED HARD CURRENCY.

NORTH KOREA HAS PERMITTED ENTRY TO SEVERAL THOUSAND OVERSEAS KOREAN RESIDENTS IN JAPAN, CHINA, NORTH AMERICA, AND ELSEWHERE TO VISIT THEIR RELATIVES. RECENTLY THE REGIME HAS GRANTED ENTRY TO GREATER NUMBERS OF OTHER VISITORS INCLUDING JOURNALISTS, TOURISTS, AND 15,000 FOREIGN PARTICIPANTS IN THE 13TH WORLD FESTIVAL OF YOUTH AND STUDENTS HELD IN PYONGYANG IN JULY 1989. VISITORS ARE CLOSELY MONITORED AND ITINERARIES ARE USUALLY FIXED, ALTHOUGH SOME VISITORS REPORTED THEY WERE ALLOWED TO WALK FREELY AROUND THE VICINITY OF THEIR HOTELS.

SECTION 3 RESPECT FOR POLITICAL RIGHTS: THE RIGHT OF CITIZENS TO CHANGE THEIR GOVERNMENT

THERE IS NO MECHANISM BY WHICH THE CITIZENRY CAN EFFECT TRANSITIONS IN LEADERSHIP OR CHANGES IN GOVERNMENT. THE POLITICAL SYSTEM IS COMPLETELY DOMINATED BY KIM IL SUNG AND HEIR-DESIGNATE KIM JONG IL. THE LEGISLATURE, THE SUPREME PEOPLE'S ASSEMBLY. WHICH MEETS ONLY A FEW DAYS A YEAR, HAS NEVER TAKEN ANY ACTION OTHER THAN UNANIMOUS

0037

PASSAGE OF RESOLUTIONS PRESENTED TO IT BY THE LEADERSHIP. IN AN EFFORT TO CREATE AN APPEARANCE OF DEMOCRACY, THE DPRK HAS CREATED SEVERAL "MINORITY PARTIES." THEY EXIST ONLY AS ROSTERS OF OFFICIALS WHO HAVE TOKEN REPRESENTATION IN THE PEOPLE'S ASSEMBLY AND COMPLETELY SUPPORT THE GOVERNMENT LINE.

FREE ELECTIONS DO NOT EXIST IN NORTH KOREA. ALTHOUGH ELECTIONS TO THE SUPREME PEOPLE'S ASSEMBLY WERE HELD IN NOVEMBER 1986, AND TO PROVINCIAL, CITY, AND COUNTY ASSEMBLIES IN NOVEMBER 1989, IN ALL CASES THE GOVERNMENT APPROVED ONLY ONE CANDIDATE IN EACH ELECTORAL DISTRICT. ACCORDING TO THE GOVERNMENT-CONTROLLED MEDIA, OVER 99 PERCENT OF THE VOTERS TURNED OUT TO ELECT 100 PERCENT OF THE APPROVED CANDIDATES. SUCH "ELECTIONS" ARE AN EXERCISE IN WHICH PEOPLE ARE FORCED TO PARTICIPATE AND TO APPROVE THE PARTY'S CANDIDATES. DESPITE THE LONG AND RIGOROUS SELECTION PROCESS FOR MEMBERSHIP IN THE KWP, MOST PARTY MEMBERS HAVE NO VOICE IN DECISIONMAKING, SERVING ONLY TO CARRY OUT THE DECREES PROMULGATED BY PARTY LEADER KIM IL SUNG AND HIS TOP SUBORDINATES.

SECTION 4 GOVERNMENTAL ATTITUDE REGARDING INTERNATIONAL AND NONGOVERNMENTAL INVESTIGATION OF ALLEGED VIOLATIONS OF HUMAN RIGHTS

NO ORGANIZATIONS EXIST WITHIN NORTH KOREA TO REPORT ON OR OBSERVE HUMAN RIGHTS VIOLATIONS. NORTH KOREA DOES NOT PARTICIPATE IN ANY INTERNATIONAL OR REGIONAL HUMAN RIGHTS ORGANIZATIONS.

THE GOVERNMENT HAS NOT ALLOWED AMNESTY INTERNATIONAL (AI), ASIA WATCH, THE MLIHRC, OR ANY OTHER INTERNATIONAL ORGANIZATION TO VISIT NORTH KOREA TO MONITOR HUMAN RIGHTS PRACTICES. A DPRK REPRESENTATIVE CALLED A PRELIMINARY VERSION OF THE ASIA WATCH/MLIHRC REPORT "FULL OF LIES AND FABRICATIONS," AND WARNED THAT IF IT WERE PUBLISHED, THE HUMAN RIGHTS ORGANIZATIONS WOULD "BE HELD FULLY RESPONSIBLE FOR ALL THE CONSEQUENCES ARISING THEREFROM."

SECTION 5 DISCRIMINATION BASED ON RACE, SEX. RELIGION, LANGUAGE, OR SOCIAL STATUS

THE CONSTITUTION STATES THAT "WOMEN HOLD EQUAL SOCIAL STATUS AND RIGHTS WITH MEN." HOWEVER, FEW WOMEN HAVE REACHED HIGH LEVELS OF THE PARTY OR THE GOVERNMENT. WOMEN ARE REPRESENTED PROPORTIONALLY IN THE LABOR FORCE, WITH THE EXCEPTION OF SMALL FACTORIES WHERE THE WORK FORCE IS PREDOMINANTLY FEMALE.

0038

THE REGIME DISCRIMINATES AGAINST THE PHYSICALLY HANDICAPPED. HANDICAPPED PERSONS, OTHER THAN WAR VETERANS, ARE REPORTEDLY NOT ALLOWED WITHIN THE CITY LIMITS OF PYONGYANG. ACCORDING TO THE ASIA WATCH/MLIHRC REPORT, AUTHORITIES CHECK FOR DEFORMITIES IN THE CAPITAL CITY EVERY 2 OR 3 YEARS AND REMOVE THE DISABLED, SOME OF THE ELDERLY, WIDOWS, AND THE SICK TO THE COUNTRYSIDE. THE DWARF COMMUNITY HAS BEEN BANISHED TO A REMOTE MOUNTAIN SETTLEMENT.

NOTHING IS KNOWN ABOUT THE EXTENT TO WHICH VIOLENCE AGAINST WOMEN IS PRACTICED OR TOLERATED.

NORTH KOREA IS A HOMOGENEOUS COUNTRY AND IS RELATIVELY DEVOID OF MINORITY GROUPS.

SECTION 6 WORKER RIGHTS

A. THE RIGHT OF ASSOCIATION

FREE LABOR UNIONS DO NOT EXIST IN NORTH KOREA. BECAUSE THE PARTY BY DEFINITION PURPORTS TO REPRESENT THE INTERESTS OF LABOR, TRADE UNIONS EXIST IN FORM ONLY. THERE IS A SINGLE LABOR FRONT, CALLED THE GENERAL FEDERATION OF TRADE UNIONS OF KOREA, WHICH IS AFFILIATED WITH THE COMMUNIST-CONTROLLED WORLD FEDERATION OF TRADE UNIONS. OPERATING UNDER THIS UMBRELLA, UNIONS FUNCTION ON THE CLASSICAL SOVIET MODEL, WITH RESPONSIBILITY FOR MOBILIZING WORKERS BEHIND PRODUCTIVITY GOALS AND STATE TARGETS, AND FOR THE PROVISION OF HEALTH, EDUCATION. CULTURAL, AND WELFARE FACILITIES. THEY DO NOT HAVE THE RIGHT TO STRIKE. NORTH KOREA IS NOT A MEMBER OF THE INTERNATIONAL LABOR ORGANIZATION.

B. THE RIGHT TO ORGANIZE AND BARGAIN COLLECTIVELY

WORKERS HAVE NO RIGHT TO ORGANIZE OR TO BARGAIN COLLECTIVELY.

C. PROHIBITION OF FORCED OR COMPULSORY LABOR

THERE IS NO PROHIBITION ON THE USE OF FORCED OR COMPULSORY LABOR. THE GOVERNMENT ROUTINELY USES MILITARY CONSCRIPTS FOR FORCED LABOR. AMNESTY INTERNATIONAL'S 1987 REPORT CITES REPORTS THAT SOME "POLITICAL PRISONERS" WERE ALLEGEDLY SENTENCED TO "CORRECTIVE LABOR" WHICH COULD BE SERVED AT A PERSON'S NORMAL WORKPLACE (WORKING FOR SOME OR NO WAGES) OR AT FARMS OR MINES IN AREAS WHERE CONDITIONS ARE VERY HARSH.

0039

D. MINIMUM AGE FOR EMPLOYMENT OF CHILDREN

NO DATA ARE AVAILABLE ON THE MINIMUM AGE FOR EMPLOYMENT OF CHILDREN.

E. ACCEPTABLE CONDITIONS OF WORK

NO DATA ARE AVAILABLE ON MINIMUM WAGES OR OCCUPATIONAL SAFETY AND HEALTH. WAGES ARE SET BY GOVERNMENT MINISTRIES. THE STATE ASSIGNS ALL JOBS; IDEOLOGICAL PURITY, RATHER THAN PROFESSIONAL COMPETENCE, IS THE PRIMARY STANDARD USED IN DECIDING WHO RECEIVES A PARTICULAR JOB. LABORERS HAVE NO INPUT INTO MANAGEMENT DECISIONS. ABSENCE FROM WORK WITHOUT A DOCTOR'S CERTIFICATE RESULTS IN A REDUCTION IN A WORKER'S RATIONS. THE CONSTITUTION STIPULATES A WORKDAY LIMITED TO 8 HOURS, BUT SEVERAL SOURCES REPORT THAT MOST LABORERS WORK 12 TO 16 HOURS DAILY. THE REGIME'S PROPAGANDA EUPHEMISTICALLY REFERS TO THESE EXTRA HOURS AS "PATRIOTIC LABOR" DONE ON A "VOLUNTARY" BASIS BY THE WORKERS.

THE UNITED STATES DOES NOT HAVE DIPLOMATIC RELATIONS WITH THE DEMOCRATIC PEOPLE'S REPUBLIC OF KOREA. NORTH KOREA FORBIDS REPRESENTATIVES OF GOVERNMENTS THAT DO HAVE RELATIONS WITH IT AS WELL AS JOURNALISTS AND OTHER INVITED VISITORS, THE FREEDOM OF MOVEMENT THAT WOULD ENABLE THEM TO ASSESS HUMAN RIGHTS CONDITIONS THERE. MOST OF THIS REPORT, THEREFORE, IS BASED ON INFORMATION OBTAINED OVER A PERIOD OF TIME EXTENDING FROM WELL BEFORE 1990. WHILE LIMITED IN SCOPE AND DETAIL, THE INFORMATION IS INDICATIVE OF THE HUMAN RIGHTS SITUATION IN NORTH KOREA TODAY.

0040

HUMAN RIGHTS REPORT - KOREA

REPUBLIC OF KOREA

THE REPUBLIC OF KOREA CONTINUED A TRANSITION FROM AUTHORITARIANISM TOWARDS DEMOCRACY AND OPENNESS BEGUN IN 1987; HOWEVER, ELEMENTS OF ITS AUTHORITARIAN PAST REMAINED. POWER REMAINED HIGHLY CENTRALIZED THOUGH LESS SO THAN IN PREVIOUS YEARS. SURVEILLANCE OF POLITICAL OPPONENTS BY SECURITY FORCES CONTINUED AS WELL AS DETENTIONS UNDER SWEEPING NATIONAL SECURITY LAWS. IN DECEMBER 1987, ROH TAE WOO BECAME KOREA'S FIRST DIRECTLY ELECTED PRESIDENT SINCE 1971. IN THE APRIL 1988 LEGISLATIVE ELECTIONS, THE THREE OPPOSITION PARTIES TOGETHER GAINED CONTROL OF THE NATIONAL ASSEMBLY. HOWEVER, IN JANUARY 1990, THE PRESIDENT'S PARTY AND TWO OF THE OPPOSITION PARTIES MERGED TO FORM A NEW RULING PARTY CONTROLLING MORE THAN TWO-THIRDS OF THE SEATS IN THE NATIONAL ASSEMBLY, PLUNGING KOREAN POLITICS INTO A PERIOD OF CONFRONTATION. IN JULY THE RULING PARTY RAILROADED SEVERAL CONTROVERSIAL BILLS THROUGH THE NATIONAL ASSEMBLY. THE OPPOSITION ASSEMBLYMEN RESPONDED BY RESIGNING, ONLY TO RETURN IN MID-NOVEMBER AFTER A 4-MONTH ABSENCE. DESPITE UNPRECEDENTED HIGH-LEVEL INTER-KOREAN TALKS IN 1990, NORTH KOREA REMAINED A MILITARY THREAT, AND TENSIONS ROOTED IN THE DIVISION OF THE KOREAN PENINSULA AND THE KOREAN WAR REMAINED STRONG.

IN 1990, AS IN 1989, KOREA'S POWERFUL SECURITY SERVICES WERE NOTICEABLY MORE ACTIVE THAN IN 1988. THE SECURITY SERVICES CONTINUED TO COLLECT INFORMATION ON A WIDE VARIETY OF PEOPLE, FROM OPPOSITION POLITICIANS TO STUDENT RADICALS AND LABOR ACTIVISTS. THE AUTHORITIES ALSO DETAINED A LARGE NUMBER OF SUCH PEOPLE WHO HELD VIEWS THE GOVERNMENT CONSIDERED DANGEROUS, OFTEN FAILING TO PRESENT WARRANTS AS REQUIRED BY LAW. DESPITE HIGH LEVELS OF TRAINING AND DISCIPLINE, THERE WERE CREDIBLE REPORTS OF THE USE OF EXCESSIVE FORCE BY POLICE. SUCH REPORTS INCREASED AFTER THE GOVERNMENT LAUNCHED A "WAR ON CRIME" IN THE FALL.

FTER 3 YEARS OF DOUBLE-DIGIT GROSS NATIONAL PRODUCT (GNP) GROWTH, THE KOREAN ECONOMY GREW MORE SLOWLY IN 1989 AND 1990. AFTER A SOLID FIRST-HALF PERFORMANCE THE GOVERNMENT PROJECTED REAL GNP GROWTH FOR 1990 AT 8 TO 9 PERCENT. NEVERTHELESS, RECENT EVENTS IN THE MIDDLE EAST, THE LIKELIHOOD THAT HIGHER OIL PRICES WILL INCREASE INFLATION, AND CONCERN ABOUT KOREA'S EXTERNAL ACCOUNTS, HAVE REKINDLED KOREAN CONCERNS ABOUT A POSSIBLE ECONOMIC SLOWDOWN. CONCERN OVER THE EFFECT OF LABOR-MANAGEMENT DISPUTES ON THE ECONOMY WAS ONE REASON FOR THE CRACKDOWN ON UNION ACTIVITY IN 1990. HOWEVER, CURBING INFLATION HAS BECOME THE GOVERNMENT'S TOP ECONOMIC POLICY PRIORITY. URBAN HOUSING SHORTAGES, CONTINUED HIGH LEVELS OF

RURAL MIGRATION TO THE CITIES, LABOR SHORTAGES, AND UNBALANCED REGIONAL DEVELOPMENT CONTINUE TO POSE PROBLEMS FOR THE KOREAN ECONOMY.

BASED ON GAINS MADE DURING THE WATERSHED YEARS OF 1987 AND 1988, KOREA TODAY IS A MORE TOLERANT AND OPEN SOCIETY THAN IT WAS IN THE MID-1980'S. DURING THESE 2 YEARS THE KOREAN PRESS BECAME FREER, AND THE JUDICIARY MORE INDEPENDENT; WORKERS ASSERTED THEIR RIGHT TO ORGANIZE UNIONS AND BARGAIN COLLECTIVELY. YET THE CONTINUING GAP BETWEEN DEMOCRATIC IDEALS AND ACTUAL PRACTICE WAS APPARENT IN THE CONTINUED ARREST OF DISSIDENTS, STUDENTS, AND WORKERS UNDER THE NATIONAL SECURITY LAW (NSL), THE LAW ON ASSEMBLY AND DEMONSTRATIONS, AND THE LABOR LAWS.

CREDIBLE CHARGES THAT PRISONERS WERE MISTREATED--IN BOTH POLITICAL AND NONPOLITICAL CASES CONTINUED. POLICE BROKE UP SEVERAL WILDCAT STRIKES, INCLUDING ONE AT KOREA'S LARGEST TELEVISION NETWORK. THE CONSTITUTIONAL COURT UPHELD THE NSL, ALTHOUGH THE COURT ALSO SAID IT SHOULD BE APPLIED ONLY IN CASES INVOLVING A REAL THREAT TO NATIONAL SECURITY. NEVERTHELESS, THE AUTHORITIES CONTINUED TO ARREST PEOPLE WHOSE VIEWS THEY CONSIDERED DANGEROUS. IN 1990, FOR THE FIRST TIME DURING THE SIXTH REPUBLIC, THE GOVERNMENT BROKE UP TWO GROUPS IT DESCRIBED AS "ANTISTATE ORGANIZATIONS," ARRESTING MORE THAN 60 PEOPLE IN THE PROCESS. IN OCTOBER A DRAFTEE REVEALED THAT A MILITARY INTELLIGENCE AGENCY WAS STILL COLLECTING INFORMATION ON A LARGE NUMBER OF CIVILIANS, IN SPITE OF REPEATED GOVERNMENT PLEDGES TO STOP THIS PRACTICE.

RESPECT FOR HUMAN RIGHTS

SECTION 1 - RESPECT FOR THE INTEGRITY OF THE PERSON, INCLUDING FREEDOM FROM:

A. POLITICAL AND OTHER EXTRAJUDICIAL KILLING

THERE WERE NO REPORTS OF POLITICAL KILLINGS, AND, UNLIKE IN PREVIOUS YEARS, NO REPORTS OF DEATHS IN OFFICIAL CUSTODY.

B. DISAPPEARANCE

THERE WERE NO DOCUMENTED CASES OF PERMANENT DISAPPEARANCE DURING 1990.

C. TORTURE AND OTHER CRUEL, INHUMAN, OR DEGRADING TREATMENT OR PUNISHMENT

CREDIBLE ALLEGATIONS OF CRUEL TREATMENT CONTINUED IN 1990. ALTHOUGH POLITICAL CASES GET THE MOST PUBLICITY, LAWYERS SAY THAT MISTREATMENT OF PEOPLE DETAINED OR ARRESTED FOR NONPOLITICAL CRIMES IS WIDESPREAD. THE ALLEGED MISTREATMENT

0042

REPORTEDLY INCLUDES ACUTE SLEEP DEPRIVATION, BEING FORCED TO STAND DURING LONG PERIODS OF QUESTIONING, VERBAL ABUSE, AND BEATINGS. TWO MEN ARRESTED ON CHARGES OF THEFT IN LATE SEPTEMBER CLAIMED THEY WERE MISTREATED AT A POLICE STATION. POLICE ADMITTED THE MEN WERE BEATEN WHILE UNDER INVESTIGATION.

AFTER THE GOVERNMENT DECLARED A "WAR ON CRIME" IN THE FALL, A GROWING NUMBER OF CRIMINAL SUSPECTS CHARGED THEY WERE SIMILARLY MISTREATED BY POLICE. A SURVEY OF 1,025 POLICE INSPECTORS FROM AROUND KOREA SHOWED THAT 75 PERCENT OF THEM SUPPORTED A PARTIAL RESTRICTION ON HUMAN RIGHTS IN DEALING WITH CRIMINALS, WHILE 48 PERCENT SAID THAT IF THEY STRONGLY BELIEVE THAT A SUSPECT IS GUILTY THEIR SUPERIOR OFFICERS WOULD TACITLY APPROVE "INFLICTING A LITTLE PAIN" TO GET A CONFESSION.

IN 1990 THE COURTS MADE SEVERAL RULINGS IN CASES INVOLVING TORTURE. IN JANUARY A SEOUL APPELLATE COURT RULED POLICE TORTURED A BUSINESSMAN TO FORCE HIM TO PAY MONEY TO A STATE-OWNED CORPORATION IN 1985. IN AUGUST AN APPEALS COURT REVERSED THE CONVICTIONS OF FOUR FORMER SENIOR POLICE OFFICERS, WHO HAD BEEN FOUND GUILTY OF COVERING UP THE TORTURE DEATH OF A STUDENT IN EARLY 1987. IN SEPTEMBER A SEOUL COURT SENTENCED A RETIRED MILITARY INVESTIGATOR TO 2 YEARS IN PRISON FOR TORTURING A NONCOMMISSIONED OFFICER DURING A 1983 INVESTIGATION INTO THE THEFT OF MILITARY PROPERTY. BY YEAR'S END THE COURT HAD NOT YET HANDED DOWN A VERDICT IN THE NEARLY 2-YEAR-OLD TRIAL OF FOUR POLICEMEN FOR TORTURING DISSIDENT KIM KUN TAE IN 1985. THE POLICE HAVE FAILED TO LOCATE A FIFTH SUSPECTED OFFICER WHO HAS BEEN ON THE RUN SINCE 1988. NO ACTION WAS REPORTED ON THIS CASE IN 1990.

THROUGHOUT THE YEAR STUDENTS AND POLICE CLASHED FREQUENTLY, EXCHANGING ROCKS, FIREBOMBS, AND TEAR GAS CANISTERS. IN GENERAL THE KOREAN POLICE HAVE SHOWN RESTRAINT AND DISCIPLINE, OFTEN IN THE FACE OF SEVERE PROVOCATION FROM FIREBOMB-THROWING DEMONSTRATORS. THERE WERE, HOWEVER, A NUMBER OF CREDIBLE REPORTS OF POLICE HITTING OR KICKING DEMONSTRATORS WHILE DETAINING THEM. IN FEBRUARY TWO REPORTERS COVERING AN ANTIGOVERNMENT RALLY WERE BEATEN BY PLAINCLOTHES POLICE. THEY DEMANDED AND RECEIVED AN APOLOGY FROM THE SEOUL CENTRAL DISTRICT POLICE CHIEF, BUT NO LEGAL ACTION WAS TAKEN AGAINST ANY POLICEMEN. ACCORDING TO THE MINISTRY OF JUSTICE, AN INVESTIGATION WAS DROPPED FOR LACK OF WITNESSES. POLICE ARE RARELY HELD ACCOUNTABLE FOR MISTREATING SUSPECTS.

CONDITIONS IN KOREAN PRISONS HAVE REPORTEDLY IMPROVED SOMEWHAT IN THE LAST FEW YEARS. MOST ACCUSATIONS OF MISTREATMENT INVOLVED PERSONS DETAINED FOR INVESTIGATION OR AWAITING TRIAL IN DETENTION FACILITIES, RATHER THAN THOSE WHO WERE ALREADY CONVICTED AND SERVING THEIR SENTENCES IN PRISON. HOWEVER, PRISONERS IN TAEGU AND PUSAN ASSERTED THAT THEY WERE BEATEN AND OTHERWISE MISTREATED, AND THEY CONDUCTED HUNGER STRIKES IN PROTEST.

0043

D. ARBITRARY ARREST, DETENTION, OR EXILE

UNDER THE ROH ADMINISTRATION, KOREANS ARE FREER TO CRITICIZE THE GOVERNMENT THAN IN THE PAST. HOWEVER, SEVERAL RESTRICTIVE LAWS PERMIT THE GOVERNMENT TO DETAIN PERSONS WHOSE VIEWS IT CONSIDERS DANGEROUS. THESE INCLUDE THE NSL, THE LAW ON ASSEMBLIES AND DEMONSTRATIONS, THE SOCIAL SURVEILLANCE LAW (SSL), AND LABOR LAWS. THE SSL, ENACTED IN 1989, CONTAINS PROVISIONS ALLOWING THE GOVERNMENT TO REIMPRISON FOR UP TO 2 YEARS PERSONS WHO HAVE SERVED THEIR SENTENCE AND ARE REQUIRED TO REPORT THEIR ACTIVITIES IN DETAIL TO THE AUTHORITIES BUT FAIL TO DO SO, HOWEVER, THERE ARE NO KNOWN INSTANCES IN WHICH ANYONE HAS BEEN JAILED UNDER THIS LAW FOR FAILING TO REPORT TO THE POLICE. ARTICLE 7 OF THE NSL PERMITS IMPRISONMENT OF PERSONS WHO "PRAISE, ENCOURAGE, OR COOPERATE WITH ANTISTATE ORGANIZATIONS OR THEIR MEMBERS OR PERSONS WHO RECEIVED ORDERS FROM THEM, OR BY OTHER METHODS BENEFIT ANTISTATE ORGANIZATIONS." BECAUSE NORTH KOREA HAS BEEN DEFINED AS AN "ANTISTATE ORGANIZATION," THIS SWEEPING ARTICLE HAS BEEN USED BY THE GOVERNMENT TO PROSECUTE DISSIDENTS ON THE GROUNDS THAT THEIR ACTIVITIES BENEFIT NORTH KOREA. (SEE ALSO SECTIONS 2.B. AND 6.A.)

ALTHOUGH THE GOVERNMENT ACKNOWLEDGED THE NEED TO AMEND THE NSL THE NATIONAL ASSEMBLY AGAIN FAILED TO DO SO IN 1990. IN APRIL THE CONSTITUTIONAL COURT RULED THE NSL WAS NOT UNCONSTITUTIONAL AS LONG AS IT WAS APPLIED ONLY IN CASES INVOLVING A REAL THREAT TO NATIONAL SECURITY. NONETHELESS THE GOVERNMENT FREQUENTLY USED THE NSL AGAINST DISSIDENTS, LABOR ACTIVISTS, AND ADVOCATES OF UNIFICATION WHOSE PLANS, IN THE GOVERNMENT'S VIEW, ECHO THOSE OF NORTH KOREA. IN LATE NOVEMBER, THE GOVERNMENT ANNOUNCED THAT 495 PEOPLE WERE ARRESTED UNDER THE NSL AND THE LAW ON ASSEMBLY AND DEMONSTRATIONS IN THE FIRST 9 MONTHS OF 1990. APPROXIMATELY 60 PERCENT OF THESE WERE INDICTED AND BROUGHT TO TRIAL, WHILE THE REST WERE RELEASED. THOUSANDS MORE WERE BRIEFLY DETAINED FOR LABOR ACTIVITIES ANTIGOVERNMENT DEMONSTRATIONS, OR EXPRESSING VIEWS SYMPATHETIC TO NORTH KOREA. MOST OF THESE WERE RELEASED WITHIN 24 HOURS.

IN AUGUST AND OCTOBER THE GOVERNMENT ARRESTED MORE THAN 60 MEMBERS AND PUT OUT WARRANTS FOR ANOTHER 150 MEMBERS OF THE "ADVANCED MASSES ORGANIZATION" AND THE "SOCIALIST WORKERS ALLIANCE" RESPECTIVELY, CHARGING THEM UNDER THE NSL WITH FORMING AN "ANTISTATE ORGANIZATION" AND INSTIGATING ILLEGAL DEMONSTRATIONS. THE DECLARATION IN EACH CASE THAT THE GOVERNMENT HAD BROKEN UP DOMESTIC ANTISTATE ORGANIZATIONS MARKED THE FIRST SUCH ANNOUNCEMENTS SINCE THE INCEPTION OF THE SIXTH REPUBLIC IN FEBRUARY 1988.

THE GOVERNMENT JUSTIFIES ITS BROAD SECURITY LAWS AND THE RESULTING RESTRICTIONS BY ARGUING THAT KOREA IS IN A "SPECIAL SITUATION." THE KOREAN WAR ENDED WITH THE SIGNING OF AN

0044

ARMISTICE, NOT A PEACE TREATY, AND NORTH KOREA REMAINS A FORMIDABLE THREAT. IN THE PAST NORTH KOREA HAS ATTEMPTED TO INSERT AGENTS INTO THE SOUTH OR MURDERED SOUTH KOREAN LEADERS. THE GOVERNMENT ASSERTS THAT UNAUTHORIZED ATTEMPTS TO CONTACT NORTH KOREA THREATEN THE GOVERNMENT'S EFFORTS TO ENSURE PEACEFUL REUNIFICATION ON THE BASIS OF DEMOCRACY AND RESPECT FOR HUMAN RIGHTS.

WARRANTS ARE REQUIRED BY LAW IN CASES OF ARREST DETENTION, SEIZURE, OR SEARCH, UNLESS A CRIMINAL IS APPREHENDED WHILE IN THE ACT OF COMMITTING A CRIME. HOWEVER, LAWYERS STATE THAT WARRANTS WERE NOT PRESENTED AT THE TIME OF DETENTION IN MANY CASES THROUGHOUT 1990. THE CONSTITUTION SPECIFICALLY PROVIDES THE RIGHT TO REPRESENTATION BY AN ATTORNEY, BUT IN PRACTICE ATTORNEYS ARE NOT ALLOWED TO BE PRESENT DURING INTERROGATION. IN JANUARY A SEOUL COURT THREW OUT SOME OF THE EVIDENCE AGAINST A DISSIDENT PAINTER, SAYING IT WAS EXTRACTED WHILE HE WAS DENIED ACCESS TO HIS LAWYER. IN MARCH THE SUPREME COURT RULED THAT DEFENSE LAWYERS HAVE THE RIGHT TO MEET THEIR CLIENTS AT ANY TIME. HOWEVER, LAWYERS CONTINUE TO SAY THAT IN NSL CASES THEY ARE RARELY PERMITTED ACCESS TO THEIR CLIENTS DURING THE INVESTIGATION PHASE, WHICH CAN LAST UP TO 50 DAYS.

THERE IS A FUNCTIONING SYSTEM OF BAIL IN KOREA BAIL WAS EVEN GRANTED IN SOME NSL CASES, SUCH AS THAT OF DISSIDENT ACTIVIST KIM YOUNG AE, WHO WAS FREED ON BAIL WHILE APPEALING HER CONVICTION UNDER THE NSL. THE RIGHT TO A JUDICIAL DETERMINATION OF THE LEGALITY OF A PERSON'S DETENTION WAS DELETED FROM THE CODE OF CRIMINAL CONDUCT IN 1973, PARTIALLY RESTORED IN 1980. AND THEN FULLY RESTORED IN LATE 1987.

E. DENIAL OF A FAIR PUBLIC TRIAL

THE CONSTITUTION PROVIDES DEFENDANTS A NUMBER OF RIGHTS IN CRIMINAL TRIALS, INCLUDING A PRESUMPTION OF INNOCENCE, PROTECTION AGAINST SELF-INCRIMINATION, FREEDOM FROM EX POST FACTO LAWS AND DOUBLE JEOPARDY, AND THE RIGHT TO A SPEEDY TRIAL. WHEN A PERSON IS PHYSICALLY DETAINED, HIS INITIAL TRIAL MUST BE COMPLETED WITHIN 6 MONTHS OF ARREST. THESE RIGHTS ARE GENERALLY OBSERVED. TRIALS ARE OPEN TO THE PUBLIC, BUT ATTENDANCE IS RESTRICTED WHEN THE JUDGE BELIEVES THE SPECTATORS WOULD SEEK TO DISRUPT THE PROCEEDINGS.

THE CHIEF JUSTICE AND THE OTHER JUSTICES OF THE SUPREME COURT ARE APPOINTED BY THE PRESIDENT WITH THE CONSENT OF THE NATIONAL ASSEMBLY FOR A TERM OF 6 YEARS. LOWER COURT JUSTICES ARE APPOINTED BY THE CHIEF JUSTICE WITH THE CONSENT OF THE OTHER JUSTICES. THE JUSTICES OF THE CONSTITUTIONAL COURT ARE APPOINTED BY THE PRESIDENT. THE NATIONAL ASSEMBLY, AND THE CHIEF JUSTICE WITH THE CONSENT OF THE NATIONAL ASSEMBLY.

JUDGES GENERALLY ALLOW CONSIDERABLE SCOPE FOR EXAMINATION OF

0045

WITNESSES BY BOTH THE PROSECUTION AND DEFENSE COUNSEL. THE RIGHT TO AN ATTORNEY IS FREQUENTLY IGNORED IN POLITICAL CASES UNTIL THE INITIAL INVESTIGATION IS COMPLETED. POLITICAL AND CRIMINAL CASES ARE TRIED BY THE SAME COURTS; MILITARY COURTS DO NOT TRY CIVILIANS. DEFENDANTS HAVE THE RIGHT OF APPEAL, AND APPEALS CAN RESULT IN REDUCED OR LENGTHENED SENTENCES. CONVICTIONS ARE RARELY OVERTURNED. DEATH SENTENCES ARE AUTOMATICALLY APPEALED.

ALTHOUGH HISTORICALLY THE EXECUTIVE BRANCH EXERCISED GREAT INFLUENCE ON JUDICIAL DECISIONS, THERE ARE INCREASING INDICATIONS OF JUDICIAL INDEPENDENCE IN RECENT YEARS. HOWEVER, THE JUDICIARY REMAINS SUBJECT TO EXECUTIVE INFLUENCE IN POLITICALLY SENSITIVE CASES. IN MAY THE MINISTRY OF JUSTICE DENIED AN ENTRY VISA TO A KOREAN-AMERICAN WHO HAD BEEN CALLED TO TESTIFY BY THE DEFENSE IN IM SU KYONG'S APPEALS CASE THE ROLE OF THE CONSTITUTIONAL COURT, WHICH BEGAN OPERATIONS IN 1988, CONTINUED TO GROW IN 1990. A COURT RULING IN THE SPRING LIMITED THE APPLICATION AND TIGHTENED EVIDENTIARY STANDARDS FOR HEARING CASES UNDER THE NSL.

IN FEBRUARY THE GOVERNMENT AMNESTIED 22 LONG-TERM "SECURITY" PRISONERS, ALL OF WHOM HAD ALREADY SERVED THE GREATER PART OF THEIR SENTENCES. AMONG THOSE CONDITIONALLY RELEASED WAS SUH SUNG, A WELL-KNOWN POLITICAL PRISONER MENTIONED IN PAST HUMAN RIGHTS REPORTS. ACCORDING TO KOREAN HUMAN RIGHTS GROUPS, 74 PRISONERS ARE SERVING LONG-TERM SENTENCES (10 YEARS OR MORE), MOSTLY ON CHARGES OF ESPIONAGE ON BEHALF OF NORTH KOREA. IT CANNOT BE DETERMINED HOW MANY OF THESE COULD BE AS OF MID-1990, LEADING KOREAN HUMAN RIGHTS GROUPS PUT THE NUMBER OF "POLITICAL" PRISONERS AT AROUND 1,300 UP FROM AN ESTIMATED 800 AT THE END OF 1989. HOWEVER, THESE GROUPS DEFINE A POLITICAL PRISONER AS ANYONE WHO HAS BEEN ARRESTED AS THE RESULT OF A POLITICALLY MOTIVATED ACT. THEREFORE, THEIR FIGURE INCLUDES PERSONS WHO COMMITTED ACTS OF VIOLENCE SUCH AS FIREBOMB ATTACKS ON GOVERNMENT FACILITIES. THE GOVERNMENT STATES THAT THERE ARE NO POLITICAL PRISONERS.

IT IS DIFFICULT TO ESTIMATE ACCURATELY THE NUMBER OF POLITICAL PRISONERS SINCE MANY PEOPLE ARE DETAINED AND THEN RELEASED WITHOUT CHARGES, OR CHARGED AND THEN RELEASED WITHOUT BEING TRIED. IT IS PARTICULARLY DIFFICULT TO DETERMINE WHETHER SOME PERSONS WERE ARRESTED FOR EXERCISING THE RIGHT OF FREE ASSOCIATION OR FOR VIOLENT ACTS DURING DEMONSTRATIONS OR ILLEGAL WILDCAT STRIKES. HOWEVER, IT APPEARS THAT AS OF FALL 1990, THE NUMBER OF POLITICAL PRISONERS BY INTERNATIONAL HUMAN RIGHTS STANDARDS IS IN THE HUNDREDS.

THE GOVERNMENT CONTINUED TO ARREST THOSE WHO MADE CONTACT WITH NORTH KOREA WITHOUT GOVERNMENT AUTHORIZATION. THREE ACTIVISTS WHO MET WITH A NORTH KOREAN OFFICIAL IN BERLIN WERE ARRESTED IN DECEMBER. ARTIST HONG SONG DAM WAS CONVICTED ON CHARGES OF

0046

ESPIONAGE. ONE OF THE CHARGES WAS THAT HONG LEAKED STATE SECRETS BY SENDING SLIDES OF ONE OF HIS PAINTINGS TO THE NORTH. LATE IN THE YEAR, HOWEVER, THE SUPREME COURT RULED THAT THE LOWER COURT'S DECISION WAS INCORRECT AND ORDERED A RETRIAL. DISSIDENT KIM H'ON CHANG WAS SENTENCED TO 7 YEARS IN PRISON UNDER THE NSL FOR CONTACTS WITH AN "ANTISTATE-ORGANIZATON OF KOREANS IN JAPAN. PROMINENT DISSIDENT KIM KEUN TAE WAS SENTENCED TO 3 YEARS IMPRISONMENT UNDER THE NSL AND THE LAW ON ASSEMBLIES AND DEMONSTRATIONS. ONE OF THE CHARGES KIM WAS CONVICTED FOR WAS "AIDING THE ENEMY" BY READING HIS ORGANIZATION'S CHARTER AT A RALLY. ALTHOUGH SOME 100,000 PEOPLE PARTICIPATED IN THE RALLIES, KIM WAS ONE OF ONLY A FEW CHARGED WITH NSL VIOLATIONS.

THE MOST HIGHLY PUBLICIZED NSL CASES OF 1989 INVOLVED THE ARREST OF FOUR PEOPLE, MOON IK HWAN, IM SU KYONG, MUN KYU HYON, AND SUH KYUNG WON, WHO TRAVELED TO NORTH KOREA WITHOUT SOUTH KOREAN GOVERNMENT PERMISSION. IN 1990 APPEALS COURTS CONFIRMED THEIR CONVICTIONS ALTHOUGH THEIR SENTENCES WERE REDUCED. MOON IK HWAN, 72 YEARS OLD, WAS RELEASED FROM PRISON IN OCTOBER BECAUSE OF ILL HEALTH. A STUDENT ORGANIZATION LEADER WAS SENTENCED TO 10 YEARS. IMPRISONMENT FOR HELPING TO ARRANGE IM'S TRIP AND FOR ORGANIZING A FARMERS' RALLY THAT TURNED VIOLENT.

THE GOVERNMENT CONTINUED TO MAINTAIN THAT IT MUST GRANT PRIOR APPROVAL TO ALL CONTACT WITH NORTH KOREA. ON JULY 20, PRESIDENT ROH PROPOSED TO ALLOW ANY SOUTH KOREAN TO VISIT NORTH KOREA DURING A 5-DAY HOLIDAY PERIOD. DISAGREEMENT WITH THE NORTH OVER PROCEDURES PREVENTED ANY VISITS. IN SPITE OF THIS, IM SU KYONG AND MUN KYU HYUN REMAIN IN PRISON FOR VISITING NORTH KOREA.

F. ARBITRARY INTERFERENCE WITH PRIVACY, FAMILY, HOME, OR CORRESPONDENCE

IN GENERAL, THE GOVERNMENT HONORS THE INTEGRITY OF THE HOME AND FAMILY. HOWEVER, MANY POLITICAL AND RELIGIOUS FIGURES ARE STILL SUBJECTED TO VARYING DEGREES OF GOVERNMENT SURVEILLANCE. IN OCTOBER A SOLDIER ASSIGNED TO THE DEFENSE SECURITY COMMAND (DSC) PROVIDED HUMAN RIGHTS GROUPS WITH A NUMBER OF COMPUTER DISKS LISTING SOME 1,300 PERSONS WHOSE ACTIVITIES THE DSC WAS MONITORING. THE LIST INCLUDED LEADING POLITICIANS, DISSIDENTS, ACADEMICS, JOURNALISTS, AND RELIGIOUS AND SOCIAL LEADERS. OPPOSITION ASSEMBLYMEN HAVE CREDIBLY CHARGED IN THE NATIONAL ASSEMBLY THAT TELEPHONE TAPPING AND THE OPENING OR INTERCEPTION OF CORRESPONDENCE ARE PREVALENT. IN SEPTEMBER THE PARENTS OF A STUDENT ACTIVIST FOUND A LISTENING DEVICE IN THEIR HOME. TWO DAYS LATER THEIR SON WAS DETAINED BY THE NATIONAL SECURITY PLANNING AGENCY (NSP) AND CHARGED WITH VIOLATING THE NSL. SECURITY OFFICIALS HAVE ADMITTED THAT THOUSANDS OF FORMER NSL DETAINEES REMAIN UNDER SURVEILLANCE.

0047

IN THE SPRING, RULING PARTY EXECUTIVE CHAIRMAN KIM YOUNG SAM COMPLAINED THAT THE NSP WAS HARASSING HIS POLITICAL ALLIES AND FINANCIAL SUPPORTERS. KIM CHARGED THAT HIS SUPPORTERS WERE SUBJECTED TO SURVEILLANCE AND SURPRISE TAX AUDITS. THERE WERE ALSO CREDIBLE REPORTS THAT THE NSP HARASSED FORMER RULING PARTY NATIONAL ASSEMBLYMAN CHUNG HO YONG WHEN HE TRIED TO RUN FOR REELECTION.

THE SECURITY PRESENCE IN CITY CENTERS, NEAR UNIVERSITY CAMPUSES, GOVERNMENT BUILDINGS, RULING PARTY OFFICES, AND MEDIA OUTLETS IS HEAVY. CITIZENS, PARTICULARLY STUDENTS AND YOUNG PEOPLE, ARE SOMETIMES STOPPED, QUESTIONED, AND SEARCHED. GOVERNMENT INFORMANTS ARE KNOWN TO BE POSTED ON AND AROUND UNIVERSITY CAMPUSES. IN OCTOBER A SOLDIER PROVIDED EVIDENCE THAT THE DEFENSE SECURITY COMMAND OPERATED A CAFE NEAR SEOUL NATIONAL UNIVERSITY, WHICH IT USED AS A LISTENING POST TO GATHER INFORMATION ON STUDENT ACTIVISM. THAT SAME MONTH, THE UNIVERSITY ADMINISTRATION ACKNOWLEDGED THAT UNIVERSITY VEHICLE PASSES WERE GIVEN TO MEMBERS OF THE INTELLIGENCE SERVICES.

PERSONS THOUGHT TO HAVE POLITICALLY SUSPECT BACKGROUNDS ARE STILL DENIED SOME FORMS OF EMPLOYMENT AND ADVANCEMENT, PARTICULARLY IN GOVERNMENT, THE BROADCAST MEDIA, AND EDUCATION. MANY HUMAN RIGHTS ACTIVISTS SAY THAT BIG CORPORATIONS STILL RETAIN AN INFORMAL SYSTEM OF BLACKLISTING POLITICAL "UNDESIRABLES."

SECTION 2 - RESPECT FOR CIVIL LIBERTIES, INCLUDING:

A. FREEDOM OF SPEECH AND PRESS

MOST POLITICAL DISCOURSE REMAINS UNRESTRICTED; HOWEVER, RESTRICTIONS ON THE EXPRESSION OF IDEAS WHICH THE GOVERNMENT CONSIDERS COMMUNIST OR PRO-NORTH KOREA REMAIN SEVERE, DESPITE PROVISIONS IN THE CONSTITUTION GUARANTEEING FREEDOM OF SPEECH. DIRECT CONTROL OVER THE PRINT MEDIA HAS VIRTUALLY DISAPPEARED. HOWEVER, THE GOVERNMENT CONTINUES TO APPLY THE NSL AGAINST PUBLISHERS, PRINTERS, AND DISTRIBUTORS WHO PRODUCE OR SELL "SUBVERSIVE" LITERATURE. THE NSL REMAINS THE GOVERNMENT'S MAIN WEAPON TO SUPPRESS DOMESTIC DISSENT AND TO INHIBIT UNAUTHORIZED EXCHANGES WITH NORTH KOREA. IN MIDYEAR THE PROSECUTOR GENERAL'S OFFICE ANNOUNCED THAT IN 1988 AND 1989 COURTS LISTED 529 PUBLICATIONS AS "AIDING THE CAUSE OF THE ENEMY." THE AUTHORITIES ARRESTED PEOPLE ON CHARGES OF PRODUCING OR SELLING SUBVERSIVE. PRO-NORTH KOREAN LITERATURE THROUGHOUT THE YEAR.

LISTENING TO NORTH KOREAN RADIO IS ILLEGAL IF THE AUTHORITIES JUDGE IT IS FOR THE PURPOSE OF "BENEFITING THE ANTISTATE ORGANIZATION," I.E., NORTH KOREA. READING OR PURVEYING BOOKS OR OTHER LITERATURE CONSIDERED TO BE SUBVERSIVE, PRO-COMMUNIST OR PRO-NORTH KOREAN IS ALSO ILLEGAL. A MAGAZINE PUBLISHER WAS

0048

CONVICTED UNDER THE NSL OF PRINTING AN ARTICLE WHICH "DEFAMED" THE PRESIDENT, AND A POET AND HIS PUBLISHER WERE CONVICTED OF PRINTING A POEM "GLORIFYING NORTH KOREA." SEVERAL STUDENT EDITORS WERE ARRESTED FOR PUBLISHING ARTICLES ABOUT THE NORTH KOREAN JUCHE IDEOLOGY IN THEIR COLLEGE PAPERS. A GROUP OF DISSIDENT PUBLISHERS CLAIMED POLICE CONFISCATED 81,000 VOLUMES DURING 38 RAIDS ON PUBLISHERS AND BOOKSTORES DURING THE FIRST HALF OF 1990. THEY ALSO CLAIMED THAT 77 PEOPLE WERE ARRESTED SINCE 1987 FOR PRINTING AND DISTRIBUTING MATERIAL PRAISING COMMUNISM OR SUPPORTING NORTH KOREA, AS OPPOSED TO 13 SUCH ARRESTS IN THE 1982-1986 PERIOD.

DESPITE THE RESTRICTIONS ON THE PRODUCTION OR SALE OF "SUBVERSIVE" LITERATURE, THE GOVERNMENT HAS ALLOWED, WITHIN ITS GUIDELINES, AN INCREASE IN MEDIA COVERAGE OF NORTH KOREA. BOTH TELEVISION NETWORKS BROADCAST, ON A WEEKLY BASIS, EDITED VERSIONS OF NORTH KOREAN TELEVISION PROGRAMS, AND EDITORS OF THE U.S. EDITIONS OF TWO KOREAN DAILIES HAVE PUBLISHED REPORTS OF THEIR VISITS TO NORTH KOREA IN THEIR KOREAN SISTER PAPERS. THE GOVERNMENT HAS ALSO ALLOWED SOMEWHAT WIDER PUBLIC ACCESS TO SELECTED NORTH KOREAN PUBLICATIONS.

THE MOVE TO UNIONIZE MEDIA COMPANIES THROUGHOUT THE COUNTRY, BEGUN IN 1988, CONTINUED TO BE A MAJOR SOURCE OF CONFLICT IN KOREAN NEWSPAPER AND BROADCAST ORGANIZATIONS. ALL MAJOR NEWSPAPERS AND BROADCASTING CORPORATIONS IN SEOUL NOW HAVE LABOR UNIONS. DESPITE INDIRECT GOVERNMENT OWNERSHIP OF THE TWO KOREAN TELEVISION NETWORKS, THE ELECTRONIC MEDIA HAVE MOVED TOWARD A RELATIVELY NEUTRAL POLITICAL STANCE, WHILE STILL REMAINING LESS INDEPENDENT THAN THE PRINT MEDIA. BEHIND THIS TREND, IN PART, LIES THE INCREASING IMPORTANCE OF LABOR UNIONS IN THE BROADCASTING INDUSTRY. IN APRIL THE KOREAN BROADCASTING SYSTEM (KBS) LABOR UNION WENT OUT ON STRIKE IN PROTEST OF THE GOVERNMENT.S CHOICE OF A NEW COMPANY PRESIDENT. THE GOVERNMENT SUBSEQUENTLY ORDERED RIOT POLICE TO BREAK UP THE STRIKE. AT YEAR'S END THERE WAS STILL A POLICE PRESENCE IN FRONT OF KBS. IN AUGUST THE FEDERATION OF MEDIA WORKERS' UNIONS WON A VICTORY WHEN A SEOUL COURT RULED THAT THE GOVERNMENT HAD MISUSED A PORTION OF THE LABOR UNION LAW WHEN IT REFUSED TO REGISTER THE FEDERATION.

THE GOVERNMENT CONTINUED TO LIMIT ACADEMIC FREEDOM, BOTH DIRECTLY AND INDIRECTLY. PROFESSORS AND UNIVERSITY ADMINISTRATORS ARE EXPECTED TO PLAY AN ACTIVE ROLE IN PREVENTING CAMPUS DEMONSTRATIONS. THERE IS WIDESPREAD SENTIMENT FOR GREATER UNIVERSITY AUTONOMY. THERE IS ALSO A THREAT TO ACADEMIC FREEDOM FROM RADICAL LEFTIST STUDENTS WHO ATTACK THE PERSON OR PROPERTY OF PROFESSORS WHOSE LECTURES OR WRITINGS CONTRADICT THE STUDENTS. IDEOLOGY.

0049

B. FREEDOM OF PEACEFUL ASSEMBLY AND ASSOCIATION

MOST PEACEFUL, NONPOLITICAL ASSEMBLIES TAKE PLACE ENTIRELY WITHOUT OFFICIAL SUPERVISION OR RESTRICTION. THE LAW ON ASSEMBLY AND DEMONSTRATIONS PROHIBITS ASSEMBLIES CONSIDERED LIKELY TO "UNDERMINE" PUBLIC ORDER, AND REQUIRES THAT DEMONSTRATIONS OF ALL TYPES INCLUDING POLITICAL RALLIES, BE REPORTED IN ADVANCE TO THE POLICE. THE GOVERNMENT CONTINUED TO USE THESE AND OTHER RESTRICTIVE LAWS TO PROSECUTE PROTEST ORGANIZERS AND TO BLOCK MANY GATHERINGS ORGANIZED BY DISSIDENTS AND PARTICULARLY STUDENTS, ARGUING THAT THEY MIGHT INCITE "SOCIAL UNREST" AND ARE THEREFORE ILLEGAL. POLICE USUALLY TRY TO PREVENT STUDENT DEMONSTRATIONS FROM MOVING OFF CAMPUSES INTO THE STREETS, AND CONFRONTATIONS FREQUENTLY ENSUE. THESE CLASHES OFTEN INVOLVE VIOLENCE ON BOTH SIDES.

C. FREEDOM OF RELIGION

THERE IS NO STATE RELIGION. FULL FREEDOM PREVAILS FOR PROSELYTIZING, DOCTRINAL TEACHING, AND CONVERSION. KOREA BOTH SENDS AND RECEIVES MISSIONARIES OF VARIOUS FAITHS AND MANY RELIGIOUS GROUPS IN KOREA MAINTAIN ACTIVE LINKS WITH MEMBERS OF SIMILAR FAITHS IN OTHER COUNTRIES. THE GOVERNMENT AND THE PUBLIC DO NOT DISCRIMINATE AGAINST MINORITY SECTS. ADHERENCE TO A PARTICULAR FAITH CONFERS NEITHER ADVANTAGES NOR DISADVANTAGES IN CIVIL, MILITARY, OR OFFICIAL LIFE.

CHURCHES AND RELIGIOUS GROUPS ARE SUBJECT TO MOST OF THE RESTRICTIONS ON POLITICAL ACTIVITIES THAT APPLY TO OTHER INSTITUTIONS. MANY OF THE MOST VOCAL AND WELL-ORGANIZED CRITICS OF GOVERNMENT POLICIES ON SECULAR ISSUES ARE RELIGIOUS GROUPS, INCLUDING CATHOLICS PROTESTANTS, AND BUDDHISTS. CHURCH BUILDINGS AND GROUNDS ARE SOMETIMES USED AS A REFUGE BY DEMONSTRATORS DURING CLASHES WITH POLICE. WHILE THE POLICE GENERALLY RESPECT THE PRINCIPLE OF SANCTUARY, POLICE HAVE ENTERED CHURCH BUILDINGS IN ORDER TO CONFRONT STUDENTS, DISSIDENTS, OR TRADE UNIONISTS. IN MAY POLICE CHASED DEMONSTRATORS INTO A CHURCH IN CHONJU. THE SECOND FLOOR OF THE CHURCH SUFFERED DAMAGE IN THE ENSUING SCUFFLE. SHORTLY AFTER THIS INCIDENT, THE OFFICER IN CHARGE OF THE POLICE UNIT INVOLVED WAS SUSPENDED.

D. FREEDOM OF MOVEMENT WITHIN THE COUNTRY, FOREIGN TRAVEL, EMIGRATION, AND REPATRIATION

THERE IS UNIVERSAL FREEDOM OF MOVEMENT AND FREEDOM TO CHANGE EMPLOYMENT WITHIN THE COUNTRY. IN 1989 THE GOVERNMENT DROPPED ALL AGE RESTRICTIONS ON FOREIGN TRAVEL. PREVIOUSLY THESE RESTRICTIONS HAD PREVENTED MOST YOUNG AND MIDDLE-AGED PEOPLE FROM GOING OVERSEAS. THE REQUIREMENT TO OBTAIN PERMISSION TO TRAVEL TO SEVERAL FORMER COMMUNIST COUNTRIES WAS LIFTED IN APRIL. TRAVEL TO NORTH KOREA IS ALLOWED ONLY WITH GOVERNMENT

0050

APPROVAL. POLITICAL OPPONENTS ARE SOMETIMES BANNED FROM OVERSEAS TRAVEL, EVEN IF THEY ARE NOT BEING SOUGHT BY THE AUTHORITIES FOR THE COMMISSION OF A CRIME. IN AUGUST THE MINISTRY OF JUSTICE BANNED 30 DISSIDENTS FROM TRAVELING ABROAD IN ORDER TO PREVENT THEM FROM PARTICIPATING IN A CONFERENCE ORGANIZED BY THE NORTH.

SECTION 3 - RESPECT FOR POLITICAL RIGHTS: THE RIGHT OF CITIZENS TO CHANGE THEIR GOVERNMENT

THE KOREAN PEOPLE HAVE THE RIGHT TO ELECT THEIR OWN GOVERNMENT. IN 1987 THEY CHOSE THEIR PRESIDENT IN AN OPEN ELECTION. IN 1988 LEGISLATIVE ELECTIONS, THEY ELECTED AN OPPOSITION MAJORITY IN THE NATIONAL ASSEMBLY. IN JANUARY 1990 THE PRESIDENT'S PARTY SUDDENLY MERGED WITH TWO OF THE THREE OPPOSITION PARTIES, CREATING A NEW PARTY WHICH HELD TWO-THIRDS OF THE SEATS IN THE NATIONAL ASSEMBLY. THE THREE PARTIES ARGUED THE MERGER WAS NECESSARY TO PRESERVE POLITICAL STABILITY. THE REMAINING OPPOSITION PARTY DENOUNCED THE MERGER AS AN UNDEMOCRATIC NEGATION OF THE PEOPLE'S WILL AS EXPRESSED IN THE 1988 GENERAL ELECTION.

FOLLOWING THE MERGER, KOREAN POLITICS ENTERED A PERIOD OF CONFRONTATION. IN JULY THE GOVERNMENT RAMMED SEVERAL CONTROVERSIAL BILLS THROUGH THE NATIONAL ASSEMBLY WITHOUT MEMBERS OF THE LEGISLATURE SUBMITTED THEIR RESIGNATIONS IN PROTEST. THE SHOWDOWN BETWEEN THE RULING AND OPPOSITION CAMPS LEFT THE ASSEMBLY IN A STATE OF VIRTUAL PARALYSIS UNTIL THE OPPOSITION ENDED ITS BOYCOTT IN MID-NOVEMBER.

THE CONSTITUTION, AS AMENDED IN 1987, PROVIDES FOR THE DIRECT ELECTION OF THE PRESIDENT AND FOR A MIXED SYSTEM OF DIRECT AND PROPORTIONAL ELECTION OF LEGISLATORS. THE PRESIDENT SERVES A SINGLE 5-YEAR TERM AND MAY NOT BE REELECTED. THE ASSEMBLY'S TERM IS 4 YEARS. THE NEW CONSTITUTION STRIPS THE PRESIDENT OF HIS POWER TO DISSOLVE THE ASSEMBLY. THERE IS UNIVERSAL SUFFRAGE FOR ALL CITIZENS AGED 20 OR ABOVE, AND ELECTIONS ARE HELD BY SECRET BALLOT.

POLITICAL POWER HAS TRADITIONALLY BEEN CENTERED IN THE PERSON OF THE PRESIDENT, STRONGLY SUPPORTED BY THE MILITARY AND SECURITY AGENCIES. THE SITUATION BEGAN TO CHANGE, HOWEVER, WHEN THE THREE OPPOSITION PARTIES WON A MAJORITY IN THE NATIONAL ASSEMBLY IN THE APRIL 1988 GENERAL ELECTION. THIS CHECK ON GOVERNMENT POWER WAS DIMINISHED BY THE POLITICAL PARTIES. MERGER IN JANUARY, WHICH GAVE THE RULING PARTY A SECURE MAJORITY IN THE ASSEMBLY. FOLLOWING THE MERGER, THE RULING PARTY BEGAN TO HINT IT FAVORED A CHANGE TO A PARLIAMENTARY SYSTEM OF GOVERNMENT. IN MID-NOVEMBER, HOWEVER, THE RULING PARTY ANNOUNCED THAT FOR THE TIME BEING IT WAS GIVING UP PLANS TO REVISE THE CONSTITUTION.

0051

A LOCAL AUTONOMY LAW WAS PASSED IN DECEMBER. AND LOCAL ELECTIONS ARE PLANNED FOR EARLY 1991. FOR REASONS OF CULTURE AND DISCRIMINATION. WOMEN OCCUPY FEW POSITIONS IN GOVERNMENT, BIG BUSINESS, AND THE PROFESSIONS. THERE ARE CURRENTLY 6 WOMEN IN THE 299-SEAT LEGISLATURE, ALL OF WHOM WERE APPOINTED TO PROPORTIONAL REPRESENTATION SEATS BASED ON THEIR PARTY'S SHOWING IN THE 1988 ELECTIONS. THE SECOND MINISTER FOR POLITICAL AFFAIRS IS THE ONLY WOMAN IN THE CABINET. HER MINISTRY IS IN CHARGE OF WOMEN'S AFFAIRS.

SECTION 4 - GOVERNMENTAL ATTITUDE REGARDING INTERNATIONAL AND NONGOVERNMENTAL INVESTIGATION OF ALLEGED VIOLATIONS OF HUMAN RIGHTS

THE NATIONAL ASSEMBLY AND THE MAJOR POLITICAL PARTIES ALL HAVE COMMITTEES CONCERNED WITH VARIOUS ASPECTS OF HUMAN RIGHTS. IN ADDITION. SEVERAL NONAFFILIATED PRIVATE ORGANIZATIONS ARE ACTIVE IN PROMOTING HUMAN RIGHTS. CHIEF AMONG THESE GROUPS ARE THE LAWYERS GROUP FOR A DEMOCRATIC SOCIETY, THE HUMAN RIGHTS COMMITTEE OF THE KOREAN NATIONAL COUNCIL OF CHURCHES, THE CATHOLIC PRIESTS' COMMITTEE FOR JUSTICE AND PEACE, THE KOREAN BAR ASSOCIATION, "MINGAHYOP"--AN ASSOCIATION OF THE FAMILIES OF POLITICAL PRISONERS, AND THE KOREAN LEGAL AID CENTER FOR FAMILY RELATIONS. THESE GROUPS PUBLISH REPORTS ON THE HUMAN RIGHTS SITUATION IN KOREA AND MAKE THEIR VIEWS KNOWN BOTH INSIDE AND OUTSIDE THE COUNTRY. SOME HUMAN RIGHTS ACTIVISTS HAVE ALLEGED GOVERNMENT HARASSMENT AND SURVEILLANCE.

WHILE THE GOVERNMENT DOES NOT WELCOME OUTSIDE INVOLVEMENT WITH RESPECT TO HUMAN RIGHTS, GOVERNMENT AND RULING PARTY OFFICIALS HAVE GENERALLY BEEN WILLING TO MEET WITH INTERNATIONAL HUMAN RIGHTS GROUPS, INCLUDING GROUPS FROM ASIA WATCH AND AMNESTY INTERNATIONAL. IN ADDITION, FOREIGN HUMAN RIGHTS GROUPS HAVE BEEN ALLOWED TO OBSERVE ELECTIONS, AND THE GOVERNMENT HAS REGULARLY DISCUSSED HUMAN RIGHTS WITH FOREIGN DIPLOMATS.

SECTION 5 - DISCRIMINATION BASED ON RACE, SEX, RELIGION, LANGUAGE, OR SOCIAL STATUS

THE REPUBLIC OF KOREA IS A DENSELY POPULATED AND RACIALLY HOMOGENEOUS COUNTRY. THERE ARE NO ETHNIC MINORITIES OF SIGNIFICANT SIZE. NONETHELESS, REGIONAL RIVALRIES EXIST IN KOREA. PERSONS FROM THE SOUTHWESTERN REGION (NORTH AND SOUTH CHOLLA PROVINCES) HAVE TRADITIONALLY FACED DISCRIMINATION. MANY KOREANS BELIEVE THAT SUCCESSIVE GOVERNMENTS LED BY FIGURES FROM THE SOUTHEASTERN REGION (NORTH AND SOUTH KYONGSANG PROVINCES) HAVE DELIBERATELY NEGLECTED THE ECONOMIC DEVELOPMENT OF THE CHOLLA PROVINCES FOR POLITICAL REASONS.

KOREA'S CONSERVATIVE CONFUCIAN TRADITION HAS LEFT WOMEN SUBORDINATE TO MEN SOCIALLY, ECONOMICALLY, AND LEGALLY. SOME PROGRESS HAS BEEN MADE SINCE THE FOUNDING OF THE REPUBLIC:

0052

WOMEN CAN AND DO VOTE, BECOME GOVERNMENT OFFICIALS, AND HOLD ELECTED OFFICE (SEE SECTION 3). WOMEN ENJOY FULL ACCESS TO EDUCATIONAL OPPORTUNITIES. HOWEVER, THE VESTIGES OF CONFUCIAN TRADITIONS REMAIN IN MANY AREAS. MOST MARRIED WOMEN DO NOT WORK OUTSIDE THE HOME. IN LARGE COMPANIES WOMEN ARE OFTEN EXPECTED TO RESIGN UPON MARRIAGE, OR NO LATER THAN THE BIRTH OF THEIR FIRST CHILD.

LAWS PROVIDING FOR EQUAL OPPORTUNITY IN THE WORKPLACE DO EXIST. THE NATIONAL ASSEMBLY ENACTED AN EQUAL EMPLOYMENT OPPORTUNITY (EEO) LAW IN 1988. THE LAW CONDEMNS SEXUAL DISCRIMINATION IN HIRING AND WAGES, AND CALLS FOR IMPROVED WORKING CONDITIONS FOR WOMEN, INCLUDING NO NIGHT WORK AND LIMITS ON OVERTIME. SO FAR, HOWEVER, THE LAW HAS HAD ONLY LIMITED PRACTICAL EFFECT. IN MARCH FOUR COMPANIES WERE INDICTED UNDER THE EEO LAW ON CHARGES OF REFUSING TO TAKE APPLICATIONS FROM WOMEN FOR JOB OPENINGS THEY HAD ADVERTISED.

THE TRADITIONAL PREFERENCE FOR MALE CHILDREN CONTINUES IN KOREA TODAY. AS A RESULT, A SHORTAGE OF FEMALE BABIES IS DEVELOPING. IT IS ESTIMATED THAT WHEN TODAY'S CHILDREN REACH MARRYING AGE THERE WILL BE 400,000 SURPLUS BACHELORS. ALTHOUGH KOREAN LAW BANS GENDER TESTING AND ABORTIONS EXCEPT WHEN THE WOMAN'S LIFE IS IN DANGER, FETAL GENDER TESTING AND ABORTION OF FEMALE FETUSES ARE WIDELY PERFORMED. EARLY IN 1990 THE GOVERNMENT BEGAN A CAMPAIGN AGAINST THESE PRACTICES. AS OF OCTOBER, THE GOVERNMENT SUSPENDED THE LICENSES OF SEVEN DOCTORS (FOR A MAXIMUM OF 7 MONTHS) AND WARNED THREE OTHERS.

KOREA'S AMENDED FAMILY LAW WENT INTO EFFECT ON JANUARY 1, NEW AMENDMENTS PERMIT WOMEN, AS WELL AS MEN TO HEAD A HOUSEHOLD, RECOGNIZE A WIFE'S RIGHT TO A PORTION OF THE COUPLE'S PROPERTY, AND ALLOW A WOMAN TO MAINTAIN GREATER CONTACT WITH HER OFFSPRING AFTER A DIVORCE. THE EFFECT OF THE REVISED LAW ON ACTUAL PRACTICE IS STILL UNCERTAIN. FOR INSTANCE, ALTHOUGH DISCRIMINATION IN THE DISTRIBUTION OF INHERITED PROPERTY HAS BEEN LEGALLY ABOLISHED, IT CONTINUES TO BE WIDESPREAD IN PRACTICE.

THE REVISED FAMILY LAW CONTAINS NO EXPRESS PROVISIONS REGARDING WIFE ABUSE. THERE ARE NO RELIABLE STATISTICS ON THIS PHENOMENON. ALTHOUGH THERE IS A TELEPHONE HOT LINE FOR ABUSED WOMEN, THERE ARE FEW SHELTERS. ALTHOUGH A WOMAN COULD FILE FOR DIVORCE BECAUSE OF ABUSE BEFORE THE AMENDMENT OF THE FAMILY LAW, A DIVORCED WIFE LOST HER PARENTAL RIGHTS TO HER CHILDREN. THIS, COUPLED WITH THE FACT THAT EMPLOYMENT OPPORTUNITIES FOR WOMEN ARE LIMITED AND DIVORCED WOMEN HAVE DIFFICULTY REMARRYING, LED SOME WOMEN TO STAY IN ABUSIVE SITUATIONS.

ALTHOUGH OTHER TYPES OF VIOLENT CRIMES ARE DIRECTED AGAINST WOMEN, RELIABLE DATA ON THEIR PREVALENCE ARE NOT AVAILABLE. A NUMBER OF CASES HAVE SURFACED INVOLVING WOMEN BEING KIDNAPED

0053

AND SOLD INTO PROSTITUTION. ALTHOUGH THE GOVERNMENT PROFESSES THAT THE ISSUE OF CRIMES AGAINST WOMEN IS ONE OF ITS TOP LAW AND ORDER PRIORTIES A NUMBER OF FEMALE KIDNAP VICTIMS HAVE COMPLAINED THAT THE POLICE WERE UNHELPFUL OR UNSYMPATHETIC TO THEIR ATTEMPTS TO ESCAPE FROM THEIR ABDUCTORS.

SECTION 6 - WORKER RIGHTS.

A. THE RIGHT OF ASSOCIATION

THE CONSTITUTION GIVES WORKERS THE RIGHT TO FREE ASSOCIATION, WITH THE EXCEPTION OF MOST PUBLIC SERVICE EMPLOYEES. WHEN A NEW UNION IS FORMED, IT MUST NOTIFY THE GOVERNMENT. IN AT LEAST ONE CASE, HOWEVER, THE GOVERNMENT REFUSED TO REGISTER A UNION GROUP BECAUSE IT DID NOT LIST AFFILIATION WITH THE COUNTRY'S ONLY LEGAL LABOR CONFEDERATION, THE FEDERATION OF KOREAN TRADE UNIONS (FKTU). AS OF THE FALL OF 1990, NEARLY 2 MILLION WORKERS, OR ABOUT 22 PERCENT OF THE CIVILIAN WORK FORCE, WERE UNIONIZED. ONLY ONE UNION IS PERMITTED AT EACH PLACE OF WORK, AND THERE IS NO MINIMUM NUMBER OF MEMBERS REQUIRED TO FORM A UNION. COMPANIES HAVE IN THE PAST TAKEN ADVANTAGE OF THIS PROVISION OF THE LAW TO FORM SMALL. COMPANY-CONTROLLED UNIONS, WHICH LABOR ORGANIZERS HAVE OFTEN FOUND DIFFICULT TO REPLACE WITH MORE REPRESENTATIVE UNIONS.

STRIKES ARE PROHIBITED IN GOVERNMENT AGENCIES, STATE-RUN ENTERPRISES, AND DEFENSE INDUSTRIES. BY LAW, ENTERPRISES IN PUBLIC INTEREST SECTORS SUCH AS PUBLIC TRANSPORTATION, UTILITIES, PUBLIC HEALTH, BANKING, BROADCASTING, AND COMMUNICATIONS MUST SUBMIT TO GOVERNMENT-ORDERED ARBITRATION IN LIEU OF STRIKING. THE LABOR DISPUTE ADJUSTMENT ACT REQUIRES UNIONS TO NOTIFY THE MINISTRY OF LABOR OF THEIR INTENTION TO STRIKE AND MANDATES A 10-DAY "COOLING-OFF PERIOD" BEFORE A STRIKE CAN LEGALLY BEGIN. THE COOLING-OFF PERIOD IS 15 DAYS IN PUBLIC INTEREST SECTORS. IN JANUARY THE GOVERNMENT ANNOUNCED A CRACKDOWN ON "ILLEGAL LABOR PRACTICES" AS PART OF A TOUGHER STAND ON LABOR DISPUTES. MEASURES INCLUDED THE USE OF POLICE INTERVENTION.

THE NATIONAL ASSEMBLY DID NOT MAKE ANY SIGNIFICANT CHANGES IN KOREA'S LABOR LAWS DURING 1990. IN FACT, SINCE THE INAUGURATION OF THE SIXTH REPUBLIC IN 1988, THE GOVERNMENT AND NATIONAL ASSEMBLY HAVE HAD LITTLE SUCCESS AGREEING ON REFORMS THAT WOULD IMPROVE THE LEGAL FRAMEWORK FOR LABOR-MANAGEMENT RELATIONS, WHICH REMAIN LITTLE CHANGED FROM THE FIFTH REPUBLIC.

THE FKTU HAS APPROXIMATELY 2 MILLION MEMBERS. IT IS AFFILIATED WITH THE INTERNATIONAL CONFEDERATION OF FREE TRADE UNIONS. MOST OF THE FKTU'S CONSTITUENT UNIONS MAINTAIN AFFILIATIONS WITH INTERNATIONAL TRADE SECRETARIATS. LESS THAN 10 PERCENT OF UNIONIZED LABOR BELONGS TO UNIONS WHICH ARE NOT AFFILIATED WITH THE FKTU.

IN JANUARY SOME OF THE NON-FKTU UNIONS BANDED TOGETHER TO FORM THE "NATIONAL ASSOCIATION OF TRADE UNIONS," KNOWN IN KOREAN AS "CHONNOHYOP." THE GOVERNMENT HAS TAKEN A VERY HARD LINE AGAINST CHONNOHYOP, WHICH IT DESCRIBES AS A RADICAL ORGANIZATION. AS A FIRST STEP, THE GOVERNMENT INSTITUTED "ADMINISTRATIVE" INVESTIGATIONS OF 160 UNIONS AFFILIATED WITH CHONNOHYOP. THE GOVERNMENT ALSO ARRESTED CHONNOHYOP'S PRESIDENT AND MANY OF CHONNOHYOP'S NATIONAL AND REGIONAL LEADERS. ACCORDING TO CHONNOHYOP, 364 WORKERS WERE ARRESTED DURING THE FIRST 5 MONTHS OF 1990. ANOTHER 134 WERE ON THE POLICE WANTED LIST, WHILE 224 WERE PROCESSED THROUGH SUMMARY COURTS FOR MINOR OFFENSES.

ANOTHER GROUP OF UNIONS, OUTSIDE BOTH THE FKTU AND CHONNOHYOP, ARE THE EMERGING CRAFTS UNIONS, INCLUDING JOURNALISTS, HOSPITAL WORKERS CONSTRUCTION WORKERS, AND TEACHERS. SOME OF THESE CRAFT FEDERATIONS HAVE BEGUN TO MOVE TOWARD AFFILIATION WITH INTERNATIONAL TRADE SECRETARIATS. IN 1990 THE JOURNALISTS. FEDERATION WON A VICTORY WHEN THE COURTS RULED THE GOVERNMENT WAS MISUSING PORTIONS OF THE TRADE UNION LAW TO AVOID REGISTERING THE FEDERATION. THE GOVERNMENT HAS ALSO REFUSED TO LEGALIZE THE TEACHERS' UNION, SINCE TEACHERS ARE CONSIDERED TO BE PUBLIC SERVICE EMPLOYEES--EVEN THOSE EMPLOYED BY PRIVATE SCHOOLS. SOME 1,500 TEACHERS HAVE BEEN FIRED FOR REFUSING TO QUIT THE UNION. OF 93 TEACHERS ARRESTED FOR THEIR UNION ACTIVITIES, 2 WERE STILL IN JAIL AT THE END OF THE YEAR. SOME TEACHERS WHO FORMED A COMMITTEE TO PROMOTE REINSTATEMENT OF THE FIRED TEACHERS HAVE THEMSELVES BEEN PUNISHED WITH EXPULSIONS AND TRANSFERS. IN APRIL THE SUPREME COURT RULED PROVISIONS OF THE NATIONAL PUBLIC SERVICE LAW WHICH PREVENT PRIVATE SCHOOLTEACHERS FROM UNIONIZING DID NOT VIOLATE THE CONSTITUTIONAL GUARANTEE OF FREEDOM OF ASSOCIATION.

IN ADDITION TO ITS TOUGH POLICY AGAINST CHONNOHYOP, THE GOVERNMENT ALSO CONTINUED TO TAKE A HARD LINE AGAINST WHAT IT SEES AS ILLEGAL, WILDCAT STRIKES WHICH THREATENED GOVERNMENT CONTROL OF KEY INDUSTRIES AND MEDIA OUTLETS, KBS TELEVISION, HYUNDAI HEAVY INDUSTRIES, AND A NUMBER OF SMALLER COMPANIES.

IN DECEMBER, 16 LARGE COMPANY-BASED UNIONS REPRESENTING 100,000 WORKERS, MOSTLY FROM HEAVY INDUSTRY, FORMED A NEW GROUPING CALLED THE SOLIDARITY CONFERENCE OF LARGE FIRMS. UNIONS (YONDAE HWAYWE IN KOREAN), WHICH IS INDEPENDENT OF BOTH THE FKTU AND CHONNOHYOP. ITS DECLARED AIM IS TO RESPOND TO THE "REPRESSION OF THE DEMOCRATIC UNION MOVEMENT BY GOVERNMENT AND INDUSTRY."

B. THE RIGHT TO ORGANIZE AND BARGAIN COLLECTIVELY

THE CONSTITUTION AND THE TRADE UNION LAW GUARANTEE THE AUTONOMOUS RIGHT OF WORKERS TO ENJOY FREEDOM OF ASSOCIATION,

0055

COLLECTIVE BARGAINING, AND COLLECTIVE ACTION. EXTENSIVE COLLECTIVE BARGAINING IS PRACTICED. KOREA'S LABOR LAWS DO NOT EXTEND THE RIGHT TO BARGAIN COLLECTIVELY TO GOVERNMENT EMPLOYEES, INCLUDING EMPLOYEES OF STATE OR PUBLIC-RUN ENTERPRISES AND DEFENSE INDUSTRIES. IN A 1989 RULING, THE MINISTRY OF LABOR CONCLUDED THAT A 1970 LAW REQUIRED THE GOVERNMENT TO TREAT COMPANIES OPERATING IN KOREA'S TWO EXPORT PROCESSING ZONES (EPZ'S) AS PUBLIC-INTEREST ENTERPRISES THUS MAKING IT MORE DIFFICULT FOR UNIONS AT EPZ COMPANIES TO ORGANIZE.

KOREA HAS NO INDEPENDENT SYSTEM OF LABOR COURTS. THE CENTRAL AND LOCAL LABOR COMMITTEES FORM A SEMIAUTONOMOUS AGENCY OF THE MINISTRY OF LABOR THAT ADJUDICATES DISPUTES IN ACCORDANCE WITH THE LABOR DISPUTE ADJUSTMENT LAW. EACH LABOR COMMITTEE IS COMPOSED OF EQUAL REPRESENTATION FROM LABOR, MANAGEMENT, AND "THE PUBLIC INTEREST." THE LOCAL LABOR COMMITTEES ARE EMPOWERED TO DECIDE ON REMEDIAL MEASURES IN CASES INVOLVING UNFAIR LABOR PRACTICES AND TO MEDIATE AND ARBITRATE LABOR DISPUTES. RULINGS BY THE VARIOUS LABOR COMMITTEES ARE SOMETIMES INCONSISTENT. AT ONE POINT IN 1990, ALL OF THE LABOR REPRESENTATIVES ON BOTH THE CENTRAL AND LOCAL COMMITTEES RESIGNED TO PROTEST A DECISION BY ONE LOCAL COMMITTEE. THIS DECISION WOULD HAVE PREVENTED UNION OFFICIALS FROM ACCEPTING WAGES FROM THEIR EMPLOYERS WHILE CONDUCTING UNION BUSINESS. (BECAUSE UNION DUES ARE LIMITED, ALMOST ALL UNION OFFICIALS RECEIVE MOST OR ALL OF THEIR SALARIES FROM THEIR EMPLOYER.) THE CENTRAL LABOR COMMITTEE REVERSED THIS DECISION, AND THE LABOR REPRESENTATIVES RETURNED TO THEIR POSITIONS.

MANY MAJOR EMPLOYERS ARE STILL STRONGLY ANTIUNION. SOME FIRMS CONTINUE TO HIRE "SAVE THE COMPANY SQUADS" TO BEAT UP UNION ORGANIZERS AND TO INTIMIDATE WORKERS. THE AUTHORITIES OFTEN HAVE FAILED TO INVESTIGATE SUCH INCIDENTS THOROUGHLY. IN 1990 AS IN THE PAST, THERE WERE CASES OF VIOLENCE AGAINST PROPERTY BY WORKERS.

C. PROHIBITION OF FORCED OR COMPULSORY LABOR

THE CONSTITUTION PROVIDES THAT NO PERSON SHALL BE PUNISHED, PLACED UNDER PREVENTIVE RESTRICTIONS, OR SUBJECTED TO INVOLUNTARY LABOR EXCEPT AS PROVIDED BY LAW AND THROUGH LAWFUL PROCEDURES. FORCED OR COMPULSORY LABOR IS NOT CONDONED BY THE GOVERNMENT. THE GOVERNMENT HAS INVESTIGATED SEVERAL INCIDENTS IN WHICH PRIVATE PERSONS FORCED MEN TO WORK INVOLUNTARILY ON FISHING BOATS. THE GOVERNMENT HAS ALSO INVESTIGATED A NUMBER OF CHARGES BY WORKERS THAT EMPLOYERS WERE DEMANDING COMPULSORY LABOR IN THE FORM OF OVERTIME WORK BEYOND THE LEGAL MAXIMUM.

D. MINIMUM AGE FOR EMPLOYMENT OF CHILDREN

THE LABOR STANDARDS LAW PROHIBITS THE EMPLOYMENT OF PERSONS

0056

UNDER THE AGE OF 13 WITHOUT A SPECIAL EMPLOYMENT CERTIFICATE FROM THE MINISTRY OF LABOR. BECAUSE THERE IS COMPULSORY EDUCATION UNTIL THE AGE OF 13, FEW SPECIAL EMPLOYMENT CERTIFICATES ARE ISSUED FOR FULL-TIME EMPLOYMENT. SOME CHILDREN ARE ALLOWED TO DO PART-TIME JOBS SUCH AS SELLING NEWSPAPERS. IN ORDER TO GAIN EMPLOYMENT, CHILDREN UNDER 18 MUST HAVE WRITTEN APPROVAL FROM THEIR PARENTS OR GUARDIANS. EMPLOYERS MAY REQUIRE MINORS TO WORK ONLY A REDUCED NUMBER OF OVERTIME HOURS AND ARE PROHIBITED FROM EMPLOYING THEM AT NIGHT WITHOUT SPECIAL PERMISSION FROM THE MINISTRY OF LABOR.

A LARGE PROPORTION OF PRODUCTION LINE WORKERS IN LABOR-INTENSIVE INDUSTRIES SUCH AS TEXTILES, APPAREL, FOOTWEAR, AND ELECTRONICS ARE GIRLS IN THEIR MID-TEENS. MANY OF THESE GIRLS WORK IN SMALL CRAMPED, AND SOMETIMES DANGEROUS WORKPLACES. EMPLOYEES WORKING UNDER THESE CONDITIONS ARE NOT ACCORDED THE LEGAL PROTECTIONS TO WHICH THEY ARE ENTITLED.

E. ACCEPTABLE CONDITIONS OF WORK

KOREA IMPLEMENTED A MINIMUM WAGE LAW IN 1988. THE MINIMUM WAGE LEVEL IS REVIEWED ANNUALLY AND IN 1990 WAS SET AT THE EQUIVALENT OF DOLLARS 238 PER MONTH. COMPANIES WITH FEWER THAN 10 EMPLOYEES ARE EXEMPT FROM THIS LAW. AND SOME STILL PAY BELOW-MINIMUM WAGES. SOME NONEXEMPT COMPANIES (MOSTLY SMALL ONES) ALSO PAY BELOW-MINIMUM SALARIES. IN JUNE THE LABOR MINISTRY REPORTED TO THE NATIONAL ASSEMBLY THAT 1,361 OF THE 78,016 COMPANIES EMPLOYING MORE THAN 10 WORKERS WERE PAYING WORKERS LESS THAN THE REQUIRED MINIMUM. SEVERAL COMPANIES WERE INDICTED AND SOME FINED FOR PAYING BELOW-MINIMUM WAGES. AT THE END OF 1990 THE LABOR MINISTRY KNEW OF NO CASES OF COMPANIES SUBJECT TO THE MINIMUM WAGE LAW PAYING BELOW MINIMUM WAGES.

THE FKTU CONTINUES TO CLAIM THAT THE CURRENT MINIMUM WAGE DOES NOT MEET THE MINIMUM REQUIREMENTS OF URBAN WORKERS. THE GOVERNMENT STATES THAT THE MONEY AN AVERAGE KOREAN BLUE-COLLAR WORKER TAKES HOME IN OVERTIME AND BONUSES SIGNIFICANTLY RAISES THE TOTAL COMPENSATION PACKAGE. ACCORDING TO THE GOVERNMENT'S ECONOMIC PLANNING BOARD, 5.5 PERCENT OF THE POPULATION LIVED BELOW THE POVERTY LEVEL IN 1987. FROM 1987 THROUGH 1990 KOREAN WORKERS RECEIVED AN AVERAGE INCREASE IN NOMINAL WAGES OF APPROXIMATELY 50 PERCENT. THE LABOR STANDARDS AND INDUSTRIAL SAFETY AND HEALTH LAWS PROVIDE FOR A MAXIMUM 60-HOUR WORKWEEK. BY THE FALL, AMENDMENTS TO THE LABOR STANDARDS LAW PASSED IN MARCH 1989 HAD BROUGHT THE MAXIMUM REGULAR WORKWEEK EXCLUDING OVERTIME DOWN TO 46 HOURS IN COMPANIES EMPLOYING FEWER THAN 300 EMPLOYEES, AND 44 HOURS IN COMPANIES WITH MORE THAN 300. ACCORDING TO THE GOVERNMENT. THE AVERAGE KOREAN WORKER WORKED 49.6 HOURS EACH WEEK IN 1989.

THE GOVERNMENT SETS HEALTH AND SAFETY STANDARDS. BUT THE MINISTRY OF LABOR EMPLOYS FEW INSPECTORS, AND THE STANDARDS ARE NOT EFFECTIVELY ENFORCED.

0057

我國 人權 狀況 關聯 關係部處 會議

參 考 資 料

91.2.5(火)

10:30

美 洲 局

0058

會議 槪要

1. 日　　時 : 1991.2.5(火) 10:30

2. 場　　所 : 삼청동 會議室

3. 討議事項 :

o 1990年度 美 國務部 人權 報告書
  - 韓國, 北韓 關聯 部分

o 바이제커 獨逸 大統領 訪韓 對策

o UN 人權 報告書 提出 問題

o HR Watch, Asia Watch 報告書 對應

4. 參 席 者

o 靑瓦臺(4)
  - 김학준 政策調査 補佐官
  - 이종운 政策調査 補佐官室 祕書官
  - 최경원 民情 首席 祕書官室 法律 祕書官
  - 정태익 外交.安保 補佐官室 外交 祕書官

o

o 外務部 : 문동석 國際機構.條約 局長

o 法務部 : 유국현 法務室 人權課長

o 公報處 : 이진배 海外公報官 企劃部長

o 治安本部 : 이현태 搜査 部長

0059

我國 人權 狀況 關聯 關係部處 會議

参 考 資 料

91.2.5(火)

10:30

美 洲 局

0060

目　　次

0061

I. 90年度 美 國務部 人權 報告書

1. 槪 要

ㅇ 90年度中 全世界 168개국 人權 狀況에 관한 1,700여 Page 規模의 年例 人權 報告書를 議會에 提出하고 동 내용을 91.2.1. 對外 發表함.

ㅇ Schifter 美 國務部 人權 擔當 次官補 記者會見을 통해 北韓.쿠바등이 人權狀況이 가장 나쁜 國家임을 指摘함.

* 記者 會見 要旨

ㅇ 最近 全 世界的 民主化 趨勢에 따라 人權問題에 대한 國際的 關心은 두분야로 대별됨.
- 傳統的 意味의 全體主義 政權에 의한 人權 彈壓行爲와
- 종족간, 부족간 紛爭에 따른 殺人, 가혹 行爲임.

ㅇ 첫번째 基準上 北韓, 쿠바가 人權 狀況이 가장 나쁜 國家임.

ㅇ 두번째 基準으로는 소말리아, 라이베리아, 수단等에서 벌어진 殘酷 行爲들임.

2. 南.北韓 關聯 部分 要旨

가. 韓 國

(槪 觀)

o 1990年에도 韓國은 87年부터 始作된 民主化를 계속함.

- 過去보다 寬容的이고 公開的인 社會로 變化되고 言論의 自由 및 司法部의 獨立은 定着中

o 한편, 韓國內 人權團體들은 政治犯 숫자가 89年 800名에서 90年中 1,300名으로 增加되었다고 主張함.

- 3黨 統合으로 國內政治는 對決 局面이 계속

- 情報機關의 活動도 여전히 活潑

o 南.北 高位會談 開催에도 불구, 北韓의 軍事的 威脅은 尙存함.

o 經濟事情 惡化에 따라 勞使紛糾 沮止를 위한 勞動 運動 彈壓이 憂慮됨.

(人間 尊嚴性의 尊重)

o 6共和國 出帆以後 國民들의 對政府 批判의 自由는 휠씬 伸張됨.

- 國家保安法, 集示法, 社會監護法, 勞動法 등 規定의 援用 制限

o 不法 逮捕, 拘禁 事例는 大幅 減少되었으며, 公正한 公開 裁判을 받을 權利는 保障되고 私生活, 信書의 保護는 잘 지켜짐.

o 司法 節次에 의하지 않는 政治的 殺人, 拘禁期間中 死亡 事例는 報告된 바 없으나, 拘禁者에 대한 苛酷 行爲는 繼續됨.

- 示威 大學生들의 화염병 투척에도 不拘, 鎭壓 警察은 自制 發揮
- 在所者 處遇는 多少 改善中

(市民的 自由의 尊重)

o 政治的 表現의 自由는 대부분 制限받지 않음.

- 國家保安法 違反 行爲는 계속 嚴斷
- 言論들의 北韓 關聯 記事 取扱 大幅 增加
- 學生 示威와 關聯 大學의 自由 制限 계속

o 集會.結社의 自由는 훨씬 伸張되었으며 宗敎 및 移轉의 自由는 保障됨.

(政治的 權利의 尊重)

ㅇ 韓國民은 自由.公正 選擧에 의해 政府를 選擇할 權利를 保有함.

ㅇ 3黨 統合後 內閣責任制의 改憲 움직임도 있었으나 執權黨은 당분간 改憲을 抛棄키로 決定함.

(人權團體의 活動保障)

ㅇ 韓國政府 官吏들은 國際人權團體의 面談 要請에 기꺼이 응하고 國會 및 政黨內 人權關係 委員會도 設置, 活動中임.

나. 北 韓

(槪 觀)

ㅇ 北韓은 48年 建國以來 朝鮮勞動黨 主導의 共産獨裁 政權下에 있음.
  - 國民 個個人의 權利는 國家와 黨의 權利에 從屬

ㅇ 經濟體制는 中央統制下에 있으며, 蘇聯式 經濟改革 拒否, 蘇聯側 援助 削減에 따라 國民生活 水準은 더욱 惡化中임.

o 90年中에도 國民의 基本權 蹂躪은 繼續됨.

- 南.北 高位會談 開催에도 불구 家族相逢 等 實質問題 討議 拒否姿勢 堅持

o 刑法은 苛酷하며 獨立 言論이나 結社는 不許됨.

- 소위 各種 '反革命 犯罪'에 대해서는 死刑 및 全財産 沒收로 處刑

- 一般 國民들은 外部 情報로부터 完全 遮斷

o 北韓內 12個의 政治犯 收容所에는 最小 10万 5千名의 政治犯이 收容되어 있음.

- 韓國政府는 北韓內 最小 15万名의 政治犯 收容 豫想

(人間尊嚴性의 尊重)

o 金日成, 金正日에 대해 反對하는 政治犯에 대해서는 正式裁判 節次 없이 處刑함.

- 社會 安全部가 處理하는 政治犯 處罰은 裁判 節次를 無視

o 지난 20年間 南韓에 대한 테러 攻擊을 恣行해 왔음.

- 87年 KAL機 爆破事件, 韓國僑民 拉致事件 等

- 5 -

0066

o 收監者에 대한 拷問, 苛酷行爲와 不法逮捕, 拘禁事例는 繼續되고 있음.

o 思想敎育을 위한 다양한 프로그램으로 個人의 私生活 不侵權 및 信書의 自由는 侵害되고 있음.

- 黨 및 政權에 대한 忠誠度를 바탕으로 한 階級制度 運用

- 月例 衛生檢査를 통한 家族生活 監視

(市民的 自由의 尊重)

o 政府를 支持하는 言論.集會.結社의 自由만을 認定함.

- 政府의 事前 許可없는 公衆 集會는 不許

o 40年代 以來 敎會 및 寺刹에 대한 彈壓으로 官製 宗敎 團體만이 存在함.

o 國內旅行에 대한 統制는 물론, 海外旅行은 公務員 및 制限된 文化界 人士들에만 制限的으로 許容됨.

(政治的 權利의 尊重)

o 自由 選擧制의 不在로 國民들이 政權 變更에 影響을 미칠 制度自體가 保障되어 있지 않음.

(國際人權團體 接近 遮斷)

o 北韓은 國際赦免委나 아시아워치 等 어떠한 國際人權團體의 訪北도 許容치 않음.

- 國際人權團體 報告書 內容을 '거짓과 조작'이라 誹謗, 罵倒

(勞動者 權利의 保障)

o 北韓은 勞動者들의 罷業權이나 團體協約 締結權을 保障치 않음.

- 하루 12-16時間 勞動에 酷使시키면서도 이를 自發的 또는 愛國 勞動이라 糊塗

3. 對應 方向

o 韓國關聯 部分 事前 入手 上部報告 및 關係部處 配布(2.1)

o 韓國關聯 部分은 비교적 객관적 시각에서 제6공화국 出帆以後 全般的인 人權 狀況 改善을 기술한 바, 同 報告書 評價 內容의 적절한 弘報 方案 講究가 必要함.

o 北韓 人權 狀況에 대한 정보 부족에도 불구, 北韓內 人權 蹂躪 狀況을 비교적 정확히 기술함.

- 北韓內 人權 狀況 거론을 통한 北韓의 民主化 및 開放 誘導 資料로 活用 必要

* 91.1.16. 國土統一院 業務 報告時 閣下 指示事項

o 우리도 이제부터는 北韓에게 人權 問題를 提起하고 최소한의 自由라도 許容하라고 要求하고, 또 이를 具體的으로 환기시켜 北韓으로 하여금 開放과 改革, 그리고 民主化를 推進하지 않을 수 없게 만들어야 함.

o 이 분야에서는 周邊國들의 協調가 매우 중요한 것임. 연초에 '가이후' 日本 首相이 來韓하여 우리와 '韓.日 友好 3原則' 交涉을 할때, 우리가 '亞.太 地域의 平和, 和解, 繁榮과 개방을 위한 貢獻 강화를 주장하면서 끝까지 開放이란 단어의 삽입을 관철시킨 것도 다 이러한 次元에서 였음.

Ⅱ. 바이제커 獨逸 大統領 訪韓(91.2.25-28) 對策

1. 獨逸 僑胞 김형규 問題

가. 事件 槪要

- o 김형규, 1974년 獨逸 鑛夫로 취업후, 北韓 工作員에게 包攝되어 83.10-87.7 間 3회에 걸쳐 訪北, 間諜 密封 敎育 받음.
- o 87.9.2. 北韓의 지령에 따라 國內 潛入, 間諜 活動中 동년 10월 拘束
- o 89.4.3. 懲役 9년의 確定 判決을 받고 現在 대전 교도소에서 服役中

나. 獨逸側 要請

- o 獨逸側, 同人이 獨逸 市民權者임을 감안 同人에 대한 特別 赦免 考慮 要請
  - 88.2. 겐셔 外務長官, 駐獨大使에 特別 赦免 考慮 要請
  - 88.7. 韓.獨 外務長官 會談時 善處 要請
  - 89.10. 브란트 前 獨逸首相, 國務總理와의 午餐時 善處 要請
  - 89.11. 盧 大統領 訪獨時, 바이제커 大統領 및 겐셔 外務長官 關心 表明

o 그간 我側은 赦免이나 釋放은 現行法上(최소한 형기의 1/3 이상 복역, 행형 성적 양호) 어렵다는 立場 堅持

다. 關聯 問題 및 對策

(關聯 問題)

o 폰 바이제커 大統領 訪韓時 김형규 問題를 비롯한 시국 관련 拘束者 問題 擧論 豫想

- 89.11. 盧 大統領 訪獨時에도 폰 바이제커 大統領, 상기 문제 擧論

* 獨逸側 關心 表明 拘束者 : 김형규, 문익환(석방), 홍성담, 유원호, 임수경 및 백림 3者 會談 參加者(조용술 목사등 3명)

(對 策)

o 關係部處(青瓦臺, 外務部, 安企部, 法務部) 對策會議 開催 結果 (91.1.22)

- 김형규에 대해서는 가급적 빨리 恩典을 베풀고 其他 問題에 대해서는 對應 論理(人權과 무관한 事項, 裁判 繫留中等)를 開發함.
  - 法務部가 具體的 對策 樹立, 檢討

- 外務部는 獨逸側에 政府方針을 사전 설명함
  - 바이제커 大統領이 頂上會談時 擧論치 않도록 說得
  - 擧論時 對應方案 및 弘報對策 樹立

- 11 -

0072

Ⅱ. 最近 美國內 我國 人權 狀況 論議 對應

1. 美 下院人權 코커스 連署書翰

가. 槪 要

o 美 下院內 人權 코커스(共同委員長 : Tom Lantos 議員(民, CA)및 John Porter(共, IL) 所屬 進步的 性向의 少壯議員 46名(民主 39명, 共和 7名)은 10.30자 盧 大統領앞 連署書翰을 통해 모든 政治犯에 대한 赦免을 要請함.

나. 措置事項

o 法務部는 11.9. 상기 書翰에 대한 反駁 論評文을 作成, 國內言論 機關에 配布

o 法務部 作成 反駁 論理 및 詳細資料 駐美大使舘 送付함.
  - 駐美 大使, 連署 書翰에 署名한 議員 全員에게 90.12.18. 反駁 書翰을 發送

2. Asia Watch 報告書 發刊

가. 槪 要

o 뉴욕 所在 人權 團體인 Asia Watch는 11.11자 '改革으로 부터의 後退' 題下 100여 페이지에 달하는 報告書를 發表함.

- 第6共和國 政府는 勞動者의 權利, 表現의 自由等 核心 人權 問題에 관한 改善 失敗

- 1000여名 이상의 政治犯中 折半 以上이 勞動者 또는 勞動 運動家 임을 指摘

o 國家保安法의 改正 및 모든 政治犯의 釋放을 要求함.

- 南.北 對話 進展等 指摘

나. 對政府 勸告 事項

o 國家保安法 및 集示法 違反 在所者들의 即刻的이고 無條件的 釋放(김근태, 홍성담, 김현장 例示)

o 國家保安法의 改正 및 集示法 違反 援用 濫用 中斷

o 國家保安法 違反 在所者에 대한 "轉向書" 署名 強要 慣例 廢止

- 13 -

0074

o "第3者 介入", "業務 防害" 혹은 集示法 違反 勞動 運動家들의 석방

- 장명국, 권용목, 단병호 例示

o 逮捕 勞動者들에 대한 苛酷 行爲調査 및 再發 防止 措置

o 勞動 關係法의 國際的 水準으로의 改正

o 救社隊의 暴力 行爲에 대한 徹底하고 公開的 調査

o 罷業 鎭壓時 警察內 白骨團 使用 慣行 中斷

o 政府의 勞組 瓦解 工作 中止

다. 措置事項

o 11.13. 法務部는 同 報告書에 대한 論評文 發表

o 12.12. 駐美 大使館 公報官 名義로 反駁 書翰 發送

o 法務部 作成 反駁資料를 駐美 大使館을 통해 Asia Watch側에 傳達 豫定(2月中)

3. 美 上院議員 3名, 홍성담 釋放 要請

가. 概 要

ㅇ John Kerry(民主, MA), Patrick Leahy(民主, VT) 및 Paul Simon (民主, IL) 上院議員은 90.12.초 駐美 大使앞 書翰을 통해 國家保安法 위반 화가인 홍성담에 대한 최근 大法院 判決(國家 保安法上 間諜 嫌疑에 대한 無罪 判決 및 이에 따른 減刑)을 言及하면서, 同人의 其他 嫌疑에 대한 起訴 中止 및 同人에 대한 고문 여부에 대해 조사를 요청함.

나. 背 景

ㅇ 美國內 國際 赦免委側이 民主黨 上院議員들을 상대로 홍성담 問題를 提起함에 따라 發送된 것으로 把握됨.

- Jonathan R. Munro 보스톤 居住 國際 赦免委 會員도 90.11.23.자 駐보스톤 總領事앞 書翰을 통해 홍성담의 즉각적인 釋放을 要請

다. 措置 事項

ㅇ 法務部 作成 홍성담에 대한 犯罪 事實, 裁判 進行 事項等 資料 12.13. 駐美 大使舘 및 駐보스톤 總領事館 送付

- 駐美 大使 및 駐보스톤 總領事 名義 反駁 書翰 發送

- 15 -

0076

4. Human Rights Watch 報告書 發刊

가. 槪 要

o 91.1.10. 發刊한 年例 人權 報告書中 韓國 部分에서 韓國의 人權 狀況 및 부쉬 行政府의 對韓 人權 政策을 非難함.

- 韓國 政府의 人權 및 民主 改革 공약이 言論 및 集會의 自由에 대한 制約 增大에 따라 꾸준히 弱化되어 가고 있는 것으로 評價

- 美 行政府가 推進中인 조용한 外交(Quiet Diplomacy) 政策은 實際 韓國의 人權 狀況 改善에 기여치 못함을 非難

o 同 報告書는 韓國 法務部가 90.11.11. 發刊된 Asia Watch 韓國 人權 報告書에 대해 客觀的이고 合理的 根據가 결여되었으며 韓國의 實定法 秩序를 외면하였다는 非難 聲明을 發表하였다고 言及함.

나. 措置 事項

o 法務部는 91.1.11.자 反駁 論評文 發表

o 駐美 大使館에 상기 反駁 論評文 送付 및 同 報告書 原文 구득 送付 指示(91.1.12)

o 法務部 作成 反駁 資料를 駐美 大使館을 통해 Human Rights Watch 에 傳達 豫定(2月中)

美 国務部의 90年度 人權報告書

1991. 2

外　務　部

0078

美 國務部는 90年度 世界各國 人權報告書를 最近 議會에 提出하였으며 議會는 이를 2.1(金) 10:00(韓國時間 2.2(土) 00:00) 發表할 豫定인 바, 同 報告書 内容中 韓國 關聯部分을 報告 드립니다.

主要 内容

(概 觀)

ㅇ 1990年에도 韓國은 87年부터 始作된 民主化를 繼續함
  - 過去보다 寬容的이고 公開的인 社會로 變化되고 言論의 自由 및 司法府의 獨立은 定着中

ㅇ 한편, 韓國内 人權團體들은 政治犯 숫자가 89年 800名에서 90年中 1,300名으로 增加되었다고 主張함
  - 3黨 統合으로 國内政治는 對決 局面이 繼續
  - 情報機關의 活動도 여전히 活潑

ㅇ 南.北 高位會談 開催에도 不拘, 北韓의 軍事的 威脅은 尙存함

ㅇ 經濟事情 惡化에 따라 勞使紛糾 저지를 위한 勞動運動 彈壓이 憂慮됨

0079

(人間 尊嚴性의 尊重)

o 6共和國 出帆以後 國民들의 對政府 批判의 自由는 훨씬 伸張됨
  - 國家保安法, 集示法, 社會監護法, 勞動法 等 規定의 援用 制限

o 不法 逮捕, 拘禁 事例는 大幅 減少되었으며, 公正한 公開 裁判을 받을 權利는 保障되고 私生活, 信書의 保護는 잘 지켜짐

o 司法 節次에 의하지 않는 政治的 殺人, 拘禁期間中 死亡 事例는 報告된 바 없으나, 拘禁者에 대한 苛酷 行爲는 繼續됨
  - 示威 大學生들의 화염병 투척에도 不拘, 鎭壓 警察은 自制 發揮
  - 在所者 處遇는 多少 改善中

(市民的 自由의 尊重)

o 政治的 表現의 自由는 대부분 制限받지 않음
  - 國家保安法 違反 行爲는 繼續 嚴斷
  - 言論들의 北韓 關聯 記事 取扱 大幅 增加
  - 學生 示威와 關聯 大學의 自由 制限 繼續

o 集會, 結社의 自由는 훨씬 伸張되었으며 宗教 및 移轉의 自由는 保障됨

0080

(政治的 權利의 尊重)

ㅇ 韓國民은 自由. 公正 選擧에 의해 政府를 選擇할 權利를 保有함

ㅇ 3黨 統合後 內閣責任制의 改憲 움직임도 있었으나 執權黨은 당분간 改憲을 포기키로 決定함
  - 90.12 地自制法 通過

(人權團體의 活動保障)

ㅇ 韓國政府 官吏들은 國際人權團體의 面談 要請에 기꺼이 응하고 國會 및 政黨內 人權關係 委員會도 設置, 活動中임

評価 및 向後 対策

ㅇ 美國은 조용한 外交를 통한 各國 人權狀況의 漸進的 改善 誘導 政策을 取하고 있는바, 今番 我國 人權狀況에 대해 比較的 客觀的인 視角에서 第6共和國 出帆以後의 全般的인 人權狀況 改善을 記述함
  - 報告書 評價內容의 適切한 弘報 方案 講究

ㅇ 北韓의 人權狀況에 관한 國內外 弘報를 통해 北韓의 民主化 및 開放을 위한 諸般 努力을 積極 展開함

- 끝 -

0081

관리 번호	91-543

	분류번호	보존기간

발 신 전 보

WJA-0483 910204 1627 BX

WOS -0059 WUS -0436
WLA -0170 WNY -0177
WCG -0071 WSF -0065
WTR -0038 WAU -0062

번 호 :

종별 :

수 신 : 주 수신처참조 미대사. 총영사

발 신 : 장 관 (해외.정홍)

제 목 : 교포언론 활용 북한인권 실상 홍보

연 : 기획 35260-13

1. 연호 북한 인권 실상에 관한 교포언론 특집 세부계획을 아래 요령에 의거 조속 보고 바람.

가. 방법 : 이우홍 저 "어둠의 공화국" 또는 하기하라 료 저 "서울과 평양"(지원예정) 조선일보 '91 별책부록 "북한, 그 충격의 실상" 등을 활용한 특집 게재

나. 유의사항 ; 북한의 통일전선 전략의 부당성을 지적하고 북한의 개혁과 개방을 촉구하는 방향에서 특집 제작. 끝.

(해공관장 박 신일)

수신처 : 주일본대사(공), 주오사카총영사(공), 주미대사(공), 주마성총영사(문), 주뉴욕총영사(문), 주시카고총영사(공), 주상항총영사(공), 주토론토총영사(공), 주호주대사(공)

1991. 12. 31. 에 예고문에 의거 일반문서로 재분류 됨

앙고재	과	91년 2월 4일	담 당	과 장	심의관석관	국 장	차관보	차 관	장 관

보안통제	

앙고재	년월일	과	기안자 성 명		과 장		국 장		차 관	장 관

외신과통제

0082

4804 기안용지

분류기호 문서번호	국연 2031 -	(전화:)	시 행 상 특별취급	
보존기간	영구·준영구. 10. 5. 3. 1	장 관		
수 신 처 보존기간				
시행일자	1991. 2. 5.			

보조기관	국 장	전 결	협조기관	미주국장	문서통제
	과 장				검열 1991. 2. 6
기안책임자		송영완			발송인

경 유 수 신 참 조	주영국, 유엔, 제네바, 유네스코 대사	발신명의		발송 1991. 2 6 외무부
제 목	미 국무부의 90년도 인권보고서			

1. 미국무부가 최근 미의회에 제출한 90년도 세계 인권상황 보고서중 남북한 관계부분을 별첨 송부하오니 귀업무에 참고하시기 바랍니다.

2. 상기 인권보고서중 아국관련부분에 대한 대응 자료는 관계부처와의 협의를 거쳐 추후 송부할 예정입니다.

첨 부 : 미국무부 발간 남북한 인권보고서 각 1부. 끝.

0083

관리 번호	91-221

외 무 부

종 별 :

번 호 : CGW-0105 일 시 : 91 0204 1500

수 신 : 장관(해외,정이)

발 신 : 주 시카고 총영사

제 목 : 북한 인권 실상홍보

대 WCG-0071

대호 표제건 특집계획을 아래 보고함

1. 한국일보 시카고판 하기하라 료 저 "서울과 평양" 발췌 2 월 중순부터 연재예정

2. 조선일보 시카고판 월간 조선부록 "북한, 그충격의 실상" 2 월중순부터 인권 및 북한의 개방촉구 내용 중심으로 발췌 연재 예정

3. 한국케이블 TV: 매주 "남북의창" 방영중.끝

(총영사 강대완)

91.6.30 일반

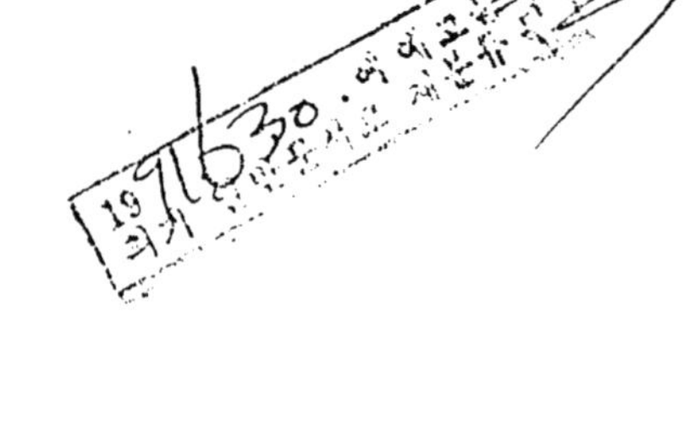

공보	차관	정보1과	정보2과	공보과	문화과	외신1과	외신2과
				6.1			

공보처 정문국

PAGE 1

91.02.05 07:33

외신 2과 통제관 BW

0004

관리번호	91-2714

원 본

외 무 부

종 별 : 지 급

번 호 : JAW-0568 일 시 : 91 0205 1626

수 신 : 장관(정홍,해섭)

발 신 : 주 일 대사(일공)

제 목 : FCCJ 행사보고

1. FCCJ 는 당관과 협조, 최근 일본 북한간의 수교회담등 변화하는 한반도 정세와 관련 다음 오찬 기자회견을 가질 계획임.

0 일시 : 1991.2.15.

0 연사 : KATSUMI SATO(현대코리아 사장)

0 주제 : 한국-희망, 변화와 불확실성

2. 당관은 동인사를 사전에 만나, 최근 미국무성 발표의 북한 인권상황등 필요한 자료를 제공할 예정임.끝

(이해관-부장)

예고:91.3.31. 까지

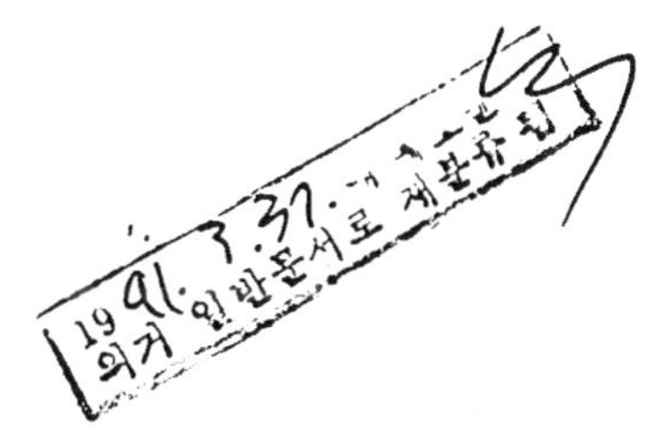

정문국 차관 1차보 2차보 안기부 공보처

PAGE 1

91.02.05 18:16

외신 2과 통제관 BA

0085

주 보 스 톤 총 영 사 관

보스톤 (정) : 20732- 0092

1991. 2. 5.

수신 : 장 관

참조 : 미주국장

제목 : 석방 진정서

당지 AI 관계자 J.R. MURNO 는 서경원 사건으로 구속된 반양균에 관한 석방 탄원서를 청와대에 송부 하였는바, 동인 관련 사항을 회시하여 주시기 바랍니다.

유 첨 : 동 진정서 1부. 끝.

주 보 스 톤 총 영

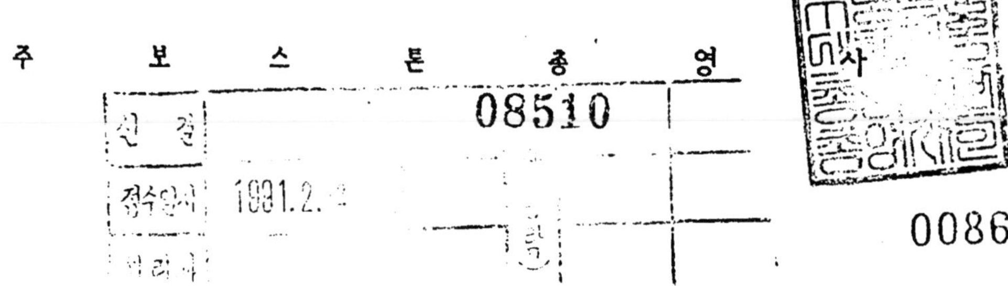

0086

469 Commonwealth Avenue
Apt 2B
Boston, MA 02215
U.S.A.

December 20, 1990

President Roh Tae-woo
The Blue House
1 Sejong-no
Chongno-gu
Seoul
REPUBLIC OF KOREA

Your Excellency,

I am writing on behalf of Pang Yang-kyun, who was arrested on July 2, 1989. Mr. Pang was sentenced on December 20, 1989 (one year ago today) in Seoul District Court to seven years' imprisonment. This sentence was in accordance with the National Security Law for not reporting another person's illegal visit to North Korea.

Pang Yang-kyun is a principal aide to Suh Kyung-won, a member of the National Assembly. The two men were detained as a result of visits they made to Europe in 1988 and a visit by Mr. Suh to North Korea in August 1988.

Amnesty International, the independent human rights organization, considers that travel to North Korea without evidence of espionage activities or the use or advocacy of the use of violence cannot justify imprisonment. Amnesty believes that Pang Yang-kyun has been detained solely for his peaceful political activities and his views on the reunification of North Korea and the Republic of Korea. Furthermore, Amnesty International is alarmed at claims by Mr. Pang that he was ill-treated during interrogation by Korean authorities.

As a member of Amnesty International, I am concerned about the apparent non-respect of the human rights of Pang Yang-kyun. I urge that he be both immediately and unconditionally released.

Sincerely,

Jonathan R. Murno

copy: Consulate of the Republic of Korea
1 Financial Center
Boston, MA 02111

0087

'90년도 미 국무부 인권보고서에 대한 논평

==

1991. 2. 6

법 무 부

0088

미 국무부가 미 의회에 제출한 인권상황보고서중 국내문제에 관한 입장을 밝히고자 함.

먼저, 이 보고서가 한국의 인권상황을 거론함에 있어 언론의 자유와 사법부 독립이 실현되고, 민주주의와 개방사회를 향한 전진이 계속 되고 있다고 지적하는 등 비교적 객관적이고 긍정적인 시각에서 기술하고 있음을 평가함

그러나 한국정부가 제6공화국 출범이후 자유민주주의를 지키기 위해 모든 범법자를 적법절차에 따라 처리하고 있음에도 불구하고, 보고서의 일부 내용중 한국에 정치범이 존재하며, 범죄전쟁선포 이후 경찰력이 과용되고 있다는 등 일부 인권단체의 일방적 주장만을 소개하므로써 오해의 소지가 생길 수 있음에 우려를 금할 수 없음

한국에는 정치적 이유로 부당하게 구속되어 있는 사람은 없으며, 소위 정치범으로 거론되고 있는 사람들은 대부분 폭력시위, 방화 등으로 구속된 형사범이거나 사회주의 폭력혁명을 선동한 반국가사범들이고, 오늘의 사회현실에 대한 국민적 공감대 위에서 수행되고 있는 범죄와의 전쟁 역시 적법절차에 따라 엄격하게 집행되고 있음

다음, 이 보고서가 북한의 인권상황을 상세히 기술하고 있음은 매우 의미있는 일로 평가함.

정부는 북한의 인권과 자유가 세계최악의 수준으로 더이상 방치할 수 없는 상황에 이르렀음에 우려하며, 국제사회에서 북한의 인권상황 개선에 계속 관심을 가져 그들이 개방된 국제사회의 일원으로 나올 수 있도록 노력해 줄 것을 기대하는 바임

0089

미 국무부 인권보고서('91) 분석 및

대응문제 검토보고

1991. 2.

0090

1. 보고서중 남.북한 부분 요지

가. 한국부분

o '90년에도 한국은 '87년부터 시작된 민주화를 계속하여 과거보다 관용적이고 공개적인 사회로 변화되고, 언론의 자유 및 사법부의 독립은 정착중이나, 과거 권위주의의 일부 잔재가 남아 있고 권력집중현상이 심화되어 있음

o 남.북 고위회담 개최에도 불구, 북한의 군사적 위협은 상존함

o 6공화국 출범이후 국민들의 대정부 비판의 자유는 훨씬 신장되었으나, 국가보안법, 집시법, 보안관찰법, 노동관련법 등에 의거한 제한조치가 있었고, 범죄전쟁선포 이후 경찰력 과다사용에 관한 믿을만한 보도들이 있었음

o 사법절차에 의하지 않는 정치적 처단, 구금기간중 사망 사례는 보고된 바 없으나, 피구금자에 대한 가혹행위는 더러 있었던 것으로 보임

o 정치적 표현의 자유는 대부분 제한받지 않으나, 국가보안법 위반 행위는 계속 엄단하고 있음. 한국인권단체들은 '90년도 정치범 숫자가 1,300명에 이를 것으로 주장하나, 한국정부는 정치범이 없다고 부인하고 있음

0091

o 한국에서의 정치범 숫자를 정확하게 추정하기는 어려우나 (폭력 시위자 등을 구별하기가 어려움), 국제인권기준에 따른 정치범의 숫자는 수백명에 이르는 것으로 보임

o 한국정부 관리들은 국제인권단체의 면담 요청에 기꺼이 응하고 국회 및 정당내 인권관계 위원회도 설치, 활동중임

나. 북한부분

o 북한은 국민을 엄격한 통제속에 가두어 두고 있고 개인적인 권리가 당과 국가의 권리에 여전히 종속됨

o 소련원조와 무역의 감소로 전반적인 경제성장이 둔화되고 한계 상황에 놓은 생활조건은 더욱 악화되고 있음
('90년도 실질 GNP성장은 2% 이하임)

o '90년에도 북한은 국민의 가장 기본적인 인권마저 인정하기를 계속 거부했으며, 외국인과 재외 체류 한국인의 더많은 방문을 허용했음에도 불구하고 한국과 가족재결합문제를 토의하기를 회피하여 왔음

o 신뢰할만한 정보에 의하면 북한은 재판절차없이 정치범과 김일성 부자 반대자 등을 처형해 왔음

0092

o 인권단체 보고에 의하면 많은 죄수들이 고문과 질병, 기아 등으로 인해 사망했으며, 북한에는 12개의 정치범 수용소가 있는 것으로 보임

o 외국언론은 배제된 채 국내언론에 엄격한 검열이 강제되고 있으며, 국내외 여행도 엄격히 규제되고 있음.
인권감시기구가 북한에는 없으며 북한은 인권문제에 관한 국제활동에도 전혀 관여하지 아니하고 있음

2. 분석 및 대응여부 검토

가. 분 석

o 객관적. 긍정적인 논조 - 서술방식이 객관적이고 긍정적인 평가에 바탕을 두고 있음 (미대사관, 외무부, 공보처 의견도 동일)

o 북한부분 언급 - 북한의 인권상황을 8페이지에 걸쳐 상세히 소개

o 일부 부정적인 평가 - 국가보안법 운용, 영장없는 구금 (가택연금 등을 지칭하는 듯) 등 지적

0093

나. 국내 언론보도 내용

ㅇ 중점보도사항 - 일부 권위주의 상존, 인권침해 존재
(국가보안법에 따른 구금, 정치적 반대자에 대한 감시, 수백명의 정치범 존재, 범죄전쟁선포 이후 경찰력 남용 등을 보도)

ㅇ 북한 인권상황부분 보도 (연합, 경향, 국민, 동아, 서울, 조선, 한국, 중앙 등)

* 한겨레신문은 보고서중 부정적인 부분만 발췌하였고, 북한부분은 게재하지 아니하였음

다. 대응여부 검토

ㅇ 국내 언론보도 내용에 대한 논평 필요성 - 필요성 있음

. 보고서 전반적인 논조가 객관적, 긍정적이긴 하나, 일부 부정적인 사항이 있고, 북한 인권상황부분도 함께 논평할 가치 있음

. 논평문 내용 (의견)

종전의 논평문과는 달리, 미 국무부의 객관적 시각 견지 노력 등 긍정적인 측면을 평가하고, 북한의 인권상황 지적에 대하여 이 문제를 국제사회에서 계속 관심을 갖고 지켜보아주길 기대하며 부정적인 사항에 대하여는 정부의 입장을 설명하는 내용의 반박을 함이 상당

0094

ㅇ 미 국무부에 대한 대응문제 - 관계기관 실무자회의 등에서 검토후 결정

3. 언론보도에 대한 논평문 - 별첨

* 보조자료

o 미 국무부 인권보고서 내용 (국문요약)

o 국내 언론보도내용

0095

관리 번호	91-541

	분류번호	보존기간

발 신 전 보

WGE-0203 910208 1722 AO

번 호 : 종별 :

수 신 : 주 독일 대사. 총영사(공)

발 신 : 장 관 (미외, 정일)

제 목 : 북한학계 학자초청

대 : GEW-0270

대호 3항관련, Hans Maretzki 교수를 '91년도 유력인사 초청대상에 포함코저 하니 미외 35260-150('90.12.19) 지침의 양식에 의거 추천바라며, 초청시기는 가급적 국문판 출간시로 할 예정이니 참고바람.

(해공과장 백신일) 검토필(1991.)

앙 고 재	정보2과	91년 2월 8일	담 당	과 장	심의관	국 장	차관보	차 관	장 관
			진	圭					

1991. 12. 31. 에 예고문에 의거 일반문서로 재분류 됨

보 안 통 제	圭

앙 고 재	년 월 일	과	기안자 성 명		과 장		국 장		차 관	장 관

외신과통제

0096

관리 번호	91 -542-

	분류번호	보존기간

발 신 전 보

WUS-0514 910208 1722 AO

번 호 : 종별 :

수 신 : 주 미 대사. ~~총영사~~ (공)

발 신 : 장 관 (미외. 정홍)

제 목 : 교포언론활용 북한인권실상 홍보

연 : WUS - 0456

대 : USW - 0615

1. 대오관련 지원요청건은 정파편 송부예정인 월간조선 신년호 별책부록 "북한, 그충격의 실상" 388쪽-427쪽을 활용바람.

(해공관장 박신일)

예고문 (1991. 6. 30.)

앙 고 재	정보2과	91년 2월 8일	담 당	과 장	정세분석관	국 장	차관보	차 관	장 관
			(서명)	(서명)					

91.12.31 의거 일반문서로 재분류됨

보 안 통 제	(서명)

앙 고 재	년 월 일	과	기안자 성 명		과 장		국 장		차 관	장 관

외신과통제

0097

관리번호 91-283

분류기호 문서번호	국연 2031-138	협조문용지 ( )	결재	담당	과장	국장
시행일자	1991. 2. 8.					
수 신	수신처 참조	발 신	국제기구조약국장 (서명)			
제 목	인권문제 대책회의 개최결과					

91.2.5. 대통령비서실 김학준 정책조사보좌관 주재로 개최된 인권문제 대책회의 토의개요를 별첨 송부하니 업무에 참고하시기 바랍니다.

첨 부 : 상기 자료 1부. 끝.

수신처 : 미주국장, 구주국장, 정보문화국장

검토필 (1991.6.30.)

일반문서로 재분류 (1991.12.30.)

0098

1505 - 8 일 (1)
85. 9. 9 승인 "내가아낀 종이 한장 늘어나는 나라살림"

190mm×268mm (인쇄용지 2급 60g / m²)
가 40-41 1989. 11. 14

인권문제 대책회의 개최결과

91. 2. 6.
국제연합과

1. 일시 및 장소 : 1991.2.5(화), 청와대

2. 참 석 자 : 김학준 정책조사보좌관 (회의주재)
   외무부, 법무부, 대통령비서실(외교안보), 안기부,
   치안본부, 해외공보관 관계관 참석

3. 토의요지

가. 제 47차 유엔인권위원회 대책

o 외무부 국기국장 : 유엔인권위 주요의제, 남북한 인권문제 거론 사례 및 금차 회의 토의전망, 아국 인권상황 거론시 대책 및 북한인권문제 거론 방안등 설명 (북한인권문제 거론을 위해서는 민간인권단체 육성 긴요)

나. 인권규약 가입에 따른 인권보고서 작성

o 법무부 인권과장 : 인권규약(B규약) 가입에 따른 아국 인권보고서를 91.7.9.한 유엔인권사무국에 제출해야 하는 바, 동 보고서 작성요령, 작성시 유의사항 및 보고서 작성을 위한 각부처 작업 일정등 설명

o 외무부 국기국장 : 인권보고서가 포괄적이고 체계적으로 작성되기 위해서는 각부처의 긴밀한 협조가 필수적임. 제출시한 관련, 가급적 시한내(91.7.9한) 제출을 목표로 하되 현재 검토중인 개혁입법이 충분히 반영될 수 있도록 신축적으로 대처함이 바람직함.

0099

다. 국무부 인권보고서 분석 및 대응

o 법무부 인권과장 : 2.6.중 정부입장을 설명하는 내용의 반박논평 발표 예정

o 외무부 국기국장 : 법무부 반박논평(안)중 " 북한의 인권과 자유가 세계 최악수준으로 더이상 방치할 수 없는 상황에 이르렀음에 우려 " 부분에서 "더이상 방치할 수 없는 상황 " 삭제함이 바람직함.

라. 독일 바이체커 대통령 방한시 인권거론 대책

o 외무부 국기국장 : 독일 대통령 방한에 대비하여 외무부가 취한 조치설명. 그러나 바이체커 대통령이 공개석상에서 아국인권문제를 거론할 가능성을 완전 배제할 수 없으므로 우리의 대응 방안 강구 필요

마. KNCC의 한국인권보고서 대책

o 안 기 부 : 최근 한국기독교교회 협의회(KNCC)는 세계교회협의회(WCC)에 한국인권실태에 대한 보고서를 제출함.

- 보고서요지 : 90.11월 현재 한국내 양심수는 1,746명임. 한국군인중 1980.1-1988.7간 복무중 사망자는 9,060명에 달함. 범죄와의 전쟁으로 인하여 경찰에 의한 인권침해 사례가 증대되고 있음.

o 동건관련, 김학준 보좌관 주재로 별도 회의를 개최하여 대책을 논의키로 함.

바. KNCC, 주한외교사절 대상 국내 인권에 대한 관심 촉구

o 안 기 부 : KNCC는 1.17. 신라호텔에서 오지리, 벨기에등 13개국 대사, 미국공사등 21명의 주한외교사절을 초청하여 한국 인권문제거론 및 인권상황 개선을 위한 각국의 지원을 요청함.

o 외무부에서 적절히 대처토록 논의

0100

관리번호	91-365

원 본

외 무 부

종 별 :

번 호 : USW-0683 일 시 : 91 0208 1811

수 신 : 장관(미북)

발 신 : 주 미 대사

제 목 : ASIA WATCH/HUMAN RIGHTS WATCH 보고서 대응

대 WUS-0243

1. 당관 안호영 서기관은 금 2.8. ASIA WATCH 워싱톤 사무소장(HUMAN RIGHTS WATCH 와 ASIA WATCH 는 워싱톤에서 통합 사무실을 운영하고 있음) MICHAEL JENDROZEJCSYK 및 한국 관계 업무를 담당하고 있는 박지원과 면담, ASIA WATCH 및 HUMAN RITGHTS WATCH 보고서가 운동권과의 주장만을 기초로 한것이고 6 공화국이후 이루어진 정치 발전에 대한 이해 부족에서 출발한 편향된 시각의 보고서이며, 주한 미국대사관, 미 국무부등은 한국을 더이상 인권 문제가 있는 국가로 취급하지 않고 있음을 지적하였음.

2. 이에 대해 AISA WATCH 측은 자신들도 6 공화국 발족이래 인권문제에 개선이 있는것으로 생각하고 있으나, 89 년 이후에는 (1) 국가보안법등 중요한 법령 개정이 이루어 지지않고, (2) 시국사범에 대한 합동 수사본부가 설치 되었으며, (3) 시국사범에 대한 체포가 급증하여 한국이 인권상황이 악화하고 있다는 우려를 갖지 않을수 없다고 주장함.

3. 이에 대해 안서기관은 83..10. 랑군사건(당시 랑군 출장중) 및 87.11.KAL 858 사건 (당시 특별 작업반 근무) 시의 개인적 경험을 소개하면서 시국 사범을 다룰 경우 당국으로서는 한쪽으로는 인권 존중을 고려하는 한편 다른 한편으로 상기의 예처렴 북한의 끊임없는 위협을 받고 있는 상황에서 국가안보와 사회안정을 고려하지 않을수 없는것인데, 국외자로서는 이러한 한국의 특수사정을 이해할수 없는데서 문제가 출발하는것으로 본다고 하면서, 시국사범의 숫적인 증가는 오히려 제 6 공화국 출범이후 정치적 자유화를 악용한 반사회적 활동적증가로인한 것이지 정부의 민주화 추진 의지가 약해졌기 때문이 아님을 설명하였음.

4. 이에 대해 ASIA WATCH 측은 자신들도 주권국가가 안보와 치안유지를 위한

미주국 차관 1차보 2차보 청와대 경기원

PAGE 1 91.02.09 10:31

외신 2과 통제관 FE

0101

책임을 등한히 할수 없음을 잘이해하고 있으나, 한국 정부가 이를 남용하여 표현의 자유, 노동권을 탄압하고 있는것으로 이해하여 이의 시정을 요구하는것이라고 하면서 김근태, 홍성담, 장기 복역수에 대한 사상전향 강요등의 문제를 제기하였음.

5. 당관 관찰

0 TUESDAY LUNCHEON GROUP 에서 RICHARDSON 과장의 발언(USW-5593,90.12.18),1990 년 인권 보고서 발간시 SCHIFTER 차관보의 발언(USW-0573,91.2.1)등에서보듯이 미 행정부로서는 한국내의 인권을 더 이상 비중있는 문제로 취급하지 않고 있음.

0 반면 ASIA WATCH 는 전세계적인 조직을 갖는 HUMAN RIGHTS WATCH 의 일부로서 인권이라는 오직하나의 관심만을 갖은 전문적 인권단체로서 서구적 관점과서구적 기준에서 다른 국가의 인권상황에 대해 엄격한 기준을 적용하려 하고, 또한 80 년대를 거쳐 아시아, 동구에서 일어난 민주개혁에 자신들의 노력이 큰 기여를 하였다고 믿고있을뿐아니라, 특히 미국내에서는 자신들의 활동이 외국에서큰 반향이 있다는데서 일종의 자기 만족을 얻고 있는것으로 보임.

0 따라서 아측이 여사한 인권단체를 직접 접촉하는것은 일방 인권상황에 대한 이들의 인식을시정하는 하나의 채널로 활용할수 있다는 긍정적인 측면이 있는반면, 이들로 하여금 자신들의 작업에 대하여 한국정부가 민감하게 반응하고 있다는 자신감을 줌으로써 역기능도 있는 것으로 관찰 되었음을 참고로 보고함.

(예:면담중 JENDRZEJCZYK 소장은 91) 국무부 인권보고서에 대해서도 한국 법무부가 성명을 발표하였는지, (2)여성 인권문제에 대해 한국정부의 관심을 야기하려면 어떤 부처 접촉이 가장 효과적일지등을 문의)

(대사 박동진- 차관)

91.12.31. 일반

검토필 (1 92.6.30.)

일반문서로 재분류 (1992.12.31.)

PAGE 2

0102

관리번호 91-366

기 안 용 지

분류기호 문서번호	미북 0160-366	(전화 : 720-4648)	시 행 상 특별취급	
보존기간	영구. 준영구 10. 5. 3. 1.	장 관		
수 신 처 보존기간				
시행일자	1991.2.19.			

보조기관		협조기관		문서통제
국 장	전 결			1991. 2. 20
심의관				
과 장				발 송 인
기안책임자	홍 석 규			1991. 2. 20

경 유 수 신 참 조	법무부 장관 법무실장, 검찰국장	발신명의	
제 목	국제사면위 보안법 수감자 석방 탄원 대응		

1. 국제사면위 보스톤 지부 Jonathan R. Munro 는 90.12.20.자 주 보스톤 총영사관을 경유한 노 대통령앞 서한을 통해 국가보안법 위반자 방양균(서경원 전 의원 보좌관)이 정치범이라 주장하고 동인에 대한 조사 기간중 한국 정부 당국의 불법 처우를 비난하면서 동인의 즉각적인 석방을 요청하여 왔습니다.

2. 당부는 상기 Munro 씨 요청에 대해 주 보스톤 총영사로 하여금

/ 계 속 /

0103

반박 설명 예정인 바, 박양균의 기소 내용, 수감 현황등 관련 자료를 당부로

송부하여 주시기 바랍니다.　　끝.

예고문에 의거 일반문서로
재분류 19 11. 6. 30. 서명

0104

기 안 용 지

분류기호 문서번호	미북 0160-	(전화 : 720-4648)	시 행 상 특별취급	
보존기간	영구. 준영구 10. 5. 3. 1.	장	관	
수 신 처 보존기간				
시행일자	1991.2.26.			

보조기관			협조기관		문서통제
	국 장	전 결			검인 1991. 2. 28
	심의관				
	과 장				발송인 1991. 2. 28 외무부
기안책임자		홍석규			

경 유 수 신 참 조	주 보스톤 총영사	발신명의	
제 목	인권관련 대응자료 송부		

대 : 보스톤(정) 20732-0092(91.2.5)

대호, Mumno씨 서한에 대한 법무부 작성 대응자료를 별첨 송부 하오니 적의 조치하고 결과보고 바랍니다.

첨 부 : 상기 대응자료 1부. 끝.

0105

법 무 부

인권 0160-2497 503-7045 1991. 2. 22

수신 외무부장관

참조 미주국장

제목 인권관련 대응자료 송부

1. 미북 0160-366 ('91.2.20)과 관련입니다.

2. 귀부에서 요청한 방양균에 대한 관련자료를 별첨과 같이 송부합니다.

첨부 : 관련자료 1부. 끝.

법 무 부 장

5059

0106

공 란

공　란

방양균 사건에 대하여

1. 양심수라는 주장에 대하여

o 양심수의 의미에 대하여는 그 개념규정이 일치하고 있지 않지만 간첩행위로 실정법을 위반한 사람들을 양심수라고 이해할 수는 없을 것임

o 특히 우리는 40여년동안 세계에서 가장 호전적이고 폐쇄적인 북한과 휴전선 하나를 사이에 두고 대치하여 왔으며, 민주화. 개방화의 세계적인 추세 속에서도 북한은 전혀 변화를 보이고 있지 아니할 뿐만 아니라 지금도 대남적화혁명을 포기하지 않고 우리의 자유민주주의 체제를 파괴하기 위하여 끊임없이 좌익선전 선동전술을 획책하고 있으므로 간첩행위자를 양심수로 이해할 수는 없음

o 방양균은 간첩행위를 한 것으로 구속되어 재판을 받았음

2. 고문주장에 대하여

o 서경원의 비서관이었던 방양균씨 역시 조사받는 동안 잠을 못자고 온 몸을 구타당했으며, 약물을 투여받았다고 주장하나, '89.8.11 검찰청사에서 변호인과의 접견시에 변호인들에게 자신의 범죄사실을 모두 시인하였고 하루평균 6시간 정도의 수면을 취했으며, 가혹행위를 당한 사실이 없음을 스스로 밝혔으며, 동인도 검찰에서의 가혹행위가 어떤 것인지 구체적으로 주장하고 있지 않은 것으로 알고 있음

o 동인은 법정에서도 주요 범죄사실을 거의 그대로 인정했는데 이는 수사기관에서의 자백이 허위가 아니었음을 뒷받침하는 것이라 하겠음

0109

정 리 보 존 문 서 목 록

기록물종류	일반공문서철	등록번호	2012080153	등록일자	2012-08-28
분류번호	701	국가코드	US	보존기간	영구
명 칭	한국 인권상황 관련 미국 동향, 1990-91. 전5권				
생 산 과	북미1과	생산년도	1990~1991	담당그룹	
권 차 명	V.3 1991.3-7월				
내용목차					

0001

더 맑은 마음을, 더 밝은 사회를, 더 넓은 미래를

주 보 스 톤 총 영 사 관

보스톤(정): 20732-0143 1991. 3. 5.

수신 : 장관

참조 : 미주국장

제목 : AI 청원서

연 : 보스톤(정) 2073 -0781

연호 본직의 반박서한에 대해 M.R. HARRISON 은 김명식이 폭력에 의한 정부 전복을 선동하지 않고 있다는 내용의 별첨 서한을 보내왔는 바, 동인의 폭력에 의한 정부 전복을 선동한 글 혹은 행동을 증명하는 자료를 송부바랍니다.

1991. 3. 06
주보스톤
총영사관

첨부 : 서한 1부. 끝.

주 보 스 톤 총 영

13709 0002

Group 24
Cambridge, Massachusetts

315 Harvard Street # 5
Cambridge, MA 02139
617-492-0022

12 February 1991

Sang-Seek Park, Ph.D.
Consul General
Consulate General of the Republic of Korea
One Financial Centre
Boston, MA 02111

Dear Dr. Park:

Thank you again for your letter of 12 December 1990 regarding Amnesty International's prisoner of conscience, Kim Myung-sik.

Although you made several points regarding Mr. Kim, the one that concerns his status with Amnesty International as a prisoner of conscience is the charge that he has published an essay advocating the violent overthrow of your government. I assume that you are referring to Mr. Kim's introductory essay to the two volume anthology entitled, <u>The Cheju Island Popular Resistance</u>, since it is the only work you cite.

Upon my request Amnesty International has carefully reviewed this essay and has reaffirmed its conclusion that Mr. Kim does not advocate violence. Mr. Kim's thesis is that the uprising at Cheju was a popular uprising stemming from the repression experienced by the people under the combined authority of the U.S. forces and the government of South Korea at the time. Mr. Kim criticizes prior research (see enclosed copy, page 12, last paragraph) as trying to smear this popular uprising as communist, whereas in fact it arose from the intolerable conditions imposed upon the people. That there was violence does not mean that Mr. Kim advocates violence. Indeed on page 22, paragraph 2, he calls for the matter to be brought before the National Court of Justice to determine guilt and responsibility. This does not sound like a man who advocates violence.

I will be glad to pursue this question further with you if you choose. In any case I appreciate your response and look forward to hearing from you.

Sincerely,

Merritt R. Harrison

Merritt R. Harrison, M.Div.

Amnesty International is an independent worldwide movement working impartially for the release of all prisoners of conscience, fair and prompt trials for political prisoners and an end to torture and executions. It is funded by donations from its members and supporters throughout the world

0003

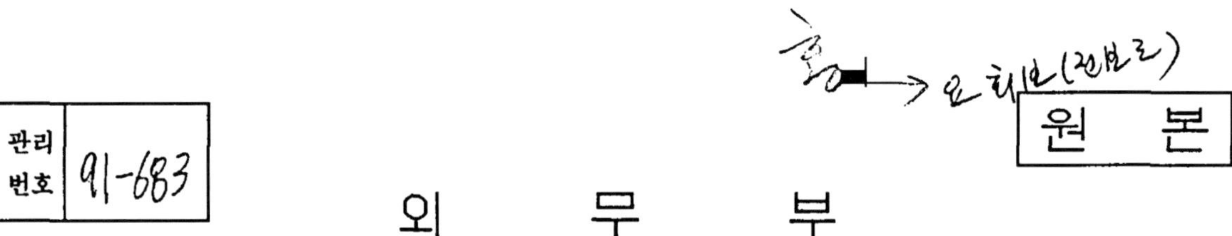

관리번호	91-683

원 본

외 무 부

종 별 :

번 호 : BTW-0040 　　일 시 : 91 0312 0915

수 신 : 장관(미북)

발 신 : 주 보스톤 총영사

제 목 : 목사구속

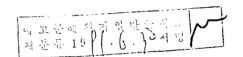

홍근수 목사(과거 보스톤교회 근무)의 보안법위반 구속사건(2.20)과관련 당지거주 감리교 F. HERBERT SKEETE 감독(세계선교회 부회장)은 청와대에 진정서를제출(일자미상)한 사실이 있다고 하는바 당지 교역자에 대한 설명자료로 필요하니 홍목사의 혐의사실, 범민련 성격및 활동상등 관련 참고사항 상세회시바람. 끝

(총영사-미주국장)

예고:91.6.30 일반

예고문에 의거 일반문서로 재분류 1991.6.30 서명

미주국

PAGE 1 　　91.03.13 01:08

외신 2과 통제관 CW

0004

기 안 용 지

분류기호 문서번호	미북0160-519	(전화 :)	시 행 상 특별취급	
보존기간	영구 ··준영구. 10. 5. 3. 1.	장 관		
수 신 처 보존기간				
시행일자	1991.3.13.			

보조기관		협조기관	문 서 통 제
국 장	전 결		검열 1991. 3. 13
과 장			
심의관			
기안책임자	홍 석 규		발 송 인

경 유 수 신 참 조	법무부 장관 검찰국장	발신명의	1991. 3. 13
제 목	보안법 위반 구속자 관련 자료 요청		

보스톤 총영사는 91.2.20. 국가보안법 위반 혐의로 구속된 홍근수 목사 사건과 관련, 보스톤 거주 교역자들의 문의가 있어 홍근수 목사의 기소사유, 범민련 성격 및 활동상등 설명자료 작성에 필요한 자료들을 요청하여 왔는바, 동인 구속과 관련된 참고 사항을 지급 회보하여 주시기 바랍니다. 끝.

예 고문에 의거 일반문서로 재분류 1991.6.30 서명

0005

1505-25(2-1) 일(1)갑
85. 9. 9. 승인 "내가아낀 종이 한장 늘어나는 나라살림"

190mm×268mm 인쇄용지 2급 60g/㎡
가 40-41 1990. 3. 30

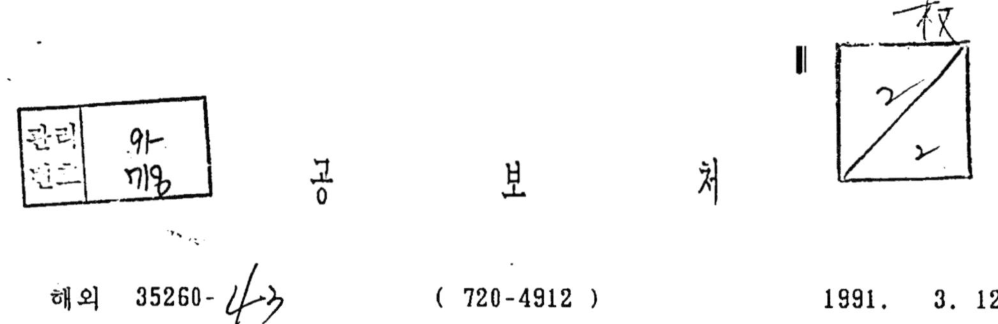

관리번호 91-1118

공 보 처

해외 35260-43 (720-4912) 1991. 3. 12.

수신 외무부장관

참조 주일본대사(공)

제목 북한 인권실사 홍보 촉구

1. WJA-0483 및 해외 35260-33 ('91.2.27)호와 관련입니다.

2. 연호 관련 1991년판 미국무부 인권보고서를 송부하니 동 보고서를 통일일보에 연제될 수 있도록하고, 동 보고서 게재후 단행본 책자 출판토록 추진계획을 수립 본부에 보고하고 시행에 만전을 기하기 바랍니다.

첨부 : 미 국무부 인권보고서(북한부분) 사본 1부. 끝. (생략)

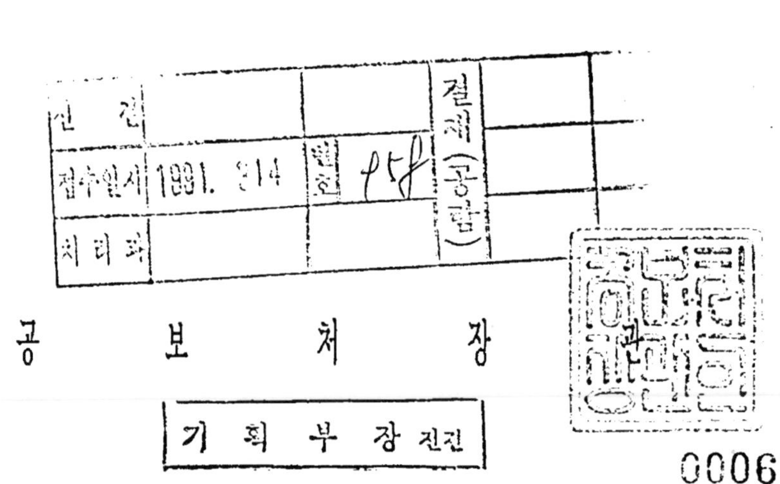

선 결			결재(공람)	
접수일시	1991. 3.14	번호		
처리과				

공 보 처 장

기획부장 전결

0006

관리번호 91-651

외 무 부

종 별 :

번 호 : AUW-0185 일 시 : 91 0313 0930

수 신 : 장관(해외,정이)

발 신 : 주 호주 대사

제 목 : 교포언론 활용 북한인권사상 보도

공람	년월일	정보1과	정보2과	홍보과	문화과	의신1과	의신2과

대:WAU-0062

연:AUW-0093

1. 당지 교포언론 호주소식(사장 신기범)은 3.10 자 발간호에서 당관제공 미국무부의 북한 인권보고서 내용을 발췌, 아래와같이 보도했음.

가, 제목:미국무부 인권보고서(북한부분)

나. 크기"1/2 페이지분 3 면(각 3 단 X20CM)

다. 횟수:다음호 후편게재 예고

2. 동지 금파편 송부 예정임.끝.

(대사 이창수-국장)

예고:91.12.31. 까지.

검토필(1991.6.30.)

공보처 정문국

PAGE 1

91.03.13 13:54

외신 2과 통제관 BW

0007

더 맑은 마음을, 더 밝은 사회를, 더 넓은 미래를

주 보 스 톤 총 영 사 관

보스톤(정): 20732- 0194 1991. 3. 15.

수신 : 장관

참조 : 미주국장

제목 : 인권관련 대응자료 송부

대 : 미북 016-=6448

대호에 의거 J.R. MURNO 에게 별첨과 같이 회신하였음을 보고합니다.

첨부 : 서한 사본. 끝.

주 보 스 톤 총 영

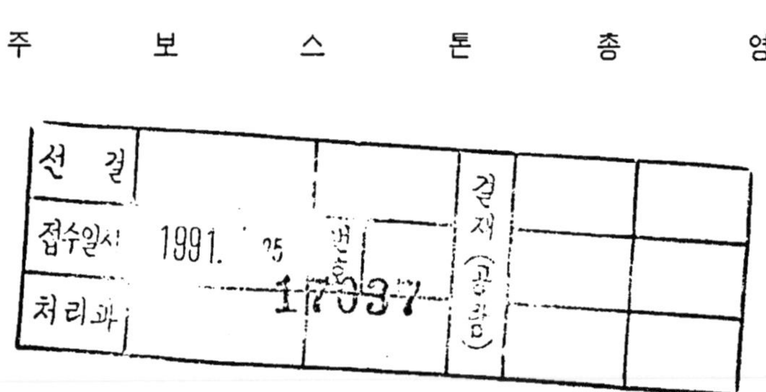

선 결			결재 (공람)		
접수일시	1991. 3. 25	번호 17037			
처리과					

0008

CONSULATE GENERAL OF THE REPUBLIC OF KOREA
ONE FINANCIAL CENTRE, BOSTON, MA 02111
TEL. (617) 348-3660 • FAX. (617) 348-3670

March 8, 1991

Mr. Jonathan R. Murno
469 Commonwealth Avenue
Apartment 2B
Boston, MA 02215

Dear Mr. Murno:

In response to your letter of December 20, 1990 addressed to President Roh Tae-woo, our Consulate General has prepared a memorandum based on information supplied by the Ministry of Justice of the Republic of Korea. I hope that this will help you to better understand this case.

Sincerely,

Sae Don Chang
Consul

0009

WHY MR. PANG YANG-KYUN IS NOT A PRISONER OF CONSCIENCE

I. Mr. Pang met Mr. Suh Kyung-won in mid-September 1988 and was told that Mr. Suh had visited North Korea secretly. Mr. Pang decided to assist Mr. Suh in his espionage activities. Under Mr. Suh's direction, Mr. Pang visited (what was then) West Germany on November 29, 1988 and contacted a North Korean agent at the Frankfurt airport in December 1988. He handed the agent an intelligence report written by Mr. Suh as well as some materials containing national secrets he had collected. Mr. Pang received U.S. $20,000 from the North Korean agent for his espionage activities.

Mr. Pang returned to South Korea on January 3, 1989 and handed Mr. Suh U.S. $10,000 of his fund and informed him of future means of contact with the North Korean agent. In order to detect South Korean agricultural policies, in April 1989, Mr. Pang obtained a summary of important investment programs from the National Livestock Association, as ordered by the North Korean agent.

II. The above activities conducted by Mr. Pang violate the National Security Law of the Republic of Korea. He was arrested on July 2, 1989 and on December 20, 1989 he was sentenced to seven years of imprisonment. He has appealed to superior courts, but has lost these appeals.

III. Mr. Pang is serving his sentence at Wonju Penitentiary. His health is relatively good, and he is allowed to contact his family and exchange letters with them.

IV. Amnesty International asserts that Mr. Pang is a prisoner of conscience but, in fact, Mr. Pang violated the National Security Law by engaging in espionage activities for North Korea. Amnesty International also claims that there is no evidence of espionage activities. However, the court has secured evidence as explained above.

It has been claimed that during his interrogation, Mr. Pang was not allowed to sleep, was bitten, and was administered chemical substances. When he met with his lawyers in the Prosecutor's Office on August 11, 1989, he admitted all of his criminal activities to them, and said that he had slept six hours a day on average and was never mistreated by the interrogators.

In court, Mr. Pang admitted to all of the major charges made against him. He later reaffirmed that the confessions he had made in the Prosecutor's Office were true.

V. This information has been supplied by the Ministry of Justice. Every sovereign state has the inherent right to prosecute and punish any citizen who violates its laws. Therefore, Amnesty International has no right to demand the release of Mr. Pang on the grounds that he is a prisoner of conscience.

0010

관리번호	91-828

외 무 부

종 별 : 지 급

번 호 : USW-1430　　　　일 시 : 91 0327 1848

수 신 : 장관(해신,해외,미북,정홍,기정)

발 신 : 주 미 대사

제 목 : 반한 단체(자료 응신 2)

1. 북미 인권 연합(NORTH AMERICAN COALITION FOR HUMAN RIGHTS IN KOREA)및 CAMPAIGN FOR PEACE AND REUNIFICATION FOR KOREA 등 2 개 반한 단체는 3.1 THE KOREA COALITION 으로 통합키로 하고 북민 인권연합에서 오랫동안 활동해온것으로 알려진 김화영(약 40 세의 여성)을 의장 대행으로 선출했음.

2. 지난 11 년간 북민 인권 연합의장직을 맡아온 PHARIS HARVEY 목사는 작년 9 월경 동 의장직을 사임하고 워싱턴 DC 소재 노동 운동단체인 INTERNATIONALLABOR RIGHTS EDUCATION LAND RESEARCH FUND 의 의장으로 옮겨간것으로 확인됨.

3.HARVEY 목사의 사임은 노동분야의 일을 해 보고 싶다는 본인의 의사 표명에 따른것으로 알려지고 있으나 내면적으로는 한국의 민주화 진전및 남북 대화 활성화에 따른 주변 여건 변화가 크게 작용한것으로 평가됨.

(공보관 -해공 관장)

91.12.31 까지

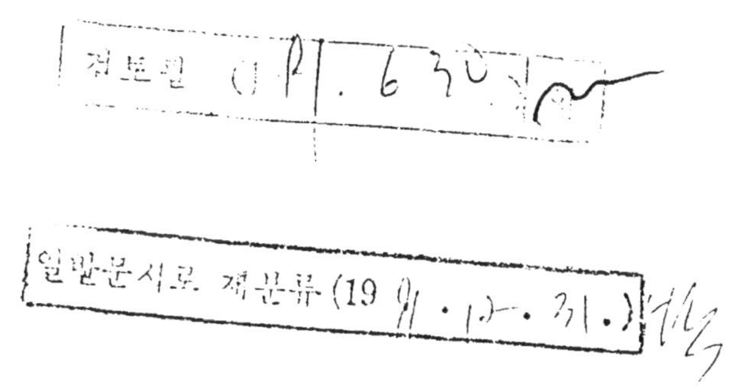

공보처 차관 1차보 미주국 정문국 청와대 안기부 공보처

PAGE 1　　　　91.03.28 10:08

외신 2과 통제관 BW

0011

관리번호	91-889

원 본

외 무 부

종 별 : 지 급

번 호 : USW-1570 일 시 : 91 0403 1829

수 신 : 장관(미북,정이,기정)사본:법무부

발 신 : 주 미 대사

제 목 : 하원인권 코커스 전문위원 접촉 범민련 관련)

연:WUS-1494

1. 금 4.3 당관 박흥신 서기관은 하원 인권코커스 ALEX ARRIAGA 전문위원(TOM LONTOS 인권코커스 공동의장 보좌관)및 RACHEL HELFAND 전문위원 (JOHN PORTER 인권코커스 공동의장 보좌관)을 오찬 접촉(조태열 서기관 동석), 연호 당지 범민련 관계자등의 미의회 방문 사실을 확인하고 한국의 인권상황 관련 의회내 분위기를 탐문한바, 요지 아래 보고함.

가. [illegible] 등 4-5 명의 범민련 및 유관단체 회원들이 지난 3.21. 인권코커스 사무실을 방문, 미의회가 구속중인 범민련 관계자및 양심수의 석방을 촉구하는 서한을 한국정부에 발송하여 줄것을 요청해 왔는바, 내주중 LANTOS 및 PORTER 의원이 휴회에서 돌아오는 대로 동사실을 보고하여서한발송 여부등 처리 방향을 결정예정임. 이와는 별도로 4 월 말경 인권코커스 소속의원(약 200 명)실 보좌관에 대해 한국의 인권상황에 관한 브리핑을 실시코자 자료를 작성중에 있음.

나. 박서기관은 범민련 관계자들이 실정법을 위반하여 현재 재판에 계류중에 있으므로 외부로 부터의 압력이 이들의 적법한 사법처리에 영향을 미쳐서는 안될것이라고 전제하고, 남북한 대치 상황에서 국가보안법 시행의 불가피성, 남북대화 현황, 6 공 출범이래 민주화진전 내용등을 상세히 설명한바, 동전문위원들은 의회내에서도 한국의 민주화 노력을 높이 평가하고 있으나, 의원 사무실이나 인권코커스를 통해 개별적인 청원이 접수되는 경우 여하한 형태로든 처리할수밖에 없는 실정임을 토로하고, 아울러 일부 의원들이 국가보안법 개정등 민주입법개혁 절차의 지연에 우려하고있다고 밝힘.

2. 대의회 활동에 참고코자하니 상기 범민련 관련 구속자들의 범법내용, 재판현황 기타 설명자료 회시바람.

미주국 차관 1차보 2차보 정문국 청와대 안기부 법무부

PAGE 1

91.04.04 09:35

외신 2과 통제관 FE

0012

3. 상기 한국 인권상황 관련 브리핑 계획에 관하여는 관련 동향을 계속 파악 보고 예정임.(대사 현홍주-국장)

예고:91.12.31 까지

北韓 社會·文化 91 - 6

1990年 美 國務部 人權報告書

(北韓 관련 全文 翻譯 內容)

翻譯: 尹 炯 憙(調査硏究室 補佐官)

1991. 3

調 査 研 究 室

(第4研究官室)

0014

目 次

0015

序 言: 朝鮮民主主義 人民共和國 人權概況

한반도 북반부에 1948년 蘇聯軍政期間에 수립된 조선민주주의 인민공화국은 조선노동당의 지배하에 있는 공산주의 독재국가이다. 당은 북한정권의 主席이자 黨 總秘書를 위하여 절대권력을 행사한다. 42년간 權座에 있어온 김일성은 그의 아들 김정일을 권력 세습자로 내세웠다. 현재 그는 黨序列 2위로서 그의 아버지와 함께 個人崇拜의 대상이 되어왔다.

북한정권은 인민들을 엄격한 통제로 종속시키고 있으며, 모든 사람들에 대해 노동당 입당을 비롯하여 취업, 진학, 의료시설 및 상점 등 이용 범위를 결정하는 등급을 마련해 놓고 있다. 개인의 권리는 黨과 國家의 권리에 종속되어 있다.

북한의 中央集權經濟하에서 국가가 모든 중요한 경제활동을 지도하고 있다. 蘇聯式 經濟改革은 심한 저항을 받아왔으며, 소련의 원조와 특혜무역은 쇠퇴하고 있다. 전반적인 경제성장과 스파르타식 내핍생활 수준마저 더욱 저하되어 왔다. 1990년의 북한의 실제 GNP 성장은 2% 미만으로 추정된다. 심각한 분배의 병목현상, 비생산적인 자원할당과 악화되고 있는 外債 負擔이 개발 노력에 큰 장애요인이 되고 있다.

북한은 1990년도에도 인민들에게 가장 기본적인 인권도 허용치 않고 있다. 북한당국은 보다 많은 외국방문객과 가족상봉을 위해 많은 해외동포들의 訪北을 허용하였다. 그러나 북한이 남한과 3차례의 高位級會談을 개최한 바 있었지만 離散家族 再結合問題의 정식 토의는 회피해 왔다.

북한의 刑法은 반동적인 유인물을 소지하고 있거나 당과 국가에 대한 誹謗, 背信 등 각종 反革命罪에 대해서는 모든 財産의 몰수와 사형을 명문화시켜 놓을 만큼 가혹하다. 북한정권이 허용하여 전파하는 것을 제외하고는 독자적인 言論, 結社의 自由는 말할 것도 없고, 사소한 외부의 정보도 일반대중에게 알려지는 것을 허용치 않고 있다.

第1節 人權差別

A. 政治的 非司法的 殺害行爲

북한정권은 金日成, 金正日에 대한 政治的 反對派나 政治犯에 대해 재판 없이 略式으로 死刑을 집행해 왔다. 1990년 인권보고서에는 어떤 사람은 배신할 가능성이 있다는 이유만으로 타의에 의해 중국에서 북한으로 송환되기도 했으며, 어떤 반대파 대학생은 별개의 사건으로 인해 처형되기도 했다고 지적하고 있다.

탑승객 115 명의 생명을 앗아간 1987년 11월 버마 해안에서의 대한항공 858 기 폭파사건, 1983년 9월 韓國의 高位官吏 17名의 생명을 앗아간 버마 랑군의 爆破事件을 비롯하여 1968年 무장간첩 청와대 襲擊, 1974년 朴正熙 대통령에 대한 暗殺企圖로 令夫人의 死亡 등 20년 이상 北韓의 무장 특공대가 수시로 남한에 테러 攻擊을 자행해 왔다.

B. 失 踪

북한내에는 失踪에 관한 유용한 정보는 없으나 지난 10년동안 북한은 자기네 영토 밖에서 남한사람, 일본사람 등 외국사람들을 납치해 왔다는 여러 건의 보고서가 있다. 『Asia Watch』와 『미네소타 辯護士 國際人權委員會(以下 MLIHRC)』의 1988년 보고서에 의하면, 이러한 납치행위들은 명백히 평양당국이 기술적으로 스파이 조직의 능력을 제고시키려고 수행되었다.

C. 拷問과 非人間的인 殘酷行爲

『Asia Watch』와 『MLIHRC』의 보고서에서 언급된 바와 같이, 북한의 刑事被告人들은 訊問過程에서부터 그후 收監期間중에까지 통상 拷問을 받거나 매우 非人間的인 處遇를 받아왔다는 것을 각종 증거자료에서 제시되고 있다. 또한 그 보고서에는 많은 刑事被告人들이 拷問, 疾病, 굶주림, 또는 遺棄를 당하여 사망했다고 언급하고 있다.

한국의 映畫製作者 申相玉과 그의 부인, 여배우 崔銀姬는 북한의 海外工作員에 의해 납치되었다고 주장했다. 1986년 그들은 비엔나에서 북한관리로부터 탈출하였으며, 북한에서 감금되어 있을 당시 반복되는 매질소리를 들었다고 증언했다. 申相玉씨는 장시간 꼼짝않고 앉아 있도록 명령을 받고 獨房에 감금되어 最少量의 給食과 強制不眠에 시달렸다는 체험을 증언했다.

D. 任意逮捕, 拘禁, 追放

북한에는 刑事裁判 절차와 실무에 관해 입수할 수 있는 자료가 거의 없다. 아울러 북한은 법률제도나 실태에 관한 외부인의 조사·연구를 허용치 않고 있다.

북한 刑法에는 刑事被告人들에게 2개월을 초과하지 않는 기간 동안에 訊問을 해야한다고 규정하고 있다. 그러나 訊問部署에서 檢察所長의 승인을 얻는다면 被疑者에 대한 訊問期間은 무기한으로 연장될 수 있다. 裁判이나 刑量도 없이 12개월동안 감금되었다는 사람들에 관한 보고도 있다. 被告人에게 내려진 刑量이나 심지어 그가 어디에 감금되어 있는 것조차 가족이나 관계자도 알아내기가 매우 어렵다고 申相玉씨는 언급했다.

1989년 남한으로 탈주한 북한 귀순자들이 북한정권은 최소한 105,000 명의 政治犯들과 그들의 가족들을 수용소에 억류시키고 있다고 추정했으며, 그 수용소에서는 결혼이 금지되고, 수용인들의 식량은 自給自足하기 위해 자신들이 직접 경작해야 한다고 증언했다.

歸順者들의 증언과 다른 정보출처에 따르면, 북한정권은 산간오지의 거대한 收容所에 약 150,000 명의 政治犯과 그 가족들을 억류시키고 있는 것으로 알려져 있다.

북한의 관리들은 그런 감옥이나 수용소의 존재를 부인하지만 범죄를 저지른 사람을 교화시키기 위한 교육센터의 존재는 시인하고 있다. 『Asia Watch / MLIHRC』 보고서에는 북한에 존재하고 있다고 믿어지는 12개의 그런 유사한 監獄型 收容所를 목록화해 놓고 있다. 김정일에 대한 批判勢力과 政敵들을 숙청하여, 6,000 에서 15,000명에 이르는 새로운 政治犯들을 수용하기 위해 1982년에는 4 개의 수용소가 더 추가되었다.

북한연구소의 보고서에는 前職 總理들을 포함하여 북한의 고위 인사들이 그 수용소에 수감되어 있다고 언급하고 있다. 『Asia Watch / MLIHRC』보고서는 裁判이나 宣告刑量 없이 國事犯들이 감금되어 있다고 밝히고 있다. 來訪客 및 收監者들 사이에 어떤 종류의 코뮤니케이션도 금지되어 있다고 한다.

E. 공정한 公開裁判의 拒否

북한헌법에는 법원은 독립되어 있고, 司法節次는 법에 따라 엄격하게 수행된다고 명시되어 있는데, 거기에는 세밀한 訴訟節次의 보장도 포함시켜 놓고 있다. 『Asia Watch / MLIHRC』보고서에 의하면, 이러한 보장장치나 조항도 실제로는 이행되지 않고 있으며, 당이 刑事裁判制度 전반에 걸쳐 통제를 하고 있다.

북한헌법 제 138조에는, " 재판은 공개되며 被訴者의 辯護權을 보장하나 법이 정한데 따라 재판을 공개하지 않을 수 있다" 고 규정하고 있다. 그러나 政治事犯에 대해서는 공안부서가 재판을 면제한다는 보도가 많이 있다. 그 대신에 처벌을 하기 위해서 사건을 國家保衛部에 의뢰한다.

재판이 열릴 때, 변호사는 명백히 정부의 지명을 받고 복무하게 된다. 『Asia Watch / MLIHRC』의 보고서에 의하면, 변호사는 被告人의 代理人으로 간주되기 보다는 오히려 被告로 하여금 자기 죄를 자백하도록 설득함으로써 재판에 협조하는 독자적인 당사자로 간주된다. 그리고 辯護士는 處罰을 완화하기 위해서는 立證資料를 단지 제시할 뿐이다.

申相玉씨 내외는 政治犯과 一般犯罪와의 사이에 현격한 차이가 있다고 하면서, 국가는 一般犯罪에 대해서만 정상적인 재판을 할 수 있다고 주장하였다. 북한은 정권을 비판하는 사람과 "政治犯"을 동일시하고 있다. 수많은 보고서를 보면, 政治犯 속에는 김일성 사진이 실려있는 신문지 위에 앉으면 不敬罪에 속한다는 것도 포함되어 있다고 암시하고 있다.

F. 私生活, 家庭生活, 書信往來에 대한 부당한 干涉

북한정권은 개개인의 의식을 통제해서 그들의 의도대로 의식을 형성해 나가도록 고안한 교육프로그램을 인민들에게 받게하고 있다. 未就學 兒童들이 金日成과 그의 家系를 숭배하도록 훈련을 받고 있는 동시에 就學兒童들도 매일 반나절씩 思想教化를 받게 하고 있다. 청소년들과 성인들도 수업시간이나 직장에서 매일 실시하는 사상훈련에 참가해야 한다. 人民班 등 마을 조직을 동원하여, 직장에 나가지 않거나 학교에 가지않는 사람들에게도 思想教育을 실시한다. 매일의 思想教育에는 黨 方針과 政策, 理念闘爭에 대한 기계적인 암송이 요구된다. 북한은 각종 중첩된 보안조직을 통해 이러한 사상통제를 실시한다.

월남한 친척들을 가진 사람들은 북한의 교묘한 階級體系에 있어서 敵對階層으로 분류된다. 북한의 계급은 정권에 대한 충성심에 근거를 두고 있다. 이 敵對階層 成員들은 差別待遇를 받게 된다. 북한당국은 1959년 이래로 일본에서 북송된 재일동포 日本人 妻들의 본국 방문을 못하게 했다. 그들의 편지가 엄격한 검열을 받아야 하기 때문에 많은 日本人 妻들이 본국의 가족들과 연락을 하지 못했다.

헌법에는 人身 및 住宅의 不可侵과 書信의 秘密이 보장된다고 명시되어 있지만, 실제는 그렇지 못하다. 북한당국은 사회도처에 密告者 組織을 만들어 놓았다. 申相玉씨 부부와 몇몇 歸順者들에 의하면 도처의 住居地에 電子監視裝置가 있다는 것이다. 심지어 학교당국에서까지 아동들로 하여금 그들의 부모들이 가정에서 무슨 얘기를 했는지 토론하도록 유도한다. 당국은 세대의 가족활동 상황을 검열하기 위해서 매월 衛生檢閱을 시행하고 각 가정마다 金日成父子의 肖像畫를 걸어두도록 지시를 내린다. 『Asia Watch / MLIHRC』의 보고서는 감시와 결과에 따르는 위협 때문에 恐怖가 모든 社會關係를 지배하는 것같이 보인다고 결론지었다.

第2節 公民의 基本自由

A. 言論·出版의 自由

헌법에는 公民은 言論, 出版, 集會, 結社, 示威의 自由가 있다고 규정하고 있지만, 북한정권은 그들의 의도와 부합할 때만 이런 공민의 활동을 허용한다. 북한 주민들에게 社會主義 生活規範과 集團主義 精神에 복종하도록 요구하는 헌법조항은 개인의 정치적 또는 공민의 기본자유에 우선한다.

국제앰네스티 1988년 보고서에는 북한정권이 공민과 정치적 자유에 관한 國際協約하에 保障되어 있는 표현과 결사의 자유에 대한 권리를 엄격히 제한하고 있다고 언급하고 있다. 북한은 1981년에야 비로소 공민과 정치적 자유에 관여하게 되었다. 金日成과 그의 政策을 비판하는 사람들은 集團勞動이나 投獄과 같은 처벌을 받도록 되어 있다.

『Asia Watch / MLIHRC』에 의해 인터뷰를 받은 한 귀순자는, "북한의 어떤 과학자가 자기집 有線放送 受信機(라디오)를 통해 盜聽(모니터)을 당하고 있었고, 집에서 金日成을 批判한 진술 때문에 결국 체포되어 處刑되었다"고 보고했다.

북한 刑法에 관한 북한문제연구소에서 발행한 책자에 반동적인 유인물을 초안, 기록, 배포하는 것은 사형에 처할 수 있다고 언급했다. 海外 言論媒體는 제외되지만 國內 媒體의 檢閱은 의무적이다.

—9—

0024

공식적인 정부지침의 위배는 용납되지 않는다. 북한에서는 고위 인사를 제외하고 國外放送 聽取가 금지되어 있다. 알려진 바로는 위반자는 심한 처벌을 받게 된다.

대부분의 도시 가구는 라디오를 갖고 있으며, 그중 일부 가구는 텔레비전을 소유하고 있지만, 受信은 국내방송프로에 한정되어 있다. 정부는 藝術 및 學術活動 전반에 걸쳐 통제를 가하고 있으며, 訪北者들에 의하면 演劇, 映畫, 歌劇, 圖書의 주 기능이 위대한 지도자 김일성, 친애하는 지도자 김정일을 위요한 個人偶像化에 기여하는데 있다고 증언하고 있다.

B. 평화적인 集會와 結社의 自由

公共集會는 정부의 허가없이는 개최될 수 없다. 정부에 의해 조직된 집회 이외의 어떤 모임도 성립될 수 없음을 뜻한다. 또한 국가는 동창회나 이웃간의 조직과 같은 정치와 무관한 집단모임도 허용하지 않는다. 전문가들의 결사는 그 組織成員에 대한 政府統制의 한 방편으로서 유일하게 허용되고 있다.

C. 宗敎의 自由

북한헌법에는, "公民은 信仰의 自由와 아울러 反宗敎 宣傳의 自由를 가진다" 고 규정하고 있지만, 실제로 북한정권은 1940년대 후반부터 기독교도와 불교도들을 박해하여 왔으며, 가족이나 친척들이 종교에 개입되어 있으면 심한 냉대를 받고 있다.

이러한 박해에도 불구하고 북한정권은 오늘날 종교의 자유가 있다는 것을 공표하기 위해 정부가 지원하는 宗教團體를 활용하고 있다. 북한은 500 여개의 家庭教會에서 1 만여명의 교인이 예배를 보고 있다고 주장하고 있다. 몇개의 불교사찰도 종교활동을 하고 있으며 북한내 2개의 교회가 1988년 말경에 새로 설립되었다. 이 두교회는 평양을 방문한 외국인들에게는 필수 관광코스에 포함되어 있다. 어떤 訪北者들은 이들 두 교회가 실제로 예배를 보고 있다는 것과 관찰된 수십명이나 되는 신도들의 신앙심도 입증해 주었다. 심지어 어떤 訪北者들은 교회활동까지 마련되고 있는 것 같다고 증언했다.

그러나 북한의 종교지도자가, "金日成의 權威보다 더 높은 어떤 道德的 權威가 있다"는 것을 설교한 것은 알려져 있지 않다. 金日成과 그의 家系, 그리고 그의 主體思想은 예배와 유사한 숭배의 대상이 된다. 즉 金日成 家系 崇拜는 조직화된 종교와 기능적으로 유사하다.

D. 國內・外 旅行, 移民, 歸還의 自由

북한당국은 해외여행을 엄격히 통제하고 있을 뿐 아니라 자기가 살고있는 고장 밖으로 나가는 것조차 旅行證明書를 요구하고 있다. 이러한 여행허가는 필수적인 公務 또는 어떤 특별한 私的 用務에 한해서만 허용된다. 개인적인 여행은 대개 가까운 친척의 결혼식이나 장례식 참석 등 제한을 받는다.

여행에 필요한 허가를 얻는데 상당기간 지연되는 것은 허용되는 목적에서조차 여행의 권리가 종종 거부되는 것을 뜻한다. 國內旅行은 또한 여행지에서만 유효한 쿠폰을 배부해주는 食糧配給制에 의해 통제된다. 1989년 10월 북한은 해외여행 자유화를 발표하였으나 몇달 후 교통 설비가 부적절하다고 주장하면서 그 조치는 철회 되었다.

주로 귀순자들의 보고를 보면, 특히 정치적으로 믿을 수 없다고 생각되는 사람들에 대한 強制移住는 보편적이라고 지적하고 있다. 북한의 수도 평양에 들어가 살거나, 심지어 나가는 허가조차 엄격히 통제된다.

해외여행은 정부관리, 공인 예술가, 체육인, 학자에 한정시키고 있다. 북한은 海外移民이 허용되지 않고 있으며, 다만 1천명 정도의 歸順者들이 북한 탈주에 성공했다. 북한을 탈주한 사람들의 친척들에게 북한 정권은 가혹한 보복을 하고 있으며, 타의로 송환된 탈주자들은 감옥에 가거나 처형 되었다.

孤立政策에 대한 하나의 예외로서, 1989년 북한은 학생들을 일본에 단기 연수를 보냈으며, 이것 이외에 대학생들을 일정기간 공산권 밖으로 유학시키는 것은 허용치 않는다. 1989년 북한의 東歐 留學生 6명이 탈주했을 때부터 해외유학생들에 대한 통제가 강화되었다. 그 결과 1990년 東歐의 모든 留學生들이 본국으로 소환되었다.

1959년부터 1982년까지, 6,637 명의 일본인 처를 포함하여, 93,000명의 재일동포들이 북한의 민족주의적 호소에 호응하여 자의로 북송되었다. 그중에 아직도 일본의 시민권을 갖고 있는 1,828 명의 일본인 처들은 2 - 3 년마다 일본으로 귀향이 허용될 것이라는 북한의 장담에도 불구하고 아무도 일본으로 귀환되지 못한 것으로 알려져 있다. 『Asia Watch / MLIHRC』의 보고서를 비롯한 각종 정보출처에 의하면, 귀환자들과 귀환자 가족들의 대부분은 동요계층으로 분류 되어 있으며, 衣·食·住에서 열악한 대우를 받았을 뿐 아니라 重勞動에 처해져 경멸적인 처우를 받게 되었다. 그들의 가혹한 행위에 대한 보도가 해외에 알려졌을 때 자발적 귀환이라는 얘기는 사라졌다. 북한은 부족한 外貨調達에 접근할 수 있기 때문에 일본인 배우자들의 처우가 향상되어 왔다고 최근 소식통들이 전하고 있다.

북한은 일본, 미국, 중국을 비롯한 세계 도처의 수천명 해외동포들이 친척을 상봉하려는 訪北을 허가해 왔다. 북한정권은 1989년 7 월 평양에서 개최된 제 13 차 世界青年學生祝典에 기자, 관광객을 비롯한 15,000명의 외국인 참가를 포함하여, 최근에는 종래보다 더 많은 訪北을 허용해 왔다. 어떤 訪北者들은 투숙하고 있는 호텔 근처를 자유롭게 산책할 수 있었다고 보고했지만, 대다수 방문자들은 아직도 면밀히 감시를 받고 있으며 여행일정도 대개는 고정되어 있다고 한다.

第3節 市民의 政治的 權利

북한에서는 정부를 바꾸거나 리더쉽을 변전시키는데 영향을 줄 수 있는 메카니즘은 없다. 북한의 정치체제는 완전히 김일성과 김정일에 의해 지배를 받는다. 일년에 단 며칠밖에 열리지 않는 입법부인, 최고인민회의는 수뇌부가 제안한 결의안의 만장일치 통과와 다른 그 어떤 조치도 취하지 못한다. 민주주의의 겉모습만 나타내려는 노력의 일환으로 몇개의 소수 야당들을 官製로 만들어 놓았다. 야당은 인민회의에서 名目上의 代表權을 갖고 완전히 정부지침을 추종하는 官吏의 名簿로서만 존재한다.

自由選擧가 북한내에서는 존재하지 않는다. 최고인민회의 선거가 1986년 11월에, 도·시·군 인민회의 선거가 1989년 11월에 있었지만, 어느 경우든지 정부는 각 선거구에서 단 한명의 후보만을 인정한다. 정부의 통제를 받는 매체에 의하면 투표자의 99% 이상이 100% 공인된 후보자를 선출한 것으로 판명되었다. 조선로동당 당원으로서 이러한 길고도 엄격한 선출과정에도 불구하고 대부분의 당원들은 政策決定에 있어서 發言權이 없고, 黨總秘書 金日成과 그의 직속 참모들이 공표한 명령을 수행하는데만 복무하고 있다.

第4節 人權違反 調査에 관한 北韓態度

人權違反을 감시하거나 보고서를 작성하기 위한 人權團體가 북한내에는 존재하지 않는다. 북한은 어떤 國際人權團體나 地域 人權團體에도 가입하지 않고 있다.

북한당국은 人權實態를 감시하기 위하여 국제 앰네스티, 『Asia Watch』, 『MLIHRC』 등 어떤 國際人權團體도 북한방문을 허용하지 않고 있다. 북한대표는 『Asia Watch / MLIHRC 』人權報告書를 거짓과 위선으로 가득찬 것이라고 했으며, 만약 그 보고서가 발간된다면, 人權團體는 그것으로 해서 야기되는 모든 결과에 대해 전적으로 책임을 져야할 것이라고 경고했다.

第5節 人種·性·宗教·言語·身分의 差別

헌법에는 여자도 남자와 동등한 社會的 身分과 權利를 갖는다고 명시하고 있다. 그러나 政府나 黨의 高位職에 여성들은 별로 없다. 노동력이 여성이 월등히 많은 소규모 공장을 제외하고 여성들은 노동력에 비례하여 대표권을 갖게된다.

북한정권은 신체적으로 장애있는 사람에 대해 차별을 가하고 있다. 보고서에 의하면, 退役軍人 이외의 다른 障碍者는 平壤市 境界内에 사는 것이 허용되지 않는다. 『Asia Watch / MLIHRC 』 보고서에는 당국에서 매 2 - 3년마다 수도내에 있는 불구자들을 조사하여 무능력자들을 이동시킨다. 그중 일부 노약자, 미망인, 환자는 시골로 보낸다. 난장이 촌은 멀리 산간 벽지의 정착지로 추방해 버렸다.

여성에 대한 폭행이 습관적으로 행해지거나 묵인 되는 정도에 관해서는 아무것도 알려지지 않고 있다.

북한은 同質性이 강한 사회이며, 상대적으로 少數集團이 결핍되어 있다.

第6節 勞動者의 權利

A. 結社의 權利

自由勞組는 북한에 존재하지 않는다. 노동당의 定義는 노동의 중요성을 나타내는 의미로 쓰이고, 勞組는 형식상으로만 존재한다. 『朝鮮職業總同盟』이라 부르는 단일한 노동전선이 있는데 그 同盟은 공산주의 통제하에 있는 『世界勞動組合聯盟』에 가입되어 있다. 이 聯盟 산하에서, 勞組에 해당하는 『朝鮮職業總同盟』이 운영되고 있으며, 건강·교육· 문화·복지시설 마련과 生産目標 및 國家目標下에 勞動者 動員 책임을 갖고 있는, 古典的인 蘇聯型 勞組 機能을 갖고 있을 뿐 罷業權이 없다. 북한은 『國際勞動機構』 (ILO) 의 회원이 아니다.

B. 團結 및 團體交涉權

북한의 노동자들은 團結權이나 團體交涉權이 없다.

C. 強制 및 義務勞動의 禁止

북한에서는 強制 및 義務勞動은 금지되어 있다. 정부는 통상 강제노동을 위해서는 징집병을 활용하고 있다. 국제앰네스티 1987년 보고서에는 정치범들은 정상적인 일터에서 임금도 없이 봉사를 하거나 勞動條件이 아주 열악한 농장, 광산에서 소위 "矯正勞動"에 처해지는 내용이 인용되고 있다.

D. 勞動의 最少年齡

북한에는 未成年 勞動의 最少年齡에 관한 유용한 데이타는 없다.

E. 勞動條件

最低賃金, 직업상의 안전과 건강에 관한 유용한 데이타는 없다. 임금은 정부의 유관부서에서 결정한다. 국가는 모든 직장을 배정하며, 專門的인 能力보다는 오히려 思想的 成分이 유수한 직장을 차지하는 중요한 기준이 된다. 노동자들은 經營上의 決定에 참여하지 못한다.

의사의 증명 없이 직장에 나오지 않는 것은 노동자의 配給定量이 줄어드는 결과가 된다. 헌법에는 8시간 노동제를 규정하고 있으나 대부분의 노동자들은 그들의 주장대로 소위 "自發的인 愛國勞動"으로 하루 12 - 16 시간씩 일을 함으로써 초과 노동까지 하게된다.

미국은 북한과 外交關係를 갖고 있지 않다. 북한은 기자나 다른 초청인사와 마찬가지로 미국과 관계를 갖고 있는 정부대표와 그 대표들이 북한의 人權實態를 현지에서 평가할 수 있는 활동의 자유를 금지하고 있다. 그러므로 이 보고서의 대부분은 1990년 훨씬 이전부터 수집되어 온 정보에 근거를 두고 있다. 이 보고서는 범위와 세부적인 사항에 한계가 있지만, 여기에 활용된 각종 정보는 오늘날의 북한의 人權 狀況을 반영해 준다.

"한사람이 지킨질서 모아지면 나라질서"

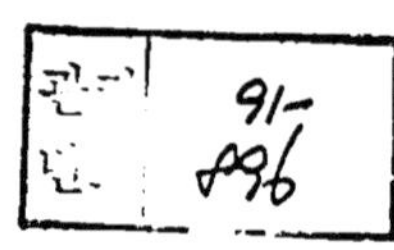

주 호 주 대 사 관

주호공 35260- 30 1991. 3. 22.

수신 외무부장관

참조 해외공보관장, 정보문화국장

제목 교포언론 활용 북한인권실상 홍보

1. 연호 AUW-0185('91.3.13), AUW-093('91.2.7) 및 대호 WAU-0062('91.2.4) 관련입니다.

2. 미국무부의 북한인권 보고서 내용을 발췌, 긴급입수 보도 형식으로 보도한 3.10자 호주소식(보도 P.11-13)을 별첨 송부합니다.

첨 부 : 동 호주소식 각 1부. 끝.

1991. 3. 25

검토필(1991. 6. 30)

1991.12.31.에 예고문에 의거 일반문서로 재분류됨

주 호 주 대 사

"한사람이 지킨질서 모아지면 나라질서"

0034

관리 번호	91-976

외 무 부

종 별 :

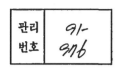

번 호 : JAW-1979 일 시 : 91 0404 1622

수 신 : 장관(해외,정홍)

발 신 : 주 일 대사(일공)

제 목 : 북한 인권실황 홍보촉구

공람	년월일	정보1과	정보2과	홍보과	문화과	외신1과	외신2과

대 : 해외 3526-43-623

1. 미 국무부 인권보고서는 현재 통일일보사와 협의, 게재 예정임을 보고드림.

2. 단행본 책자 출판건은 출판사측과 협의 추진중이나 출판사측은 번역, 출판에 따른 저작원 문제가 사전에 해결되어야 검토할수 있다는바, 저작권(번역, 출판권) 사용권을 아국이 양도 받았는지의 여부를 조속 회시하여 주시기 바람. 끝

(공보관 정진영-부장)

예고:91.12.31. 까지

19 91. 12. 31. 에 예고문에 의거 일반문서로 재분류 됨

공람	홍보과	년월일	담 당	과 장	정세분석관	국 장	차관보	차 관	장 관

공보처 정문국 안기부

PAGE 1

91.04.04 19:23

외신 2과 통제관 DO

0035

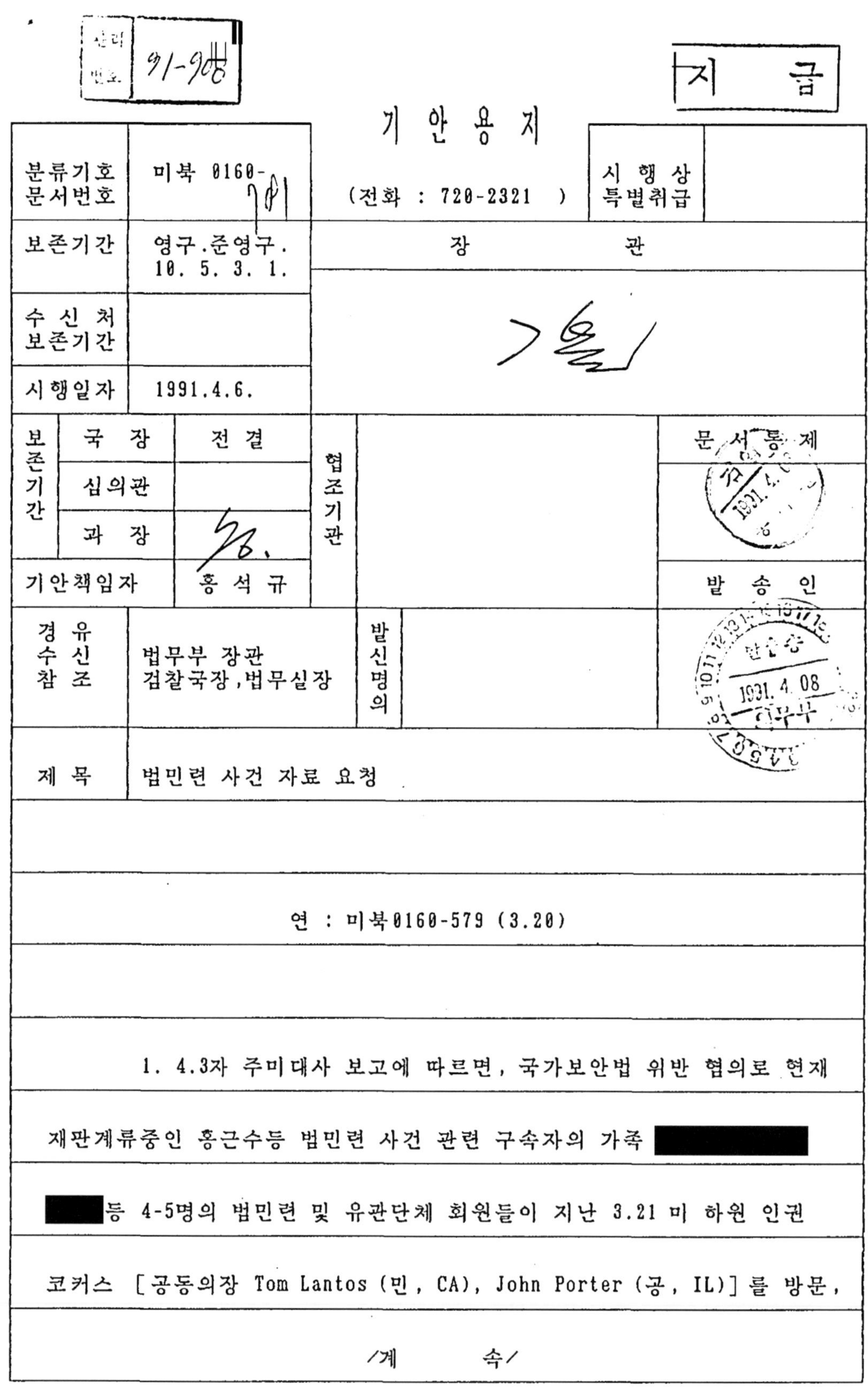

관리번호 91-908

지 급

기 안 용 지

분류기호 문서번호	미북 0160-781	(전화 : 720-2321)	시 행 상 특별취급	
보존기간	영구.준영구. 10. 5. 3. 1.	장 관		
수 신 처 보존기간				
시행일자	1991.4.6.			

보존기간	국 장	전 결	협조기관		문서통제
	심의관				1991. 4. 6
	과 장				
기안책임자		홍 석 규			발 송 인

경 유 수 신 참 조	법무부 장관 검찰국장, 법무실장	발신명의		1991. 4. 08 외무부
제 목	법민련 사건 자료 요청			

연 : 미북0160-579 (3.20)

1. 4.3자 주미대사 보고에 따르면, 국가보안법 위반 혐의로 현재 재판계류중인 홍근수등 법민련 사건 관련 구속자의 가족 ██████ ███등 4-5명의 법민련 및 유관단체 회원들이 지난 3.21 미 하원 인권 코커스 [공동의장 Tom Lantos (민, CA), John Porter (공, IL)] 를 방문,

/계 속/

0036

미 의회가 구속중인 범민련 관계자 및 양심수의 석방을 촉구하는 서한을 한국 정부에 발송하여 줄 것을 요청하였다 합니다.

2. 또한 미 하원 인권 코커스는 4월말경 인권 코커스 소속의원 (약200명) 보좌관에 대해 한국의 인권상황에 대한 브리핑을 실시코자 현재 자료를 작성중에 있다고 합니다.

3. 이와관련 당부는 주미대사로 하여금 범민련 관련 구속자들의 범법내용, 재판현황등 반박자료를 통해 동 사건을 미 하원 인권 코커스 및 의회 전반에 대해 설명코자 하는 바, 연호 요청자료 및 동 설명자료 작성에 필요한 관련자료를 작성 지급 송부하여 주시기 바랍니다. 끝.

0037

관리 번호	91-1049

	분류번호	보존기간

발 신 전 보

번 호 : WBT-0094 910424 2038 DA 종별 :

수 신 : 주 보스톤 총영사

발 신 : 장 관 (미북)

제 목 : 흥근수 목사 관련자료

대 : BTW - 0040

대호 관련, 법무부 작성 대응자료를 차 파편 송부 예정인 바, 적의 설명하고 결과보고 바람. 끝.

(미주국장 반기문)

검토필 (1991.6.30.)

보 안 통 제	

앙 고 재	91년 4월 24일	북이과	기안자 성 명		과 장	심의관	국 장		차 관	장 관
							전결			

외신과통제

0038

공 란

공 란

공 란

공　　　란

베를린 3자회담 참가자 구속관련 대응자료

o 통일전 동서독의 안보상황과는 다른 우리나라 안보상황의 특성상 불가피한 조치임

- 동서독간에는 1972년 기본조약의 체결을 전후하여 상호 교류를 위한 각종 협정이 체결되었으며 수차례의 동서독 정상회담이 개최되는등 오랜 기간동안 통일의 여건을 다져온 데 비하여, 북한은 일찌기 전쟁을 도발한 이래 현재까지 각종 무력도발을 감행하는등 극도의 군사적 위협을 가하고 있으며, 최근 화해와 개방이라는 세계사의 흐름마저 거부한 채 폐쇄정책과 대남적화혁명 기본전략을 고수하고 있어 현재까지 남북한간에는 아직 단 한건의 협정도 체결하지 못하고 있음

- 동서독 주민들간의 접촉과 왕래가 동서독 정부간의 수차례에 걸친 협상의 결과임을 감안하면 우리나라와 같이 남북이 첨예하게 대치하고 있는 특수한 안보상황하에서 남북간의 대화와 접촉은

0043

역시 국민적 합의를 바탕으로 국민대표기관인 정부나 국회의 주도하에 신중히 추진되어야 할 것이고 무분별하고 자의적인 대북접촉은 결국 북한의 대남적화전략전술에 이용될 가능성이 있을 뿐만 아니라 국내적으로도 통일문제에 관한 혼란과 반목등 국론분열을 초래하여 국익을 손상할 우려가 있으므로 이에 대하여는 사법조치가 불가피한 실정임

o 명백한 실정법위반 행위임

- 대한민국은 대한민국의 특수한 안보상황에 대한 국민들의 인식과 국민적 합의를 기초로 하여 국가의 안전과 자유민주체제를 수호하기 위한 법률적 장치를 마련하고 있음. 따라서, 이러한 법률을 위반하는 행위에 대하여는 국가의 안전과 체제수호차원에서 단호히 대처할 수밖에 없으며 이는 또한 법치주의의 기본원리상 당연한 것임

- 우선 남북교류협력에관한법률 제9조는 남한의 주민이 북한의 주민과 접촉하고자 할 때는 정부의 승인을 받도록 되어 있음에도 베를린회담 참가자들은 정부의 승인을 받지 않고 참가함으로써 실정법을 무시하였음

0044

- 나아가, 이번 베를린회담은 민간단체로 가장하고 있는 북한의 조국평화통일위원회 (약칭 조평통)의 실질적 주도하에 남한내의 반체제 세력과의 연합전선을 구축, 남한사회에 반국가세력을 부식함으로써 적화통일을 앞당긴다는 그들의 소위 통일전선전술의 일환으로 개최된 것으로서, 회담 합의내용 역시 국가보안법 폐지, 주한미군철수, 남북한 유엔동시가입 반대등을 표방하고 있어 북한의 주의주장과 일치하고 있음

- 이는 결국 우리 사회의 갈등과 혼란, 통일문제에 관한 국론분열을 야기하는등 북한의 대남전략입지를 강화시키고 우리의 국가안보를 위태롭게 함으로써 국내 실정법인 국가보안법에 저촉되는 것이므로 동 법률에 따라 처리할 수밖에 없음. 이건 이외에도 전민련관계자들의 정부를 배제한 자의적인 대북접촉에 대하여는 이미 법원의 유죄판결이 수회 선고되어 확정된 바 있음

- 이렇듯 자국의 안전과 체제수호를 위한 입법례는 각국의 안보상황에 따라 정도의 차이는 있지만 대부분의 나라들이 갖고 있으며 특히

0045

통일이전의 서독형법에는 남북한과 같은 현실적인 안보위해요인이 없음에도 자유민주체제를 수호하기 위한 각종 규정들을 두고 있었을 뿐만 아니라 통일된 현재까지 그러한 조항들의 기본적인 내용은 그대로 유지하고 있으며 통일독일당국은 동서분단당시의 서독의 국가기밀을 탐지하는등 서독의 안보를 위협한 동독의 비밀경찰요원들을 체포하고 있는 것으로 알고 있음

o 국가의 권위와 전체 국민의 의사를 무시한 행위임

- 전민련 관계자들의 베를린회담 참가는 통일을 앞당기는데 전혀 도움이 되지 않을 뿐만 아니라 우리 사회의 혼란을 조성하기 위한 북의 대남전략전술에 말려들게 되어 국익에 위해하다는 이유로 정부는 동인들의 대회참가신청을 불허하면서 강행시에는 사법처리가 불가피함을 경고하였음에도 이를 무시하고 참가하였음

- 이들은 또한 범국민적 대표임을 자처하고 있지만 국민적 대표성을 인정할 수 없고 베를린회담 추진역시 국민적 합의에 기초한 것이

0046

아니어서 대다수 국민의 뜻에도 어긋나므로 이들의 경거망동에

대하여는 대부분의 국민들도 분개하고 있음

- 우리나라 뿐만 아니라 미국에서도 정부의 허가없이 분쟁 또는 대립 관계에 있는 외국의 정부요원들을 함부로 만나는등 접촉하는 것을 법으로 금지하고 있음 (The Logan Act)

0047

* 참고자료

o 조국평화통일위원회 (약칭 조평통)

- 연혁 및 성격

. 61.5.13. "4.19"직후 "가자 북으로, 오라 남으로" 등 우리 학생, 재야등의 통일운동 격화시기에 남한의 각계각층 인사들의 민주주의 역량을 단합, 적화통일을 실현하기 위하여 북한내 제정당, 사회단체, 각계인사를 망라하여 급조한 노동당의 외곽단체임

- 기능 및 임무

. 남한의 각계각층인사 및 해외동포들을 상대로 통일실현 투쟁 고취

. 노동당의 통일.남북대화정책 대변

. 한국내 주요사건 또는 새로운 정책 발표시마다 소위 "조평통 서기국 보도" 등을 발표, 이를 비난

0048

- 조직

  . 위원장(1명, 허담), 부위원장(12명)등 간부 대부분이 당정치국원, 당비서, 최고인민회의 대의원등을 겸하고 있는 당정고위 간부임

  . 특히 부위원장중 4명 (윤기복, 전금철, 임춘길, 조명일)과 서기국장(안병수)은 남북대화관련 서울왕래 인물임

  . 이번 베를린회담 북한측 참가자 전금철은 조평통의 부위원장으로서, 남북국회회담 준비접촉 북측대표 단장이기도 함

o 로간법 (The Logon Act)

- 미국법전 제18편 제953조

  . '미국시민으로서 정부의 허가없이 미국과 분쟁 또는 대립관계에 있는 외국정부나 관리 또는 그 대리인의 조치 또는 행동에 영향을 미치거나 미국의 국가정책을 저지시키기 위하여 외국정부나 관리 또는 그 대리인과 직접.간접으로 통신 또는 접촉을 개시

0049

하거나 계속한 자는 그가 어디에 있든지간에 3년이하의 징역 또는 5,000불이하의 벌금에 처한다.'

- 입법배경

  . 미국독립전쟁직후 필라델피아에 살고 있는 로간(Logan) 이라는 목사가 미국과 전쟁직전 상태에 있는 프랑스를 방문하여 프랑스혁명 정부와 개인적으로 강화조약에 관한 협상을 벌이고 귀국

  . 당시 미국국민들은 그를 두고 나라를 팔아먹은 자라고 비난하였고 이러한 배경하에 미국국민과 외국정부간의 사적접촉. 교류를 금지하기 위한 로간법(The Logan Act)을 제정함.

0050

관리 번호	91-1050

	분류번호	보존기간

발 신 전 보

번 호 : WUS-1728 910424 2035 DA 종별 :

수 신 : 주 미 대사. 총영사

발 신 : 장 관 (미북)

제 목 : 홍근수 목사 관련자료

대 : USW - 1570

대호 관련, 법무부 작성 대응자료를 차 파편 송부 예정인 바, 적의 설명하고 결과보고 바람. 끝.

검토필 (1991.6.30.) (미주국장 반기문)

보안 통제	

앙 고 재	91년 4월 24일	북미과	기안자 성명		과장	심의관	국장		차관	장관
							전결			

외신과통제

0051

기 안 용 지

분류기호 문서번호	미북 0160- 1050	(전화 : 720-2321)	시 행 상 특별취급	
보존기간	영구.준영구. 10. 5. 3. 1.	장 관		
수 신 처 보존기간				
시행일자	1991.4.24.			

보존기간			협조기관		문 서 통 제
	국 장	전 결			검열 1991. 4. 25
	심의관				
	과 장				
기안책임자		홍석규			발 송 인

경 유 수 신 참 조	주 미 대사	발신명의		발송 1991. 4 25 외무부
제 목	흥근수 목사 관련자료 송부			

대 : USW - 1570

연 : WUS - 1728

연호, 표제관련 자료를 별첨 송부합니다.

첨 부 : 상기자료 1부. 끝.

0052

APR 29 '91 15:19 TO FROM HUMAN RTS WATCH, D▬ T-622 P.01

배부처	장관실	차관실	一차보	二차보	기획실	외정장	아주국	미주국	구주국	중아국	국기국	경제국	통상국	정문국	영교국	총무과	감사관	공보관	외연원
								/											

☐ 485 Fifth Avenue, New York, NY 10017-6104 TEL (212) 972-8400 FAX (212) 972-0905
☐ 1522 K Street, NW, Suite 910, Washington, DC 20005-1202 TEL (202) 371-6592 FAX (202) 371-0124

FACSIMILE COVER SHEET

Date: April 29, 1991 Time: ______

Number of Pages: 3 (inc. cover sheet)

To: President Roh Tae-woo
c/o Foreign Ministry – N. American Bureau

From: ______________________

Supplemental message:

THE WASHINGTON OFFICE FAX MACHINE NUMBER IS 202-371-0124. IF YOU HAVE ANY QUESTIONS ABOUT THIS MESSAGE, CALL ______________ AT 202-371-6592.

0053

APR 29 '91 15:20 TO FROM HUMAN RTS WATCH, DC ■■-622 P.02

ASIA WATCH

□ 485 Fifth Avenue, New York, NY 10017-6104 TEL (212) 972-8400 FAX (212) 972-0905
□ 1522 K Street, NW, Suite 910, Washington, DC 20005-1202 TEL (202) 371-6592 FAX (202) 371-0124

April 29, 1991

President Roh Tae-woo
The Blue House
1 sejong-no
Chongno-gu
Seoul
KOREA

Dear President Roh:

We are writing to express concern that excessive force by the riot police led to the death in Seoul on Friday of Kang Kyung-dae, a 20 year-old economics student at Myongji University. We welcome the swift action that the government has taken thus far in dismissing the Home Affairs Minister and charging four riot policemen with manslaughter.

We respect the Korean authorities' right to curb violent demonstrations that constitute a threat to public order. We are concerned, however, that on several occasions during your presidency, the riot police have contravened Article 3 of the UN Code of Conduct for Law Enforcement Officials. That provision stipulates that "Law enforcement officials may use force only when strictly necessary and to the extent required for the performance of their duty."

Kang's death was a foreseeable consequence of your government's failure to address earlier incidents of excessive force by riot police against demonstrators. We hope that the relevant authorities will now conduct a systematic review of the training and disciplining of the riot police and take appropriate steps to ensure that such a tragic incident will not be repeated.

We urge that an independent commission be appointed to investigate Kang's death and that all relevant details be made public. We would further

0054

President Roh Tae-woo
April 29, 1991
Page two

urge a thorough review of the training and disciplining of the riot police and that appropriate steps be taken to ensure that their conduct complies with standards set forth by the United Nations, particularly as South Korea moves to secure a seat in that international body.

Sincerely,

Sidney Jones
Executive Director

0055

관리번호	91-1100

주 미 대 사 관

미국(영)20800-64 1991. 4. 24.

수 신 : 장 관

참 조 : 영사교민국장, 미주국장, 정보문화국장 (사본: 국가안전기획부장)

제 목 : 반국가단체 시위

연 : USW-1861

연호, 워싱턴지역 범민련등 4개 반국가단체의 4.24. 오전 당관앞 시위시 당관이 입수한 유인물을 별첨 송부합니다.

첨 부 : 동 유인물. 끝.

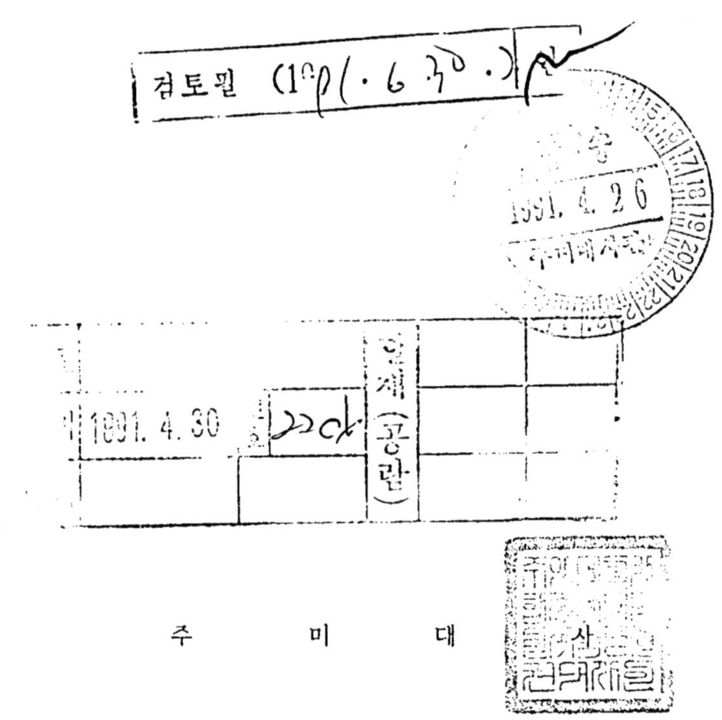

주 미 대 사

0056

Post-It™ brand fax transmittal memo 7671

To	From 범민련-D.C.
Co.	Co.
Dept.	Phone #
Fax #	Fax #

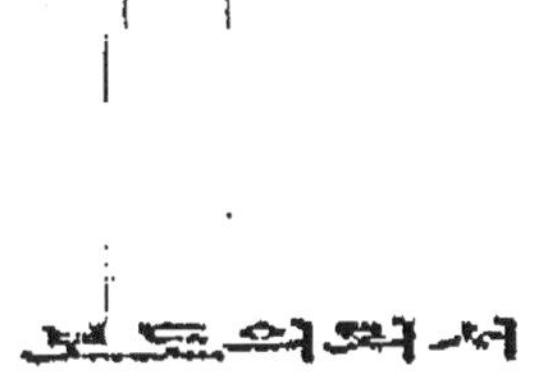

수신: 각 언론사

발신: 워싱톤디씨지역 조국통일범민족연합, 코리아의 평화와 통일을 위한 국제연대위원회, 한겨레운동 워싱톤연합, 워싱톤한국청년연합

일자: 1991년 4월 21일

제목: 부시-노태우정권의 전쟁도발책동 규탄시위에 관한 건

안녕하십니까?

최근 우리 조국을 둘러싼 미국과 남부조국 정부간의 심각한 전쟁음모를 규탄하기 위한 시위를 오는 4월 24일 (수) 오전 11시부터 대한민국 대사관앞에서 갖기로 하고 이에 대한 보도를 아래와 같이 의뢰하오니 적어도 4월 23일 (화)까지 보도되도록 선처하여 주시기를 바랍니다.

또한, 시위 당일에도 가능한 한 귀사에서 취재원을 파견하여 주시기를 부탁드립니다.

****** 아 래 ******

「워싱톤디씨지역 조국통일범민족연합」, 「코리아의 평화와 통일을 위한 국제연대위원회」, 「한겨레운동워싱톤연합」과 「워싱톤한국청년연합」은 4월 24일 (수요일) 오전 11시부터 대한민국대사관앞에서 부시와 노태우정권의 전쟁도발책동을 규탄하는 시위를 갖는다.

지난 3월 2일 미 국방부 합동참모부가 미 의회에 제출한 비밀보고서에는, 이라크를 무력으로 굴복시킨 부시정권이 다음 차례로 북부조국을 겨냥하여 120일간의 전쟁계획까지 마련해 놓았다는 내용이 들어있었으며, 최근 주한미군사령부는 올해 말경에야 완공될 것으로 보이는 평북 영변의 원자력발전소를 선제공격하겠다는 작전계획을 세웠음이 언론을 통해 보도된 바 있다. 또한, 지난 4월 12일 신문편집인협회 간담회에서 남부조국의 이종구국방장관은 북이 4-5년내에 핵무기를 생산할 것으로 예상되므로 영변에 있는 원자력발전소에 엔테베 특공작전식의 기습공격을 가해야 한다고 말했으며, 남부조국 정부는 이를 부인하지 않고 다만 정부소유 연합통신을 통해 이 보도를 철회하도록 명령했다고 한다. 이 장관의 발언 이틀 전 주한 미 대사 그레그는, 부시정부가 한반도의 비핵지대화를 반대하고 있다고 말한 바 있다.

그 뿐 아니라 미국이 판문점 군사정전위원회 유엔군측 수석대표를 자격도 권한도 없는 남부조국 군장성으로 전격교체시킴으로써 한반도 군사문제에 관한 유일한 대화창구마저 막아버렸고, 한미간 전시주둔군지원협정 체결이 이미 일정에 올라 있다는 사실에 주목하면서, 이 시위를 주최하는 4개 단체들은 남부조국에 배치된 미 핵무기 철거와 한반도의 비핵지대화, 제 2의 6·25로 민족파멸을 초래할 대북 선제공격계획의 취소와 평화협정의 체결, 주한미군 철수, 남북불가침선언 채택과 무력증강 중지, 남북대결을 고조시키는 유엔단독가입 기도의 철회 등을 주장하면서, 조국의 평화를 염원하는 워싱톤디씨지역의 모든 동포들이 이 시위에 참여해줄 것을 바라고 있다.

자세한 문의는 (202) 387-2420 (디씨지역 범민련)으로 하면 된다.

0057

FOR IMMEDIATE RELEASE

EMERGENCY DEMONSTRATION AGAINST WAR DANGER IN KOREA

Contact Person: Rev. Kiyul Chung 202-387-2989 April 22, 1991

The International Committee for Peace and Reunification of Korea; Pan-Korean Alliance for Peace and Reunification of Korea, D.C. chapter; Young Koreans United of Washington D.C. and Han Gyuh Reh Movement announce an EMERGENCY DEMONSTRATION in front of the South Korean Embassy located at 2370 Massachusetts Ave., N.W. on Wednesday April 24, 1991 at 11:00 a.m. to noon. The Korean community and its international supporters will be protesting against the South Korean and US governments' recent attempts to trigger a new war and a possible nuclear holocaust in Korea.

Following the aftermaths of the Gulf War, the US government has turned to other regions for "targets" of US intervention. Recent statements by both the US and South Korean governments allude to the possibility of a war erupting in the Korean peninsula. On March 6, 1991, in a report to the Asia-Pacific Subcommittee of the House Foreign Affairs Committee, Carl Ford Jr., Principal Deputy Assistant Secretary of Defense for International Security Affairs stated, "Korea is the most likely place in the region for hostilities to erupt." On April 12, the South Korean Defense Minister, Lee Jong Koo stated to the South Korean press that South Korea may be forced to lead 'Entebbe-style' raid, pre-emptive strike against nuclear plants in North Korea.

0058

According to Damu Smith, the National Co-Chair of the International Committee for Peace and Reunification of Korea, it is hypocritical for the South Korean and the US governments to publicly accuse North Korea of producing nuclear weapons, while there are hundreds of US nuclear weapons and more nuclear reactors in South Korea. He continues, "This is a deliberate and systematic campaign by the South Korean and US governments to provoke North Korea into a war. It will put the lives of more than 60 million Koreans at risk of another war. Furthermore, the threat of a possible nuclear holocaust looms imminent over the international community once again."

Koreans and its supporters believe that to ensure peace and stability in the region, the US and South Korean governments must cease escalation of the political and military tensions in the Korean peninsula. Mr. Churl Oh of Pan-Korean Alliance for Peace and Reunification of Korea states, "the South Korean and US governments must work on ensuring peace such as working towards a nuclear-free Korea in Korea rather than preparing for a war."

우리민족을 파멸위기로 몰아가는
부시-노태우 양정권의 전쟁도발책동을 규탄한다!

지난 4월 12일 신문편집인협회 간담회에서 국방장관 이종구는 북이 4 - 5년내에 핵무기를 생산할 것으로 예상되므로 평북 영변에 있는 원자력발전소에 엔테베 특공작전식의 기습공격을 가해야 할다고 말했다.

이 말은 도대체 무슨 뜻인가?

그것은 조국강토를 전쟁의 불길속으로 몰아넣고 남북의 육천만 겨레를 핵참화로 몰살시키겠다는 소름끼치는 협박이 아닐 수 없다. 전쟁도발에 혈안이 되어 날뛰는 호전광이 아니고서는 도저히 내뱉을 수 없는 이러한 대북선제공격협박을 들으며 우리는 경악과 분노로 전율한다. 우리는 이종구의 협박발언이 결코 실언이 아님을 알고 있다.

이라크를 무력으로 굴복시킨 부시정권은 다음 차례로 북부조국을 겨냥하여 120일간의 전쟁계획까지 마련해놓았음이 지난 3월 2일 미 국방부 합동참모부가 미 의회에 제출한 비밀보고서에 들어있었다는 언론보도. 그리고 최근 주한미군사령부가 영변의 원자력발전소를 선제공격하겠다는 작전계획을 세웠다는 언론보도를 상기한다면, 그리고 미국이 자기에 대해서 핵공격을 하지 않겠다는 선언을 하라는 북부조국의 요구조건을 묵살하면서 부시 - 노태우정권이 북부조국에 대해 핵사찰을 수락하라는 집요한 외교적 공격을 계속하고 있음을 상기한다면, 이종구의 발언은 분명히 계산된 의도에서 나온 것임을 쉽게 알 수 있다.

도대체 올해 말경에 가서야 완공될 것으로 보이는 영변의 20만 KW급 원자로가 왜 그렇게 문제가 되고 있는가? 부시 - 노태우정권이 만일 우리나라의 핵문제를 거론하고자 한다면 남부조국에서 이미 오래전부터 가동되고 있는 수많은 원자력발전소들에 대해서는 왜 한 마디 말조차 없는가? 1천여개의 각종 핵무기로 무장하고 전투대세를 갖추고 있는 주한미군의 방대한 무력에 대해서는 왜 한 마디 말조차 없는가?

이종구가 발언하기 이틀 전, 주한 미 대사 그레그가 부시정권은 한반도의 비핵지대화를 반대하고 있다고 한 발언을 주목하며 우리는 묻는다. 과연 누가 우리민족을 살육과 파괴의 공포로 몰아가고 있는가?

현재 남북간의 불가침선언 채택문제는 아무런 진전도 없으며, 군축협상은 커녕 도리어 남부조국 군대의 무력증강이 계속되고 있다는 사실. 미국이 판문점 군사정전위원회 유엔군측 수석대표를 자격도 권한도 없는 남부조국 군장성으로 전격교체시킴으로써 한반도 군사문제에 관한 유일한 대화창구마저도 막아버렸다는 사실, 한미간 전시주둔군지원협정 체결이 이미 일정에 올라있다는 사실 등을 주목하며 우리는 묻는다.

누가 한반도의 평화를 추구하는 우리 민족의 의지와 노력을 짓밟고 있느냐?

누가 한반도에서 무력증강을 서두르며 전쟁위기를 조성하고 있느냐?

지금 정세는 긴장되어 있고 상황은 매우 심각하다. 만일 우리민족이 부시 - 노태우정권의 전쟁도발책동을 저지하지 못한다면 조국은 영영 돌이킬 수 없는 전쟁의 참화를 입게 될 것이며, 우리가 염원

0060

하는 통일조국의 미래마저도 산산이 부서지고 말 것이다.

우리는 민족의 생존을 근본적으로 위협하고 있는 부시 — 노태우정권의 전쟁도발책동을 절대로 좌시하지 않을 것이다.

우리는 오늘 조국에 조성된 전쟁위기와 군사적 긴장을 해소하고 자주와 평화의 새 세상, 민중이 주인이 되는 통일조국을 세우기 위하여 싸워나갈 것이다!

해내외 7천만 동포의 단결된 힘으로 평화와 자주통일을 쟁취할 것이다!

— 우 리 의 주 장 —

1. 부시정권은 남부조국에 배치한 핵무기를 철거하고 한반도를 비핵지대로 만들라!
2. 부시정권은 대북선제공격계획을 취소하고 평화협정을 체결하라!
3. 부시정권은 주한미군을 철수하라!
4. 해내외동포는 이종구의 전쟁도발망언을 규탄한다!
5. 노태우정권은 남북불가침선언을 채택하고 무력증강을 중지하라!
6. 노태우정권은 남북대결을 고조시키는 유엔단독가입 기도를 철회하라!
7. 해내외동포는 단결하여 반노-반민자당 투쟁에 총궐기하자!
8. 해내외동포는 제 2의 코리아전쟁도발을 획책하는 부시-노태우 양정권을 규탄한다!

1991년 4월 24일

워싱톤디씨지역 조국통일범민주연합

0061

RECENT STATEMENTS BY US AND SOUTH KOREAN GOVERNMENTAL OFFICIALS DEPICTING WAR SCENARIOS IN THE KOREAN PENINSULA

March 1991

The Secretary of Defense released the **Joint Military Net Assessment Report 1991** which specifically outlines details of a war scenario in Korea. This report stated that should a war occur in the Korean peninsula, 200,000 US soldiers would be mobilized for a war that would approximately last 120 days with mid to high in intensity. This war scenario is similar to that of the war in the Persian Gulf.

March 6, 1991

Carl Ford Jr., Principal Deputy Assistant Secretary of Defense for International Security Affairs, in his testimony to the Asia Subcommittee of the House Foreign Affairs Committee, stated:

> "Turning to the Korean peninsula, we remain concerned that this is the most likely place in the region for hostilities to erupt."

March 6, 1991

Richard H. Solomon, Assistant Secretary of State, Bureau of East Asian and Pacific Affairs, in his testimony to the House Foreign Affairs Subcommittee on East Asian and Pacific Affairs, stated:

> "We can not support the creation of a nuclear free zone on the Korean peninsula as proposed by the north Koreans. If there is a proliferation problem on the Korean Peninsula, the responsibility for it rests with north Korea."

March 13, 1991

General Robert W. Riscassi, Commander of the United States Forces Korea; Commander in Chief, United Nations Command; Commander in Chief, Combined Forces Command to the United States Senate Armed Services Committee, stated:

> "The terrain in north Korea offers greater survivability and makes air to ground targeting more difficult. We will not be afforded the opportunity to degrade the north Korea's ground forces with air power before the ground battle is joined."

April 1, 1991

Carl Ford Jr., Principal Deputy Assistant Secretary of Defense for International Security Affairs, in an interview stated:

> "Our ability to maintain our forces in Korea and Japan and the Philippines enables us to move to other parts of the globe more quickly than we otherwise would be able to."

0062

"I would have to say that the most serious threat to stability in East Asia is the one that's been the most serious threat for many years. And that's the Korean peninsula. Anytime you have close to a million men --- in both countries --- arrayed against each other across a very tense frontier, the demilitarized zone, with longstanding disagreements between the two countries, we are always worried that could somehow slip into a military conflict, which would draw the entire region and in some ways would be a --- have global implications because of the relationships of north Korea with China and the Soviet Union, and south Korea with the United States."

"The most serious threat in the region is in our minds still the Korean Peninsula, that many of our force deployments, whether you're talking about Japan or the Philippines, are directed at being able to respond to our commitments to Korea."

April 10, 1991

Carl Ford Jr., Deputy Assistant Secretary of Defense for International Security Affairs in his testimony to the Subcommittee on Military Installations and Facilities House Armed Services Committee, stated:

"No one should construe from these changes, however, that we plan to withdraw all our forces from Asia. Such a plan does not exist. The United States is a Pacific power and will remain so in the future."

"The fact remains that the Korean peninsula is still the most likely scene of any large conflict in Asia for the foreseeable future. Should hostilities erupt, the United States remains committed to fulfill its treaty obligations for the Defense of the Republic of Korea."

April 10, 1991

Media complicits with the US government's statements in demonizing north Korea, creating further tensions in the Korean peninsula. In the New York Times article, Leslie H. Gelb, stated:

"The renegade, and perhaps the most dangerous country in the world today, is north Korea. The world community, and especially Japan has the opportunity to stop it from becoming the next Iraq."

April 12, 1991

Lee Jong Ku, south Korean Defense Minister stated to the south Korean press, that, south Korea may be forced to mount a pre-emptive strike, "Entebbe-style" commando raid against a nuclear reactor power plant located in Yongbyon, 60 miles north of Pyongyang, north Korea. The US and south Korean governments alleges that the nuclear reactor power plant is capable of producing plutonium for crude nuclear weapons in five years. North Korea replies that this statement is virtually a "declaration of war."

Young Koreans United of USA NY: 718-426-2684 fax: 718-898-0313 DC: 202-387-2420 fax: 202-387-2989 LA: 213-733-7785
SF: 408-437-9454 PHILA: 215-924-2506 CHICAGO: 312-588-6584 SEATTLE: 206-355-3354

INTERNATIONAL COMMITTEE FOR PEACE & REUNIFICATION OF KOREA

INTERNATIONAL OFFICE: (U.S. Regional Office) · 1314 14th St., NW, Suite 6, Washington, DC, 20005, USA Tel: (202) 387-2989, Fax: (202) 387-2984
Chair: Damu Smith (Former Executive Director of Washington Office on Africa)
International Secretary: Rev. Kyul Chung (National Board Member, SANE/FREEZE)

ASIA-PACIFIC OFFICE: P.O. Box SC 484, Manila, Philippines Tel: 02 96 2414
Regional Liaison: Fr. Art Balagat (Exec. Sec. of Asia-Pacific People's Forum on Peace and Development)

EUROPE OFFICE: Christ Str. 11A, 1000 Berlin 19, Germany Tel: 030-3226211
Regional Liaison: Ismael Kosan (Green Party, Berlin, Germany)

STOP US AND SOUTH KOREAN GOVERNMENTS' WAR PLANS IN KOREA

Emboldened by its "victory" in the Persian Gulf, the US continues its threats to intervene in the Third World to gain the dominant position in the new world political and economic order. On the heels of the Gulf War, the US is turning to the Asia Pacific region where it has significant political and economic interests. Recent statements by the US government indicate that north Korea may well be the "next Iraq." The US is threatening the Korean people as the next most likely target for a massive military assault.

On early March, the US Defense Department released a Joint Military Net Assessment Report 1991 which outlined a shocking war scenario war in Korea, lasting 120 days. The plan will mobilize over 200,000 US troops and numerous nuclear and chemical weapons implementing scenarios practiced during the annual Team Spirit war games in Korea. Such war scenarios in Korea are unequivocal provocations for a nuclear holocaust in Korea.

Echoing the US interventionist policy, the south Korean Defense Minister Lee Jong Ku stated on April 12 that south Korea may initiate a pre-emptive strike, an "Entebbe-style" commando raid to destroy north Korean nuclear power reactor. South Korean and US governments allege that the reactor may have the capability of producing nuclear weapons by the year 1995.

To create conditions necessary to justify this pre-emptive strike and a massive second Korean War, the US and south Korean governments must portray north Korea as an aggressor-state and "the next most dangerous nuclear renegade country."

Both the US and the Roh Tae Woo regime are attempting to divert attention on this experimental nuclear reactor in north Korea, while they prepare for an all-out-war in the Korean peninsula. But what really obstructs the 70 million Koreans' struggle for a nuclear-free Korea is the presence of nine nuclear reactors, hundreds of US nuclear weapons and 43,000 US troops in south Korea. Furthermore, south Korea plans to build fifty more nuclear reactors within the next 40 years.

0064

People of consciousness, Korean and non-Korean are enraged by the US and south Korean governments' recent attempts to trigger a new war and a possible nuclear holocaust in Korea. Korean people have experienced the devastation of the Korean war and the tragic division of their homeland. By the thousands they demand an end to US and south Korean governments' policy of military aggression. The International Committee for Peace and Reunification of Korea condemns the provocative statements made by the US and south Korean governments as a dangerous signal toward another Korean war and nuclear war. We join the Korean people's righteous struggle for peace and self-determination and will work ceaselessly to prevent another tragic and devastating Korean War. We appeal to the international community to join us in supporting the Korean people in calling for international peace and taking the actions necessary to stop US aggression.

We can see what it is happening in Korea now. We witnessed the destruction of the recent Persian Gulf War. We are faced with the responsibility and opportunity to act and stop this war before it starts.

We demand the following:

- US and south Korean governments to cancel its war plans in Korea.
- Creation of a nuclear-free zone in the Korean peninsula and the Asia-Pacific.
- Immediate withdrawal of all US nuclear weapons from Korea.
- Withdrawal of 43,000 US troops from south Korea.
- Signing of a peace treaty and a non-aggression pact.

0065

관리번호	91-1080

원 본

외 무 부

종 별 :

번 호 : USW-2018 일 시 : 91 0426 1836

수 신 : 장관(미북,정이,기정)

발 신 : 주 미 대사

제 목 : 하원 인권 코커스 회합(아국 인권 상황 관련)

연:USW-1570

1. 금 4.26. 당관 박흥신 서기관이 하원 인권 코커스 ARRIAGA 전문위원을 접촉, 탐문한바에 의하면 하원 인권 코커스는 방미중인 조승형 의원을 초빙한 가운데 4.30. 인권 관련 보좌관 회합을 주선, 국가 보안법 개정문제등 아국 인권 관련 문제에 관한 설명을 듣고 의견교환을 가질 예정이라 함.

2. 동 회합은 조 의원측이 인권 코커스 관계자들과의 대화를 희망해 오고, 인권 코커스 측으로서도 연초 아국 인권 상황 관련 브리핑 실시를 계획 하고 있던중 동 브리핑 계획을 조 의원과의 대화로 대체키로 함에 따라 성사된것이라 함.

(대사 현홍주- 국장)

91.12.31. 까지

검토필 (1991 . 6 . 30 .)

미주국 차관 1차보 2차보 정문국 청와대 안기부

PAGE 1

91.04.27 10:25

외신 2과 통제관 BW

0066

관리 번호	91-1086

	분류번호	보존기간

발 신 전 보

번 호 : WUS-1794 910429 1540 CJ 종별 :

수 신 : 주 미 대사. 총영사 (사본 : 반기문 미주국장)

발 신 : 장 관 (미북)

제 목 : 조승형 의원 방미 활동

대 : USW-2018

조승형 의원은 작 4.28. 출국시 대호 행사외에 귀지 National Press Club 에서 국내정치 상황에 대한 간담회도 참석 예정이라 밝혔다하니, 조 의원의 귀지 체류중 특이활동 사항을 탐문 보고 바람. 끝.

(미주국장 대리 강 웅 식)

검토필 (1991. 6. 30.)

보 안 통 제	

앙 고 재	91년 4월 29일	북미과	기안자 성 명		과 장	심의관	국 장	차 관	장 관
						전결			

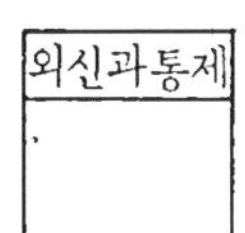

외신과통제

0067

관리번호	91-1158

원 본

외 무 부

종 별 : 지 급

번 호 : USW-2057　　　　일 시 : 91 0430 1817

수 신 : 장관(미북,정이,기정)

발 신 : 주 미 대사

제 목 : 조승형 의원 방미활동

사본: 1차보 인권과 (+USW-2014) 4/30

연:USW-2018

대:WUS-1794

1. 금 4.30 당관 박흥신 서기관이 미하원 인권 코커스 ARRIAGA 전문위원 및HELFAND 전문위원을 오찬 접촉, 표제관련 탐문한바, 특기사항 아래 보고함.

가. 인권 코커스 회합

0 금 4.30 오전 상기 두 전문위원을 포함 8 명의 인권 관련 의원 보좌관이 참석한 가운데 하원 사무실에서 조의원과의 간담회가 예정대로 개최된바, 동간담회는 조 의원이 한국 인권상황에 관한 준비된 영문 원고를 낭독, 배포한데 이어 질의 응답순(질의응답시는 동행인이 통역)으로 약 1 시간동안 진행되었음.

0 모두 연설 (원고 전문 별전 FAX 송부)에서 조의원은 한국의 인권상황이 앞서의 정권들과 비교하여 개선되기는 커녕 오히려 점점 악화되고 있으며, 4.26. 경찰에 의한 데모학생 치사사건은 억압적이고 어두운 한국의 정치 상황을 그대로반영하는 것이라고 말하면서 현재 5 공시절 정치범 최대치 보다 세배나 많은 1,400 여명의 정치범이 수감되어 있다고 주장하였음.

이어 동의원은 국가보안법 문제와 관련, 방북인사 구속, 서경원 의원 구속 및 이와 관련한 김대중 총재 기소, 김근태 수감등의 예를 들어 동법이 반체제 인사 및 야당 탄압에 악용되고 있다고 말하고, 신민당이 동법 철폐를 위해 진력하고 있으나 정부 여당에서는 동법의 개정이나 철폐에 반대 (AGAINST REWRITING ORREPEALING IT)하고 있다고 주장하였음.

동인은 이외에 김대중 총재가 한국내 반미감정의 해소에 매우 중요한 역할을 하였다고 주장하는 한편, 정부의 통일정책,3 당 통합, 내각제 개헌 시도등을 비난하면서 미국이 한국의 인권상황에 대해 좀더 능동적으로 관심을 표명해줄것을

미주국　차관　1차보　2차보　정문국　청와대　안기부

PAGE 1　　　　91.05.01　08:41

외신 2과　통제관 BW

0068

요청하였음.

0 이어 진행된 질의응답에서는 주로 국가 보안법 개정문제, 남북한 교류, 방북 수감인사 (문익환, 임수경등)및 기타 김근태등 국가 보안법 위반 수감자 관련 문제들이 논의되었다 함.

나. 미의원 접촉 활동

0 조 의원은 5.1. 중 아국의 인권문제에 비판성향을 보여온 EDWARD F.FEIGHAN (D-OHIO)하원의원 및 THOMAS M.FOGLIETTA(D-PA) 하원의원과 면담 예정임.

0 인권코커스 공동의장인 LANTOS 하원의원 및 PORTER 하원의원과의 면담요청은 동의원들의 분주한 일정관계로 성사되지 않았다 함.

2. 한편 조의원~~은 5.1. 09:00 N.P.C. MORNING NEWS MAKER 에 출연,~~ 한국의 정치 상황, 특히 인권문제에 관해 간담회를 가질예정이며, 당지 소재 한국 인권연구소에서 조의원 활동을 지원하고 있는 것으로 알려지고 있는바, 특이활동사항추보 예정임.

(대사 현홍주-국장)

예고:91.12.31 일반

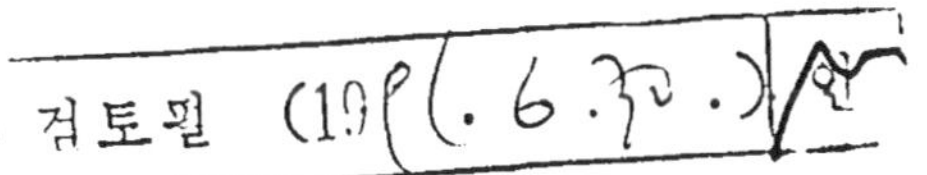

04/30/91 18:30 ☎202 0595 EMBASSY OF KOREA ☑001

주 미 대 사 관

보안 통제	

번호 : USW(F) - 1591

수신 : 장 관 (미북, 정이, 기정)

발신 : 주미대사

제목 : 의원 방미활동 (하원 인권 코커스 간담회)

표제 간담회 모두 연설문을 별첨 송부합니다.

첨부: 총 10 매

0070

Human Rights and Political Reality in Korea Today

Cho Seung Hyung

Member of National Assembly

Republic of Korea

April 30, 1991

Speech Presented to the Congressional Human Rights Foundation
Wahington , D.C.

1591-2

0071

Greetings and Introduction

Honorable Representative Lantos
Honorable Representative Porter
Distinguished guests
My friends
Ladies and Gentlemen

Thank you for offering me this forum. I would first like to convey a message from my people that we deeply appreciate your continued support for democracy and human rights in Korea.

I am sad to open my remarks today with the troubling message that the human rights situation in South Korea has not improved from the days of Park Chung Hee and Chun Doo Hwan. In fact, it is steadily deteriorating.

Deteriorating Human Rights Condition

As you may have already heard from news media, one of college students protesting the arrest of a student leader was beaten to death in the street by specially trained combat police on April 26, the day before I left Korea. Don't confuse the recent police brutality in Los Angeles with this tragic death, because the death epitomizes the repressive and dark Korean political situation.

Under the rule of President Roh Tae Woo, political oppression and physical torture persists. There are 1,400 political prisoners behind bars in South Korea today -- three times the peak number during Chun Doo Hwan's repressive regime.

Neither dissidents nor government critics can speak freely about the reunification of South and North Korea, or study related issues without risking punishment under the oppressive National Security Law. Dissidents who visited North Korea without government permission have been arrested upon returning home and given heavy prison terms. And worse. Recently three dissident leaders traveled to Berlin, where they met with North Koreans and expatriate Koreans from Europe and the U.S. to

<Continued to page 2>

1591-3

0072

talk about reunification. Upon their return to Seoul, they were arrested and put on trial although they had prior permission to travel.
Labor rights are severely limited. Independent labor unions are repressed. The government prohibits more than one union to exist in one work place. Labor unions cannot receive professional or legal assistance, or cooperation from umbrellas labor organizations or sister unions. They cannot endorse political parties or nominate their own candidates for national or local elections.

Farmers' organizations are treated likewise. Movements of urban poor and street venders are, for all practical purposes, banned.

Most political prisoners currently jailed are charged with praising or defending North Korea, or with committing violent acts during anti-government demonstrations. Those accused of praising North Korea are, in fact, imprisoned for their ideas, for engaging in media or art activities critical of the government, or for supporting the labor movement.

Freedom of assembly and demonstration is guaranteed by Korean law, requiring organizers to notify authorities in advance. But the government always bans gatherings that it does not want under the excuse that they may turn violent. When such demonstrations take place anyway, police often break them up with force and arrest demonstrators for violent acts.

Although President Roh declared that North is not our enemy any longer, under the undemocratic National Security Law, any government critics or dissidents may be selectively arrested and accused of anti-state activities, namely aiding and abetting North Korea. Visiting North Korea is a punishable act, and therefore there cannot be any exchange or cooperation.

An opposition National Assemblyman visited North Korea without government permission and met with North Korean leader Kim Il Sung. When he revealed his visit, he was promptly arrested, tortured, and imprisoned by the Roh government. The government didn't stop there. It tried to use the occasion to dismantle the main opposition party. And it

<Continued to page 3>

1591-4 0073

indicted the party's president, Mr. Kim Dae Jung, on charges that he knew of the visit but failed to inform authorities. Mr. Kim's indictment is still pending, although no trial has been schedule after two years. Yet another victim of the infamous National Security Law is Mr. Kim Keun Tae, the winner of the 1987 Robert F. Kennedy Human Rights Award, who is in prison now.

The main opposition New Democratic Union, which merged with the Party for Peace and Democracy, PPD, in April, has been working hard to repeal the National Security Law. The court has found this law partially unconstitutional. But the government and ruling party are dead set against rewriting or repealing it. Furthermore, the Agency for National Security Planning, known in the past as the KCIA, keeps abusing the law to keep the people under surveillance and rule the nation with terror.

However, unlike the days of Park Chung Hee's and Chun Doo Hwan's regimes, the worsening human rights condition is drawing little or no domestic and international attention. We are concerned.

Students and workers share at least some of the blame. When President Roh was inaugurated in early 1988 and granted a little political freedom, some students and workers abused it. Their behavior invited suspicion of radicalism and procommunism. As they continued to throw firebombs, the people turned away from them.

Today's lack of international attention on the Korean human rights situation, I believe, is the result of a misunderstanding: that Mr. Roh's regime is fully democratized. Some even have praised Mr. Roh for his democratic achievments. Some maintain there is no human rights problem in Korea today. This is false. This is wrong. The U.S. State Department, Asia Watch, and Amnesty International support that human rights abuses are growing worse.

The international and domestic indifference to the serious human rights situation in Korea is hardening the position of students, workers, and farmers, deepening their grievance. They feel abandoned. More students

<Continued to page 4>

1591-5 0074

and workers may fall the victim to the government brutality like last Friday. The whole situation is growing ever more ominous.

There are other serious problems.

The government has generally sided with big business against labor. Worker's active resistance against the government and management invites violent reaction. Thus, workers vent their frustration and dissatisfaction by work slowdown, noncooperation and passive resistance. Productivity falls. Economic difficulty grows.

Successive military regimes have sacrificed the agricultural sector to promote industrialization. The Uruguay Round and American pressure on farm markets have added more worries and woes to Korean farmers. They feel they are out on a limb.

Students and intelligentsia have lost all faith in the government's reunification policy. They believe that the regime is neither sincere nor credible about its desire for normalization with North Korea.

We are concerned that the mounting discontent among workers, farmers, students and intellectuals is destabilitzing our society. Continued noncooperation by workers and despair by farmers will shake the foundation of our country and threaten our national security.

Political Development

Now I would like speak less as a lawyer and draw your attention to the political situation in Korea today.

The outcome of the April, 1988 general elections was totally unexpected and truly revolutionary. The people gave the opposition the control of the National Assembly for the first time in our parliamentary history. That outcome was misinterpreted by the international community as proof that Korea had become truly democratic.

<Continued to page 5>

1591-6 0075

<Page 5 - Human Rights Situation in Korea>

The opposition control of the National Assembly lasted for only two years. A number of democratic reforms were enacted during that time, and Koreans became hopeful of a true democracy.

But Mr. Roh could not tolerate opposition control of the National Assembly any longer. So he secretly conspired to merge his ruling party with two opposition parties headed by misters Kim Young Sam and Kim Jong Pil, and then announced it as a surprise move. This merger gave the new ruling party a two-thirds majority, which is necessary to change the constitution. The people felt betrayed, particularly by Mr. Kim Young Sam. Mr. Kim Young Sam had for years cried foul against Mr. Roh and his predecessors. One day he was denouncing them, the next day joining forces with them.

If the merger hurt the image of the ruling party, it also damaged the opposition's credibility. It made people cynical toward politicians. Many Koreans felt that if a trusted opposition leader like Mr. Kim Young Sam could turn coat like that, then no politician could be trusted. Some media started ridiculing the ruling party as well the opposition party. This negative campaign against the political establishment has been very effective in inviting public distrust of all politicians and indifference to political development.

Depsite the political setback caused by the three-party merger, 1990 was a year of most significant political advancement.

Mr. Roh and his ruling party had plotted last year to amend the constitution in a way that would allow them to replace the direct and popular presidential election system with a parliamentary cabinet form of government. Under this new constitution, Mr. Roh could and would handpick his successor who will succeed him as the head of state.

But the opposition PPD mustered the public support and staged an all out opposition against the planned constitution change. Mr. Roh and his clique were forced to retreat. They may come back. Nevertheless, it is the first time since 1961 that the ruling elite could not attempt to change the

<Continued to page 6>

1591-7

0076

political system by resorting to such brute force as military coup or martial law. The retreat is doubly significant, because it was not the struggle in the street but the political struggle of the opposition and public pressure that made the ruling faction withdraw from its plot.

The opposition made another important achievement. It is the establishment of automomous local governments. Public and political pressure finally made Mr. Roh implement the long-awaited local autonomy this spring, albeit reluctantly.

These two accomplishments -- the shelving of the plot to change the constitution, and the implementation of local autonomy -- did not come easily. Opposition lawmakers resigned from the National Assembly last July. Opposition leader Kim Dae Jung undertook a hunger strike in October. And three million Korean citizens joined a petition organized by the opposition PPD. Mr. Roh and his ruling group finally capitulated.

The people no longer want struggle in the street nor heavy-handed arbitrary rule by the ruling elite. A new opposition New Democractic Union Party is born of the former Party for Peace and Democracy and the New Democractic Union, and is gathering opposition forces together as it broadens its support base and constituency.

Parliamentary elections will take place in about a year. The presidential election is slated for late next year. With autonomous local governments in place, massive election fraud by the ruling party, as in the past, will be difficult or impossible. Peaceful change of political power is possible and even likely.

There is an obvious contradiction in Korea today. On one hand, there is an undeniable progress in political development and maturation of the Korean public. On the other hand, human rights abuses continue unabated, and in fact are increasing. Thus Korea is at another critical crossroads. Would it backslide to the repressive and dictatorial system of the past or move forward to a true democracy?

<Continued to page 6>

1591-8

0077

<Page 7 - Human Rights Situation in Korea>

I have an ultimate faith in my people. My people will seize control of our own future away from the hands of our political tormenters. But we need the moral support of the International community, which will force the Roh regime to abide by its promise of democratic reforms. That brings me to the issue of Korean-American relations.

Korea-U.S. Relations

Early in Mr. Roh's rule, an anti-American mood gained steam. Even the government seemed at times promoting the anti-American sentiment. It was sort of a fad. Riding this mood, many students and dissidents tried to draw the public to their side but failed. Mr. Kim Dae Jung, president of the NDU, played a critical role in arresting the spread of anti-Americansim. Amid heavy criticism, he opposed violence, procommunism, and anti-Americanism. The people ultimately agreed that anti-Americanism was detrimental to the national interest.

Korean people, however, are still critical of the U.S., mainly for two reasons. One is the general belief that the U.S. government has supported successive military regimes, and that the U.S. could have stopped the 1980 Kwangju massacre by the military led by Chun Doo Hwan. The other reason is the trade conflict. The South Korean people resent the sudden and heavy U.S. pressure to liberalize our markets, particularly farm produces. There is a strong feeling that South Korea's farmers are shouldering an unfair burden of trade pressure.

Radical anti-Americanism has now diminished in South Korea. But it has a potential to return with greater force. We must stop it from returning, rejuvenate the sagging friendship between our two nations, and develop a mature relationship.

The prerequisite is for the Roh regime to keep the promise of democratization: releasing political prisoners; guaranteeing basic democratic freedom of the press, expression, assembly, and association; and restoring respect of human rights. The government must maintain neutrality in labor disputes, and when arbitrating, it must be fair. The

<Continued to page 8>

1591-9 0078

<Page 8 - Human Rights Situation in Korea>

government must stop its monopolistic contact with North Korea and allow its citizens to freely exchange with the North. Then the potential for serious anti-Americanism will disappear.

At the same time, we ask the U.S. to show more active concern about the human rights situation in Korea. Although the 1990 human rights report of the U.S. State Department has reflected human rights problems to a fair degree, many Koreans still beleive the U.S. overlooks the repressive rule of President Roh, supports, and even praises Mr. Roh. Intelligentsia in Korea are very critical of the U.S. attitude. Radicals view the U.S. as their enemy. I want to see this change.

Thus this forum today is very important. It is a sign that the U.S. Congress is listening to and taking active interest in Korean human rights problems -- a step in right direction. I am hoping to see as many human rights leaders and policy makers as possible during this visit. But I believe your role is most critical in shaping the U.S. human rights policy toward Korea.

Thank you. I am happy to answer questions.

1591-10 끝

0079

관리번호	91-1168

원 본

외 무 부

종 별 : 지 급

번 호 : USW-2074 일 시 : 91 0501 1843

수 신 : 장관(미북,정이,기정,해신)

발 신 : 주 미 대사

제 목 : 조승형 의원 방미활동

연:USW-2057

대:WUS-1671

1. 조승형 의원은 금 5.1. 오전 (09:10-10:00)당지 NATIONAL PRESS CLUB 의MORNING NEWS MAKER 에 출연, 한국의 정치상황, 특히 인권문제에 관한 회견을 가졌는바, 조의원은 연호 미하원 인권 코커스에서 행한 연설문을 낭독한데 이어 질의(이영작 통역)에 응답하였음.

2. 동회견에는 한국 인권연구소 관계자 4 명 (심기섭, 이영작, JIM HOLTIE 외 1 명)과 KOREA COALITION 관계자 1 명 (HELEN BIKEL)외에 REUTERS 의 JIM WOLF 와 KTTG-TV (FOX NETWORK)의 JAN SMITH 가 참석한데 불과하였으며, WOLF 기자의 경우 회견장을 중도에 퇴장하는등 극히 호응이 저조하였음.

3. SMITH 기자와 조의원의 질의 응답 요지는 아래와같음.

(미국이 한국의 인권문제에 능동적으로 개입해 줄것을 요청하였는데 무엇을제안하는 것인지)

0 미국은 인권문제에 관한 세계 여론의 지도자로서 한국 정부에 대한 반대여론을 규합 (MOBILIZE)할 의무가 있음.

(현재 한국에는 자유로운 선거가 이루어 지고 있는데도 국내 상황이 악화되고 있다고 말하는 이유는)

0 사실을 말하고 있을뿐임.정치개혁은 피상적인데 불과하며 남용이 계속되고 있음.

(요즈음 학생 시위가 심한 이유는)

0 4.26 시위학생 사망외에 3 당 합당, 지역감정, 정부의 경찰통치, 국가보안법 및 안기부법 철폐 실패에 원인이 있음.

(남북관계 전망)

미주국 차관 1차보 2차보 정문국 청와대 안기부 공보처

PAGE 1

91.05.02 08:47

외신 2과 통제관 BW

0080

0 최근의 사태 발전은 전반적으로 통일전망을 밝게해 주고 있으나, 한국에 진정한 민주주의가 이루어지기 까지는 통일에 지장이 있을 것임.

(대사 현홍주-국장)

예고:91.12.31 일반

검토필 (1991.6.30.)

PAGE 2

0081

WOIMUBU K24651

0010

1326 05/06 03531470 TNYK0011

MAY 6, 1991

TO: HIS EXCELLENCY PRESIDENT ROH TAE-WOO
THE BLUE HOUSE
SEOUL, REPUBLIC OF KOREA
TELEX: 787 24651

배부	장관실	차관실	一차보	二차보	기획실	의전장	아주국	미주국	구주국	중아국	국기국	경제국	통상국	정문국	영교국	총무과	감사관	공보관	외연원	청와대	총리실	안기부	문공부
처								/						/						O			

THE OVERSEAS PRESS CLUB OF AMERICA, REPRESENTING JOURNALISTS THROUGHOUT THE WORLD FOR MORE THAN 50 YEARS, PROTESTS AND DEPLORES THE IMPRISONMENT, KIDNAPPING OR OTHER DETENTION OF THSE JOURNALISTS IN YOUR COUNTRY: JANG MYUNG-GUK, KIM MYONG-SHIK AND LEE JIN-KYUNG.

WE URGE YOU TO ACT PROMPTLY, TO USE ALL YOUR INFLUENCE TO RELEASE THESE JOURNALISTS. FOR ANY TIME THEY MAY CONTINUE AS PRISONERS OR HOSTAGES WE ASK YOU TO PROVIDE THEM WITH THEIR BASIC HUMAN AND LEGAL RIGHTS: FREEDOM FROM TORTURE OR OTHER INHUMANE CONDITIONS, RIGHT TO FAIR TRIAL, TO ENGAGE LEGAL COUNSEL OF THEIR CHOOSING, AND RIGHT TO SEE THEIR FAMILIES. THANK YOU.

RESPECTFULLY,

H.L. STEVENSON, PRESIDENT

NORMAN A. SCHORR, CHAIRMAN
FREEDOM OF THE PRESS COMMITTEE

BG/1317PEST

0082

관리번호	91-1229

외 무 부

종 별 : 지 급

번 호 : USW-2267 일 시 : 91 0510 1731

수 신 : 장 관(정홍,미북)

발 신 : 주 미국 대사

제 목 : 국가 보안법 개정

1. 당관 유참사관은 5.10(금) 국무부 한국과 MCMILLION 과장대리와 접촉, 금번 국가 보안법 개정은 6공화국의 민주화 노력이 결실을 본것으로서, 동법의 개정 내용도 중요한 것이지만, 그것이 앞으로 법 집행전반에 주는 영향 및 상징적의미를 고려할때 한국의 민주화 일정에 큰 이정표가 될것이라고 설명하고 미측의 이해를 촉구함.

2. 이어 유참사관은 금번 데모학생 사망사건으로 인한 일련의 사태와 관련 국무성언론 보도지침을 마련하게될 경우 상기 보안법 개정의의에 대한 평가는 물론 데모사태에 대한 논평 문안에 각별히 유의하여 줄것을 촉구함.

3. 이에 대해 동과장대리는 보안법 개정은 미국내에서도 매우 좋은 반응을 보이게될 것으로서 적극 환영한다고 하면서 아측의 입장을 충분히 고려할 것이라고 답변함.끝.

(대사 현홍주-국장)

예고:91.12.31일반

검토필 (1991.6.30.)

정문국 차관 1차보 2차보 미주국 청와대 안기부

PAGE 1

91.05.11 07:09

외신 2과 통제관 BS

0083

관리번호	91-1192

원 본

외 무 부

종 별 : 지 급

번 호 : USW-2360　　　　일 시 : 91 0515 1832

수 신 : 장관(미북,기정,법무부)

발 신 : 주 미 대사

제 목 : 인권관계 하원의원 연서 서한

연:USW-5617(90.12.19)

1.FOGLIETTA 의원 (D-뉴욕)은 금 5.15. 본직앞 서한을 통해 45 명의 하원의원이 김근태 석방을 촉구하는 별첨 연서 서한을 대통령께 보낼 예정임을 통보하여왔으며, ROBERT KENNEDY 추모 사업회에서도 동일 취지의 별첨 서한을 대통령께보낼 예정이라함.

2. 동서한들에 대하여는 본직명의로 적절히 답신을 보내고자하는바, 금번 시국사범 석방, 감형등 대상에 김근태가 포함되는지의 여부등 참고사항을 지급 회시바람.

3. 상기 연서서한 가담 의원들은 과거에도 수차례 인권관계 연서서한에 가담한바 있는 민주당 소속 진보성향의 의원들이 대부분이며, 공화당 소속 4 명도 지난해 연호 연서서한에 가담한 의원들임을 참고로 보고함.

첨부 USW(F)-1844

(대사 현홍주-국장)

예고:91.12.31 까지

검토필 (1991.6.30.)

미주국　차관　1차보　2차보　청와대　안기부　법무부

PAGE 1　　　　91.05.16　08:30

외신 2과　통제관 CE

0084

: USW(F) - 1844
: 장 관 (미북, 기정, 법무부) 발신 : 주미대사
: 첨 부 (5 매)

보안 통제	차

Congress of the United States
House of Representatives
Washington, DC 20515

May 15, 1991

Roh Tae-woo
President
Republic of Korea
The Blue House
Seoul, Republic of Korea

Dear Mr. President:

We congratulate you on your recent normalization of relations with the Soviet Union and Eastern Europe and on your efforts to improve relations with China and North Korea.

While these moves can only contribute to peace in the region, we remain concerned about the status of basic human rights on the Korean peninsula. Thus, we urge you to release Kim Keun-tae, a dissident leader convicted for nothing more than exercising his right to free speech.

On May 9, 1990, over 100,000 people demonstrated against the government in 17 cities in South Korea. The demonstrations were organized by the People's Alliance, of which Kim Keun-tae is a leading member. Although many of these demonstrations were marred by violence, mostly by students, Mr. Kim participated in only a small protest in Seoul. There were no incidents of violence or arrests reported at that demonstration. Five days later Mr. Kim was arrested for organizing the nation-wide rallies and, in particular, for participating in the rally in Seoul. In September he was sentenced to three years in prison.

Mr. Kim was also a political prisoner from 1985-1988 for his peaceful anti-government activities against the previous military dictatorship of Chun Doo-hwan. Several South Korean police officers have been convicted for their role in his torture during his interrogation in 1985.

Mr. Kim and his wife, In Jae Keun, won the Robert F. Kennedy Human Rights Award in 1987. The award recognized "their long commitment to the quest for human rights and their unfaltering determination to defend their fellow citizens who have been tortured, jailed and often killed for speaking out."

/

0085

Mr. Kim's appeal process has been exhausted with the Supreme Court's decision on April 26 to uphold his guilty verdict. We urge you to release Kim Keun-tae. It is clear that he has exercised his inalienable right to free speech, and for that he cannot be punished.

Your administration has taken great strides to correct many injustices of the previous regime. Releasing Mr. Kim would demonstrate that your government is serious about promoting the development of democracy and freedom of speech in South Korea.

Sincerely,

Thomas M. Foglietta, M.C.

Gus Yatron, M.C.

Joseph P. Kennedy, II, M.C.

David E. Bonior, M.C.

Tom Lantos, M.C.

Ronald V. Dellums, M.C.

Ted Weiss, M.C.

Barbara Boxer, M.C.

Howard Wolpe, M.C.

Robert A. Borski, M.C.

Charles Schumer, M.C.

John Edward Porter, M.C.

344-2

Peter A. DeFazio, M.C.	Edward F. Feighan Jr.C.
Jim Cooper, M.C.	Robert J. Mrazek, M.C.
Gerald D. Kleczka, M.C.	Bernard J. Dwyer, M.C.
Frank Horton, M.C.	Neil Abercrombie, M.C.
Ronald K. Machtley, M.C.	James H. Scheuer, M.C.
James A. Traficant, Jr., M.C. 19-OH	Mike Espy, M.C.
William J. Jefferson, M.C.	Harris W. Fawell, M.C.
Alan B. Mollohan, M.C.	Jim Jontz, M.C.
Barney Frank, M.C.	Fortney Pete Stark, M.C.

1344-3

Michael R. McNulty, M.C.	Gary L. Ackerman, M.C.
Anthony C. Beilenson, M.C.	Chester G. Atkins, M.C.
Peter H. Kostmayer, M.C.	Edolphus Towns, M.C.
James L. Oberstar, M.C.	James P. Moran, M.C.
Major R. Owens, M.C.	Tim Roemer, M.C.
Nita M. Lowey, M.C.	Gerry Sikorski, M.C.
Mel Levine, M.C.	Gerry Studds, M.C.
Jolene Unsoeld, M.C.	

1344-4

P06 05, 15, 91 02:33PM *POLIETTA

0088

RFK

ROBERT F. KENNEDY MEMORIAL
CENTER FOR HUMAN RIGHTS
12 East 33rd Street • 7th Floor • New York, NY 10016
212/679-4120 • 212/679-2517 Fax

Kerry Kennedy Cuomo
Executive Director

May 14, 1991

President Roh Tae-woo
The Blue House
1 Sejong-no
Chongno-Gu
Seoul
REPUBLIC OF KOREA

Dear President Roh,

I understand that in the next few days, you will be granting amnesty to approximately 100 prisoners. Such an amnesty is a positive step toward the restoration of human rights in South Korea, and it is my fervent hope that Mr. Kim Keun-tae will be included in the list of prisoners who will be freed.

As you know, Kim Keun-tae was a recipient of the 1987 Robert F. Kennedy Human Rights Award. He has been in prison this past year for exercising his internationally recognized right to freedom of expression. By releasing him, along with other political prisoners, you will be sending a clear signal that your government will no longer punish individuals for their political beliefs.

Once again, I urge you to release Kim Keun-tae in the upcoming amnesty.

Thank you for your prompt attention to this matter.

Sincerely,

Kerry Kennedy Cuomo

Kerry Kennedy Cuomo

1344-5

0089

관리 번호	91-1202

	분류번호	보존기간

발 신 전 보

번 호 : WUS-2109 910516 1801 FN 종별 :

수 신 : 주 미 대사. 총영사

발 신 : 장 관 (미 북)

제 목 : 김근태 특사 포함여부

대 : USW - 2360

1. 대호건 법무부에 확인한 바에 의하면, 금번 시국사범의 특별사면, 감형등과 관련 현재 대상자 선정 작업이 진행중이나 동 사면의 범위, 발표 시기등은 상금 미정이라 하며, 김근태 포함 여부도 대외적으로 알려줄 시점이 아니라 함.

2. 그러나 법무부로서는 금번 사면 조치의 홍보효과 거양을 위해 가급적 빠른 시일내에 공식 발표전 귀관에 통보되도록 노력 예정이라 하는 바, 법무부의 공식 통보 접수즉시 김근태 포함여부 및 관련사항 회시 예정임. 끝.

예고문에 의거 인반문서로 재분류 1991. 6. 30 서명

(미주국장 반기문)

장관실
차관실,

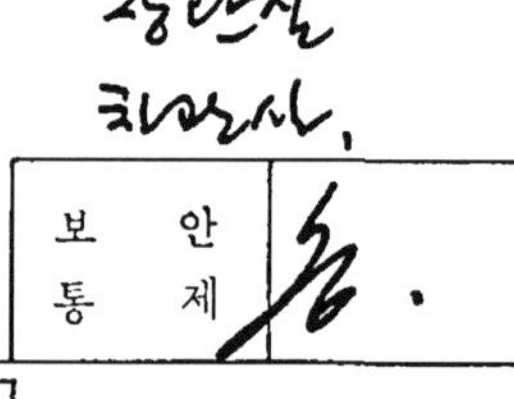

앙 고 재	91 년 5 월 16 일	북 미 과	기안자 성 명		과 장	심의관	국 장		차 관	장 관
						총장	전결			

외신과통제

0090

주 뉴 욕 총 영 사 관

주뉴욕(정) 700 - 1722 1991. 5. 21.

수신 장 관

참조 미주국장

제목 Amnesty International 서한송부

불법집회 및 폭력시위 주도협의로 구속기소되어 유죄판결을 받은 단병호에 대한 유죄판결사유 및 동인의 근황을 문의하는 Amnesty International 당지지부 회원들의 서한을 별첨 송부하오니 적의 조치하시기 바랍니다.

첨부 : 상기서한사본 8통. 끝.

주 뉴 욕 총 영

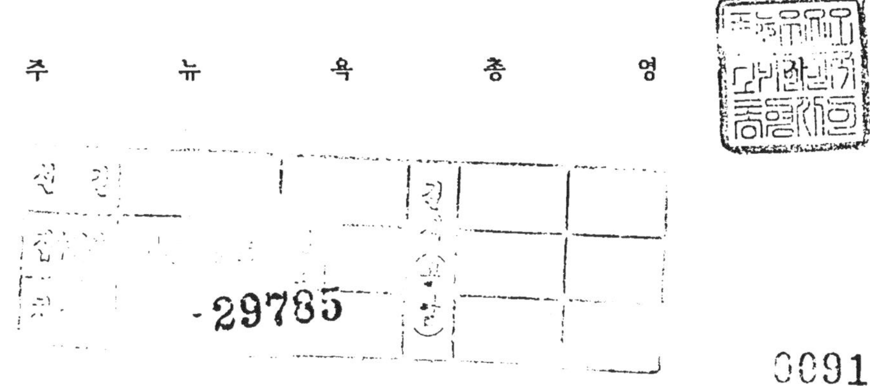

0091

14 May 1991

주기

교민

Dear Ambassador:

Dan Byung-ho is the leader of a trade union organization, the National Council of Trade Unions. He was arrested in November 1989. On 13 July 1990 he was sentenced to 18 months imprisonment under the Labor Dispute Law.

I write to request information on the circumstances of the prisoner's arrest, and what the exact charges against Dan Byung-ho are. I request information about these charges and the evidence used in his trial.

I anticipate your reply.

With kind regards.

Sincerely yours,

Janice Juszczak

0092

Chai Eui-Sok
Consul General
Republic of Korea
460 Park Avenue
5th Floor
New York, NY 10022

주기
교민

Dear Ambassador   March 14th, 1991

I write to you to ask for information on the circumstances of the prisoners' arrest: Dan Byung-ho.
I ask what the exact charges against Dan Byung-ho are, and for information about them and the evidence used in their trials.
Your answer could be quite helpfull for ai because Dan Byung-ho is currently considered a Prisoner of Conscience. To make this decision ai needs more information

Sincerly

[signature]

0093

Libby Markowitz
174 [illegible] Brackette Rd
Aberdeen, N.J. 07747
5/14/91

Chae Eui-sok
Consul General
Republic of Korea
460 Park Avenue
5th Floor
New York, N.Y 10022

공개

교민

Dear Ambassador,

I am writing on behalf of Dan Byung-ho. He was arrested in November of 1989. Information surrounding the circumstances of his arrest, the exact charges against him have not been available upon request. also no information and evidence used at the trial was made available.

What I am requesting is if you would get that information for our local Amnesty group. We would appreciate your prompt response.

Thank you in advance

Sincerely,
Libby Markowitz

0094

14th May 1991

Chai Eui-sok
Consul General
Republic of Korea
460 Park Avenue
5th Floor
New York NY 10022

협
교련

Dear Ambassador

I'm writing this letter for Dan Byung-ho who's a of a dissident trade union. He was arrested on on charges of organizing workers demonstrations in November 1989. I wanna know how are the circumstances of this prisoner and how's everything going especially the exact charges against him Because the only thing he was doing was to help his fellow-members of the trade union to improve their situation which was very dramatically. The way he was acting was only to stay on the side where the right should be.

I hope this letter will help to set this guy free.

Sincerely
Sibylle

0095

ERIC CASRIEL
Box 368
Deal NJ 07723

공개
교민

May 14, 1991

Dear Ambassador:

I am writing to request information on the circumstances of the arrest and detention of Dan Byung-ho, a dissident labor leader who was sentenced to 18 months imprisonment on July 13th 1990.

I am a member of the Monmouth County chapter of Amnesty International, a world-wide human rights group. We are trying to determine whether Dan Byung-ho is being imprisoned for non-violent expression of his political beliefs.

Please send any available information to me at the above address. I will appreciate your checking on the status of this prisoner.

Very truly yours,

Eric Casriel

0096

Chai Eui - Sok

Consul General

Republic of Korea

460 Park Ave

5th Floor

New York, NY 10022

주기

교번

May 14, 1991

Dear Ambassador,

As a member of Amnesty International, I am interested in getting information concerning the circumstances of mr. Dan Byung-ho's arrest. I would appreciate any information about his arrest and evidence used in his trial. Mr. Dan Byung-ho was sentenced to 18 months imprisonment under the Labor Despute Law for his role in organizing the 1989 Demonstrations.

Sincerely Yours

[signature]

Dr. A. Jalali

330 Shore

Highlands, NJ 07732

0097

May 14, 1991

국기
교면

Chai Eui-sok
Consul General
Republic of Korea

Dear Ambassador,

I am writing in order to obtain information about the case of Dan Byun-ho. Since his arrest in 1990 and sentencing in July of that year little information has been available.

I would appreciate any information you could provide regarding the exact charges and evidence used against him in his trial.

As a member of the Lincroft Amnesty International Group we are trying to obtain any information available on Dan Byung-ho's case.

I appreciate that you are busy but hope you will take time to make inquiries about this case.

Sincerely

Sue Kulinyi

Sue Kulinyi
167 Newman Springs Road
Tinton Falls New Jersey
0098 07724

— Farm Edge Lane
Tinton Falls, N.J.
May 14, 1991

접수
고면

Chai Eui-Sok
Consul General
Republic of Korea
460 Park Ave
New York, N.Y. 10022

Dear Ambassador,

I have written letters about DAN Byung-ho who was arrested on charges of organizing workers demonstration in November 1989.

I would like information on the exact charges.

My Amnesty Chapter would like to determine if he is a Prisoner of Conscience if this is a case of non-violent expression of opinion.

Respectfully yours
Dorothy W. Ransom

0099

관리번호	91-1244

원 본

외 무 부

종 별 : 지 급

번 호 : USW-2502 일 시 : 91 0521 1921

수 신 : 장관(미북) 사본:법무부장관

발 신 : 주 미 대사

제 목 : 수감자 관련문의

PAUL SIMON(D-ILL), JOHN KERRY (D-MASS), PAUL WELLSTONE (D-MINN) 상원의원등은 최근 본직앞 서한을 통하여 방양균, 김성만, 홍근수등 국가 보안법 위반 수감자들의 사면을 촉구하여 왔는바, 동회신에 참고코자하니 최근 국가보안법 개정에 따른 국가보안법 사범들의 사면 또는 감형 실시 여부와 실시할 경우 사면, 감형대상 및 시기 (상기인들의 해당여부 포함), 사면실시 기준등 설명자료를 가급적 사면 발표 이전에 당관에 회보 바람.

(대사 현홍주-국장)

예고:91.12.31 까지

검토필 (1991. 6. 30.)

미주국 장관 차관 법무부

PAGE 1

91.05.22 09:56

외신 2과 통제관 FE

0100

관리 번호	91-1357

분류번호	보존기간

발 신 전 보

번 호 : WUS-2217 910523 1137 DO 종별 : 지급

수 신 : 주 미 대사. 총영사

발 신 : 장 관 (미북)

제 목 : 보안사범 특별조치

대 : USW - 2360, 2502

연 : WUS - 2109

1. 표제관련 김근태, 박양균, 김성만등 대호 인사들의 포함 여부를 법무부에 확인한 바, 동 인사들은 금번 관용조치에 포함되지 않았다 함.

2. 홍근수는 현재 재판이 계류중이므로 검찰 구형시 보안법 개정 취지에 따라 고려할 예정이라 함.

3. 또한 금 5.23(목) 국무회의 의결을 통해 발표될 보안법 개정 및 최근 국내사태 관련 민심수습을 위한 대호 보안사범 특별 사면, 감형등 특별 관용조치의 기준, 고려사항, 대상인사등 법무부 보도자료는 별전 FAX 송부함.

-끝-

예고문에 의거 일반문서로 재분류 1991.6.30 서명

(미주국장 반기문)

사본 : 장관실.

보안 통제	

앙 고 재	91년 5월 23일	북미과	기안자 성명		과 장	심의관	국 장		차 관	장 관
						출장				

외신과통제

0101

외 무 부

번 호: WUS(F) -344 년월일: 10523 시간: 1500

수 신: 주 미 대사(~~총영사~~)

발 신: 외무부장관(미북)

제 목: 국가보안법 전면 개정에 따른 국가보안법위반사범에 대한 특별 관용조치

보 안 통 제	송
외신과 통 제	

총 11 매 (표지포함)

0102

수신 : 주미대사

발신 : 미북

보 도 자 료

제목 : 보도자료 송부 (10매)

국가보안법 전면개정에 따른

국가보안법위반사범에 대한 특별관용조치

1991. 5.

안고제	91년 5월 23일	담 당	과 장	심의관	국 장	차관보	차 관	장 관
		(서명)	(서명)		(서명)			

법 무 부

0103

1. 개 요

ㅇ 정부는 1991. 5. . 자로 국가보안법위반사범 총258명에 대하여 석방, 감형, 기소유예등 특별관용조치를 단행하기로 하였음

ㅇ 대상자에 대하여는 사법처리단계에 맞추어 특별감형, 특별가석방, 형집행정지, 공소취소, 기소유예등을 실시하게 되는 바, 그 내용은 특별가석방. 구속취소등 석방이 74명, 특별감형이 30명, 공소취소가 3명, 기소유예가 151명임

2. 조치배경

ㅇ 제6공화국 출범이후 지금까지 3년여동안 추진해 온 개혁입법논의를 마무리 짓고 6. 29민주화 선언을 법적. 제도적으로 완결하는 의미를 가지는 국가보안법이 지난 제154회 임시국회에서 전면 개정되었음

ㅇ 개정된 국가보안법은 변화하는 시대상황과 주변정세에 능동적으로 대처하면서 작년 4. 2. 선고된 헌법재판소의 결정을 포함하여 그동안 제기되었던 각계의 건설적 주장을 전폭적으로 수용한 것임

1

0104

ㅇ 특히 "민족자존과 통일번영을 위한 대통령 특별선언" (7. 7선언)과 북방정책의 효율적 추진을 적극 뒷받침하여 남북관계 개선을 도모하고 평화통일을 능동적으로 준비하기 위하여 전향적으로 개정하였음

ㅇ 또한 개정된 국가보안법은 국가의 존립과 국민의 생존권을 지키기 위한 최소한의 법적장치에 국한함으로써 인권침해의 소지를 근원적으로 불식시킴과 동시에 아직도 낡은 이데올로기를 고집하면서 적화통일야욕을 버리지 않고 있는 북한 공산집단의 대남 전복전략에도 대처할 수 있도록 하였음

ㅇ 정부는 이와 같이 뜻깊고 대표적 개혁입법인 국가보안법 개정의 취지와 정신을 최대한 살리고 그 바탕위에서 굳건한 사회안정과 국민 대화합을 이루어야 한다는 우리사회 각계의 의견을 적극 수렴하여 구 국가보안법 규정에 따라 재판을 받고 복역중이거나 수사 또는 재판이 진행중인 자에 대하여 획기적 관용조치를 단행하게 된 것임

2

0105

3. 기본방침

ㅇ 이번 조치를 함에 있어 자유민주주의 체제수호와 형사사법 운용에 지장을 주어서는 안된다는 기본명제를 전제로 하여 그 범위안에서 국가보안법 개정취지에 따라 최대한 관용을 베풀 수 있도록 대상자를 선정하였음

ㅇ 선정기준은 이번에 개정된 국가보안법 조항 해당여부를 우선적으로 고려하되, 사안의 경중, 죄질, 개전의 정 유무를 참작하고 특히 기결수의 경우에는 복역기간, 행형성적, 건강상태등 인도적 사유 유무에 중점을 두었음

ㅇ 이번 조치는 전례없이 파격적인 내용으로서 법집행기관으로서도 결단을 내리기 어려웠으나 국가보안법 개정을 계기로 가급적 많은 사람이 민주발전과 통일번영에 동참할 수 있도록 한다는 취지에서 지금까지의 사범처리기준에 구애받지 아니하였음

3

0106

4 . 대상 및 범위

가. 간첩 (관련) 사범

ㅇ 국가기밀 수집. 누설 (간첩) 죄에 대하여 구 국가보안법은 사형 또는 무기징역에 처하였으나 새 국가보안법은 기밀의 경중에 따라 사형, 무기징역 또는 7년이상의 유기징역에 처할 수 있도록 법정형을 하향조정하였는 바 법개정 정신을 감안하여 형기의 1/2이상을 복역한 전향좌익수 36명에 대하여 특별가석방을 실시하고

ㅇ 10년이상 복역한 전향무기수로서 죄질이 비교적 중하지 아니한 1명과 19년을 복역한 전향 좌익수 1명에 대하여 특별감형을 실시하며

ㅇ 미전향 간첩 무기수중 60세이상 고령이고 25년이상 복역한 질병자 2명에 대하여 인도적 차원에서 형집행 정지를 실시함

4

0107

나. 찬양. 고무. 동조등 기타사범

ㅇ 새 국가보안법은 찬양. 고무등죄의 경우 국가 존립. 안전이나 자유민주적기본질서를 위태롭게 한다는 정을 알면서 한 행위만 처벌할 수 있도록 개정되었는 바 법 개정 취지를 감안하여 다른 법률위반죄와 경합되지 않은 국가보안법 제7조 위반사범중 형기의2/3가 경과한 기결수 27명에 대하여 특별가석방을 실시하고

ㅇ 형기의 2/3가 경과하지 아니한 기결수 28명에 대하여는 특별감형을 실시하며

ㅇ 구속 수사중인 이적표현물 소지등 사안이 다소 가볍고 개전의 정이 있는 9명에 대하여는 구속을 취소하여 석방하고

ㅇ 불구속 수사중인 찬양. 고무등 사안이 가볍고 개전의 정이 있는 151명에 대하여는 불기소 (기소유예) 처분을 하여 관용을 베풀며

ㅇ 또 이번 개정에 의하여 대상범위가 축소된 불고지죄로 기소되어 불구속 재판중인 3명에 대하여 공소를 취소하고

5 0108

o 재판 진행중인 국가보안법위반사범에 대하여는 공소유지 과정에서 법개정의 정신과 취지를 구형등에 적절히 반영 해 나갈 것임

6. 효 과

o 특별감형된 사람은

- 무기수 1명의 경우 징역 15년으로 형이 변경되고

- 유기수의 경우 나머지 형기의 1/2 또는 1/3이 감경되며

o 특별가석방된 사람은

- 가석방이 취소됨이 없이 잔형기가 경과되면 형집행을 종료한 것으로 간주되고

o 형집행정지된 사람은

- 일시 석방되어 신병등을 치료하게 됨

7. 주요대상자

ㅇ 공소취소

- 김대중, 김원기, 이철용

8. 특 징

ㅇ 자유민주주의 체제를 인정하고 대한민국의 법을 지키며 민주시민으로서 생활하기를 원하는 전향좌익수 36명에 대하여 대폭 석방의 관용을 베풀었고

ㅇ 왕영안등 2명은 전향하지 않는 남파간첩들이지만 25년이상 복역하였고 질병자임을 감안하여 인도적 차원에서 형집행정지를 결정하여 질병을 치료하면서 그들 스스로 자유세계를 직접 체험할 수 있도록 석방하였으며

ㅇ 특히 이번에 개정된 국가보안법 제7조 찬양.고무등 죄로 수사 또는 형확정 복역중인 64명에 대하여 과감하게 석방(36명)과 감형(28명)의 은전을 베풀었으며, 공공기관 점거, 방화, 공무집행방해, 화염병투척등 타법률위반죄와 경합되어 처벌을 받은 폭력사범은 제외하였음

7

0110

9 . 맺는 말

ㅇ 이번 조치가 우리 사회가 겪고 있는 전환기적 상황을 조속히 매듭짓고 국민 모두가 국가발전 대열에 동참하는 뜻깊은 시발점이 되기를 기대함

ㅇ 정부는 국민여망에 따라 새 국가보안법의 개정취지와 정신을 살린다는 차원에서 이번의 경우 예외적으로 대폭적인 관용조치를 실시하였으나, 앞으로 개정 국가보안법에 충실하게 "국가의 존립안전과 자유민주적기본질서를 위태롭게 하는" 반국가활동에 대하여는 엄격히 법집행을 해 나갈 방침임

ㅇ 국민 여러분들께서는 민주시민으로서의 긍지를 가지고 정부의 법질서 유지 노력에 적극 협조해 주시기를 당부드림

*국가보안법위반사범에 대한 특별관용조치 내역

구 분		인 원	비 고
총 계		258	
석방	소 계	74	
	특별가석방	63	좌익수 36명 찬양. 고무사범 27명
	구속취소	9	구속 수사중
	형집행정지	2	고령. 질병
특 별 감 형		30	무기수 1명 포함
공 소 취 소		3	
기 소 유 예		151	불구속 수사중

9

0112

법 무 부

검삼 USW-2360-6886 (503-7055) 1991.5.27.

수신 외무부장관

참조 미주국장

제목 인권관계 하원의원 연서 서한 회시

1. 귀 부 인권관계 하원의원 연서 서한 (91.5.15)관련입니다.

2. 이번 5.25.자 감형 및 가석방등의 조치에는 김근태가 포함되어 있지 않습니다.

3. 이번 조치는 국가보안법의 개정에 따라 그 취지와 정신을 감안하여 동 법 위반자에 대해 취해진 것으로 방화죄, 폭력행위등처벌에관한법률위반죄, 화염병사용등의처벌에관한법률위반죄등 다른 죄명이 적용된 구속자들은 조치 대상에서 제외되었습니다.

4. 김근태는 신고없이 5회에 걸쳐 집회 및 시위를 주최하였고, 동인이 직접 화염병을 던지는등 폭력을 행사하지는 않았지만 화염병과 쇠파이프등을 준비한 시위대에게 연설, 구호제창등을 통해 폭력시위를 선동함으로써 집회 및시위에관한법률과 폭력행위등처벌에관한법률을 위반한 사실이 법원에 의하여 인정되어 실형이 선고되었으므로 이번 조치대상에서 제외되었습니다.

첨부 : 김근태 사건개요 1부. 끝.

법 무 부 장 관

0113

15470

김 근 태

○ 인적사항

. 생년월일 : 47. 2. 14
. 직 업 : 전민련 중앙집행위원장

○ 범죄요지 (국보법, 집시법, 폭력행위)

. 89.1.21. 연세대 대강당에서 4,000여명이 모인가운데 전민련 결성대회 개최시 이적표현물인 결성선언문, 사업계획서, 결의문 (외세와 이에 의존하고 있는 군사독재와 독점재벌은 분단을 통해 막대한 이익을 얻고 있기에 분단의 고착화를 바라고 있으므로 전민련은 이에 대한 투쟁의 선봉이라고 주장하면서 반미, 반파쇼 투쟁선동) 낭독, 배포

. 집회나 시위신고없이

- 89. 1. 22 노태우정권의 민중운동탄압및 폭력테러규탄대회 주최
- 89. 2. 27 부시방한반대, 팀스피리트 훈련중지 시위주최
- 90. 2. 25 경북대 야외공연장에서 반민주 3당야합분쇄 국민대회 개최후 폭력시위 (경찰관 5명 부상)
- 90. 4. 21 연세대강당에서 국민연합결성대회 개최후 폭력시위 (경찰관 12명 부상)
- 90. 5. 9 명동성당 입구에서 민자당해체 노태우정권 퇴진촉구 궐기대회 개최후 폭력시위 (경찰관 185명 부상)

○ 처리상황

. 90. 5. 13 구속 (서울시경) . 90. 6. 9 구속기소 (서울지검)

. 91. 4. 26. 징역2년, 자격정지1년 확정

0114

	분류번호	보존기간

발 신 전 보

번 호 : WNY-0842 910528 1650 FN 종별 :

수 신 : 주 뉴욕 대사 총영사

발 신 : 장 관 (미북)

제 목 : 단병호 관련사항 대응

대 : 뉴욕(정) 700-722

1. 표제관련 사항 법무부에 확인한 바에 따르면, 단병호 전노협 의장은 89.9 나우정밀 단체교섭 제3자 개입, 89.11 불법폭력집회 주최 및 선동등 집시법, 폭력행위 처벌법 및 노동조합법 위반 협의로 '90.2.28 구속된바 있다함.

2. 또한 동인은 90.3.27 기소되어 90.7.13일 1심에서 징역 1년6월 형을선고 받았으나 항소기각하여 형이 확정된 바 있으며, '91.4.30 형 만기로 출감 되었다 하니 대호 서한들에 귀관 명의로 적절히 대응 바람. 끝.

(미주국장 반기문)

보안 통제	

앙 고 재	91년 5월 28일	북미과	기안자 성명		과 장		국 장		차 관	장 관

외신과통제

0115

공　　　란

관리번호	91-1339

원 본

외 무 부

종 별 : 지 급

번 호 : USW-2866 일 시 : 91 0610 1710

수 신 : 장관(미북)사본:법무부장관

발 신 : 주 미 대사

제 목 : 수감자 관련 문의

CLAIBORNE PELL 상원 외교위원장은 최근 본직앞 서한을 통하여 15 년형을 받고 대전 형무소에 수감중인 신귀용이 부당한 재판 (고문 수사등)끝에 억울한 형을 살고 있으며 독방에 수감중이라는 국제사면위의 주장을 인용, 이에 대한 우려를 표시해 왔는바, 신귀용의 범죄사실, 행형기록등 회답 참고자료를 당관에 회시바람.(대사 현홍주-국장)

예고:91.12.31 까지

검토필 (1991. 6. 30.)

미주국 2차보 분석관

PAGE 1

91.06.11 06:26

외신 2과 통제관 CH

0117

공　란

공 란

공 란

공 란

공 란

" 노사관계 안정 "

노 동 부

국제 32220-9501 (504-7338) 1991. 7. 1.

수신 외무부장관

참조 미주국장, 국제기구조약국장

제목 한국노동자 탄압국 보도관련 조사 보고

1. '91.6.30자 한겨레신문에서 미국의 정부기관인 해외민간투자 재단 (OPIC)에서 한국을 노동자 권리 탄압국으로 지목하고 이를 공식화하기 위하여 미국 노동부 및 국무부와 최종 협의중이라는 보도를 하였읍니다.

2. 이와 관련하여 주미 한국대사관 (노무관)으로 하여금 동 기사의 사실여부 및 그 내용, 해외 민간투자재단(OPIC)의 현황, 성격, 역할 등을 파악 보고하고 왜곡된 사실에 대해서는 별첨자료를 참조하여 OPIC 기타 관계기관에 해명하도록 필요한 조치를 취하여 주시기 바랍니다.

첨부 1. ICFTU 연례보고서 검토보고 (한국의 노동권 침해에 대해서 언급한 것에 대한 반박자료) 1부.

2. 한겨레 신문기사 1부. 끝.

발송 1991. 7. 01 노동부

노 동 부 장

노사정책실장 전결

"산업평화 정착"

접수			결재 (공람)	
일시	1991. 7. 3.	처리과		
번호	20727			

0123

ICFTU의 '91 연차보고서 검토 보고

'91. 6.

노 동 부

0124

I. 총　괄

귀 연맹에서 발표한 '91년 연차보고서 내용중 아국의 노동상황을 기술함에 있어서 우리나라의 법 제도의 제정 배경이나 사회적 특수성 및 관행등은 전혀 감안하지 않고 외적으로 나타난 사실만을 기초로 ① 법령이나 제도의 특정내용을 노동조합권 침해로 보거나 ② 위법적 행위에 대한 정당한 법 집행 과정마저 기본적 노동권을 저해하는 것으로 기술한점 ③ 그리고 일부 제한적 규정을 전면적 제한 내지 금지규정으로 왜곡 기술한 점 등을 볼때 보고서 내용이 극히 주관적이라 하겠습니다.

우리나라는 헌법 제 33조 제 1항에서 근로자의 자주적인 단결권 단체교섭권 및 단체행동권을 보장하고 있습니다. 이에 따라 노동조합법 제 8조에서 근로자가 자유로이 노동조합을 조직하거나 이에 가입할 수 있도록 보장하고 또한 노동조합법 제 2조 및 노동쟁의조정법 제 8조에서 정당한 쟁의행위에 대한 민,형사상의 면책등을 인정하고 있습니다. 그리고 헌법 제 33조 제 2항에서 공무원인 경우에는 법률이 정하는 자에 한하여 단결권, 단체교섭권 및 단체행동권을 가지도록 규정하고 있습니다. 그러나 공무원은 헌법 제 7조에 따라 국민전체에 책임을 지는 특수한 위치에 있으며 국민생존권을 보호하는 최후의 보루이기 때문에 제한적으로 단결권을 인정하고 있는데 공무원의 노동3권 허용은 국가가 처한 여건이나 국가발전 정도에 따라 검토되어야 할 것입니다.

0125

또한 헌법 제 33조 제 3항에서 법률이 정하는 주요방위산업체에 종사하는 근로자의 단체행동권을 일부 제한하도록 하고 있는 이유는 대한민국의 특수한 안보현실에 따른 국방상의 이유와 더불어 개별이익에 대한 전체이익의 보호에 그 목적이 있습니다. 그리고 일부 노조간부들이 구속된 것은 과격한 시위를 하거나 화염병을 투척하는 등 실정법 위반행위에 대한 정당한 법집행의 결과이며 더구나 대부분의 구속자들이 노동관계법이 아닌 일반형사법 위반 등으로 구속되었음을 볼 때 이를 기본적 노동권을 탄압하기 위한 것이라고 보는 것은 이치에 맞지 않는 것이라 하겠습니다.

이와같이 우리나라는 전반적으로 근로자의 단결권 단체교섭권 및 단체행동권 등을 광범위하게 보호하고 있는데, 단지 우리나라의 특수한 사정에 따른 일부 제한규정을 두고있는 것과 실정법 위반행위에 대한 정당한 법집행에 의해서 일부 근로자가 구속된 것을 왜곡하여 마치 노동조합의 권리를 전혀 인정하지 않는 것으로 기술한 것은 매우 유감입니다. 따라서 귀 연맹 보고서중 한국관련 항목별 분석내용에 따라 시정조치를 취하여 주시기 바랍니다.

0126

II. 한국 관련 내용 항목별 분석자료

1. 공무원, 공영기업, 방위산업관련 종사자의 단결권 금지 주장에 대하여

- 단결권은 헌법 제33조의 규정에 의거 사실상 노무에 종사하는 공무원(예, 철도, 체신의 현업공무원 등)은 단결권이 인정되고 있으며 그외에는 공무원의 특수한 상황을 고려하여 단결권을 제외하고 있는데 그 이유는

  - 공무원은 헌법 제 7조에 따라 국민전체에 대한 봉사자로서 국민전체에 책임을 지는 특수한 위치에 있으며
  - 남·북대치상황의 우리나라에서 국가운영의 근간을 이루고 있는 공무원은 국민생존권을 지지하는 최후의 보루이고
  - 공무원의 보수등 제반근로조건은 법률과 예산에 의하여 결정되고 있으므로 쟁의행위를 통하여 근로조건의 개선을 관철시킬 수는 없는 것임.
  - 따라서, 공무원의 노동3권 허용여부는 국가가 처한 여건과 국가발전의 정도 등에 따라야 하는 것임.

- 그러나, 공영기업, 방위산업관련 종사자의 단결권은 어떠한 제한도 없이 폭넓게 보장되고 있음.

0127

2. 복수노조금지규정에 대하여

o 노동조합법 제3조 제5호에 의거 "노동조합의 조직이 기존 노동조합과 조직대상을 같이하거나 그 노동조합의 정상적 운영을 방해하는 것을 목적으로 하는 경우"에는 노동조합의 결격사유로 규정하고 있는데 이와같은 규정은 기존 노동조합을 보호하기 위한 것이므로 노동권을 침해하는 규정이라고 볼 수는 없음.

o 노동조합 조직의 조직대상 중복금지 규정은 노조내부의 조직분규를 예방하고 기업단위노조가 대부분인 우리나라의 현실에서 사용자에 의한 어용노조의 설립을 제한하기 위한 것임.

3. 노동조합의 정치활동금지규정에 대하여

o 노동조합은 정치적 목적으로 결성된 단체가 아니므로 노동조합이 공직선거에서 특정정당을 지지하거나 특정인을 당선시키기 위한 행위, 조합원으로부터 정치자금의 징수, 노조기금을 정치자금에 유용하는 행위를 금지하고 있음.

o 그러나 현행법하에서도 노동조합의 목적달성을 위한 정부·국회등에 대한 로비·청원등의 정치활동은 광범위하게 인정되고 있으며 조합원도 개인자격으로는 정당가입, 특정후보지지등의 정치활동에는 어떠한 제한도 없음.

0128

4. 노동법에 의하여 파업권을 제한한다는 주장에 대하여

o 우리나라 헌법에서는 단체행동권을 보장하고 노동조합법 및 노동쟁의조정법에서는 이의 구체적인 실현을 위한 규정을 두고 있음.

즉, 노동조합법 제2조에서는 정당한 쟁의행위에 대하여 형사상면책을 인정하고 있고 제39조제5호에서는 근로자가 정당한 단체행동에 참가한 것을 이유로 해고등 불이익을 주는 행위는 사용자의 부당노동행위로서 금지하고 있으며, 노동쟁의조정법 제8조에는 사용자는 쟁의행위로 인하여 손해를 받은 경우에 노동조합 또는 근로자에 대하여 배상을 청구할 수 없도록 규정하고 있고 제15조에는 사용자는 쟁의기간중 쟁의와 관계없는 자를 채용 또는 대체할 수 없도록 하여 정당한 쟁의행위를 적극적으로 보호하고 있음.

o 그러나 쟁의행위는 노사쌍방에 대한 경제적인 손실은 물론, 쟁의행위와 직접적인 관계가 없는 제 3자인 일반국민의 일상생활에 직.간접으로 중대한 영향을 미치게 되고, 나아가서는 국민경제에 영향을 주게 되므로 쟁의행위가 국가.사회에 미치는 부정적 효과를 최소화하기 위하여 그 구체적인 행사에 대하여 노동쟁의조정법에서 최소한의 규제를 하고 있음.

0129

5. 특히 강제중재제도에 의하여 파업권을 제한한다는 주장에 대하여

o 국민경제나 국민의 일상생활과 밀접한 관계를 갖고 있는 사업체의 노사분쟁을 전적으로 쟁의행위에 의존케한다면 노사당사자는 물론 일반국민에게도 여러가지 손실과 불편을 주게 되고 때로는 국민경제와 공공의 이익을 위협하는 결과를 가져오게 됨.

o 노동쟁의조정법상의 직권중재는 공익사업에 있어서 분쟁당사자의 신청이 없더라도 노동위원회가 그 직권 또는 행정관청의 요구에 의하여 중재에 회부한다는 결정을 한 때 개시되고 중재에 회부되면 그날로부터 15일간 쟁의행위 금지의 법률적 효과가 발생하는 조정수단으로서 공공성이 강조되어야 할 사업체의 쟁의행위가 노사자치의 한계를 넘어 남용될 경우에 대비한 제도적 장치이므로 헌법상의 노동3권 보장취지에 배치되지 아니함.

o 더구나 노동쟁의조정법상의 직권중재 제도는 1986.12.31에는 정부투자기관이 행하는 사업 및 국가가 출연하는 연구사업등을, '87.11.28일에는 석탄광업·산업용연료사업 및 증권거래사업을 공익사업에서 제외하는 등 2차례의 법개정을 통하여 직권중재 대상사업을 대폭 감소한 바 있음.

o 직권중재제도의 위헌여부에 대하여는 1989.3.16 발생하였던 서울지하철 공사 파업과 관련하여 대법원에 위헌심판이 제소되었으나 대법원은 공익사업근로자들의 쟁의행위는 함부로 할 수 없는 내재적 제약이 있으며 공공복리를 위해 제한이 필요하다는 전제하에 노동쟁의조정법 제31조(직권중재포함)는 이러한

0130

내재적 제약을 입법화한 것이고, 노동3권의 본질적 내용을 침해하는 것으로 볼 수 없으므로 위헌이 아니라고 결정한 바 있음(대법원 1990.5.15, 90카33호 결정)

6. 제3자개입금지는 부당하다는 주장에 대하여

○ 헌법 제33조제1항에 의한 노동3권 보장의 근본정신은 근로자의 자주적인 단결체인 노동조합 운영의 대외적 자주성과 대내적 민주성의 실현으로 「집단적 자치」에 의하여 근로관계를 형성, 결정하는데 있음.

○ 이것은 근로관계는 노사당사자의 「집단적 자치」에 의한 결정이 가장 타당하다고 하는 확신을 전제로 하고 있으며 당사자 자치주의의 구현을 위해 일방 당사자인 노동조합은 근로자의 자유의사에 의하여 설립되고 운영되어야 하며 단체교섭, 쟁의행위와 관련하여 제3자의 간섭이나 개입을 배제할 것이 요청됨.

○ 이와같이 외부세력의 간섭과 개입으로부터의 자유가 보장됨으로써만이 비로소 조합의 자주성과 민주성이 확보될 수 있고 당사자 자치주의의 구현이 가능하므로 결국 제3자 개입금지는 자주단체로서 노동조합의 본질성 침해를 방지하기 위한 제도적 장치 일뿐만 아니라 이를 바탕으로 당사자 자치주의의 실현을 위한 현행 노동관계의 지주로서의 역할을 수행하고 있음.

0131

o 이러한 이론적 근거를 토대로 노동쟁의조정법 제13조의2는 '80.12.31노동쟁의 조정법 개정시에 당사자 이외의 제3자가 쟁의행위에 관하여 조종, 선동, 개입하는 것은 분쟁의 확산과 장기화를 초래할 뿐이라는 우리나라의 특수한 경험을 토대로 성문화된 것임.

o 그러나 변호사, 공인노무사등이 개입의사없이 법령에 의하여 부여된 권한의 범위내에서 노사당사자의 요청에 따라 단순한 자문에 응하는 행위는 현행법의 해석으로도 제3자개입 행위에 해당하지 아니함.

o 제3자 개입금지 조항은 '90.1.15일 헌법재판소에 의하여 합헌이라는 결정이 있었음.

0132

7. 임금가이드라인을 통하여 노동통제를 강화한다는 주장에 대하여

o 임금은 노사간 자율적인 교섭을 통하여 적정수준에서 결정되는 것이 바람직 하다고 생각하며 이러한 기본적 인식을 토대로 노사간 자율교섭을 최대한 보장하고 있음.

o 그러나 '87년이후 지속된 고율임금인상으로 물가와 임금인상의 악순환이 우려되고 있어 대외경쟁력이 약화되는 요인으로 작용하고 있는 등 경제안정기반은 약화되고 있을 뿐 아니라 근로자의 실질생활이 저하될 가능성을 배제할 수 없게 되었음.

'86-'89년간 각국의 시간당 노동비용 증가율

한 국	대 만	싱가포르	일 본	미 국
28.1 %	24.0	6.3	19.6	2.5

o 이에따라 정부에서는 경제활동의 각주체가 과도한 자기몫 찾기를 자제하여 어려운 경제현실을 극복한다는 차원에서 근로자에게도 고통분담의 일환으로 임금안정에 자발적으로 협조하여 줄 것을 요청하고 있는 것이며, 근로자의 임금인상 자제 요구에 대한 보완책으로 근로자 복지주택건설등 실질소득을 보전 또는 증대시킬 수 있는 다각적인 복지시책을 추진하고 있음.

0133

o 이와같이 근로자에 대한 임금안정 협조요청과 더불어 근로자의 복지향상 시책을 동시에 추진하고 있는 근본이유는 물가불안등 당면한 경제적 어려움을 극복하여 궁극적으로는 근로자를 포함한 국민전체의 복지향상을 도모하고자 하는데 있는 것이므로 이를 노동조합 활동과 연계시켜 노동통제를 강화한다고 주장하는 것은 명백히 타당성을 결여한 것임.

0134

8. 정당한 법집행을 노동탄압으로 기술한 사례분석

국가보안법으로 인한 구속 및 보안기관 감시주장에 대하여

ㅇ 지구촌 최후의 분단국이며 가장 폐쇄적인 공산세력과 대치하고 있는 우리나라의 특수성을 감안할 때 국가의 존립과 안보 및 체제유지를 위하여 국가보안법은 필요 불가결한 법규이며 동법과 같은 국가안보를 위한 법규는 세계 어느나라에나 존재하고 있는 것으로 알고 있음.

ㅇ 한편 우리나라의 산업사회에는 소위 급진노동세력이 엄존하고 있는바 이들 중에는 자신들의 목적달성을 위해 순수 노동운동 차원을 넘어 폭력혁명을 주장하거나 체제 전복을 꾀하는 등 반국가적인 활동을 자행하는 자들도 있는 것이 사실임.

ㅇ 헌법과 노동관계법에서 근로자의 권리를 보호하고 있는바 이들의 노동운동에 대해서 국가보안법으로 탄압한다는 것은 있을 수 없는 일이며 다만 반국가적 활동을 하는 경우에 대해서만 동법을 적용하는 것으로 파악하고 있음.

ㅇ 노동운동과 관계없이 국가안보를 위태롭게 한 불법행위로 인하여 구속된 것을 가지고 마치 국가보안법으로 노동운동가들을 탄압하고 있는 것처럼 주장한 ICFTU 보고서는 사실을 정확하게 파악하지 못한 것임.

0135

파업에 대한 빈번한 경찰개입주장에 대하여

○ 노사간의 모든 문제는 당사자가 대화와 타협을 통하여 해결되어야 함이 원칙이며 정부도 이 원칙이 산업현장에서 지켜질 수 있도록 노사자율 해결을 위한 여건조성에 노력하고 있으나 당사자간의 대화만으로 문제가 해결되지 아니할 경우 중립적 위치에서 공정한 조정자로서의 역할과 기능을 다하고 있음.

○ 또한 노사간에 합의가 이뤄지지 않아 부득이하게 쟁의행위로 돌입하는 경우에도 정당하고 합법적인 쟁의행위에 대해서는 민.형사상 면책등 헌법과 법률로써 적극 보호하고 있으나 법의 테두리를 벗어난 폭력. 파괴적 쟁의행위에 대하여는 정부로서는 엄정 중립적인 위치에서 법질서 확립 및 전체 산업사회의 보호를 위한 최소한의 조치가 불가피함.

○ 따라서 우리나라가 파업근로자들에 대해 무분별하게 경찰력을 투입하여 노동운동을 탄압하고 있다는 ICFTU의 주장은 사실이 아님.

0136

메이데이 행사에 대한 폭력사용주장에 대하여

○ 한국노총은 5.1 잠실체육관에서 8,000여명이 참석한 가운데 5.1절 기념행사를 개최하였으며 기념행사가 끝난뒤 120여명이 노래등을 부르며 농성하였으나 별 충돌없이 자진 해산함.

○ 한편 전노협은 서울대학교에서 1,000여명이 참석한 가운데 기념행사를 개최한 후 시가지로 진출하기 위해 투석 및 화염병 투척등 과격시위를 전개하였으나 경찰의 저지로 무산된 후 자진해산한 바 있으며 이과정에서 ICFTU가 주장한 것과 같은 폭력행사는 없었음.

11. 11 전국 노동자대회 참석자 구속 주장에 대하여

○ 전노협등은 11.11 고려대학교에서 5,000여명이 참석한 가운데 전국 노동자대회를 개최하였으며

○ 행사종료후 일부 참가자들이 행사장을 빠져나와 가두진출을 시도하여 각목,돌,화염병등으로 극렬시위를 전개하였으나 질서유지를 위해 경찰이 저지하였으며 이 과정에서 대학생 및 근로자 1,000여명을 연행, 조사하였으나 전원 석방되고 구속자는 한명도 없었음.

0137

전노협 관련 구속자수에 대하여

o 전노협이 91년초에 발표한 '90 사업보고서에 따르면 순수 노동관계법 위반 구속근로자는 9명 뿐이며 타법과 경합되어 구속된 근로자를 포함하더라도 53명에 불과함.

o 따라서 90년도에 전노협 지도자 350명이 구속되고 그외 여타 근로자도 250명이 구속되었다고 한 ICFTU의 주장은 사실무근임.

현대자동차 경찰개입 주장에 대하여

o 현대중공업 불법파업(골리앗 크레인 점거 농성) 해산을 위해 경찰이 현대중공업으로 진출하는 과정에서 현대자동차앞을 지나가려 하자 당시 파업중이던 현대자동차 근로자들이 정문밖으로 나와 바리케이트로 도로를 차단, 경찰의 공무집행을 방해하면서 경찰차량을 방화하자 경찰이 이를 저지함.

o 따라서 이는 현대자동차의 파업에 경찰이 개입한 것이 아니므로 ICFTU의 주장은 사실과 다름.

0138

KBS노조활동이 경찰에 의해 와해되었다는 주장에 대하여

o KBS는 국영방송국으로서 사장의 임명권은 정부에 있음에도 불구하고 사장이 임명되자 동 노조에서는 신임 사장 개인에 대해 문제를 제기하며 정문을 봉쇄하고 사장의 취임을 방해하는등 불법농성 및 파업에 돌입

o 신임사장이 취임식 거행 및 업무수행을 위해 수차례 출근을 시도하였으나 노조원들의 저지로 무산됨.

o 이에 '90.4.30 경찰의 도움을 받아 사장이 별 충돌없이 사옥내에 들어가 취임식을 거행하고 집무를 시작하였고 이후 사태의 안정과 업무 정상화를 위해 경찰이 사옥내에 상주하다가 업무가 정상화 되자 5.20 외곽경비를 위한 1개소대를 제외하고 모두 철수하였으며 외곽 경비소대도 '90.10.19 완전철수 하였음.

o 따라서 KBS 사태는 정부의 언론통제력 확장조치에 관련된 것이 아니라 사장임명에 대한 노조의 반대에서 발단된 것으로 쟁의행위의 목적이 될 수 없는 사항임에도 불구하고 노조측에서 불법적으로 파업 및 농성을 자행한 것임.

o 또한 ICFTU의 주장과는 달리 경찰의 상주는 연말까지가 아니라 정상화가 이루어진때까지이며 일시적인 것이었음.

0139

웨스트팩은행 사용자 폭력사용 주장에 대하여

ㅇ 웨스트팩 은행은 단체협약 갱신과정에서 노조측의 인사권 참여(징계위원회 노사동수 구성 및 가부동수일때 부결) 주장으로 결렬되자 노조측이 90.9.4 파업을 단행한 이래 91.4.13 노사합의 하여 정상근무 함.

ㅇ 파업이후 노사교섭 과정에서 노사 당사자가 서로 고성으로 상대방을 비난하는등 사소 시비가 있었으며 이에대해 노사양측이 경찰에 상대방을 고소한 바 있으나 모두 무혐의 처리되었으며 이 과정에서 결코 폭력, 구타등이 사용된 사실은 없었던 것으로 파악되었음.

ㅇ 따라서 사용자가 폭력을 사용하였다는 ICFTU의 주장은 사실파악이 잘못된 것임.

0140

서울대병원 파업 경찰 개입주장에 대하여

ㅇ 90.8.6 서울대병원 급식과 소속 근로자가 부주의로 식판을 파손한데 대해 병원측이 사유서 제출을 요구하였으나 불응하자 청소원으로 인사발령한 바 있음.

ㅇ 이에 급식과 소속 노조원들이 반발하여 9.6부터 환자들의 급식을 거부하고 쟁의조정법상의 절차를 무시한채 불법농성을 계속하였고 9.27에는 병노련 간부들이 동조 철야농성을 하는등 불법농성이 확산됨.

ㅇ 입원환자들에 대해서 병원에서는 식단에 따라 식사를 제공해야 됨에도 불구하고 동병원 노조가 환자들의 안전과 생명을 무시한 채 한달가량 불법적으로 급식을 거부하며 농성, 파업한 것은 반인륜적, 반공익적 행위라고 할 것임.

ㅇ 이에 경찰에서는 10.4 경찰력을 투입하여 농성자들을 해산시키고 61명을 연행, 조사후 불법분규를 선동한 3명에 대해서만 구속조치하고 나머지는 즉각 전원 석방하였음.

ㅇ 따라서 ICFTU가 그러한 정황을 거두절미하고 연행자 숫자만을 문제삼는 것은 사태의 본질을 왜곡한 것임

0141

대우조선 파업 제3자 개입 관련 구속주장에 대하여

o 연대회의는 90.12.9 대우조선등 16개 대기업 노조대표와 전노협 관계자 100여명이 모여 결성한 단체로서

o '91 공동임금 투쟁을 위한 공투본의 구성 및 단체교섭중인 대우조선 노동조합 지원 방안등을 협의한 바 있으며

o 특히 '90.2.8 대우조선이 파업에 들어가자 2.9-2.10 「연대회의 제6차 대표자회의 및 합동 간부 수련회」를 개최함과 동시에 2종의 대우조선 파업지원 성명서 5,000부를 유인 파업현장에 배포하고 노조투쟁 속보에 파업지지 광고를 실은 바 있으며 지역 연대집회 개최를 통해 구체적으로 대우조선의 파업을 공동지원 할 것을 결의하는등 쟁의조정법상 제3자 개입금지 규정을 정면으로 위배하였음.

o 이에 경찰에서는 2.12일 주동자 7명을 구속조치 한 바 있으나 이들에 대한 구속조치는 실정법에 의한 법집행이었으므로 ICFTU가 이것을 노동탄압인 것처럼 주장한 것은 부당한 것임.

0142

미, '한국 노동자 탄압국' 지정 움직임

해외민간투자 재단 "노조결성등 ILO기준 못미쳐"

국무부 반발…노대통령 방미 뒤 결론

공식화되면 미국기업 한국투자 보호 못받아

【워싱턴=정연주 특파원】 미국의 정부 기관인 해외민간투자재단(OPIC)은 한국을 "국제적으로 인정되는 노동자 권리가 지켜지지 않는"노동자 권리 탄압국으로 지목하는 결론을 내리고, 이를 공식화하기 위해 미국 노동부 및 국무부와 최종협의중인 것으로 28일(현지시각) 알려졌다. 그런데 마지막 협의 과정에서 노태우 대통령의 방미 등 정치적 이유와 한국 노동자 권리에 대한 인식에서 국무부 안 동아시아·태평양 담당부서와 경제담당 부서 사이에 견해가 일치되지 않아 최종 결정을 내리지 못하고 노 대통령의 방미가 끝나기를 기다리고 있는 것으로 알려졌다.

해외민간투자재단의 결론과 국무부의 협의과정에 정통한, 이름을 밝히길 꺼리는 한 관계자는 28일 기자에게 제시한 자료와 증언을 통해, "이번 투자재단의 결론은 한국의 노동자 인권탄압이 미 정부기관에 의해 최초로 공식적으로 인정되는 것을 뜻하는 의미있는 것"이라고 밝히고, "그러나 국무부 안 일부 정치부서(동아시아·태평양 담당 부서)가 정치적 동기에서 이를 인정하지 않으려 함에 따라 자칫 이 기관의 결론이 왜곡될 위험마저 있다"고 말했다.

이 제보자에 따르면, 해외민간투자재단의 결론은 미 노동부에서는 그대로 받아들여졌으나, 국무부로 넘어와 협의를 거치는 과정에서 이를 반대하는 리처드 솔로몬 동아·태 담당 차관보와 이 결론의 수용을 찬성하는 유진 맥칼리스터 경제·기업 담당 차관보 사이에 이견이 조정되지 않아, 현재 최종 결정이 내려지지 못하고 있으며, 노 대통령의 방미가 끝나기를 기다리고 있다는 것이다.

해외민간투자재단은 그동안 연구와 조사, 청문회 등을 통해 한국 노동자 인권상황을 검토해 왔는데, 이 재단은 한국이 노조결성, 단체교섭, 복수노조, 노조의 독립, 3자 개입권 등 다섯 부문의 기본적인 노동자 권리에서 국제노동기구(ILO)의 기준에 미치지 못한다고 결론내렸다.

이 재단은 특히 지난 89년 독소조항이 많은 한국의 노동법이 국회에서 상당부분 개정, 통과되었으나 노태우 대통령이 거부권을 행사함으로써 "노동자 권리를 인정하는 법률을 채택, 시행해야 하는데도 이를 거부하는 구체적 사례를 보여주었다"고 지적했다.

이 재단은 또한 전노협, 전교조 등에 대한 한국 정부의 적대적 태도, 파업 분쇄를 위한 경찰력 동원, 동조파업 불허, 노조 운동가들의 투옥 등 "노동자의 기본권리가 심각하게 침해되어 왔으며, 6공화국 이후 노동자 권리는 거의 개선되지 않았다"고 밝혔다.

해외민간투자재단은 해외에 투자하고 있는 기업들에게 정치적 위험으로 인한 손실에서 미국 기업을 보호해 주며, 또한 5천만달러까지 융자를 해주는 일종의 정부투자보험기관이다.

그런데 미국의 해외지원법에 따르면 이 기관은 미국기업이 투자하고 있는 나라의 노동자 인권을 검토하여, 국제기준에 어긋날 경우, 그 나라를 노동자 권리 탄압국으로 지목, 그 나라에 투자하고 있는 미국 기업들은 이 기관의 투자보호혜택을 받지 못하게 되어 있다.

한국이 노동자 권리 탄압국이라는 해외민간투자재단의 결론이 최종적으로 확정될 경우, 한국 안에 이 재단의 투자보호대상 미국 기업이 그렇게 많지 않아 실질적인 영향은 크지 않을 것으로 보인다.

그러나 미국 정부기관에 의한 노동자 권리 탄압국 지목은 특히 한국이 유엔가입 뒤 국제노동기구(ILO)에 가입을 하려고 할 경우 커다란 정치적 부담으로 될 가능성도 높은 것으로 분석되고 있다.

한겨레 신문
91. 6. 30 (일)

0143

관리 번호	91-1655

	분류번호	보존기간

발 신 전 보

번 호 : WUS-3152 910708 1951 FO 종별 : 지급

수 신 : 주 미 대사 .총영사

발 신 : 장 관 (미일)

제 목 : 노동탄압국 지목 관련 보도

연 : USW(F)-453

1. 연호 6.30자 한겨레 신문은 미 정부기관인 OPIC에서 한국을 노동자 권리 탄압국으로 지목하고 이를 공식화하기 위하여 미 국무부와 노동부와 최종협의중이나 국무부측이 대통령 방미와 관련 동 견해를 반대하고 방미 후 결론을 낼 예정이라 보도하였음.

2. 상기 보도관련, 미 국무부등 행정부 당국과 OPIC간의 의견 조정과정등 관련 상황을 파악 보고바라며, 필요시 별도 FAX 송부하는 아국의 노동권 보호에 관한 설명 자료에 따라 OPIC의 주장이 부당함을 미측관계 당국에 설명하고 결과 보고 바람.

3. 7.9 국회의 대정부 질의시 민주당 허탁 의원이 동 문제를 제기할 예정이라 하는 바, 동 보도 내용의 사실 여부와 OPIC관련 참고사항을 우선 지급 파악 보고 바람. 끝.

(미주국장 반기문)

예 고 : 91.12.31. 일반

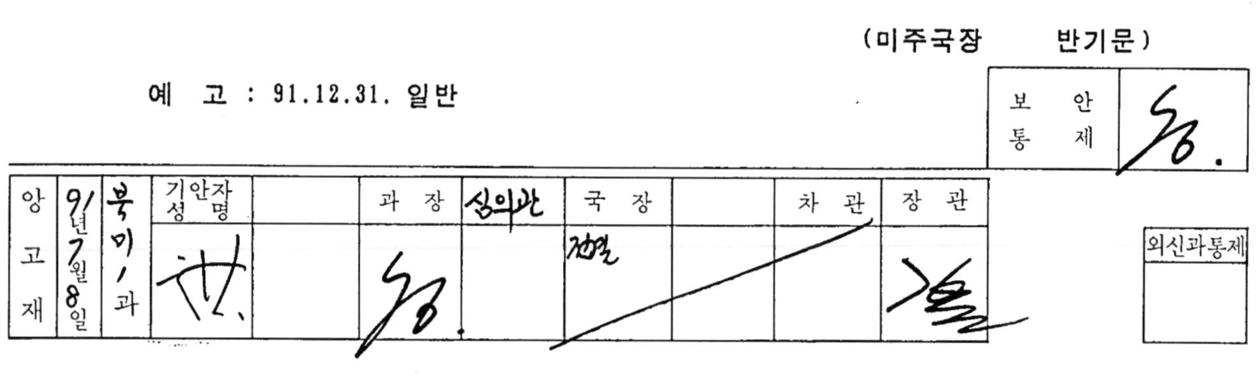

보안 통제	

앙고재	91년 7월 8일	북미1과	기안자 성명		과 장	심의관	국 장		차 관	장 관
							전결			

외신과통제

0144

관리 번호	91-1456

원 본

외 무 부

종 별 : 지 급

번 호 : USW-3429 일 시 : 91 0708 1835

수 신 : 장 관(미일,경이,통이,노동부,외교안보,경제수석)

발 신 : 주 미국 대사

제 목 : 아국의 노동권 보호에 관한 대외 홍보논리 개발

1. 아국의 노동권 보호가 지난 수년간 급격히 개선되어 왔음에도 불구하고,주재국등 해외의 언론및 여론에는 일부 과격 노동 운동가의 구속등 SENSATIONAL 한 측면만 부각되고 노동권 보호개선 추세는 제대로 인식되지 않고 있어 연호OPIC 의 대 아국 노동권 탄압국 지목과 같은 문제도 발생하는것으로 사료됨.

2. 이러한 측면에서 금번의 대 OPIC 관련 단기적 조치외에도 국제 문제에 경험이 많은 국내의 전문 법률 회사를 고용, 아국의 노동권 보호에 관한 홍보 논리 및 자료를 개발하여 주재국 관계 인사및 언론등에 대한 홍보에 활용하고 나아가 매년 년말 발행되는 미 국무부의 COUNTRY REPORT 노동권 부분 기술에도 반영되도록 대비함이 필요한것으로 사료되어 건의함.끝.

(대사 현홍주-국장)

예고:91.12.31 까지

일반문서로 재분류(1991.12.31.)

미주국	장관	차관	경제국	통상국	통상국	청와대	청와대	안기부
노동부								

PAGE 1

91.07.09 08:34

외신 2과 통제관 BS

0145

관리번호	91-1458

원 본

외 무 부

종 별 : 지 급

번 호 : USW-3431 일 시 : 91 0708 1835

수 신 : 장 관(미일,경이,통이,노동부,외교안보,경제수석)

발 신 : 주 미 대사

제 목 : 대 아국 노동권 탄압국 지목 문제

대 WUS-3137,3152

연 USW-3408

대호 관련, 미 국무부, 노동부 및 OPIC 관계관과 접촉, 탐문한 결과를 하기보고함.

1. OPIC 의 성격 및 노동권 문제와의 관계

0 OPIC 는 미국 정부가 출연한 정부 기관이나 독립 채산제에 의해 운영되는일종의 국영 기업체 성격의 기관으로, 개도국에 대한 부자 보증 및 부자 자금 대부 또는 지불 보증을 주업무로 하고 있음(OPIC 개요 별첨)

0 OPIC 은 정변, 경제 사회적 인프라의 결여등으로 미국 기업이 부자를 꺼리는 후발 개도국에 대한 부자 보증을 주로 하고 있으므로, 아국은 현재 OPIC 대상국으로 남아 있기는 하나, 선발 개도국인 아국의 OPIC 이용은 계속 줄어드는 추세임(OPIC 당국에 의하면 현재 대아국 부자 보증 또는 지불 보증 잔액은 전문 하다함)

0 OPIC 은 설립 정관상 일정한 요건(ELIGIBILITY)을 갖춘 국가만을 부자 보증 대상국으로 삼고 있는바, 노동권 보호 상태도 여사한 요건중의 하나임.

0 대호 노동권 탄압 여부 결정시 OPIC 은 미 국무부, 노동부등의 의견을 참작 하나 기본적으로 최종 결정권은 OPIC 에 있으며, 동 결정의 효과도 OPIC 의 부자 보증 대상국 자격 박탈 여부에 관련되는것일뿐 미국 정부의 일반적 대외 정책과는 무관함.

2. 아국의 노동권 탄압국 거론 경위

0 AFL/CIO 및 UAW(미 자동차 노조)가 지난 90.11. OPIC 주최 청문회에서 한국의 노동권 보호 상황이 악화되고 있다고 주장하면서, OPIC 측에 대해 한국을 노동권 탄압국으로 지정할것으로 청원함에 따라 문제 제기됨.

0 OPIC 측은 동사 정관(SECTION 231 A)에 지정된바에 따라, 우선 국무부및 노동부등에 대한 자문을 요청하였으며, 동 결과를 종합하여 내부 보고서를 작성하고

미주국 장관 차관 1차보 2차보 경제국 통상국 분석관 청와대
청와대 안기부 노동부

PAGE 1

91.07.09 09:21

외신 2과 통제관 BS

0146

이를 다시 관련 부처인사 및 OPIC 내부 인사로 구성된 비공식 회의에서 심의, 한국의 OPIC 원조 대상국 지위 박탈 여부를 결정케 될것이라함.

3. 관련 동향

0 당관 서용현 서기관은 국무부 한국과 LANIER 담당관과 접촉, 특정 국가의노동권 보호 상태를 정태적으로 비교할것이 아니라(OPIC 대상 개도국중 한국의노동권 보호가 낮은 수준이라는것은 불합리), 노동권 보호가 개선되고 있느냐의 동태적 측면에서 보아야할것임을 지적하고, 최근 3 년간 한국의 평균 임금이 2배이상 상승하고 단위 노조의 숫자도 2 배이상 증가된 시점에서 OPIC 이 한국의 노동권 보호를 문제삼는것은 이해할수 없다고 한데 대해, LANIER 담당관은 국무부가 OPIC 으로부터 의견 조회를 받았으나, 이에 대한 미국무부 공식 입장은 결정된바 없다고 하고, 다만 개인적으로는 한국의 노동권 보호가 개선 추세에 있는 현상황에서 한국 정부를 당혹(EMBARRASSING)시키는것은 적절치 않은것으로 본다고말함.

0 한편, 당관 공덕수 노무관도 노동부의 GLENN HALM 금동 담당관은 접촉한바, 노동부의 공식입장은 아직 미정이나, 노동부가 의견을 제시한다해도 이는 참고 의견에 불과한것으로 본 문제는 기본적으로 OPIC 의 내부적 문제이며 OPIC 이한국에 불리한 결정을 한다해도 그 영향은 미미할것으로 본다는 입장을 취함.

4. 향후 조치 계획

0 현재 OPIC 의 고위 간부 와의 면담을 신청중인바, 동 면담시 동 문제에 관한 아측 입장을 설명, OPIC 반응을 타진한후 결과 추보 예정임.

첨부 USW(F) -2695.끝.

(대사 현홍주-국장)

예고: 91.12.31 까지

PAGE 2

0147

번호: USW(F) - 2691
수신: 장관 (미안, 경이, 통이, 노동부, 외교안보, 경제수석)
발신: 주미대사
제목: 첨부 (2매)

OPIC COUNTRY & AREA LIST

In general, OPIC's insurance and finance programs are operable in the following countries and areas. Coverages may be limited in higher income areas, indicated by an asterisk.

Investors are urged to contact OPIC directly for up-to-date information on OPIC services available in specific countries and areas, as well as information regarding program availability in countries not listed.

Anguilla
Antigua/Barbuda
Argentina
Aruba
Bahamas, The
Bahrain*
Bangladesh
Barbados
Belize
Benin
Bolivia
Botswana
Brazil
Burkina Faso
Burundi
Cameroon
Cape Verde
Central African Rep.
Chad
Colombia
Congo
Cook Islands
Costa Rica
Cote d'Ivoire
Cyprus*
Djibouti
Dominica
Dominican Republic
Ecuador
Egypt
El Salvador
Equatorial Guinea
Fiji
French Guiana*
Gabon*
Gambia, The
Ghana
Greece*
Grenada
Guatemala
Guinea
Guinea-Bissau
Guyana
Haiti
Honduras
Hungary
India
Indonesia
Ireland
Israel*
Jamaica
Jordan
Kenya
Korea*
Kuwait*
Lebanon
Lesotho
Liberia
Madagascar
Malawi
Malaysia
Mali
Malta*
Marshall Islands
Mauritania
Mauritius
Micronesia, Fed. States
Morocco
Mozambique
Nepal
Netherlands Antilles
Niger
Nigeria
Northern Ireland
Oman*
Pakistan
Panama
Papua New Guinea
Philippines
Poland
Portugal*
Qatar*
Rwanda
St. Kitts-Nevis
St. Lucia
St. Vincent/Grenadines
Sao Tome and Principe
Saudi Arabia*
Senegal
Sierra Leone
Singapore*
Somalia
Sri Lanka
Sudan
Swaziland
Syria
Taiwan*
Tanzania
Thailand
Togo
Tonga
Trinidad & Tobago
Tunisia
Turkey
Uganda
Uruguay
Western Samoa
Yemen Arab Rep.
Yugoslavia
Zaire
Zambia

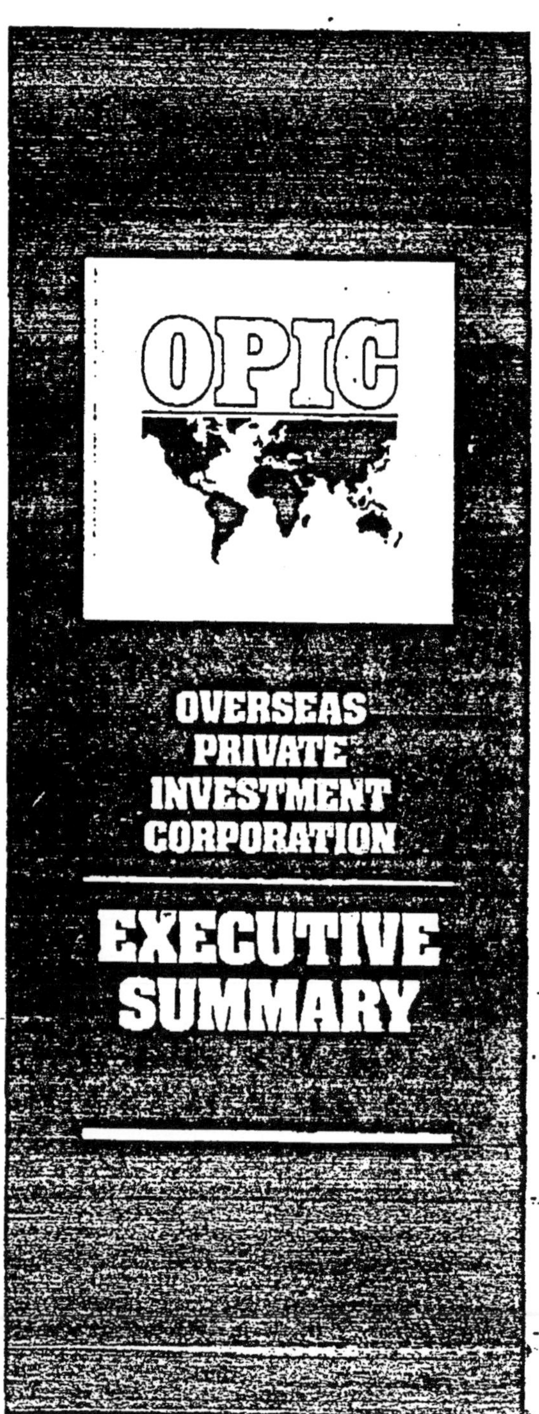

0148

OVERVIEW

The Overseas Private Investment Corporation (OPIC) is a self-sustaining, U.S. government agency whose purpose is to promote economic growth in developing countries by encouraging U.S. private investment in those nations. By doing such, OPIC can help American companies remain competitive in the international marketplace.

OPIC assists U.S. investors through two principal programs: (1) financing investment projects through direct loans and/or loan guaranties, and (2) insuring investment projects against a broad range of political risks.

All of OPIC's guaranty and insurance obligations are backed by the full faith and credit of the United States of America, as well as by OPIC's own substantial financial reserves.

OPIC assistance is available for new business investments and expansions in more than 100 developing countries and areas around the world. However, OPIC will not provide assistance for any project that adversely affects the U.S. economy or domestic employment, is financially unsound, or does not promise significant benefits to the social and economic development of the host country.

The Overseas Private Investment Corporation was established by Congress in 1969, and began operations in 1971. Structured like a private corporation, it does not receive Congressional appropriations. Moreover, OPIC has recorded a positive net income for every year of operations, with reserves currently standing in excess of $1.[illegible] billion.

OPIC's professional staff, recruited primarily from the private sector, is dedicated to responding quickly to investor needs and to developing creative business solutions for furthering U.S. private investment in the developing world.

General Inquiries may be directed to Public Affairs Officer, OPIC, 1615 M Street, N.W., Washington, D.C. 20527 or telephone (202) 457-7011.

PRIMARY PROGRAMS & SERVICES

Financing: Medium- to long-term financing for overseas investment projects is available through loan guaranties and/or direct loans. OPIC's all-risk loan guaranties, issued to U.S. lending institutions, typically range from $2 million to $25 million, but can be as large as $50 million. OPIC's direct loans, reserved for overseas investment projects involving small and mid-sized companies, typically range from $500,000 to $6 million. In general, OPIC's finance commitments do not exceed 50 percent of the total project cost.

Political Risk Insurance: OPIC can insure U.S. investments overseas against the risks of political violence (war, revolution, insurrection, civil strife) to both assets and business income; expropriation; and inconvertibility of local currency. Specialized insurance coverages are also available for U.S. investors involved with certain contracting, exporting, licensing or leasing transactions to be undertaken in a developing country.

Investment Missions: OPIC traditionally conducts periodic investment missions to developing countries offering excellent investment opportunities for American businesses. Such missions are designed to introduce senior U.S. business executives to key business leaders, potential joint-venture partners and high-ranking government officials in the host country.

Opportunity Bank: This computer data system "matches" a U.S. investor's interest with specific overseas opportunities. American firms seeking joint-venture projects overseas submit a description of their company, the type of investment sought and the developing country or countries of interest. Upon request, the information is "matched" against similar information submitted by foreign businesses seeking American investors. Registration is free, with a modest fee charged for "match" requests. OPIC accepts registrations for this service without detailed check of the accuracy or reliability of the information submitted.

Investor Information Service: This information clearinghouse provides U.S. companies and individuals with basic economic, business and political information and data on 110 developing countries and 16 geographical regions. The information is packaged in country-specific and region-specific kits, available for a nominal fee.

0149

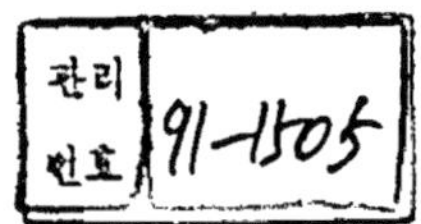

관리번호 91-1505

기 안 용 지

분류기호 문서번호	미북 0160-1726	(전화 : 720-2321)	시 행 상 특별취급	
보존기간	영구.준영구. 10. 5. 3. 1.	장 관		
수 신 처 보존기간				
시행일자	1991. 7. 10.			

보조기관	국 장	전 결	협조기관		문 서 통 제
	심의관				검열 1991. 7. 12
	과 장				
기안책임자		송석규			발 송 인
경 유 수 신 참 조	노동부 장관 노동정책실장		발신명의		1991. 7. 12 외무부

제 목	노동권 보호에 대외홍보 논리 개발 요청

대 : 국제 32220-9501(91.7.1)

1. 대호관련, 당부에서는 주미 대사관에 동 보도 내용의 사실 여부와 OPIC관련 참고 사항, 미 국무부등 행정부 당국과 OPIC간의 의견 조정과정등 관련 사항을 파악보고토록 지시하고 대호 자료도 Fax송부하여 OPIC주장 부당성 설명에 활용토록 지시한 바 있읍니다.

/... 계 속

0150

2. 한편, 주미 대사는 한국의 노동권 보호가 지난 수년간 급격히 개선되어 왔음에도 불구, 미국내 언론과 여론에는 우리의 노동권 보호개선 추세가 제대로 인식되고 있지 않음을 보고하여 왔습니다.

3. 이와관련, 별첨 주미 대사의 건의와 같이 국내외 전문 법률, 홍보회사를 고용, 우리의 노동권 보호에 관한 홍보 논리를 개발, 이를 자료(영문)로 작성하여 미국내 관계인사 및 언론등에 대한 홍보에 활용하는 것이 필요할 것으로 생각되는 바, 이를 검토, 필요조치를 취하여 주시고 동 결과를 당부에 알려 주시기 바랍니다.

첨 부 : 주미 대사 건의 전문 사본 1부. 끝.

0151

관리번호	91-1502

원 본

외 무 부

종 별 :

번 호 : USW-3510 일 시 : 91 0712 1050

수 신 : 장관(미일,경이,통이, 노동부, 외교안보, 경제수석)

발 신 : 주 미대사

제 목 : OPIC ZEDER 사장 면담

대 WUS-3137, 3152

연:USW-3431

대호관련, 당관 손명현 공사(공덕수 노무관 대동) 는 OPIC 의 FRED M. ZEDER사장을 7.11(목)15:00-16:00 간 면담하고 그 결과를 하기 보고함.

(미측 배석자:JAMES D. BERG 부사장, HOWARD HILLS 법률고문, MARVEY A. HIMBERG 과장, 미 국무성 한국담당관 JERY RANIER)

1. 손공사는 OPIC 의 아국 노동권 검토와 관련, 아국은 지난 3-4 년간 노동조합 및 노조원수의 2 배이상 증가, 근로자 임금의 100 퍼센트 인상, 최저 임금의 시행등 노조활동의 활성화와 근로자 생활 향상을 설명함.

또한 노조 간부의 구속은 노사분규 과정에서 폭력, 파괴등 행위로 인해 형사법 위반으로 구속된된것이며 노동 관계법 위반으로 구속된것이 아님을 설명하고 최근 한국 노동 운동의 활성화로 일부 외국 투자 기업이 어려움을 겪고 있는 상황인데 OPIC 에서 아국을 노동 탄압국으로 검토함은 잘못된 것임을 설명함.

2. 이에 대해 ZEDER 사장은 OPIC 은 한국이 민주화 과정에 있고 노동권도 신장되고 있음을 국무부등등을 통해 잘알고 있으며 OPIC 은 장기적으로 한국과 사업을 계속하기를 원하고 있음을 설명함.

그러나 OPIC 은 현재 세계 120 여개국과 사업을 하고 있으며 매년 각국 보고서를 작성하는데 작년 11 월 공청회에서 UAW, ASIA WATCH 등에서 한국의 인권과 노동권 문제를 제기하고 한국과 사업 중단을 요구하였으며, OPIC 과 관련이 있는 미 연방 상. 하원 의원들이 정치적으로 UAW 의 압력에 의해 한국의 노동권 문제를 OPIC 에 제기하고 있음을 강조함.

OPIC 은 미 의회와 노동 단체를 고려하여 한국에 대한 새로운 사업(현재 검토

미주국 장관 차관 1차보 2차보 경제국 통상국 분석관 청와대
청와대 안기부 노동부

PAGE 1

91.07.13 05:01
외신 2과 통제관 CA

0152

사업은 없음) 은 외부적 발표없이 잠정중단하고 한국의 노동문제가 미국내에서 정치적으로 잠잠해지면 한국과의 사업의 계속하는것이 현 상황에서 가장 현명한 방법이라고 판단된다고 설명함.

3. 주한 GREDD 대사와도 동건과 관련하여 토의한바 있음을 설명하고 한국이원한다면 OPIC 관계자의 방한 문제도 검토할 용의가 있음을 언급하였음.

4. UAW 는 90 년한반기 이후 현대 중공업, 대우자동차 노조간부 구속등과 관련하여 전 노협등 문제단체 와 한국의 유관 노조(금속 노련, 자동차 노련)의 요구에 따라 의회 및 OPIC 에 정치적 압력을 넣고 있으므로 국내의 UAW 유관노조로 하여금 UAW 의 입장을 전환토록 추진하는 한편, OPIC 은 한국과의 사업 계속을 원하고 있음을 고려할때 OPIC 관계자가 방한하여 노동부 및 노동단체를 방문,아국의 노동 현실에 대한 OPIC 의 입장을 확고히 하도록 추진함이 동건 해결을용이하게 할것으로 판단됨.

당관에서도 동건과 관련하여 OPIC, UAW 및 의회 관계자와의 접촉을 계속할 계획임.

5. 미 국무부 관계자에 의하면 국무부는 한국 정부와 의견을 같이하나 OPIC자체가 정치적으로 의회에 민감한 점을 고려할때 기본적으로 아측 요청대로 해결되기는 어려울것으로 판단된다고 언급 하였음을 보고함.

(대사 현홍주- 국장)

91.12.31. 까지

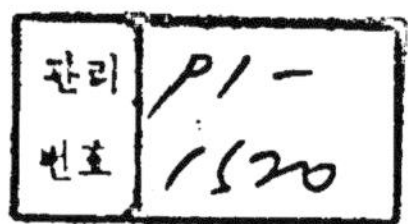

長官報告事項

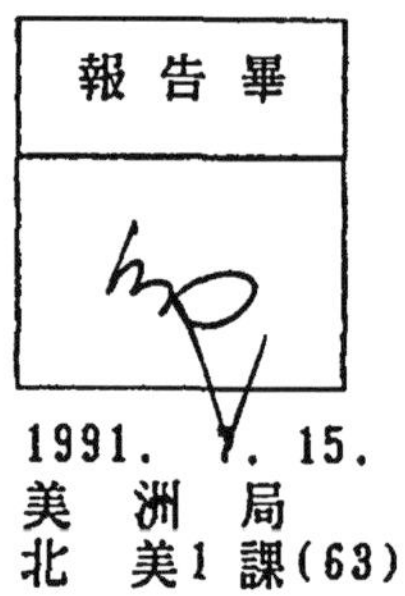

1991. 7. 15.
美 洲 局
北 美1 課(63)

題 目: 我國의 勞動權 彈壓國 擧論 關聯 措置

최近 美 海外 民間投資 公社(Overseas Private Investment Corporation : OPIC)에서 韓國을 勞動者 權利 彈壓國으로 지목코자하려는 움직임과 관련, 美國內 動向 및 措置事項等을 아래 報告 드립니다.

1. 我國의 勞動權 彈壓國 擧論 經緯 및 향후 展望

   ㅇ AFL/CIO 및 美 自動車 勞組인 UAW가 OPIC側에 대해 韓國을 勞動權 彈壓國으로 指定할 것을 청원함에 따라 問題 提起

   ㅇ OPIC側은 동사 정관규정에 따라 美 國務部, 勞動部에 자문을 要請中

   ㅇ OPIC側은 關係部處 자문 結果를 綜合, 內部 報告書를 作成하고, 關係機關會議 審議를 거처, OPIC의 民間投資 支援 對象國 名單에서 韓國을 削除할지 與否를 決定할 豫定

2. 美 關聯部處 意見

   가. 國務部(東亞.太局 韓國課 擔當官)

      ㅇ 國務部의 公式立場은 決定된 바 없으나, 韓國의 勞動權 保護가 改善趨勢에 있는 現狀況에서 韓國政府를 당혹케 하는 것은 적절치 않음.

0154

나. 勞動部(極東 擔當官)

- o 勞動部의 公式立場도 아직 未定이나, 勞動部 意見은 參考意見에 불과 하므로, OPIC自體가 決定할 事項임.
  - OPIC이 韓國에 불리한 決定을 한다해도 波及影響 微微할 것으로 豫想

다. OPIC(Zeder 사장)

- o 美 自動車 勞組, Asia Watch等 人權團體 및 同團體들의 壓力을 받는 美 上.下院議員들의 韓國의 勞動權 問題를 提起하고 있음.
- o 韓國에 대한 새로운 事業支援을 對外發表없이 暫定中斷하는 것이 賢明한 方法으로 判斷된다고 言及
  - 我側 希望時 韓國內 勞動 現況 把握을 위한 OPIC 關係官 派韓 檢討 用意 表明

3. 措置 事項 및 計劃

- o 駐美 大使館으로 하여금 美 關係 當局에 我國의 勞動權 保護關聯 現況을 說明토록 指示(勞動部 作成 說明 資料 기송부)
- o 전문 홍보, 법률회사로 하여금 弘報論理 및 資料(영문)를 開發, 이를 지속 弘報하는 方案을 推進(駐美 大使建議-勞動部에 檢討 要請 公文 旣發送)
- o 駐美 大使로 하여금 OPIC의 對韓投資 支援事業現況(實積 및 計劃)과 勞動權 彈壓國으로 지정할 경우 對外發表問題 慣行등을 具體的으로 파악토록 指示
- o OPIC 關係官의 訪韓問題는 狀況 파악후 關係部處 協議를 거쳐 決定 끝.

0155

관리 번호	91-1515

	분류번호	보존기간

발 신 전 보

번 호 : WUS-3256 910716 1330 FG종별 :

수 신 : 주 미 대사. 총영사

발 신 : 장 관 (미일)

제 목 : OPIC의 아국관계 활동

대 : USW - 3429, 3431, 3510

연 : WUS - 3152

1. 대호 관련, OPIC의 대한투자 지원사업 실적 및 계획을 파악 보고바라며, OPIC이 아국을 노동권 탄압국으로 지정할 경우 구체 파급영향 및 대외발표와 관련한 관행등을 구체적으로 파악, 아울러 보고바람.

2. OPIC 관계관의 방한문제는 관계부처와 협의후 추보 예정임. 본부로서는 OPIC의 자체계획에 따른 방한시 관계관 면담등 협조제공 용의는 있으나, 우리 국내 문제에 대한 외국기관의 관여 인상등 대내외적으로 미칠 부정적 영향을 감안할 때, 우리가 적극적으로 방한 초청하는 것은, 신중히 검토하는 것이 바람직할 것으로 생각됨.

(미주국장 반기문)

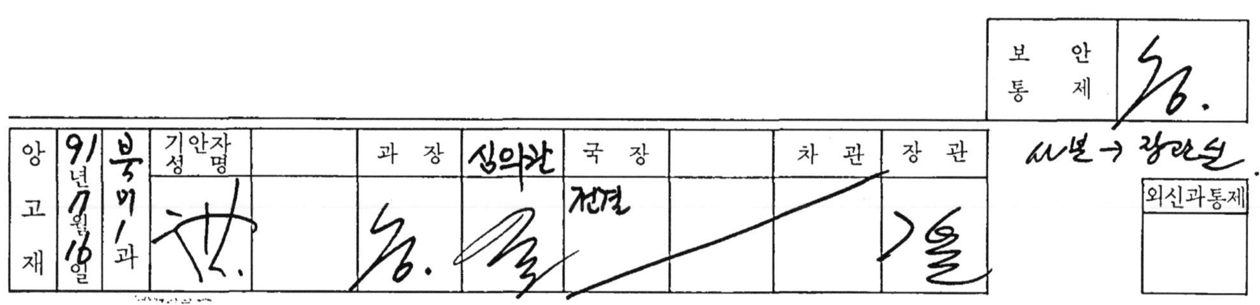

앙 고 재	91년 7월 16일	북미1과	기안자 성명		과 장	심의관	국 장		차 관	장 관
							전결			

보안 통제

외신과통제

0156

관리 번호	91-1566

원 본

외 무 부

종 별 : 지 급

번 호 : USW-3609 일 시 : 91 08718 1921

수 신 : 장 관(미일,경이,통이,노동부)

발 신 : 주 미 대사

제 목 : OPIC 아국 관계 활동

대: WUS-3256

대호 관련, 당관 서용현 서기관이 OPIC 의 개발 정책과장 H.HIMBERG 와 접촉, 파악한 결과를 요지 하기 보고함.

1. 대한 부자 지원 실적및 계획

0 과거에는 대한 부자 지원(부자 보증 보험이 주종이었다함)이 상당액에 달했으나 최근 계속 줄어드는 추세를 보이고 있으며, 현재 대한 부자와 관련된 신규 지원 신청은 저혀 없는 상태임(단, 과거의 계속 사업중 아직 끝나지 않은 사업이 있는지는 점검해 보아야하겠으나, 이러한 사업은 아국의 노동권 탄압국 지목 여부에 의하여 영향 받지 않는다고함)

0 구체 사업 실적에 관한 상세 자료 작성에는 시간이 소요된다하며, 추후 작성 되는대로 당관에 통보키로함.

2. 또한 아국은 OPIC 내의 소득 수준 기준을 넘어섰기 때문에 OPIC 은 이미대 아국 부자에 대해서는 우선 순위를 주고 있지 않은 상황임에 비추어, OPIC 이 아국을 노동권 탄압국으로 지목, 부자 보증 대상국에서 삭제한다 해도 그 경제적 영향은 거의 없을것으로 보임.

3. 대외 발표 문제와 관련, OPIC 측은 자체적으로는 언론등 대외 발표를 하지 않을 방침임을 재확인하였으나, 동 문제에 관한 조사 결과를 의회(상원 외교위와 하원 국제 경제 정책 및 무역 소위)에 보고하게 되어 있으며, 일단 의회에 보고되면 동 조사 보고서는 공개 문서가 되기 때문에 의회를 통해 동 보고서가 대외적으로 알려질 가능성은 배제할수 없다고밝힘.

4. HIMBERG 과장은 내주초까지는 대의회 보고서의 윤곽이 잡힐것이라고 한바, 내주최 재접촉 예정임.끝.

미주국 차관 2차보 경제국 통상국 청와대 안기부 노동부

PAGE 1

91.07.19 10:12

외신 2과 통제관 BS

0157

(대사 현홍주-국장)

예고:91.12.31 까지

PAGE 2

0158

관리번호 91-1586

기 안 용 지

분류기호 문서번호	미일 0160-1796	(전화 : 720-2321)	시 행 상 특별취급	
보존기간	영구.준영구. 10. 5. 3. 1.	장 관		
수 신 처 보존기간		(서명)		
시행일자	1991.7.19.			

보존기간	국 장	전 결	협조기관		문 서 통 제
	심의관				1991.7.20
	과 장	(서명)			
기안책임자		홍석규			발 송 인

경 유 수 신 참 조	법무부 장관 법 무 실 장	발신명의		발송 1991.7.20 외무부

제 목	미 하원의원 연서서한

일반문서로 재분류(1991.12.31.)

1. Tom Lantos 하원의원(민주-Calif., 하원 인권코커스 공동 의장)을 비롯한 Feighan, Foglietta 의원등 51명의 하원의원은 최근 한국의 인권상황이 일부 후퇴하고 있다고 주장하면서, 노 대통령 방미시 이 문제를 거론하여 줄 것을 요청하는 별첨과 같은 6.28.자 연서 서한을 부쉬 대통령에게 전달한 바 있습니다.

2. 상기 연서 서한은 대통령 방미 행사를 앞두고 미국내 일부 인권단체들이 재미 반한단체들과 연계하여 의원들에게 요청한데

/계 속/

0159

따른 것으로 보이는 바, 89.9.에도 Quayle 부통령 방한 및 노 대통령 방미를 앞두고 46명의 의원들이 부쉬 대통령에게 유사한 연서 서한을 보낸 바 있읍니다.

3. 주미대사로 하여금 상기 서한에 서명한 의원들과 접촉, 우리의 인권상황 개선을 설명케 할 예정인 바, 동 연서서한 내용을 반박 설명있는 자료를 당부로 송부하여 주시기 바랍니다.

첨 부 : 상기 연서서한 사본 1부. 끝.

0160

주 미 대 사 관

미국(의) 700- 1421 1991. 7. 12.

수신 : 장 관

참조 : 미주국장

제목 : 미 하원의원 연서 서한

1. Tom Lantos 하원의원(D-Calif., 하원 인권코커스 공동의장)을 비롯한 Feighan, Foglietta 의원등 51명의 하원의원은 최근 한국의 인권상황이 일부 후퇴하고 있다고 주장하면서, 노 대통령 방미시 이 문제를 거론하여 줄것을 요청하는 6.28.자 연서 서한을 부시 대통령에게 전달한 바, 동 서한 사본을 별첨 송부합니다.

2. 상기 연서는 방미행사를 앞두고 당지 일부 인권단체들이 재미 반한단체들과 연계하여 의원들에게 요청한데 따른 것으로 보이는 바, 89.9.에도 Quayle 부통령 방한 및 노 대통령 방미를 앞두고 46명의 의원들이 부시 대통령에게 유사한 연서 서한을 보낸바 있읍니다.

발송 91.7.12 주미대사관

첨부 : 상기 연서 서한. 끝.

주 미 대 사

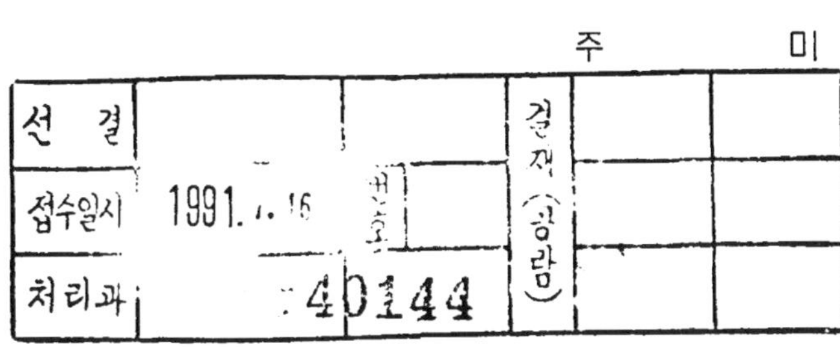

선 결			결재 (공람)		
접수일시	1991.7.16	번호			
처리과	40144				

0161

Congress of the United States
House of Representatives
Washington, DC 20515

June 28, 1991

The Honorable George Bush
The White House
Washington, DC

Dear Mr. President:

We, the undersigned Members of the U.S. Congress, are writing to request that, in your meeting with South Korean President Roh Tae-woo on July 2, you urge him to renew his commitment to the reforms he began three years ago.

Past U.S. pressure on the South Korean government to comply with international human rights standards was instrumental in encouraging that government to initiate democratic reforms in 1987. However, as noted in the State Department's Country Reports on Human Rights Practices for 1990, a "gap between democratic ideals and actual practice" remains in South Korea. Indeed in some areas, democratic gains in 1987 and 1988 have been reversed in 1989 and 1990. It appears that President Roh has abandoned the path of democratization and is slipping towards the authoritarian ways of South Korea's past.

This regression has contributed to the environment of confrontation that permeates South Korean politics and society. To date, President Roh has taken only minimal steps in response to domestic demands for reform. The United States, we feel, should--both publicly and privately--raise the following:

1) There are still over 1100 political prisoners in South Korea, many of them jailed for peacefully expressing political views. We remain concerned about 48 long-term prisoners, many held for decades, who have refused to "convert" or recant their political beliefs.

2) The rights to freedom of expression and association remains circumscribed by sweeping national security laws. We welcome amendments in the National Security Law (NSL) adopted on May 10 and the release of 74 political prisoners. However, we are concerned that the NSL can continue to be used by the government to intimidate and arrest many of its critics, labor organizers and political activists. We call for further revision of the NSL and the release of prominent NSL detainees, Kim Keun-tae and the Rev. Moon Ik-hwan. In addition, we remain concerned over the arrest of several South Koreans involved in the Pan-Korean Alliance for Reunification, including the Rev. Hong Keun-soo, a former U.S. citizen.

3) Under Roh Tae-woo's presidency, workers' rights have suffered. Restrictive labor laws have been used to deny union activists the

0162

The Honorable George Bush
Page 2
June 28, 1991

rights to freedom of association and collective bargaining. The members of the nascent teachers' union, Chunkyojo, to name one example, have been subject to job dismissals and imprisonment--merely for trying to form a union. In advance of South Korea's bid to enter the United Nations, the labor laws should be drastically amended to bring them in line with international standards and hundreds of workers and activists arrested for peaceful union activities should be released.

The United States has long supported democracy in the Republic of Korea and the two countries continue to enjoy close ties. An expression of U.S. support for human rights in South Korea would be consistent with our historical policy towards that country.

Sincerely,

TOM LANTOS, M.C.

EDWARD F. FEIGHAN, M.C.

THOMAS M. FOGLIETTA, M.C.

RICHARD A. GEPHARDT, M.C.

DANTE B. FASCELL, M.C.

RONALD K. MACHTLEY, M.C.

MEL LEVINE, M.C.

VIC FAZIO, M.C.

TED WEISS, M.C.

PETER H. KOSTMAYER, M.C.

HELEN DELICH BENTLEY, M.C.

SAM GEJDENSON, M.C.

0163

The Honorable George Bush
Page 3
June 28, 1991

RONALD V. DELLUMS, M.C.	JAMES M. INHOFE, M.C.
FRANK J. GUARINI, M.C.	BARNEY FRANK, M.C.
WILLIAM J. HUGHES, M.C.	HAMILTON FISH, Jr., M.C.
GERRY E. STUDDS, M.C.	DONALD J. PEASE, M.C.
ROBERT J. MRAZEK, M.C.	DENNIS E. ECKART, M.C.
GARY L. ACKERMAN, M.C.	TONY P. HALL, M.C.
RAYMOND J. McGRATH, M.C.	ANTHONY C. BEILENSON, M.C.
JIM MOODY, M.C.	LEON E. PANETTA, M.C.
MIKE ESPY, M.C.	MATTHEW G. MARTINEZ, M.C.
JAMES A. TRAFICANT, Jr., M.C.	WILLIAM LEHMAN, M.C.

0164

The Honorable George Bush
Page 4
June 28, 1991

MICHAEL R. MCNULTY, M.C.

LANE EVANS, M.C.

JAMES L. OBERSTAR, M.C.

ELEANOR HOLMES NORTON, M.C.

GEORGE J. HOCHBRUECKNER, M.C.

STEPHEN L. NEAL, M.C.

CHARLES J. LUKEN, M.C.

JOSEPH P. KENNEDY, II, M.C.

NEIL ABERCROMBIE, M.C.

PATRICIA SCHROEDER, M.C.

NICHOLAS MAVROULES, M.C.

H. MARTIN LANCASTER, M.C.

JOHN CONYERS, Jr., M.C.

DICK SWETT, M.C.

EDOLPHUS TOWNS, M.C.

JAMES P. MORAN, M.C.

JOLENE UNSOELD, M.C.

DAVID E. PRICE, M.C.

BEN JONES, M.C.

0165

관리 번호	91-1577

외 무 부

원 본

종 별 : 지 급

번 호 : USW-3631 일 시 : 91 0719 1752

수 신 : 장 관(미일,경이,통일,노동부,외교안보)

발 신 : 주 미국 대사

제 목 : 사무직 근로자 연맹 회장 구속

1. 당지 AFL/CIO 의 ALNE KIRKLAND 회장은 별첨 본직앞 서한을 통하여 한국사무직 근로자 연맹 회장 J.M.CHOI 의 선거법 위한 관련 구속에 대하여 항의해오면서, 이와 관련하여 정원식 총리앞 으로도 항의 서한을 보냈음을 알려왔음.

2. AFL/CIO 측에 대한 대응에 참고코자 하니, 동 구속의 경위및 노조를 통한선거 참여에 관한 국제 관례등 관련 자료 회보 바람.끝.

첨부 USW(F)-2884

(대사 현홍주-국장)

예고:91.12.31 까지

미주국	장관	차관	1차보	경제국	통상국	청와대	안기부	노동부

PAGE 1

91.07.20 08:38

외신 2과 통제관 BS

0166

American Federation of Labor and Congress of Industrial Organizations

815 Sixteenth Street, N.W.
Washington, D.C. 20006
(202) 637-5000

번호: USW(F) - 2884
수신: 장관 (미북, 경이, 통일, 노동부, 외교안보)
발신: 주미대사
제목: 서신(3매)

July 16, 1991

사본 → 경제과, 노무관

His Excellency, Hong-Choo Hyun
Ambassador of the Republic of Korea
Embassy of the Republic of Korea
2370 Massachusetts Avenue, N.W.
Washington, D.C. 20008

Dear Mr. Ambassador:

I have enclosed for your information a letter which I have just sent to Prime Minister Chung Won-Shik which protests the issuance of an arrest warrant for J.M. Choi, president of the Korean Federation of Clerical Workers. The warrant charges him with the violation of your country's election laws. As you will note, the AFL-CIO views your government's action to be unwarranted.

Over the past several years, we have been aware of efforts by your embassy to show that Korea has taken dramatic steps to adopt democratic procedures and practices. We have welcomed the progress which your country has made. However, the action taken in the case of Mr. Choi shows that the picture of progress which you sought to portray is still very clouded.

We ask that you make representations to your government on behalf of Mr. Choi. Moreover, we believe it is important that you make known to the Foreign Ministry that America's trade unions believe that the non-democratic laws that now regulate your elections be repealed immediately.

I thank you for your consideration.

Sincerely,

President

Enclosure

0167

American Federation of Labor and Congress of Industrial Organizations

815 Sixteenth Street, N.W.
Washington, D.C. 20006
(202) 637-5000

July 16, 1991

His Excellency, Chung Won-Shik
Prime Minister of Korea
77-Sejongno, Chong no-go
Seoul, Korea

Dear Mr. Prime Minister:

I have just learned that your government has issued an arrest warrant for J.M. Choi, president of the Korean Federation of Clerical Workers. The warrant charges him with the violation of your country's election laws.

The AFL-CIO has closely followed developments in the Republic of Korea and can come to no other conclusion than this action is a classic case of harassment. Whether or not Mr. Choi violated the law is immaterial. What is clear is that enforcement of the law has been selectively applied to critics of your government--in this case a trade unionist with impeccable credentials. Moreover, the law as now written fundamentally restricts universally-accepted rights of working people to participate in elections through their unions.

Until your government takes steps to allow working people to fully participate in the political process, the AFL-CIO will remain unconvinced that you are committed to joining the democratic community of nations. One way to begin to earn our confidence is to have this arrest warrant withdrawn immediately.

Sincerely,

Lane Kirkland

President

2884 - 2

0168

American Federation of Labor and Congress of Industrial Organizations

815 Sixteenth Street, N.W.
Washington, D.C. 20006
(202) 637-5000

Date: 19 July 1991

To: Sam Malmgren
Office of the Ambassador

FAX Number 797-0595

FROM:

*International Affairs Department

XXXXXXXXXXXXXXXXXXXXXXXXXXXXXXXXXXXXXXXXXXXXXXXXXXXXXXXXXXXXXXXXXXXX

TELECOPIER TRANSMISSION

There is/are 2 page(s) following this cover page.

This telecopy material has been sent via CANNON FAX-410.

Please call us if you have any questions: (202) 637-5050.

We can automatically receive transmissions 24 hours a day.

Our FAX Number is (202) 637-5325.

2884-3

0169

관리 번호	91-1629

기 안 용 지

분류기호 문서번호	미일 0160-1806	(전화 : 720-2321)	시 행 상 특별취급	
보존기간	영구.준영구. 10. 5. 3. 1.	장 관		
수 신 처 보존기간				
시행일자	1991.7.22.			

보존기간			협조기관		문서통제
	국 장	전 결			1991.7.23
	심의관				
	과 장				
기안책임자		홍석규			발 송 인
경유 수신	법무부장관(검찰국장), 노동부장관(노동정책실장)		발신명의		1991. 7. 2
제 목	사무 금융노련 위원장 사전 구속영장 발부관련 자료요청				

1. 미 AFL/CIO의 Lane Kirkland 회장은 별첨 주미대사앞 서한을 통해 한국사무 금융노련 위원장 최재호의 지자제 선거법 위반 관련, 사전 구속영장 발부에 대해 항의해 오면서, 이와관련 정원식 총리앞으로도 항의서한을 발송하였음을 알려왔습니다.

2. 상기 관련, 당부는 주미대사로 하여금 상기 서한내용을 반박설명하는 서한으로 대응 예정인 바, 동 서한에 포함될 최재호 관련자료(사전 구속영장 발부사유, 수배현황등)와 노동조합법 제12조의

/계 속/

0170

노조를 통한 정치활동 규제관련 정부입장등을 당부로 송부하여 주시기 바랍니다.

첨 부 : 1. 상기 주미대사앞 항의서한 1부.

2. 상기 총리앞 항의서한 1부. 끝.

0171

長官報告事項

報告畢

1991. 7. 23.
美洲局
北美1課(67)

題 目 : 美 海外 民間 投資公社의 我國 勞動權 報告書 對議會 提出

> 駐韓美大使館은 美 海外 民間 投資公社(OPIC)가 最近 美 議會에 提出한 韓國의 勞動權 現況 報告書 寫本을 7.23. 傳達해 온바, 同 要旨 및 關聯 事項을 報告드립니다.

1. 報告書 要旨

※ 미 대외원조법 제231A로 규정에 따른 조사결과

o OPIC의 최종조사는 89.4월 실시되었으며, 한국정부가 한국의 노동권 보호를 위해 개선조치를 취하고 있으나 아직 국제적 기준에는 미달하고 있음.
  - 강제노동 금지, 최저 임금제, 취업 연령제한등은 개선
  - 그러나 단체결성권, 단체교섭권, 복수 노조인정등은 국제기준에 미흡

o OPIC은 한국내 노동권 보호상황이 개선되지 않는 한 한국과의 새로운 사업을 개시하지 않음.

o 한국은 ILO 가입을 적극 추진중인 바, 이의 실현을 위해서는 국제적으로 인정된 노동자의 권리보장을 위해 한국정부가 계속 노력할 것을 기대함.

0172

2. 豫想 波及效果

- OPIC에의 신규 대한 투자지원 신청은 전혀 없는 상태임.
- 한국은 이미 OPIC의 투자지원 대상국으로서의 소득수준 기준을 넘어 섰으므로 경제적 영향은 거의 없을 것임.(주미대사관 평가)

3. 對外 發表

- OPIC측이 자체적으로 언론등에 대외발표치는 않음. 그러나, 동 보고서는 상원 외교위, 하원 국제경제정책 및 무역소위에 제출되므로, 대외적으로 알려질 가능성은 있음.

4. 評價 및 措置 豫定事項

- 아국의 노동권 개선 노력에도 불구하고 미국내 노동관련 기관 및 단체들 (UAW, AFL-CIO)의 시각에서 볼때 아직 아국의 노동권 상황이 ILO 기준등 국제적 수준에 이르지 못하고 있는 것으로 평가함.
- 아국의 실질적 노동권 개선과 병행하여 노동부로 하여금 노동권 개선 홍보논리 개발 및 자료를 준비하여 미국내에 지속 홍보토록 함. (노동부에 공문으로 기요청)

- 끝 -

0173

<참고 자료>

미 해외 민간투자공사

(Overseas Private Investment Corporation)

o OPIC은 미국 정부가 출연한 정부 기관이나 독립 채산제에 의해 운영되는 일종의 국영기업체 성격의 기관으로, 개도국에 대한 투자보증 및 투자자금 대부 또는 지불보증을 주업무로 하고 있음.

o OPIC은 정변, 경제 사회적 기반시설의 결여등으로 미국기업이 투자를 꺼리는 후발 개도국에 대한 투자보증을 주로 하고 있으므로, 한국은 현재 OPIC 대상국으로 남아 있기는 하나, 선발 개도국인 아국의 OPIC 이용은 계속 줄어드는 추세임.(OPIC 당국에 의하면, 현재 대한 투자보증 또는 지불보증 잔액은 전무하다 함.)

o OPIC은 설립 정관상 일정한 요건(ELIGIBILITY)을 갖춘 국가만을 투자보증 대상국으로 삼고 있는 바, 노동권 보호상태도 여사한 요건중의 하나임.

o 특정국의 노동권 탄압여부 결정시 OPIC은 미 국무부, 노동부등의 의견을 참작하나 기본적으로 최종 결정권은 OPIC에 있으며, 동 결정의 효과도 OPIC의 투자보증 대상국 자격박탈 여부에 관련되는 것일뿐 미국정부의 일반적 대외정책과는 무관함.

0174

관리번호	91-1601

	분류번호	보존기간

발 신 전 보

번 호 : WUS-3369 910723 1916 DN 종별 :

수 신 : 주 미 대사, 총영사

발 신 : 장 관 (미일)

제 목 : OPIC 대의회 보고서

연 : WUS - 256, WUS(F) - 0506

대 : USW - 3609

주한 미 대사관은 금 7.23(화) 대호 OPIC의 대의회 보고서를 전달해 온 바, 동 보고서를 연호 FAX 송부함. 끝.

(미주국장 반기문)

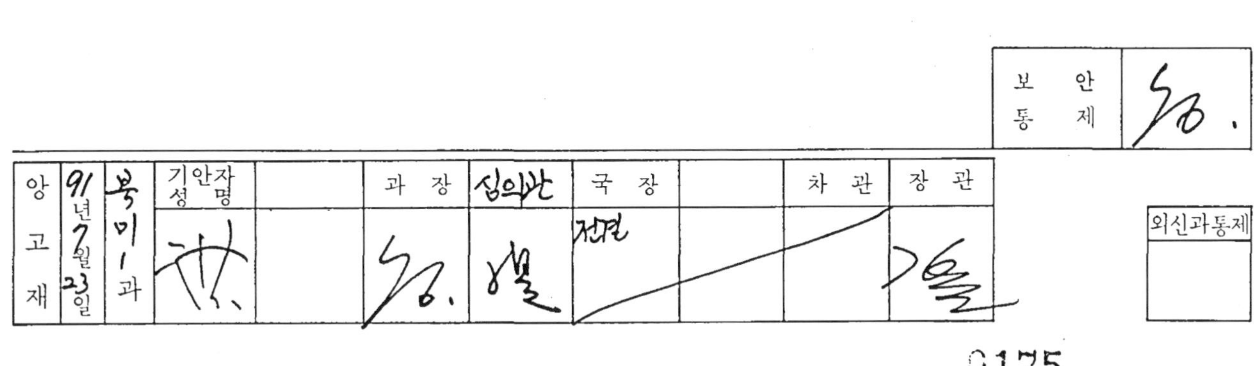

보안통제	

앙고재	91년 7월 23일	북미1과	기안자 성명		과장	심의관	국장		차관	장관
							전결			

외신과통제

0175

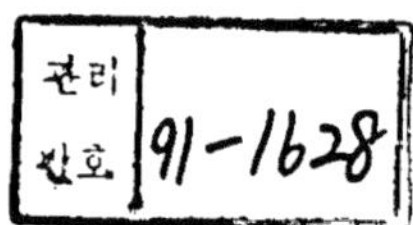

기 안 용 지

분류기호 문서번호	미일 0160-1812	(전화 : 720-2321)	시 행 상 특별취급	
보존기간	영구.준영구. 10. 5. 3. 1.	장 관		
수 신 처 보존기간				
시행일자	1991.7.23.			

보조기관			협조기관		문서통제
	국 장	전 결			
	심의관				1991.7.24
	과 장				
기안책임자		홍석규			발 송 인

경 유 수 신 참 조	노동부 장관 노동정책실장	발신명의		1991. 7. 24
제 목	미 대외 민간투자 공사의 아국 노동권 보고서 대의회 제출			

연 : 미북 0160-1726(91.7.12)

미 대외 민간투자 공사가 아국의 노동권 현황 조사결과에 대한 대의회 보고서를 별첨 송부하니, 연호 홍보자료 작성에 참고 바랍니다.

첨 부 : 상기 OPIC 대의회 보고서 사본 1부. 끝.

0176

외 무 부

번 호: WUSF-0506 910723 1838 CO 년월일: 시간:

수 신: 주 미 대사(~~총영사~~)

발 신: 외무부장관(미 북)

제 목: OPIC 보고서

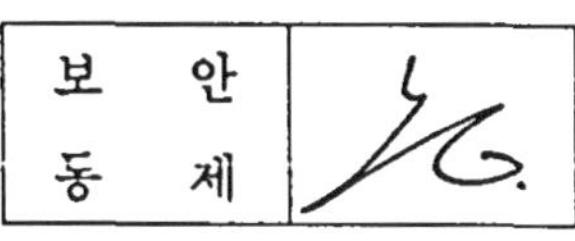

총 5 매 (표지포함)

외신과	
통 제	

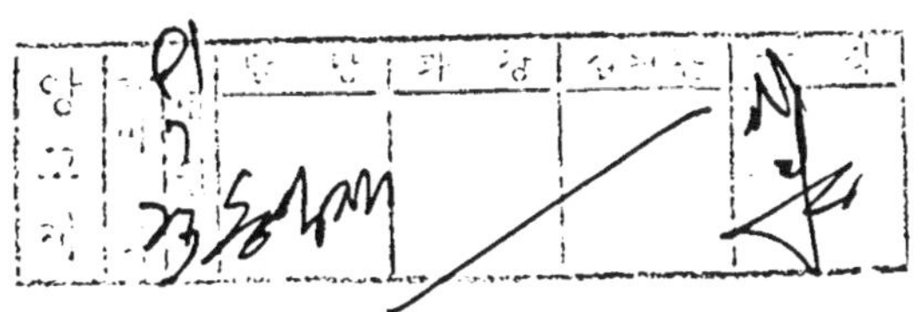

0177

1991 OPIC WORKER RIGHTS REPORT

REPUBLIC OF KOREA

0178

INTRODUCTION

The Overseas Private Investment Corporation (OPIC) is prohibited by section 231A of the Foreign Assistance Act, as amended, from operating its programs of political risk insurance and project finance in any country that is not "taking steps to adopt and to implement laws that extend internationally recognized worker rights." In complying with this statute OPIC employs the definition of internationally recognized worker rights contained in section 502(a)(4) of the Trade Act of 1974, as amended.

The U.S. Congress, in House Report 99-285, Senate Report 99-156, and Conference Report 99-428 accompanying the OPIC Amendments Act of 1985, identified criteria it intended OPIC to use in making a determination as to whether a country is "taking steps" to adopt and to implement internationally recognized worker rights. These criteria, which OPIC has adopted as part of its worker rights evaluation procedure, include the following:

A. The country is a member of the International Labor Organization (ILO) and is a signator of the ILO Constitution.

B. Its laws conform to one or more of the fundamental rights listed in Section 502(a)(4) of the Trade Act of 1974. These rights are:

1) The right of association;

2) The right to organize and bargain collectively;

3) Prohibition of forced or compulsory labor;

4) Minimum age for employment of children; and

5) Acceptable conditions of work with respect to wages, hours of work and occupational health and safety.

C. It continues to make progress in implementing internationally recognized worker rights.

This review of worker rights in the Republic of Korea is submitted in accordance with OPIC's responsibilities with respect to the determinations required under section 231A of the Foreign Assistance Act.

0179

- 2 -

INTERNATIONALLY RECOGNIZED WORKER RIGHTS IN THE REPUBLIC OF KOREA

OPIC has reviewed the available information* on the subject of worker rights in the Republic of Korea (ROK) and, in this connection, has consulted with the Departments of State and Labor. OPIC has determined that, notwithstanding steps taken by the ROK to adopt and implement internationally recognized worker rights, the recent and current status of worker rights affairs in that country requires that OPIC not accept new business until OPIC is able to make a positive worker rights determination for the ROK. OPIC intends to work closely with the Goverment of the ROK to promote continued improvement in worker rights practices so that OPIC can resume doing new business there.

OPIC last examined the status of internationally recognized worker rights in the ROK in April 1989. At that time, OPIC found that the ROK's record was mixed, as it is now. While the ROK had taken some significant steps in certain areas, such as prohibitions on compulsory labor, mimimum age for employment and minimum wages, basic freedoms of association, organization and collective bargaining were still tightly restricted with respect to trade union independence, pluralism and forms of collective bargaining.

At that time, important legislation was pending in the National Assembly, which would have expanded significantly freedom of association, organization and collective bargaining. OPIC interpreted this legislative momentum as indicative that the country was continuing to make progress in adopting and implementing worker rights. However, following bipartisan passage of most of the pending legislation by the National Assembly in 1989, all of the progressive amendments were vetoed. Consequently, in spite of continuing increases in union membership and wages, there has been no significant progress since 1988 with respect to freedom of association, organization or collective bargaining.

Moreover, the government of the ROK issued a number of restrictive regulations in 1989 that reduced the scope previously accorded to freedom of association, organization and collective bargaining, placing new limitations on the right to strike, and restricted collective bargaining on Export Processing Zones. The government enforced existing and new

* Sources consulted in this review of worker rights conditions in the ROK include testimony presented by labor and human rights organizations at at OPIC's public hearing of November 27, 1990; the State Department's Country Reports on Human Rights Practices for 1990; unclassified reporting from the U.S. Embassy in the Republic of Korea; Retreat from Reform: An Asia Watch Report (1990), and the U.S. Labor Department 1990 report on Worker Rights in Export Processing Zones.

0180

restrictions by arresting and imprisoning leaders of independent labor unions and organizers of sympathy strikes on questionnable legal grounds.

Section 231A of the Foreign Assistance Act instructs OPIC to evaluate a country's worker rights performance by determining whether it "continues to make progress" in adopting and implementing laws that extend internationally recognized worker rights. Notwithstanding previous and important steps taken by the ROK, developments in the ROK since early 1989 makes it difficult for OPIC to make a positive determination with respect to the ROK's adoption and implementation of internationally recognized worker rights at this time.

The ROK is actively applying to join the International Labor Organization. ILO membership implies certain obligations with respect to worker rights and subjects member countries to the scrutiny of the ILO with respect to their laws and practices. Therefore, it is reasonable to expect that the ROK will resume its previous course of progress in the adoption and implementation of internationally recognized worker rights.

0181

" 노사관계 안정 "

노 동 부

국제 32220- 10512 (504-7338) 1991. 7. 23.

수신 외무부장관

참조 미주국장

제목 노동권 보호에 관한 대외 홍보 논리 개발

1. 관련 : 미일 0160-1726 ('91.7.11)

USW-3510 ('91.7.12)

2. 위 호와 관련하여, 아국의 노동권 보호에 관한 홍보 논리 및 자료개발을 위한 종합적인 대책을 마련 관계부처와 협의 시행할 예정이므로 추후 동 결과를 통보하겠으며

3. 또한, OPIC 관계자의 방한문제는 개별단체가 제기한 사안 등에 대하여 정부가 직접 관여하는 것은 바람직하지 못한 것으로 사료되기 때문에 OPIC 관계자의 방한 초청은 고려하지 않고 있습니다. 끝.

1991. 7. 23

노 동 부 장

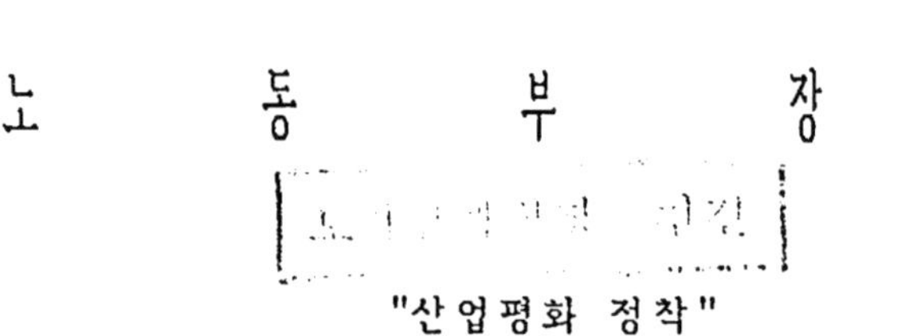

"산업평화 정착"

23920

0182

관리번호	91-1600

원 본

외 무 부

종 별 : 지 급

번 호 : USW-3665 일 시 : 91 0723 1640

수 신 : 장관(미일,경이,통이,노동부,경제수석)

발 신 : 주 미 대사

제 목 : UAW STILLMAN 국제국장 면담 결과

연:USW-3431,3510

연호관련, 당관 공덕수 노무관은 UAW 의 DON.STILLMAN 국제국장을 7.22(월) 13:00-15:00 간 오찬을 겸한 면담을 하고 그결과를 하기 보고함.

1. 공노무관은 아국의 노동권과 관련, 아국은 최근 3-4 년간 노조및 노조원수의 2 배이상 증가, 근로자 임금의 100 % 이상 인상등 근로조건이 향상되고 노조활동이 상당히 신장되었으며, 최근에는 국내기업이 고임금과 노조활동의 지나친 활성화로 동남아등 제 3 국 부자가 늘고 있으며, 제조업 보다는 노사분규가 없는 서비스분야로 부자하는 현상이 나타나고 있음을 설명함. 또한 노조간부의 구속은 대부분 노사분규 과정에서 폭력. 파괴등 행위로 인해 형사법 위반으로 구속된것이며, 노동관계법 위반으로 구속된것이 아님을 설명함. 법위반 노조간부를 관계법에 의해 처리함은 법질서 확립 차원에서 부득이한 조치였음을 언급하고, 근래 UAW 등에서 OPIC 에 아국의 노동권 문제를 제기함은 잘못된것임을 설명함.

2. 이에 대해 STILLMAN 국장은 최근 한국 근로자의 전반적인 근로조건이 향상되고 노조활동이 신장되고 있음은 잘알고 있으나 노조간부의 구속은 시정되어야 한다고 언급함.

미국의 레이건, 부시 행정부도 노조활동을 억제하는 조치를 하고 있지만 이스턴 항공, 그레이 하운드, 뉴욕데일리 뉴스사등 장기 노사분규에서 파업 노조 간부를 구속한 사실은 없다고 언급함. 또한 노조간부 구속문제는 세계 각국의 노동조합이 노조의 SOLIDARITY 차원에서 공동 보조를 취하고 있으며, UAW 도 구속된 유관 노동조합 간부의 석방을 위해 모든가능한 조치를 강구하고 있는 입장임을 언급하고, OPIC 에 대한 청원드 이러한 맥락에서 이루어진것이라고 언급하였음.

3. 특히 동국장은 UAW 와 관련이 있는 현대 중공업, 대우조선, 대우 자동차의 구속

미주국 장관 차관 1차보 2차보 경제국 통상국 분석관 청와대
안기부 노동부

PAGE 1

91.07.24 06:40
외신 2과 통제관 DO

0183

노조간부에 대해 관심을 표명하고 노조의 SOLIDARITY 입장에서 UAW 로서는 가능한 조치를 취할수 밖에 없었음을 언급함. 노무관은 우리 구속 노조간부의 경우는 이스턴등 파업의 경우와는 달리 폭력 때문에 구속된자가 대부분임을 설명하였으며, 금후 UAW 간부의 계속적인 접촉으로 아국 노동권에 대한 이해를 증진 시킬 계획임.

(대사 현홍주-국장)

예고:91.12.31 까지

PAGE 2

0184

관리번호	91-1617

원 본

외 무 부

종 별 : 지 급

번 호 : USW-3679　　　　일 시 : 91 0723 1949

수 신 : 장 관(미일,통이,노동부,외교 안보, 경제수석)

발 신 : 주 미국 대사

제 목 : OPIC 의 대 의회 보고서

대 WUS-3369, 연 USW-3609

당관 장기호 참사관은 7.23 국무부 RICHARDSON 한국과장과 오찬 기회에 표제 보고서에 관하여 협의한바, 동 결과 요지 하기 보고함(서용현 서기관 배석)

1. 장 참사관은 OPIC 보고서가 89.4 당시 아국의 노동권 보호 상황과 현재의 보호 상황을 비교 한다고 하면서, 그간 여러 분야에 있어서의 아국의 노동권 개선 추세는 가볍게 평가하고 일부 과격 노동운동가들의 구속등 국부적인 사항만을 부각시키는등 균형된 입장을 취하지 않는데 대해 유감을 표시함.

2. 특히 동 보고서에서 한국내 노동 입법에 대한 거부권 행사를 문제 삼는것은 한국의 방위 산업체등 일부 기간산업에서 남북 대치라는 한국의 처한 특수 상황때문에 일부 노동권이 제약되는 경우가 있을수 있는바, 이러한 한국내의 특수 사정을 고려하지 않은 일방적인 평가를 내려서는 안될것이라고 강조함.

3. 이에 대해 RICHARDSON 과장은 국무부로서는 한국의 노동권 보호가 개선추세에 있는 상황에서 이러한 추세에 역행하는 OPIC 의 조치가 부적절하다고 생각하여 이에 반대하는 입장을 취했으나, OPIC 은 독립기관이며 동 결정도 기본적으로 OPIC 의 권한내 사항이기 때문에 이러한 결과가 나온것으로 안다고 말함.

4. 동인은 또한 OPIC 의 결정은 전반적인 미국정부의 정책과는 무관하며 더구나 이제 원조 수원국이 아닌 한국으로서는 OPIC 의 신규 사업 잠정 중단 조치에 대해 의연하게 대응함이 좋을것이라고 말함.

5. OPIC 의 F.M.ZEDER 사장이 동 보고서를 의회에 제출하면서 하원 국제 경제 및 무역 소위 SAM GEJDENSON 위원장에게 보낸 서한 사본을 별첨 송부함.

첨부 USW(F)-2930

(대사 현홍주-국장)

미주국　차관　2차보　경제국　통상국　청와대　청와대　안기부　노동부

PAGE 1　　　91.07.24　10:27

외신 2과　통제관 BS

0185

예고:91.12.31 까지

PAGE 2

0186

번호 : USW(F) - 2930
수신 : 장관 (미일, 통이, 노동부, 외교안보, 경제수석)
발신 : 주미 대사
제목 : 첨부 (2 매)

OVERSEAS PRIVATE INVESTMENT CORPORATION

WASHINGTON, D.C. 20527, U.S.A.

OFFICE OF THE PRESIDENT

July 19, 1991

The Honorable Sam Gejdenson
Chairman
Subcommittee on International
Economic Policy and Trade
Committee on Foreign Affairs
House of Representatives
Washington, D.C. 20515

Dear Mr. Chairman:

Under Section 231A of the Foreign Assistance Act of 1961, as amended, the Overseas Private Investment Corporation (OPIC) is prohibited from operating its programs in any country that is not "taking steps to adopt and to implement internationally recognized worker rights" as defined in section 503(a) of the Trade and Tariff Act of 1984 ("Trade Act"), as amended.

OPIC follows Presidential determinations made under section 503(b) of the Trade Act with respect to country eligibility for the Generalized System of Preferences (GSP) on worker rights grounds. For example, OPIC has accepted the determinations recently announced as a result of the GSP Annual Review and therefore will suspend new project development in the Sudan. In addition, OPIC programs remain suspended in China and will be resumed only in accordance with the terms of P.L. 101-246, and at that time OPIC will continue to monitor and make worker rights determinations regarding that country as required by OPIC's statute.

For other non-GSP countries, OPIC independently makes worker rights determinations, in consultation with the Departments of State and Labor, in response to formal petitions brought to OPIC at its annual public hearing.

Accordingly, the attached report reviews worker rights conditions in the Republic of Korea. Korea's worker rights practices were the subject of petitions for suspension of OPIC operations at OPIC's most recent public hearing on November 27, 1990. The report is based on oral and written testimony submitted at the public hearing, U.S. Government analysis of the allegations contained in the petitions, the State Department's <u>Country Reports on Human Rights Practices for 1990</u>, independent research by OPIC staff, and consultations with the Departments of State and Labor.

1615 M STREET, N.W. • WASHINGTON, D.C. 20527 • FAX (202) 331-4234 • (202) 457-7000

0187

The Honorable Sam Gejdenson
Page Two

OPIC last examined worker right conditions in Korea in 1989 when OPIC similarly was petitioned by labor and human rights organizations. At that time, important improvements to the country's labor laws were being proposed. On that basis, OPIC determined that Korea was taking steps to adopt and implement internationally recognized worker rights. Now, however, OPIC found that the labor laws proposed in 1989 had been passed but subsequently vetoed. Thus, while Korea has made progress in certain areas such as reducing the legal workweek and in fostering a dramatic increase in the number of unions and union members, there has not been progress with respect to the fundamental legal protections afforded workers, especially in the areas of collective bargaining and freedom of association. Therefore, OPIC is not able to conclude that the Republic of Korea is taking steps to adopt and implement internationally recognized worker rights. Under these circumstances, OPIC will refrain from doing new business in Korea until a contrary determination can be made.

OPIC recognizes the complexity of political and social conditions in Korea and looks forward to restoring its programs there when conditions permit. South Korea is an important part of OPIC's program to promote U.S. investment in the Asia/Pacific region, and we will support and respect positive change and improvement in worker rights conditions in Korea so that U.S. investors and OPIC once again can jointly contribute to economic growth and opportunity for workers and all the people of that country. This interruption of OPIC operations is consistent with both section 231A of OPIC's statute and our intention to work with the Republic of Korea Government to create the conditions necessary to resume doing new business in that country. Of course, OPIC will honor and enforce all of its existing contracts and obligations in South Korea.

The Administration believes that worker rights issues constitute an appropriate condition for the type of trade and investment assistance to developing countries that OPIC provides. We will continue to inform the Congress of our worker rights determinations for countries whose eligibility for OPIC programs is challenged on worker rights grounds.

Sincerely,

Fred M. Zeder
President and
Chief Executive Officer

Enclosure

cc: The Honorable Toby Roth
Ranking Minority Member
The Honorable Don J. Pease
The Honorable Ted Weiss

2930-2 End

0188

"노사관계 안정"

노 동 부

국제 32220- 10151 (504-7338) 1991. 7. 25.

수신 외무부장관

참조 미주국장, 국제기구조약국장

제목 한국 노사관계 홍보

1. 한국의 노동권 보호가 수년간 개선되었음에도 해외민간 투자재단 (OPIC)을 비롯한 외국의 민간단체에서 한국은 노동권 탄압국으로 지목하는 등 아국의 노동현실을 왜곡되게 인식하고 있는 바

2. 이에 아국의 노동 현실을 올바르게 이해시키기 위해서 별첨의 자료를 보내오니 주재네바 대표부 및 주미대사에게 송부하여, ILO, AFL-CIO, OPIC 등 관계기관을 방문 아국의 노동 현실을 정확하게 이해시켜 주시기 바랍니다.

첨부 한국의 노사관계 3부. 끝.

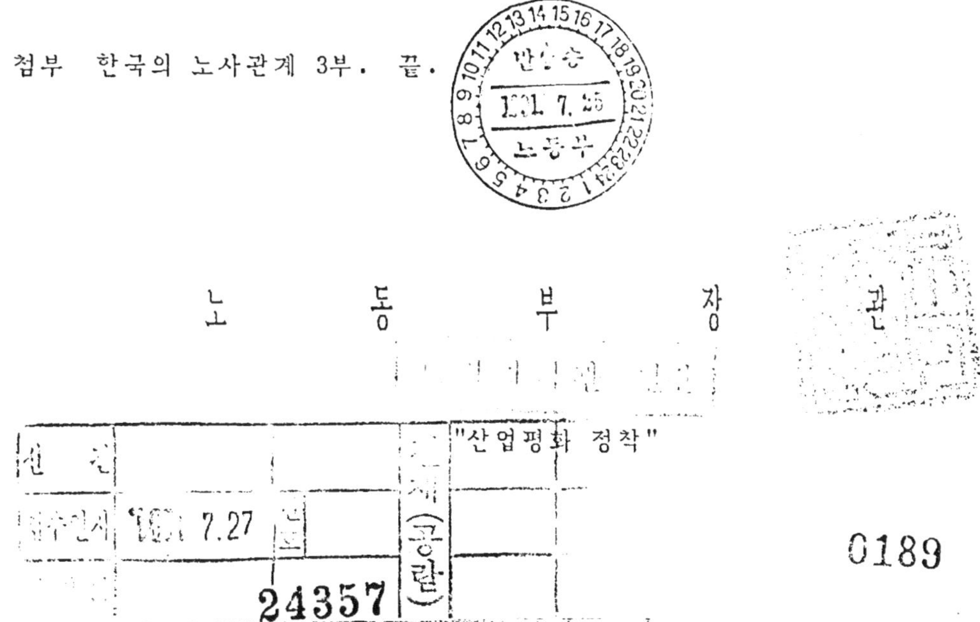

노 동 부 장 관

"산업평화 정착"

1991. 7.27

24357

0189

한국 노동 현실의 올바른 이해

'91. 7.

노 동 부

0190

대한민국은 지난 '87년의 6.29 민주화 선언이후 정치, 경제, 사회 전반에 걸친 민주화의 추진으로 국민의 기본권이 신장되고 계층간의 격차가 줄어들고 있으며, 노사 관계의 측면에서도 노동관계법의 개정 등에 따라 노동기본권이 크게 신장되고 단체교섭이 근로조건 결정의 주된 기능으로 정착되는 등 노동조합 활동이 활성화 되었습니다. 이 과정에서 많은 노사분규가 6.29 선언이후 89년말까지 폭발적으로 일어나는 등 시련을 겪었으나, 정부는 노사 자치주의에 입각한 교섭 관행을 지키는데 주력하여 왔고, 노사갈등이 노동관계법의 테두리내에서 합리적으로 해결되도록 유도하여 왔습니다. 그 결과 지난 90년부터 노사가 그간의 분규의 경험과 교훈을 바탕으로 과격한 노동운동을 자제하고 자율적 노사관계가 정착되면서 노사관계가 안정되기 시작하였고 금년에도 이러한 안정기조가 유지되고 있습니다.

이와같이 정부는 노사관계 안정을 위해 노동정책의 방향을 노사대등과 자율에 바탕을 둔 민주적, 협조적 노사관계의 정착, 고용안정, 근로자주택 마련 지원, 등 근로자 복지향상, 산업재해 및 직업병 예방을 위한 작업환경 개선, 근로시간 단축, 등 근로조건 향상에 두고 있습니다. 그 결과 단체교섭, 노사협의 등 집단적 노사관계가 안정되고, 노사분쟁 조정제도의 공정 신뢰성이 제고되어 노사갈등 요인이 법질서 내에서 수렴 해결되므로서 90년도에는 노사분규가 급격히 줄어들었습니다. 아울러 작업환경 개선에 의해 산업재해율이 급격히 감소되고 근로시간 단축과 실질임금 보장으로 인한 근로자의 생활이 안정되는 등 전반적인 근로자의 생활의 질이 향상되고 있습니다.

0191

또한 우리나라는 ILO 회원국은 아니지만 ILO 노동기준을 준수하기 위해서 부단히 노력하였습니다. 일반적으로 우리나라의 노동관계법 및 제도는 결코 선진국 보다도 뒤떨어지지 않고 있으며 ILO 회원국의 평균 수준을 상회하고 있습니다.

그럼에도 불구하고, ICFTU, AFL-CIO 등 외국의 일부 노동단체에서는 아국의 노동상황에 대해서 우리나라 법제도의 제정 배경이나 사회적 특수성 및 관행 등은 전혀 고려하지 않고 외적으로 나타난 사실만을 기초로 ① 법령이나 제도의 특정 내용을 노동조합권 침해로 보거나 ② 위법적 행위에 대한 정당한 법집행 과정마저 기본적 노동권을 저해하는 것으로 보고 있으며 ③ 그리고 일부 제한적 규정을 전면적 제한내지 금지 규정으로 왜곡오해하고 있는 것 같습니다.

기본적으로 우리나라는 헌법은 근로자의 자주적인 단결권, 단체교섭권 및 단체행동권을 보장하고 있으며, 이에따라 노동조합법은 근로자가 자유로이 노동조합을 조직하거나 이에 가입할 수 있도록 보장하고 또한 노동조합법 및 노동쟁의조정법에서 정당한 쟁의행위에 민.형사상의 면책 등을 인정하고 있습니다. 6.29 민주화 선언이후 '87년말 노동조합법 및 노동쟁의조정법 등 집단적 노동관계법을 개정하여 노동조합 설립 형태를 조합의 자율의사에 일임하고 행정관청에 의한 노동조합 해산 및 임원개선 명령권의 삭제 등으로 노조운영의 자율성을 보장하는 한편 적법절차에 의한 분쟁 해결 관행을 정착시키고 중립적 입장에서 신속.공정한 조정활동을 전개하고 있습니다.

0192

그 결과 노동조합 조직이 급격히 증가하여, 87년 6월 2725개의 노동조합에 1백 5만의 근로자가 참가하였으나 90. 12월 현재 7698개의 노조에 1백 90만의 근로자가 참여하는 등 노동조합운동이 활성화 되었습니다.

그리고 주요 논의의 대상이 되고있는 공무원의 노동권 및 일부 노조간부의 구속에 대해서 언급하면, 헌법에서 공무원인 경우에는 법률이 정하는 자에 한하여 단결권, 단체교섭권 및 단체행동권을 가지도록 규정하고 있습니다. 그러나 공무원은 헌법에 의해 국민전체에 책임을 지는 특수한 위치에 있으며 국민생존권을 보호하는 최후의 보루이기 때문에 제한적으로 단결권을 인정하고 있는데 공무원의 노동 3권 허용은 국가가 처한 여건이나 국가발전 정도에 따라 검토되어야 할 것입니다. 또한 헌법은 법률이 정하는 주요방위산업체에 종사하는 근로자의 단체행동권을 일부 제한하도록 하고 있는 이유는 대한민국의 특수한 안보현실에 따른 국방상의 이유와 더불어 개별 이익에 대한 전체이익의 보호에 그 목적이 있습니다.

그리고 일부 노조간부들이 구속된 것은 과격한 시위를 하거나 화염병을 투척하는 등 실정법 위반행위에 대한 정당한 법집행의 결과이며 더구나 대부분의 구속자들이 노동관계법이 아닌 일반 형사법 위반 등으로 구속되었음을 볼 때 이를 기본적 노동권을 탄압하기 위한 것이라고 하는 것은 이치에 맞지 않다고 하겠습니다. 일반적으로 세계 각국이 반국가 활동을 규제하는 법률을 가지고 있으며 우리나라의 국가보안법도 국가의 안전을 수호하고 국민의 생존과 자유를 확보하기 위해서 제정되었고 이를 위해 적용되고 있습니다. 그러므로 노조운동가들이라고 하여 자유민주주의체제를 전복하고자 하는 반국가 활동이

0193

허용될 수는 없는 것이며, 그와 같은 활동은 근로자들의 권익이나 복지문제와 전혀 관련이 없는 것이라고 하겠습니다. 따라서 일부 노조원들이 구속된 것도 이들이 대부분 불법적이고 폭력적인 방법으로 쟁의행위를 하거나 근로조건의 개선과는 관계없이 폭력혁명, 계급혁명을 선동하는 등 반국가 활동을 한 혐의로 명백히 실정법을 위반하여 구속된 것임에도 구속자들에 대한 구체적이고 명확한 범법사실을 밝히지 아니하고 단순히 노조활동으로 인해 구속된 것이라고 일부 외국 노동단체에서 주장하는 것은 현실을 왜곡, 오해한 때문이라 하겠습니다. 아울러 한가지 첨언할 것은 소위 전노협을 비롯 한 일부 급진 노동세력은 노동운동의 방향을 민자당 해체, 노동운동 탄압 규탄, 구속자 석방 등 근로조건과는 관계가 없는 방향으로 몰아가고 있으며 노사분규를 정치투쟁의 수단으로 삼으려는 경향이 강해 근로자들의 호응을 얻지 못하고 가입노조들도 계속 탈퇴하여 세력이 크게 약화되고 있다는 사실입니다.

이와같이 우리나라는 전반적으로 근로자의 단결권, 단체교섭권 및 단체행동권등을 광범위하게 보호하고 있음에도 불구하고 단지 우리나라의 특수한 사정에 따른 일부 제한 규정을 두고있는 것과 실정법 위반행위에 대한 정당한 법집행에 의해서 일부 근로자가 구속된 것을 왜곡하여 마치 노동조합의 권리를 전혀 인정하지 않는 노동권 탄압국으로 ICFTU, AFL-CIO 등 외국의 노동단체에서 왜곡하여 주장하고 있는데 대해서 매우 유감으로 생각하는 바입니다.

0194

한국 노동현실에 대한 왜곡된 시각에 대하여

1. 공무원, 공영기업, 방위산업관련 종사자의 단결권 금지 주장에 대하여

o 단결권은 헌법 제33조의 규정에 의거 사실상 노무에 종사하는 공무원(예, 철도, 체신의 현업공무원 등)은 단결권이 인정되고 있으며 그외에는 공무원의 특수한 상황을 고려하여 단결권을 제외하고 있는데 그 이유는

- 공무원은 헌법 제 7조에 따라 국민전체에 대한 봉사자로서 국민전체에 책임을 지는 특수한 위치에 있으며
- 공무원의 보수등 제반근로조건은 법률과 예산에 의하여 결정되고 있으므로 쟁의행위를 통하여 근로조건의 개선을 관철시킬 수는 없는 것임.
- 따라서, 공무원의 노동3권 허용여부는 국가가 처한 여건과 국가발전의 정도 등에 따라야 하는 것임.

o 그러나, 공영기업, 방위산업관련 종사자의 단결권은 어떠한 제한도 없이 폭넓게 보장되고 있음.

0195

2. 복수노조금지규정에 대하여

o 노동조합법 제3조 제5호에 의거 "노동조합의 조직이 기존 노동조합과 조직대상을 같이하거나 그 노동조합의 정상적 운영을 방해하는 것을 목적으로 하는 경우"에는 노동조합의 결격사유로 규정하고 있는데 이와같은 규정은 기존 노동조합을 보호하기 위한 것이므로 노동권을 침해하는 규정이라고 볼 수는 없음.

o 노동조합 조직의 조직대상 중복금지 규정은 노조내부의 조직분규를 예방하고 기업단위노조가 대부분인 우리나라의 현실에서 사용자에 의한 어용노조의 설립을 제한하기 위한 것임.

3. 노동조합의 정치활동금지규정에 대하여

o 노동조합은 정치적 목적으로 결성된 단체가 아니므로 노동조합이 공직선거에서 특정정당을 지지하거나 특정인을 당선시키기 위한 행위, 조합원으로부터 정치자금의 징수, 노조기금을 정치자금에 유용하는 행위를 금지하고 있음.

o 그러나 현행법하에서도 노동조합의 목적달성을 위한 정부·국회등에 대한 로비·청원등의 정치활동은 광범위하게 인정되고 있으며 조합원도 개인자격으로는 정당가입, 특정후보지지등의 정치활동에는 어떠한 제한도 없음.

0196

4. 노동법에 의하여 파업권을 제한한다는 주장에 대하여

o 우리나라 헌법에서는 단체행동권을 보장하고 노동조합법 및 노동쟁의조정법에서는 이의 구체적인 실현을 위한 규정을 두고 있음.
즉, 노동조합법 제2조에서는 정당한 쟁의행위에 대하여 형사상면책을 인정하고 있고 제39조제5호에서는 근로자가 정당한 단체행동에 참가한 것을 이유로 해고등 불이익을 주는 행위는 사용자의 부당노동행위로서 금지하고 있으며, 노동쟁의조정법 제8조에는 사용자는 쟁의행위로 인하여 손해를 받은 경우에 노동조합 또는 근로자에 대하여 배상을 청구할 수 없도록 규정하고 있고 제15조에는 사용자는 쟁의기간중 쟁의와 관계없는 자를 채용 또는 대체할 수 없도록 하여 정당한 쟁의행위를 적극적으로 보호하고 있음.

o 그러나 쟁의행위는 노사쌍방에 대한 경제적인 손실은 물론, 쟁의행위와 직접적인 관계가 없는 제 3자인 일반국민의 일상생활에 직.간접으로 중대한 영향을 미치게 되고, 나아가서는 국민경제에 영향을 주게 되므로 쟁의행위가 국가.사회에 미치는 부정적 효과를 최소화하기 위하여 그 구체적인 행사에 대하여 노동쟁의조정법에서 최소한의 규제를 하고 있음.

0197

5. 특히 강제중재제도에 의하여 파업권을 제한한다는 주장에 대하여

o 국민경제나 국민의 일상생활과 밀접한 관계를 갖고 있는 사업체의 노사분쟁을 전적으로 쟁의행위에 의존케한다면 노사당사자는 물론 일반국민에게도 여러가지 손실과 불편을 주게 되고 때로는 국민경제와 공공의 이익을 위협하는 결과를 가져오게 됨.

o 노동쟁의조정법상의 직권중재는 공익사업에 있어서 분쟁당사자의 신청이 없더라도 노동위원회가 그 직권 또는 행정관청의 요구에 의하여 중재에 회부한다는 결정을 한 때 개시되고 중재에 회부되면 그날로부터 15일간 쟁의행위 금지의 법률적 효과가 발생하는 조정수단으로서 공공성이 강조되어야 할 사업체의 쟁의행위가 노사자치의 한계를 넘어 남용될 경우에 대비한 제도적 장치이므로 헌법상의 노동3권 보장취지에 배치되지 아니함.

o 더구나 노동쟁의조정법상의 직권중재 제도는 1986.12.31에는 정부투자기관이 행하는 사업 및 국가가 출연하는 연구사업등을, '87.11.28일에는 석탄광업·산업용연료사업 및 증권거래사업을 공익사업에서 제외하는 등 2차례의 법개정을 통하여 직권중재 대상사업을 대폭 감소한 바 있음.

o 직권중재제도의 위헌여부에 대하여는 1989.3.16 발생하였던 서울지하철 공사 파업과 관련하여 대법원에 위헌심판이 제소되었으나 대법원은 공익사업근로자들의 쟁의행위는 함부로 할 수 없는 내재적 제약이 있으며 공공복리를 위해 제한이 필요하다는 전제하에 노동쟁의조정법 제31조(직권중재포함)는 이러한

0198

내재적 제약을 입법화한 것이고, 노동3권의 본질적 내용을 침해하는 것으로 볼 수 없으므로 위헌이 아니라고 결정한 바 있음(대법원 1990.5.15, 90카 33호 결정)

6. 제3자개입금지는 부당하다는 주장에 대하여

o 헌법 제33조제1항에 의한 노동3권 보장의 근본정신은 근로자의 자주적인 단결체인 노동조합 운영의 대외적 자주성과 대내적 민주성의 실현으로 『집단적 자치』에 의하여 근로관계를 형성, 결정하는데 있음.

o 이것은 근로관계는 노사당사자의 『집단적 자치』 에 의한 결정이 가장 타당하다고 하는 확신을 전제로 하고 있으며 당사자 자치주의의 구현을 위해 일방당사자인 노동조합은 근로자의 자유의사에 의하여 설립되고 운영되어야 하며 단체교섭, 쟁의행위와 관련하여 제3자의 간섭이나 개입을 배제할 것이 요청됨.

o 이와같이 외부세력의 간섭과 개입으로부터의 자유가 보장됨으로써만이 비로소 조합의 자주성과 민주성이 확보될 수 있고 당사자 자치주의의 구현이 가능하므로 결국 제3자 개입금지는 자주단체로서 노동조합의 본질성 침해를 방지하기 위한 제도적 장치 일뿐만 아니라 이를 바탕으로 당사자 자치주의의 실현을 위한 현행 노동관계의 지주로서의 역할을 수행하고 있음.

0199

ㅇ 이러한 이론적 근거를 토대로 노동쟁의조정법 제13조의2는 '80.12.31노동쟁의조정법 개정시에 당사자 이외의 제3자가 쟁의행위에 관하여 조종, 선동, 개입하는 것은 분쟁의 확산과 장기화를 초래할 뿐이라는 우리나라의 특수한 경험을 토대로 성문화된 것임.

ㅇ 그러나 변호사, 공인노무사등이 개입의사없이 법령에 의하여 부여된 권한의 범위내에서 노사당사자의 요청에 따라 단순한 자문에 응하는 행위는 현행법의 해석으로도 제3자개입 행위에 해당하지 아니함.

ㅇ 제3자 개입금지 조항은 '90.1.15일 헌법재판소에 의하여 합헌이라는 결정이 있었음.

0200

7. 임금가이드라인을 통하여 노동통제를 강화한다는 주장에 대하여

ㅇ 대부분의 나라에서 경제안정을 위해서 임금인상에 대해서 행정지도를 하고 있듯이 우리나라도 임금인상에 대해서 행정지도를 하고 있으나 노사간 자율교섭을 최대한 보장하고 있음.

ㅇ 이러한 노사자율 교섭결과 지난 '89년 하반기 이후 고율임금 상승추세가 지속됨으로써 '91. 1/4분기까지 임금은 671천원으로 86년의 351천원에 비해 91.2% 상승한 것으로 나타났음.

ㅇ 따라서 임금가이드라인을 통하여 노동통제를 강화한다는 주장은 설득력이 없는 주장이라 하지 않을 수 없음.

명목임금 수준 및 상승율 (전산업)

구 분	'86	'87	'88	'89	'90	'91.1/4
임금액 (천원)	351	387	446	541	642	671
인상율 (%)	-	10.1	15.5	21.1	18.8	15.8

0201

8. 교원노조 활동에 대하여

ㅇ 헌법 제 33조에서 근로자의 노동 3권을 보장하고 있으나 동시에 공무원인 근로자에 대하여는 법률이 정하는 자에 한해서만 노동 3권을 보장하고 있음. 이러한 헌법 유보조항에 의거 국가공무원법 제 66조, 사립학교법 제 55조는 교원의 노동운동을 금지하고 있음.

ㅇ 이러한 실정법의 명백한 규정에도 불구, 교원노조 결성을 주도한 교사들은 법개정을 위한 노력은 하지 않고 집단적인 행동으로 법을 위반하여 '89.5.28자 전국교직원 노동조합을 결성하였던 것임.

ㅇ 법을 집행하는 정부로서는 마땅히 이러한 위법행위에 대하여 엄정조치 하여야 하였으나 교원의 신분보장과 관련, 노조활동을 중지할 것을 인내를 갖고 설득하였던 것이며 끝까지 실정법에 금지된 노조활동을 고집하는 교원은 징계 해직시킬 수 밖에 없었음.

ㅇ 한국에서의 교원노조활동은 노조활동의 근본목적에서 벗어나고 있음.
즉 교원의 처우개선이나 근무환경 개선보다는 교육에 대한 국가의 통치권을 부정하고 교사 마음대로 교육체제, 이념, 내용, 방법을 정하겠다는 것이었음.

- 또한 교육개혁 차원을 벗어나 정치.이념투쟁에 몰두하고 있음
- 이러한 노조활동의 근본목적에서 일탈한 교원노조활동은 결과적으로 학생의 학습권을 침해할 우려가 농후하고, 학생교육에 바람직하지 못한 영향을 주어 왔음.

0202

INDUSTRIAL RELATIONS IN KOREA

1991. 7.

MINISTRY OF LABOR

0203

The overall democratization of politics, economy and society which has occured since the June 29, 1987 Declaration has expanded fundamental human rights and reduced class distinctions in Korea. With regard to industrial relations, the amendment of labor laws increased the basic rights of the worker and has allowed labor unions to flourish. Collective bargaining now plays a central role in determining working conditions and has resulted in an unprecedented number of labor disputes ; many labor disputes occured from the time of the Declaration until the end of 1989. The government has concentrated its efforts on maintaining the self-governing principle in the bargaining process, and on monitoring conflicts between labor and management to insure they be solved within the boundaries of current labor laws. Based on the lessons learned from the experience of these conflicts, the radical labor movement has consequently been restrained, and since 1990, autonomous and stable industrial relations have prevailed. The same underlying tone is present this year.

In order to stabilize industrial relations, the Korean government has focused on a democratic and cooperative labor policy vis-a-vis industrial relations, based on such issues as : equality between labor and management ; autonomy ; the

0204

improvement of workers' welfare, including employment security and housing ; and the improvement of working conditions by making the environment safer, and by reducing working hours.

As a result of the governments' vigilance, collective industrial relations have stabilized through the use of collective bargaining and joint consultation 2etween labor and management. Industrial conflicts can now be resolved according to a fair and reliable conflict resolution system ; the number of labor disputes decreased to a dramatically low in 1990. As well, an improvement in the work environment, a reduction of working hours, and the guarantee of real wages, has stabilized and improved the overall life of the worker.

Our country has made a continual effort to meet the labor standards set by the ILO, even though Korea is not a member. The labor laws and institutions of Korea exceed the average of member nations and do not fall too far behind that of the advanced nations.

Never the less, a few foreign labor organizations such as ICFTU and AFL-CIO, seem to foster some misunderstandings based only on external facts, without regard for the background of labor law legislation, as well as for social peculiarities and practices. These misunderstandings include : 1) Particular parts of the

0205

labor law and institution which they feel infringe on the right of the labor union, 2) the legitimate enforcement of laws against illegal acts being an impediment to fundamental labor rights, and 3) a distorted view that a few restrictive regulations mean overall restrictions and prohibitions.

Basically our Constitution guarantees workers' autonomous organization, collective bargaining, and collective action rights. Accordingly, the Labor Union Law guarantees the right of workers to organize and enter labor unions freely, and the Labor Dispute Adjustment Law admits exemption from civil and criminal responsibility for legitimate acts of labor dispute. At the end of 1987, after the June 29 Declaration, collective labor laws, such as the Labor Union, and Labor Dispute Adjustment Laws, were amended so that labor unions were allowed to determine their own organizational form and guaranteed management autonomy by deleting the dissolution and board reelection orders from the administrative office, As well, conflict resolution practices are settled through the due process of the law, and the government, taking a neutral position, rapidly and fairly adjusts activities. Consequently, organized labor has increased rapidly and the labor movement has become an active one. Labor unions and members have increased from 2,725 and 1,050,000 in June 1987 to 7,698 and 1,900,000 in December 1990, respectively.

0206

Civil servants now have organization, collective bargaining, and collective action rights which are, according to the Constitution, as far as the law allows. However, according to of the Constitution, civil servants with positions affecting national security and emergency services are only allowed limited rights of organization. The three primary rights of labor should be given special consideration in regard to civil servants because of the nation's level of development. Korea faces a special defense situation and for this reason the Constitution partly limits the collective act right of workers in establishments involved in the primary defense industry in order to ensure the interests of the whole are put before the interests of the individual.

Legitimate law enforcement with regard to such illegal acts as militant demonstrations and the throwing of Molotov cocktails does result in the arrest of some union leaders. Moreover, most of them are arrested not for the violation of labor law but for criminal law violations. It is, therefore, unreasonable to regard these arrests as a suppression of fundamental labor rights. Generally speaking, every nation has laws to regulate antinational activities and Korea is no exception ; we have the National Security Law which protects the security of the nation and ensures national freedom and survival. No citizen, including the union leader, is allowed to participate in antinational activities to overthrow

0207

democracy ; such activities have no relation to workers' interests or welfare. For the same reason, some union members are also arrested for their involvement in illegal or violent dispute activities and for antinational activities such as agitating a violent or class revolution. Never the less, some foreign labor organizations argue that many arrests are simply due to labor union activity and that the arrestees' transgressions are not clearly or concretely clarified. This is unfortunately, a distorted misunderstanding. Beyond this, some radical labor unions, such as Chonnohyop are even pushing for the dissolution of the Democratic Liberty Party for suppressing the labor movement and also what the release of all arrestees. These demands have nothing to do with working conditions and everything to do with using labor disputes as a political weapon. However, these radical groups do not have the support of the workers and are becoming weak because of a continual withdrawal of member unions.

Again, it is then regrettable that foreign labor organizations such as the ICFTU and the AFL-CIO put forth the distorted argument that Korea allows no labor union rights only because of a few restrictive regulations particular to our situation, and because of the legitimate arrest of workers who commit illegal acts. The fact is that our country extensively guarantees three primary labor rights.

0208

" 노사관계 안정 "

노 동 부

국제 32220-10823 (504-7338) 1991. 7. 26.

수신 외무부장관

참조 미주국장

제목 사무금융노련 위원장 사전 구속영장 발부 관련 자료 송부

1. USW-3631 (91.7.19), 미일 0160-1806 (91.7.22) 관련입니다.

2. 관련호로 미국 AFL-CIO 회장의 항의 서한에 대하여 첨부와 같이 사무금융노련 위원장 최재호의 선거법 위반 경위와 노동조합 정치활동 금지에 대한 견해를 송부하오니 적의 조치하여 주시기 바랍니다.

첨부 1. 전국사무금융노련 위원장 최재호 선거법 위반 수사 경위 사본 1부.

2. 노동조합의 정치활동 금지에 대한 견해 사본 1부. 끝.

노 동 부 장 관

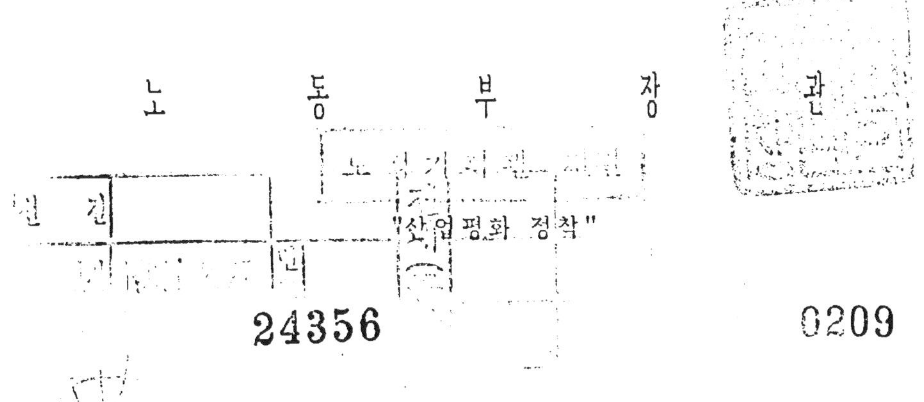

전국사무금융노련 위원장 최재호 선거법 위반 수사 경위

o 개 요

서울시 선거관리위원회는 전국사무금융노련 위원장 최재호 (39세) 를 지방의회의원 선거법 위반 혐의로 고발한 바 서울지검 동부지청에서는 동인에 대한 사전 구속영장을 발부받아 지명수배중

o 범죄사실

91. 6. 최재호는 전국사무금융노조연맹 중앙위에서 "민자당 후보는 찍지 맙시다, 단일화된 야권후보를 찍읍시다" 등의 "광역의회 선거에 임하는 조합원 활동지침" 을 작성, 전국 업종노조 비상대책회의 참석자 400여명에게 배부함과 동시에 사무금융노련 발행 신문에도 게재하는 등 지방의회의원선거법을 위반하였음

o 구속영장 발부 사유

- 현행 지방의회의원선거법 (제 40, 41조, 57조, 180, 181조) 은 선거운동의 과열을 방지하기 위해 선거운동에 참여할 수 있는 자격 제한, 불법인쇄물 제작.배포 금지등을 규정하면서 이를 위반한 경우에 대한 벌칙조항을 두고 있으나

- 상기 최재호는 이러한 자격이 없이 불법인쇄물을 제작.배포하는 등 특정 정당을 반대하는 선거운동을 한 혐의로 구속영장이 발부되었음

0210

※ 지방의회의원선거법 관련 조항

제 40조 (선거운동의 한계) 선거운동은 이 법에 규정된 방법이외의 방법으로는 이를 할 수 없다.

제 41조 (선거운동을 할 수 없는 자) ① 정당 (시.도의회의원선거에 한 한다). 후보자.선거사무장.선거연락소의 책임자 또는 선거사무원이 아닌 자는 선거운동을 할 수 없다.

제 57조 (시설물 설치등의 금지) 누구든지 선거운동기간중 선거에 영향을 미치게 하기 위하여 이 법의 규정에 의한 경우를 제외하고는 어떠한 방법으로라도 현수막. 입간판.광고탑.광고판 기타의 시설을 설치.게시하거나 표찰등 착용물을 착용 또는 인쇄물을 인쇄.배포할 수 없다.

제 180조 (사전운동 등 부정운동죄) ① 다른 각호의 1에 해당하는 자는 3년이하의 징역이나 금고 또는 300만원 이하의 벌금에 처한다.

1. 제 39조.제 40조.제 41조 제 1항.제42조.제44조 또는 제 45조 제 1항.제2항 및 제 4항의 규정에 위반하여 선거운동을 한 자

제 181조 (각종제한규정위반죄) 다음 각호의 1에 해당하는 자는 2년이하의 징역이나 금고 또는 200만원 이하의 벌금에 처한다.

2. 제 41조 제 2항 및 제 3항.제 56조 내지 제 62조.제 67조 제 1항.제 68조. 제 74조.제 75조.제 110조 제 1항 또는 제 120조 제 1항의 규정에 위반한 자

0211

노동조합의 정치활동 금지에 대한 견해

ㅇ 노동조합법 제 12조에서 금지하고 있는 노조의 정치활동은

- 노동조합이 단체로서 공직선거에 있어서 특정정당을 지지하거나 특정인을 당선시키기 위한 행위, 조합원으로부터 정치자금을 징수하는 행위, 노동조합 기금을 정치자금으로 유용하는 행위임.

ㅇ 노동조합의 조합원이 개인자격으로 정당에 가입하거나 특정후보를 지지하는 등의 모든 정치활동은 아무런 제한을 받지 않을 뿐아니라

- 현행법하에서도 노조의 목적달성을 위한 정부, 국회 및 정당에 대한 각종 정책건의나 청원 기타 노조의 정치적 기능은 광범위하게 인정되고 있음.

ㅇ 그 예로 91. 3. 지방의회선거에서 53명의 노조간부가 출마하여 20명이 당선하였으며, 91. 6. 광역의회선거에서는 47명의 노조간부가 출마하여 1명이 당선된 바 있음.

ㅇ 노동조합의 정치활동을 무제한적으로 인정하는 것은 노동조합이 근로자의 근로조건 개선 기타 권익보호라는 기본목적 활동보다 구성원의 정치적 견해차이에 의한 노조의 조직분열이 빈발하는등 사업장이 정치장화 하여 산업사회 안정을 혼란시킬 우려가 크다고 봄.

0212

○ 따라서 노동조합법 이외에도 정당법 대통령선거법, 국회의원선거법, 지방의회 의원선거법, 정치자금에 관한 법률등에서도 노동단체의 정치활동이나 정치자금의 기부등을 제한하고 있음.

○ 주요 선진국의 예를 살펴보면

- 미국의 경우에도 노동조합비의 정치자금에의 사용이 금지되고 있고,
- 일본의 경우에는 주로 정치활동을 목적으로 하는 노동조합은 노동조합으로 인정되지 않고 있으며,
- 유럽제국에서도 근로계층의 정치활동은 별도의 정당을 통하여 이루어 지거나, 정당정책을 지지하는 선에서 이루어지고 있음.

○ 따라서, 노동조합의 정치활동은 노동조합 운영의 자주성 확립등 경제·사회적 여건 및 선거관계 법률과의 관계를 고려하여 신중히 검토해야될 문제이나 현행 노동조합의 정치활동 금지 조항에 대한 노동법 개정은 고려하지 않고 있음

0213

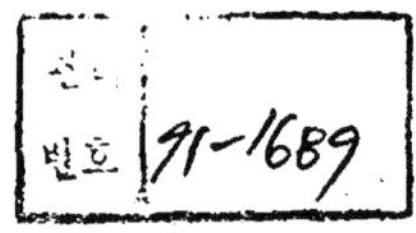

법 무 부

검삼 0160- 145 (503-7055) 1991. 7. 25.

수신 외무부 장관

참조 북미일과장

제목 사무 금융노련 위원장 사전구속영장 발부관련 자료 송부

미일 0160-1806호 ('91.7.22)로 요청한 전국 사무금융노련 위원장 최재호 사전구속영장 관련자료와 노동조합법 제12조에 대한 입장을 별첨과 같이 송부합니다.

첨부 : 1. 최재호 사전구속영장 관련자료 1부

2. 노동조합법 제12조에 대한 입장 1부. 끝.

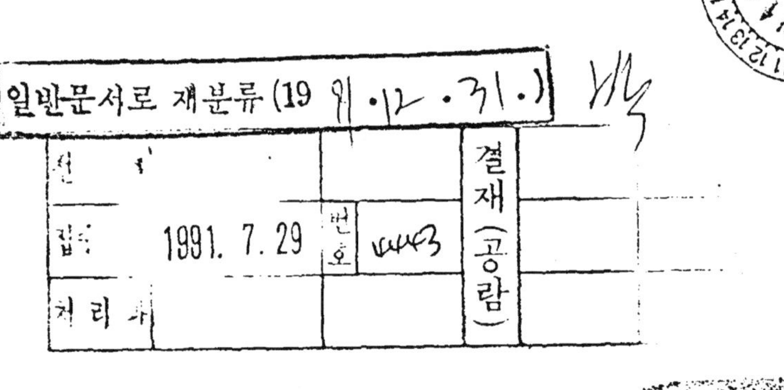

법 무 부 장 관

0214

1. 최재호 사전구속영장 관련자료

o 

o 범죄사실요지

- '91.6.3. 전국 사무금융노련 중앙위에서 "민자당후보는 찍지 맙시다", "단일화된 야권후보를 찍읍시다"는등의 지침을 의결 채택한후 6.4. 경희대에서 열린 전국업종노조 전국비상대회에서 위 내용의 유인물을 400여명에게 배포하고 6.7. 위 연맹신문에 위 내용을 게재하여 35,000부를 조합원에게 배포하는등 불법선거운동 및 불법인쇄물 제작, 배포

o 적용법률

- 지방의회의원선거법 제180조제1항제1호, 제41조제1항

. 정당, 후보자,선거사무장, 선거연락소의 책임자 또는 선거사무원이 아닌자는 선거운동을 할수없다 (제41조제1항)

6-1 0215

. 위 규정에 위반하여 선거운동을 한자는 3년이하의 징역이나 금고 또는 300만원이하 벌금에 처한다(제180조 제1항제1호)

- 동법 제180조제2호, 제57조

. 누구든지 선거운동기간중 선거에 영향을 미치게 하기위하여 이법의 규정에 의한 경우를 제외하고는 어떠한 방법으로라도 현수막, 입간판, 광고탑, 광고판 기타의 시설을 설치, 게시하거나 표찰등 착용물을 착용 또는 인쇄물을 제작.배포할 수 없다. (제57조)

. 위 규정에 위반한자는 2년이하의 징역이나 금고 또는 200만원이하의 벌금에 처한다 (제181조제2호)

o 처리상황

- '91.6.15. 사전구속영장 발부받아 수배중

6-2

0216

2. 노동조합법 제12조에 대한 입장

o 노동조합은 근로자의 근로조건의 향상을 위하여 헌법상 보장되고 있는 근로자의 단결권에 근거를 두고 있는 제도이므로 그 주목적이 근로자의 생활향상을 위한 경제적활동인 것이며 결코 정치적 활동을 그 본래의 목적으로 하는 단체가 아님

o 만약 노동조합에 전면적인 정치활동을 보장하게 된다면 결국 노동조합제도의 존재근거가 되는 근로자의 단결권의 의미 내용을 그 기본권 본래의 취지를 넘어 확장하여 동 기본권의 보장영역을 확산시켜 버리는 결과가 될 것이므로 논리적으로 타당하지 못하며 그 인정영역은 근로자이기 때문에 가지는 특수한 계기에 한계 지워져야 마땅하므로 결국 노동조합의 정치적 활동은 전면적으로 인정될 수는 없음

o 또 현실적으로도 노동조합의 정치활동의 허용은 결국 사업장을 정치활동의 무대로 바꾸어 근로자의 권익보호라는 기본목적에서 벗어나 노동조합간부의 정치적 활동의 도구가 되고 그 결과로

조합원간의 정치적 분규에 휩싸이게 될 것이 충분히 예상되고 이러한 사태는 국가산업경제에 막대한 영향을 주게될 뿐아니라 근로자 자신의 경제적 지위향상에도 역행하게 될 우려가 큼

- 또한 노동조합으로 부터의 정치자금 징수, 기금의 유용등을 통하여 노동조합재정이 부실해지고, 정당의 노동조합에 대한 간섭이 강화되어 노동조합의 본래목적이 퇴색되게 될 가능성이 큼

- 실제로 일본에서는 1950년대에 노동조합의 정치관여로 인한 조합의 분열현상이 나타나 근로자의 권익보호에 역행하는 결과가 초래된 사례가 있었고, 미국의 태프트하트리법(Taft-Hartley)도 노동조합의 기금을 정치적 목적을 위하여 사용할 수 없다고 규정하여 그 정치활동을 규제하고 있음

- 노동조합법 제12조는 노동조합의 정치활동을 전면적으로 금지하고 있는 조항은 결코 아님. 동 규정은 "공직선거에서의 특정정당지지 또는 특정인의 당선을 위한 행위, 정치자금징수, 조합비의 정치자금화"라는 세가지 형태의 정치활동만 금지하고 있음

6-4 0218

o 위와 같은 행위들은 적극적이고 본격적인 정치활동유형으로서 이를 용인하면 노동조합의 본질적 목적에서 일탈하여 노동조합의 사조직화, 정치정당화를 초래하고 조합자금유출을 통하여 조합원들의 공동의 경제적이익을 해할 뿐 아니라 과다한 정치활동으로 극심한 사회, 경제적 피해를 초래할 것이라는 점에서 이러한 행위유형들을 특히 금지하고 있을 따름임

o 그러나 근로자의 경제적 지위향상이라는 목적을 실현하기 위한 부수적 방법으로서의 정치활동을 결코 부인하고 있는 것이 아니며 위 세가지 형태의 정치활동을 제외한 나머지 정치활동, 예컨대 국회청원, 대국회, 정당로비, 기타 각종 집회행위등은 얼마든지 노동조합이 이를 수행할 수 있음

o 결론적으로 일반결사와는 달리 근로자의 근로조건의 유지.개선을 위하여 인정되는 특수한 결사인 노동조합에게는 그 설립목적에 비추어 정치적자유에 일정한 제한을 가하는 것이 가능하고 적정한 조치일 뿐아니라 여건 규정의 경우 최소한의 정치활동의 유형을 정하여 동 행위만 규제하고 나머지 정치활동에 대하여는 허용하는

6-5 0219

태도를 취하고 있으며, 동 규정으로 금지된 정치활동을 하고자 하는 조합원은 개별적으로 혹은 정당결성을 통한 단체적 방법으로 얼마든지 이를 실현할 수 있는 점을 감안할때 여건 기본권의 제한은 정당한 것임

6-6

0220

관리 번호	91-1680

	분류번호	보존기간

발 신 전 보

WUS-3445 910729 1437 FN

번 호 : 종별 :

수 신 : 주 미 대사. 총영사

발 신 : 장 관 (미일)

제 목 : 한국 노동권 보호관련 홍보자료

연 : WUS-3369, WUS(F)-0521

대 : USW-3429, 3431, 3510

1. 대호 최근 한국의 노동권 보호개선과 관련한 노동부작성 홍보자료를 연호 송부하오니, OPIC, AFL-CIO, Asia Watch등에 적절히 활용하고 결과 보고 바람.

2. 대호 OPIC 관계자 방한문제와 관련, 노동부등 관계부처는 미국내 개별 단체가 제기한 사안에 대해 한국정부가 직접 관여, 능동적으로 초청하는 것은 바람직스럽지 않다는 견해를 표명해 왔는 바 참고 바람. 끝.

(미주국장 반기문)

예 고 : 91.12.31. 일반

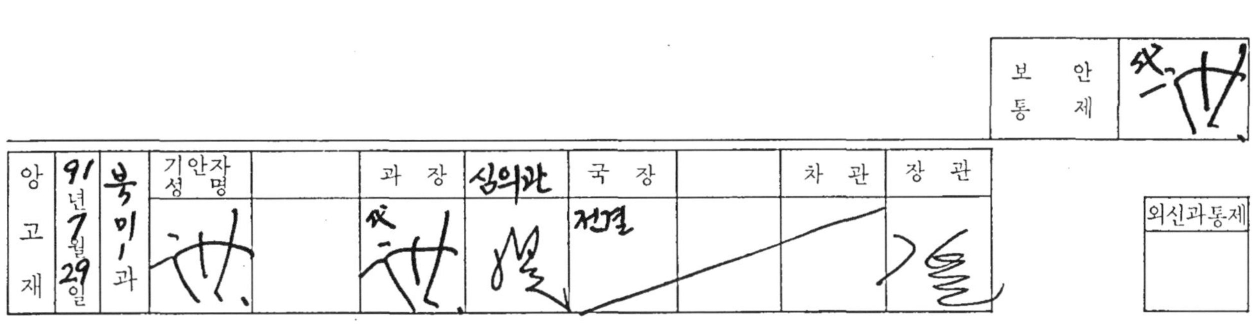

보안 통제	

앙고재	91년 7월 29일	북미1과	기안자 성명		과 장	심의관	국 장		차 관	장 관
							전결			

외신과통제

0221

관리번호	91-1679

	분류번호	보존기간

발 신 전 보

번 호 : WUS-3446 910729 1438 FN 종별 :

수 신 : 주 미 대사. 총영사

발 신 : 장 관 (미일)

제 목 : 사무금융노련 (위원장) 사전 구속영장 발부

대 : USW-3631

연 : WUS(F)-0519

1. 대호 최재호는 지난달 지방의회 선거시 민자당 후보 낙선운동을 주도 서울시 선관위에 의해 지방의회 의원 선거법 위반혐의로 고발되어 서울지검 동부 지청에 의해 사전 구속영장이 발부되어 현재 지명수배중인자임.

2. 대호 관련 AFL/CIO대응을 위한 노동부 작성자료를 연호송부한 바, 귀직명의 서한등을 통해 적절히 활용하고 결과 보고 바람. 끝.

(미주국장 반기문)

예 고 : 91.12.31. 일반

보안통제	

앙고재	91년 7월 29일	북미1과	기안자 성명		과 장	심의관	국 장		차 관	장 관
							전결			

외신과통제

0222

관리 번호	91-1683

원 본

외 무 부

종 별 : 지 급

번 호 : USW-3766 일 시 : 91 0729 1738

수 신 : 장관(미일)

발 신 : 주 미 대사

제 목 : 인권관계 서한

RONALD DELLUMS(민주, 캘리포니아)하원 의원은 서준식이 6.29. 명동성당 농성후 검거 되었고 7.10. 부터 단식에 들어 갔다고 언급하면서 동인의 체포경위 및 건강등에 관해 관심을 표명하여 왔으니 동인의 범죄사실 및 건강상황등 답신에 필요한 사항 회시 바람

(대사 현홍주- 국장)

91.12.31. 까지

일반문서로 재분류 (1991 . 12. 31.)

미주국

PAGE 1

91.07.30 07:49

외신 2과 통제관 FM

0223

외교문서 비밀해제: 한국 인권문제 12
한국 인권문제 미국 반응 및 동향 4

초판인쇄 2024년 03월 15일
초판발행 2024년 03월 15일

지은이 한국학술정보(주)
펴낸이 채종준
펴낸곳 한국학술정보(주)
주 소 경기도 파주시 회동길 230(문발동)
전 화 031-908-3181(대표)
팩 스 031-908-3189
홈페이지 http://ebook.kstudy.com
E-mail 출판사업부 publish@kstudy.com
등 록 제일산-115호(2000. 6. 19)

ISBN 979-11-7217-066-0 94340
979-11-7217-054-7 94340 (set)